「十三五」国家重点出版物出版规划项目

国家出版基金项目
NATIONAL PUBLICATION FOUNDATION

中国中药资源大典

广东卷

黄璐琦 / 总主编

童毅华　夏念和 / 主　编

北京科学技术出版社

图书在版编目（CIP）数据

中国中药资源大典 . 广东卷 . 12 / 童毅华，夏念和主编 . -- 北京 : 北京科学技术出版社，2024. 6.

ISBN 978-7-5714-4014-5

Ⅰ . R281.4

中国国家版本馆 CIP 数据核字第 2024VQ0737 号

责任编辑：	侍 伟 李兆弟 王治华 庞璐璐 吕 慧
责任校对：	贾 荣
图文制作：	樊润琴
责任印制：	李 茗
出 版 人：	曾庆宇
出版发行：	北京科学技术出版社
社 址：	北京西直门南大街16号
邮政编码：	100035
电 话：	0086-10-66135495（总编室） 0086-10-66113227（发行部）
网 址：	www.bkydw.cn
印 刷：	北京博海升彩色印刷有限公司
开 本：	889 mm×1 194 mm 1/16
字 数：	1 076千字
印 张：	48.5
版 次：	2024年6月第1版
印 次：	2024年6月第1次印刷
审 图 号：	GS京（2023）1758号

ISBN 978-7-5714-4014-5

定 价：490.00元

《中国中药资源大典·广东卷》

总编写委员会

总 主 编 黄璐琦（中国中医科学院）

主　　编 潘超美（广州中医药大学）

叶华谷（中国科学院华南植物园）

廖文波（中山大学）

夏念和（中国科学院华南植物园）

晁　志（南方医科大学）

黄海波（广州中医药大学）

严寒静（广东药科大学）

童毅华（中国科学院华南植物园）

童　毅（广州中医药大学）

赵万义（中山大学）

凡　强（中山大学）

编　　委（按姓氏笔画排序）

凡　强（中山大学）

王亚荣（中山大学）

王英强（华南师范大学）

邓旺秋（广东省科学院微生物研究所）

叶华谷（中国科学院华南植物园）

叶幸儿（广东药科大学）

付　琳（中国科学院华南植物园）

白　琳（中国科学院华南植物园）

刘基柱（广东药科大学）

严寒静（广东药科大学）

李泰辉 （广东省科学院微生物研究所）

肖凤霞 （广州中医药大学）

何春梅 （广东省林业科学研究院）

张宏伟 （南方医科大学）

陈　娟 （中国科学院华南植物园）

陈秋梅 （广州中医药大学）

林哲丽 （韶关学院）

赵万义 （中山大学）

秦新生 （华南农业大学）

夏　静 （广州白云山和记黄埔中药有限公司）

夏念和 （中国科学院华南植物园）

晁　志 （南方医科大学）

黄海波 （广州中医药大学）

梅全喜 （深圳市宝安区中医院）

彭泽通 （广州中医药大学）

童　毅 （广州中医药大学）

童家赟 （广州中医药大学）

童毅华 （中国科学院华南植物园）

曾飞燕 （中国科学院华南植物园）

楼步青 （广东省中医院）

廖文波 （中山大学）

潘超美 （广州中医药大学）

《中国中药资源大典·广东卷 12》
编写委员会

主　　编　童毅华　夏念和

副 主 编　肖凤霞　陈　娟　白　琳　叶幸儿

编　　委　（按姓氏笔画排序）

王晓云　王雪华　方家祺　邓　韬　邓少东　邓超明　甘思彤　叶幸儿

叶育石　白　琳　朱鑫鑫　严佳威　杨靖宇　肖凤霞　肖毕凡　邱相东

何春梅　张晓营　张智娴　陈　娟　陈光映　金佳怡　周欣欣　胡海燕

钟嘉锐　钮峥洋　袁旭江　夏念和　倪静波　高泽林　黄小龙　黄凤萍

黄钰玲　童毅华　曾云保　曾佑派　曾琳雅　蔡卓谕

黄 序

中药资源是中医药事业传承和发展的物质基础，是关系国计民生的战略性资源。为促进中药资源保护、开发和合理利用，国家中医药管理局组织开展了第四次全国中药资源普查。广东省得天独厚的地理环境，孕育了丰富多样、具有岭南特色的中药资源。《中国中药资源大典·广东卷》对广东省中药资源现状的总结，也是广东省中药资源普查成果的集中体现。

本书分上、中、下篇，上篇介绍了广东省中药资源概况、中药资源普查工作及中药资源产业现状等，中篇介绍了广东省23种道地、大宗中药资源的栽培面积、分布区域、资源利用等，下篇为广东省3 514种中药资源的基本信息。本书充分反映了广东省中药资源的最新研究成果，内容丰富，体例新颖，图文并茂，为一部具有较高学术价值和实用价值的工具书。

相信本书的出版可为进一步开展中药品质研究与评价、推动中药产业的健康和可持续发展、为地方制定中药产业政策提供支撑，为推动区域经济社会高质量发展贡献力量。

欣闻本书即将付梓，乐之为序。

中国工程院院士

中国中医科学院院长

第四次全国中药资源普查技术指导专家组组长

2024 年 4 月

序　言

　　中药资源是中医药事业发展的物质基础，国家高度重视中药资源保护及其可持续利用。我国已开展了 4 次全国范围的中药资源普查，其中第四次全国中药资源普查工作起止时间为 2011—2021 年。第四次全国中药资源普查确认了我国共有 18 817 种药用资源，与第三次普查相比增加了 6 000 多种，其中，3 151 种为我国特有的药用植物，464 种为需要保护的物种；还发现 196 个新物种，其中约 100 种具有潜在药用价值。

　　广东省第四次中药资源普查工作于 2014 年开始、2021 年 11 月结束，历时近 8 年，普查区域实现了对全省全部县级行政区域的覆盖。为推广中药资源普查成果，更好地服务于广东省中药产业发展，广东省第四次全国中药资源普查（试点）工作办公室（以下简称广东省普查办）、广东省中药资源普查（试点）工作技术专家指导委员会组织相关专家、学者和技术人员，从广东省中药资源概况、重点中药资源情况、中药资源监测体系建设、中药材种植生产区划、传统医药知识收集、种质资源圃建设等方面入手，进行了数据统计和细致的整理研究工作，汇总了广东省在中药资源保护、科研和产业等领域取得的一系列成果。一是基本摸清了广东省中药资源家底，为编制《中国中药资源大典·广东卷》提供了翔实的数据。本次普查共发现药用植物 3 443 种，其中涵盖栽培药用植物 185 种；发现新种 8 种，新分布记录属和新分布记录种共 11 种；对区域内水生

和耐盐药用资源、菌类药用资源、瑶药资源等进行了专项调研，构建了广东省岭南中药资源信息管理系统。二是建立了广东省中药资源动态监测信息和技术服务体系，形成了区域内中药资源动态监测网络，与国家中药资源动态监测信息和技术服务体系实现了数据共享，形成了长效机制，可实时掌握广东省中药材的产量、流通量、价格和质量等的变化趋势，促进中药产业的健康发展。广东省中药资源普查过程中开展了区域内重点道地药材品种的标准化建设，开展了中药材产业扶贫行动，使中药材生产成为推进乡村振兴的重要抓手，为加快区域中药材产业的发展贡献了力量。三是建立了省级中药材种子种苗繁育基地、省中药药用植物重点物种保存圃和种质资源圃，保存广东省活体中药药用植物种质资源2 639份，从源头上保证了中药材的质量，促进了珍稀、濒危、道地药材的繁育和保护，凸显了中药资源保护和可持续利用工作的重要性。四是在汇总广东省中药资源相关传统知识调查成果的基础上，梳理了广东省岭南地区独特地理气候条件下的人群体质特点，形成了具有地域特色的岭南中医药学体系亮点，如广东凉茶、罗浮山百草油、沙溪凉茶、冯了性风湿跌打药酒、跌打万花油、乌鸡白凤丸等具有岭南特色的中药配伍应用；整理出岭南民间特色治疗验方554首，挖掘、传承、保护与中药资源相关的传统知识。五是汇编出版了《广东省中药资源志要》《梅州中草药图鉴》《乳源瑶医瑶药志要》《岭南采药录考释》等专著。

《中国中药资源大典·广东卷》是对广东省第四次中药资源普查工作成果的全面汇总，是全体普查人员经过多年努力，获得的广东省中药资源现状的第一手资料。《中国中药资源大典·广东卷》由广州中医药大学、中国科学院华南植物园、中山大学、南方医科大学、广东药科大学、华南农业大学等17个普查技术单位的200多位普查技术人员共同编撰完成。全书分为上篇、中篇、下篇，共12册。上篇全面介绍了广东省中药资源生态环境、分布概况，梳理了广东省中药资源和产业现状，对比广东省第三次中药资源普查结果，对广东省野生药用资源分布、人工种植（养殖）中药资源物种的变化、中药材市场流通情况、岭南民间用药特点等进行了分析，并提出了广东省中药资源区划和发展建议；中篇详细地介绍了广东省23种道地、大宗中药资源的资源情况、分布情况、栽培情况、采收应用等内容，为中药材产业的高质量发展提供了技术服务，为中药材生产布局提供了参考；下篇对广东省境内3 514种中药资源物种（药用植物、药用动物、药用

矿物）做了图文并茂的介绍，展现了广东省中药资源领域的最新数据信息成果。《中国中药资源大典·广东卷》的出版客观真实地反映了广东省中药资源的整体情况，对广东省乃至全国中药资源的保护、合理利用、开发、科研、教学以及产业规划等将发挥重要的指导作用。

《中国中药资源大典·广东卷》编写委员会

2024 年 3 月

前　言

　　广东省位于我国大陆最南端，北回归线横穿其中部。全省地势北高南低，山脉大多呈东北—西南走向。气候从北向南分别为中亚热带、南亚热带和热带气候，受海洋上的湿润气流影响，夏季高温多雨、多台风，冬季多干旱且有冷空气侵袭。广东省年平均气温为18.9 ~ 23.8 ℃，气温呈南高北低的特点，南端雷州半岛年平均气温最高，为23.8 ℃，粤北山区年平均气温最低，为18.9 ℃；历史极端最高气温为42.0 ℃，极端最低气温为 −7.3 ℃。

　　广东省光、热、水资源丰富，得天独厚的地理环境和气候为生物的生长创造了优越的条件，动植物种类繁多，药用植物资源非常丰富。广东省的植被类型有纬度地带性分布的北亚热带季雨林、南亚热带季风常绿阔叶林、中亚热带典型常绿阔叶林和沿海的热带红树林，还有非纬度地带性分布的常绿落叶阔叶混交林、常绿针阔叶混交林、常绿针叶林、竹林、灌丛和草坡，以及水稻、甘蔗和茶树等栽培植被。

　　2014 年，广东省启动了第四次中药资源普查工作，到 2021 年 11 月普查结束。广东省本次中药资源普查共记录调查信息 445 240 条、中药资源 4 692 种（已确认的药用植物 3 443 种），调查中药材栽培面积 14.3 万 hm^2，涵盖药用植物栽培品种 185 种；记录病虫害种类 351 种，调查市场主流药材品种 852 种，记录传统医药知识信息 629 条。通过统计分析现有典籍专著和文献记载的广东省药用资源种类信息，结合广东省本次中药资源普查结果，确定广东省现有中药资源种类为 3 587 种。广东省本次中药资源普查

调查代表区域 368 个，调查样地 4 056 个，调查样方套 20 273 个，记录有蕴藏量的中药资源 330 种，收集药材标本 4 977 份、中药材种质资源 2 639 份。此外，本次普查还对广东省菌类和水生、耐盐等药用植物资源进行了专项调研，收载大型药用真菌 217 种，隶属 26 科 46 属；记录水生药用植物资源 160 种、耐盐药用植物资源 269 种。

广东省是我国南药的主产区，与第三次中药资源普查相比，其道地药材和岭南特色药材的生产现状发生了很大的变化。广东省目前生产的道地药材品种主要有春砂仁、何首乌、广藿香、巴戟天、白木香、檀香、穿心莲、肉桂、广陈皮、芡实、山柰、益智等，珍稀野生药材品种有金毛狗、桫椤、青天葵、华南龙胆、蛇足石杉、金线兰等，岭南特色药材品种有莪术、红豆蔻、草豆蔻、甘葛、广山药、猴耳环、溪黄草、凉粉草、九节茶、鸡骨草、广金钱草、牛大力、千斤拔、黑老虎、铁皮石斛等。

广东省是中成药、中药配方颗粒、凉茶的生产大省，每年消耗的中药原料达数千吨，而许多中药原料主要来源于野生资源，导致野生药用资源品种数和蕴藏量均急剧减少。为了保证国家基本药物所需中药原料的可持续利用，广东省大部分制药企业建立了配套的中成药原料基地，还建立了野生中药资源转家种的药材原料基地，主要种植品种有黑老虎、吴茱萸、猴耳环、九里香、白花蛇舌草、溪黄草、紫茉莉、岗梅、毛冬青、两面针、三桠苦、草珊瑚、南板蓝根、山银花、鸡血藤、虎杖、龙脷叶、金樱子、金毛狗、钩藤、土牛膝、佩兰、千年健、山豆根、桃金娘、五指毛桃、无花果、地胆草、紫花杜鹃、裸花紫珠等稀缺原料药材，这些药材种植基地的建立对广东省中药资源的保护和可持续利用具有重要意义。

广东省第四次中药资源普查为广东省中药材产业提供了准确的资源信息，已有的成果数据信息可以更好地服务于产业发展，同时也为区域内主管部门制定相关法规政策提供了数据支撑。我们对广东省近 8 年来的普查数据进行了系统、严谨的梳理和统计，这对促进区域内中药资源的保护和可持续利用、促进地方中药资源产业和国民经济的发展具有重要意义。

《中国中药资源大典·广东卷》编写委员会

2024 年 3 月

凡 例

（1）本书分为上篇、中篇、下篇，共12册。上篇内容包括广东省自然地理概况、广东省第四次中药资源普查实施情况、广东省第四次中药资源普查成果、广东省中药资源发展存在的问题与建议；中篇重点介绍广东省23种道地、大宗中药资源；下篇是各论，共收载植物、动物、矿物等药用资源3 514种，以药用资源物种为单元进行介绍。本书主要参考《中国药典》《中国药材学》《中华本草》《中国植物志》《全国中草药汇编》等，以及历代本草文献等权威著作。为检索方便，本书在第1册正文前收录1 ~ 12册总目录，在页码前均标注了其所在册数（如"[1]"）。同时，还在第12册正文后附有1 ~ 12册所录中药资源的中文笔画索引、拉丁学名索引。

（2）植物分类系统。蕨类植物采用秦仁昌1978年分类系统。裸子植物采用郑万钧1975年分类系统。被子植物采用哈钦松分类系统。少数类群根据最新研究成果稍作调整；属、种按拉丁学名的字母顺序排列。

（3）本书下篇各品种按照其科名及属名、物种名、药材名、形态特征、生境分布、资源情况、采收加工、药材性状、功能主治、用法用量、凭证标本号、附注依次著述，资料不全者项目从略。

1）科名及属名。该项包括科、属的中文名和拉丁学名。

2）物种名。该项包括中文名和拉丁学名。

3）药材名。该项介绍药用部位及药材的别名。未查到药材别名的则内容从略。

4）形态特征。该项简要介绍物种的形态。

5）生境分布。该项介绍物种的生存环境及其在广东省的分布区域，栽培品种则介绍其主产地及道地产区。分布中的地级市专指其城区范围，不涵盖其管辖的县域范围，正文中采用"地级市（市区）"的形式表示，如"茂名（市区）"。

6）资源情况。该项介绍物种的蕴藏量情况，野生资源以丰富、较丰富、一般、较少、稀少表示，并说明药材来源于栽培资源还是野生资源。

7）采收加工。该项简要介绍药材的采收时间、采收方式及加工方法。

8）药材性状。该项主要介绍药材的性状特征。对于民间习用的鲜草药或冷背药材，则此项内容从略。

9）功能主治。该项介绍药材的味、性、毒性、归经、功能和主治。

10）用法用量。该项介绍药材的使用方法及用量范围。

11）凭证标本号。该项为第四次全国中药资源普查收载的物种标本号或补充收录物种的馆藏标本号。依据文献记载补充的经确认广东省已有、普查未收录的物种同时附上中国科学院华南植物园标本馆（IBSC）、深圳市中国科学院仙湖植物园植物标本馆（SZG）、广东省韩山师范学院植物标本室（CZH）等的标本号。补充收录的动物和矿物药用资源的标本号引用《广东中药志》《广东省中药材标准》《中国药用动物志》等文献的记录；菌类药用资源的标本号引用广东省科学院微生物研究所标本馆（GDGM）的标本号。

12）附注。该项简述物种的品种情况、民间使用情况、资源利用情况等内容。

目　录

Contents

被子植物 ⋯⋯⋯⋯⋯⋯⋯⋯ [12] 1

　灯心草科 ⋯⋯⋯⋯⋯⋯⋯ [12] 2

　　翅茎灯心草 ⋯⋯⋯⋯⋯ [12] 2

　　星花灯心草 ⋯⋯⋯⋯⋯ [12] 4

　　灯心草 ⋯⋯⋯⋯⋯⋯⋯ [12] 6

　　野灯心草 ⋯⋯⋯⋯⋯⋯ [12] 9

　莎草科 ⋯⋯⋯⋯⋯⋯⋯⋯ [12] 11

　　球柱草 ⋯⋯⋯⋯⋯⋯⋯ [12] 11

　　浆果薹草 ⋯⋯⋯⋯⋯⋯ [12] 13

　　短尖薹草 ⋯⋯⋯⋯⋯⋯ [12] 15

　　十字薹草 ⋯⋯⋯⋯⋯⋯ [12] 17

　　舌叶薹草 ⋯⋯⋯⋯⋯⋯ [12] 19

　　套鞘薹草 ⋯⋯⋯⋯⋯⋯ [12] 21

　　条穗薹草 ⋯⋯⋯⋯⋯⋯ [12] 23

　　镜子薹草 ⋯⋯⋯⋯⋯⋯ [12] 25

　　大理薹草 ⋯⋯⋯⋯⋯⋯ [12] 27

　　花葶薹草 ⋯⋯⋯⋯⋯⋯ [12] 29

　　密穗砖子苗 ⋯⋯⋯⋯⋯ [12] 31

　　砖子苗 ⋯⋯⋯⋯⋯⋯⋯ [12] 33

　　异型莎草 ⋯⋯⋯⋯⋯⋯ [12] 35

　　穆穗莎草 ⋯⋯⋯⋯⋯⋯ [12] 37

　　畦畔莎草 ⋯⋯⋯⋯⋯⋯ [12] 39

　　风车草 ⋯⋯⋯⋯⋯⋯⋯ [12] 41

　　碎米莎草 ⋯⋯⋯⋯⋯⋯ [12] 43

　　荸荠 ⋯⋯⋯⋯⋯⋯⋯⋯ [12] 45

　　短叶荸荠 ⋯⋯⋯⋯⋯⋯ [12] 47

　　毛轴莎草 ⋯⋯⋯⋯⋯⋯ [12] 49

　　香附子 ⋯⋯⋯⋯⋯⋯⋯ [12] 51

　　紫果蔺 ⋯⋯⋯⋯⋯⋯⋯ [12] 53

　　荸荠 ⋯⋯⋯⋯⋯⋯⋯⋯ [12] 55

　　牛毛毡 ⋯⋯⋯⋯⋯⋯⋯ [12] 57

　　两歧飘拂草 ⋯⋯⋯⋯⋯ [12] 59

　　暗褐飘拂草 ⋯⋯⋯⋯⋯ [12] 61

　　水虱草 ⋯⋯⋯⋯⋯⋯⋯ [12] 63

　　结壮飘拂草 ⋯⋯⋯⋯⋯ [12] 65

　　短叶水蜈蚣 ⋯⋯⋯⋯⋯ [12] 67

　　三头水蜈蚣 ⋯⋯⋯⋯⋯ [12] 69

　　单穗水蜈蚣 ⋯⋯⋯⋯⋯ [12] 71

　　湖瓜草 ⋯⋯⋯⋯⋯⋯⋯ [12] 73

　　刺子莞 ⋯⋯⋯⋯⋯⋯⋯ [12] 75

　　萤蔺 ⋯⋯⋯⋯⋯⋯⋯⋯ [12] 77

　　水毛花 ⋯⋯⋯⋯⋯⋯⋯ [12] 79

　　猪毛草 ⋯⋯⋯⋯⋯⋯⋯ [12] 81

　　类头状花序藨草 ⋯⋯⋯ [12] 83

　　黑鳞珍珠茅 ⋯⋯⋯⋯⋯ [12] 85

　　毛果珍珠茅 ⋯⋯⋯⋯⋯ [12] 87

　　高秆珍珠茅 ⋯⋯⋯⋯⋯ [12] 89

　禾本科 ⋯⋯⋯⋯⋯⋯⋯⋯ [12] 91

　　看麦娘 ⋯⋯⋯⋯⋯⋯⋯ [12] 91

　　水蔗草 ⋯⋯⋯⋯⋯⋯⋯ [12] 93

　　荩草 ⋯⋯⋯⋯⋯⋯⋯⋯ [12] 95

　　芦竹 ⋯⋯⋯⋯⋯⋯⋯⋯ [12] 97

竹蔗 .... [12] 243

甜根子草 .... [12] 245

囊颖草 .... [12] 247

大狗尾草 .... [12] 249

莠狗尾草 .... [12] 251

金色狗尾草 .... [12] 253

粱 .... [12] 255

棕叶狗尾草 .... [12] 257

皱叶狗尾草 .... [12] 259

狗尾草 .... [12] 261

高粱 .... [12] 263

拟高粱 .... [12] 265

鼠尾粟 .... [12] 267

钝叶草 .... [12] 269

苞子草 .... [12] 271

黄背草 .... [12] 273

菅 .... [12] 275

棕叶芦 .... [12] 277

普通小麦 .... [12] 279

玉米 .... [12] 281

菰 .... [12] 283

药用动物 .... [12] 285

胞孔科 .... [12] 286

　脊突苔虫 .... [12] 286

　瘤苔虫 .... [12] 288

海底柏科 .... [12] 289

　鳞海底柏 .... [12] 289

枇杷珊瑚科 .... [12] 291

　粗糙盃形珊瑚 .... [12] 291

　丛生盃形珊瑚 .... [12] 293

蝾螺科 .... [12] 294

　节蝾螺 .... [12] 294

　金口蝾螺 .... [12] 296

　蝾螺 .... [12] 298

鲍科 .... [12] 300

　耳鲍 .... [12] 300

杂色鲍 .... [12] 302

羊鲍 .... [12] 304

宝贝科 .... [12] 306

　环纹货贝 .... [12] 306

　阿拉伯绶贝 .... [12] 308

　货贝 .... [12] 310

盔螺科 .... [12] 312

　细角螺 .... [12] 312

　管角螺 .... [12] 314

蚌科 .... [12] 316

　背角无齿蚌 .... [12] 316

　褶纹冠蚌 .... [12] 318

　三角帆蚌 .... [12] 320

蚶科 .... [12] 322

　泥蚶 .... [12] 322

　魁蚶 .... [12] 324

　毛蚶 .... [12] 326

砗磲科 .... [12] 328

　大砗磲 .... [12] 328

　鳞砗磲 .... [12] 330

帘蛤科 .... [12] 332

　青蛤 .... [12] 332

　文蛤 .... [12] 334

贻贝科 .... [12] 336

　翡翠贻贝 .... [12] 336

牡蛎科 .... [12] 338

　长牡蛎 .... [12] 338

　褶牡蛎 .... [12] 340

　近江牡蛎 .... [12] 342

珍珠贝科 .... [12] 344

　马氏珍珠贝 .... [12] 344

　大珠母贝 .... [12] 346

乌贼科 .... [12] 348

　金乌贼 .... [12] 348

　曼氏无针乌贼 .... [12] 350

刺参科 .... [12] 352

花刺参 ----------------- [12] 352
长海胆科 ----------------- [12] 354
　　紫海胆 ----------------- [12] 354
刻肋海胆科 ----------------- [12] 356
　　细雕刻肋海胆 ----------------- [12] 356
海燕科 ----------------- [12] 358
　　闽粤海燕 ----------------- [12] 358
角海星科 ----------------- [12] 360
　　骑士章海星 ----------------- [12] 360
钜蚓科 ----------------- [12] 362
　　参环毛蚓 ----------------- [12] 362
水蛭科 ----------------- [12] 364
　　日本医蛭 ----------------- [12] 364
　　柳叶蚂蟥 ----------------- [12] 366
　　宽体金线蛭 ----------------- [12] 368
蜈蚣科 ----------------- [12] 370
　　少棘巨蜈蚣 ----------------- [12] 370
蝉科 ----------------- [12] 372
　　华南蚱蝉 ----------------- [12] 372
　　黑蚱蝉 ----------------- [12] 374
　　黑翅红蝉 ----------------- [12] 376
蝽科 ----------------- [12] 378
　　九香虫 ----------------- [12] 378
蜚蠊科 ----------------- [12] 380
　　澳洲蜚蠊 ----------------- [12] 380
　　东方蜚蠊 ----------------- [12] 382
姬蠊科 ----------------- [12] 384
　　金边土鳖 ----------------- [12] 384
鳖蠊科 ----------------- [12] 386
　　地鳖 ----------------- [12] 386
蚕蛾科 ----------------- [12] 388
　　家蚕 ----------------- [12] 388
蚁蛉科 ----------------- [12] 390
　　蚁蛉 ----------------- [12] 390
　　黄足蚁蛉 ----------------- [12] 392
胡蜂科 ----------------- [12] 394

黄星长脚蜂 ----------------- [12] 394
梨长脚蜂 ----------------- [12] 395
蜜蜂科 ----------------- [12] 396
　　中华蜜蜂 ----------------- [12] 396
　　意大利蜂 ----------------- [12] 398
木蜂科 ----------------- [12] 400
　　木蜂 ----------------- [12] 400
芫菁科 ----------------- [12] 402
　　黄黑小斑蝥 ----------------- [12] 402
　　南方大斑蝥 ----------------- [12] 404
丽蝇科 ----------------- [12] 406
　　大头金蝇 ----------------- [12] 406
虻科 ----------------- [12] 408
　　复带虻 ----------------- [12] 408
螳螂科 ----------------- [12] 410
　　广腹螳螂 ----------------- [12] 410
　　薄翅螳螂 ----------------- [12] 411
　　小刀螂 ----------------- [12] 412
　　中华刀螂 ----------------- [12] 413
蟋蟀科 ----------------- [12] 414
　　花生大蟋蟀 ----------------- [12] 414
　　小油葫芦 ----------------- [12] 416
鲎科 ----------------- [12] 418
　　中国鲎 ----------------- [12] 418
钳蝎科 ----------------- [12] 420
　　东亚钳蝎 ----------------- [12] 420
鲼科 ----------------- [12] 422
　　双吻前口蝠鲼 ----------------- [12] 422
　　无刺蝠鲼 ----------------- [12] 424
　　日本蝠鲼 ----------------- [12] 425
海龙科 ----------------- [12] 426
　　刺海马 ----------------- [12] 426
　　日本海马 ----------------- [12] 428
　　克氏海马 ----------------- [12] 430
　　大海马 ----------------- [12] 432
　　三斑海马 ----------------- [12] 434

刁海龙 --------------------- [12] 436
拟海龙 --------------------- [12] 438
尖海龙 --------------------- [12] 440
海蛾鱼科 ------------------- [12] 442
　海蛾 --------------------- [12] 442
　飞海蛾鱼 ----------------- [12] 444
鳢科 ----------------------- [12] 446
　月鳢 --------------------- [12] 446
　斑鳢 --------------------- [12] 447
石首鱼科 ------------------- [12] 448
　大黄鱼 ------------------- [12] 448
蟾蜍科 --------------------- [12] 450
　黑眶蟾蜍 ----------------- [12] 450
鳖科 ----------------------- [12] 452
　鳖 ----------------------- [12] 452
龟科 ----------------------- [12] 454
　乌龟 --------------------- [12] 454
海龟科 --------------------- [12] 456
　玳瑁 --------------------- [12] 456
壁虎科 --------------------- [12] 458
　壁虎 --------------------- [12] 458
　蛤蚧 --------------------- [12] 460
　蹼趾壁虎 ----------------- [12] 462
石龙子科 ------------------- [12] 463
　石龙子 ------------------- [12] 463
海蛇科 --------------------- [12] 464
　青环海蛇 ----------------- [12] 464
　长吻海蛇 ----------------- [12] 466
眼镜蛇科 ------------------- [12] 468
　金环蛇 ------------------- [12] 468
　银环蛇 ------------------- [12] 470
奎蛇科 --------------------- [12] 472
　尖吻蝮 ------------------- [12] 472
游蛇科 --------------------- [12] 474
　王锦蛇 ------------------- [12] 474
　黑眉锦蛇 ----------------- [12] 475

乌梢蛇 --------------------- [12] 476
鸠鸽科 --------------------- [12] 478
　家鸽 --------------------- [12] 478
雉科 ----------------------- [12] 480
　家鸡 --------------------- [12] 480
　乌骨鸡 ------------------- [12] 482
鸦鹃科 --------------------- [12] 484
　褐翅鸦鹃 ----------------- [12] 484
鸭科 ----------------------- [12] 486
　家鹅 --------------------- [12] 486
猬科 ----------------------- [12] 488
　刺猬 --------------------- [12] 488
穿山甲科 ------------------- [12] 490
　穿山甲 ------------------- [12] 490
蝙蝠科 --------------------- [12] 492
　管耳彩蝠 ----------------- [12] 492
菊头蝠科 ------------------- [12] 493
　华南大蹄蝠 --------------- [12] 493
　华菊头蝠 ----------------- [12] 494
兔科 ----------------------- [12] 495
　华南野兔 ----------------- [12] 495
牛科 ----------------------- [12] 497
　黄牛 --------------------- [12] 497
　水牛 --------------------- [12] 499
鹿科 ----------------------- [12] 501
　马鹿 --------------------- [12] 501
　梅花鹿华南亚种 ----------- [12] 503
　水鹿 --------------------- [12] 505
麝科 ----------------------- [12] 507
　林麝 --------------------- [12] 507
猪科 ----------------------- [12] 509
　猪 ----------------------- [12] 509
犬科 ----------------------- [12] 511
　狗 ----------------------- [12] 511
熊科 ----------------------- [12] 513
　黑熊台湾亚种 ------------- [12] 513

被子植物

灯心草科 Juncaceae 灯心草属 Juncus

翅茎灯心草
Juncus alatus Franch. et Sav.

| 药 材 名 | 翅茎灯心草（药用部位：全草）。

| 形态特征 | 多年生草本。茎丛生，直立，扁平，两侧有狭翅，具不明显的横隔。叶基生或茎生；叶片扁平，线形，先端尖锐，横隔不明显或几无；叶鞘两侧压扁，边缘膜质。花序由扁平头状花序排列成聚伞状，具2～3宽卵形膜质苞片；小苞片1，卵形；花被片披针形；雄蕊6；子房1室。蒴果先端具短钝的突尖；种子椭圆形，具纵条纹。

| 生境分布 | 生于海拔400～1 700 m的水边、田边、湿草地和山坡林下阴湿处。分布于广东乐昌及潮州（市区）等。

| 资源情况 | 野生资源较少。药材来源于野生。

陈丰林提供

| **采收加工** | 夏、秋季采收。 |

| **功能主治** | 淡、微苦，寒。清热泻火，息风镇痉。用于感冒，惊风。 |

| **用法用量** | 内服煎汤，鲜品 25 ～ 50 g。 |

陈丰林提供

灯心草科 Juncaceae 灯心草属 Juncus

星花灯心草 *Juncus diastrophanthus* Buchenau

| **药 材 名** | 螃蟹脚（药用部位：全草）。

| **形态特征** | 多年生草本。茎丛生，微扁，两侧略有窄翅。叶基生和茎生，具鞘状低出叶；叶片线形，与基生叶均具短叶鞘，有不明显的横隔。花序由星芒状球形头状花序排列成顶生复聚伞状；叶状苞片线形，短于花序；苞片 2 ～ 3，披针形；小苞片 1，卵状披针形。蒴果三棱状长圆柱形，超出花被片，先端锐尖；种子倒卵状椭圆形，两端有小尖头，具纵纹。

| **生境分布** | 生于海拔 650 ～ 900 m 的溪边、田边、疏林下水湿处。分布于广东乳源、阳山等。

| 资源情况 | 野生资源较少。药材来源于野生。

| 采收加工 | 夏、秋季采收。

| 功能主治 | 苦，凉。清热，消食，利尿。用于宿食内停，小便赤热。

| 用法用量 | 内服煎汤，鲜品 25 ～ 50 g。

灯心草科 Juncaceae 灯心草属 Juncus

灯心草 *Juncus effusus* L.

| 药 材 名 | 水灯草（药用部位：茎髓）。

| 形态特征 | 多年生草本。茎丛生，圆柱形，具纵条纹，茎内充满白色髓心。叶低出，鞘状；叶片刺芒状。聚伞花序假侧生；总苞片圆柱形，生于先端；小苞片 2，宽卵形，先端尖；花被片线状披针形，背脊增厚

突出，外轮花被片长于内轮花被片；雄蕊 3，稀 6，长约为花被片的 2/3；子房 3 室，柱头 3 裂。蒴果先端钝或微凹；种子卵状长圆形。

| **生境分布** | 生于湿地或沼泽边缘。分布于广东乳源、始兴、乐昌、蕉岭、平远、大埔、增城、英德、连山、封开、罗定、阳春、信宜等。

| **资源情况** | 野生资源丰富。药材来源于野生。

| **采收加工** | 夏、秋季采收。

| **功能主治** | 甘、淡，微寒。利水通淋，清心降火。用于淋病，水肿，小便不利。

| **用法用量** | 内服煎汤，鲜品 25 ～ 50 g；或入丸、散剂。外用适量，煅存性，研末撒或吹喉。

灯心草科 Juncaceae 灯心草属 Juncus

野灯心草
Juncus setchuensis Buchen. ex Diels

| 药材名 |

秧草（药用部位：全草。别名：疏花灯心草）。

| 形态特征 |

多年生草本。茎丛生，圆柱形，有明显的纵沟，茎内充满白色髓心。叶低出；叶片刺芒状。聚伞花序假侧生；总苞片生于先端，圆柱形；小苞片 2，三角状卵形，膜质；花被片卵状披针形，边缘宽膜质，内轮花被片与外轮花被片等长；雄蕊 3，比花被片短；子房 1 室，侧膜胎座，呈半月形，柱头 3 裂。蒴果比花被片长，先端钝；种子斜倒卵形。

| 生境分布 |

生于海拔 560 ~ 1 700 m 的阴湿山坡、山沟、林下及路旁潮湿地。分布于广东始兴、连南、连山等。

| 资源情况 |

野生资源较少。药材来源于野生。

| 采收加工 |

夏、秋季采收。

| 功能主治 |　苦，凉。利水通淋，泻热安神，凉血止血。用于小便不利，热淋，水肿，小便涩痛，心烦失眠，鼻衄，目赤，齿痛，崩中。

| 用法用量 |　内服煎汤，鲜品 25 ～ 50 g。

莎草科 Cyperaceae 球柱草属 *Bulbostylis*

球柱草
Bulbostylis barbata (Rottb.) C.B. Clarke

| 药 材 名 | 油麻草（药用部位：全草。别名：龙爪草、旗茅、秧草）。

| 形态特征 | 一年生草本。无根茎。秆丛生，无毛，高 6 ~ 25 cm。叶纸质，线形，全缘，边缘微外卷，先端渐尖，背面叶脉间疏被微柔毛；叶鞘边缘具长柔毛状缘毛。苞片 2 ~ 3，线形，背面疏被微柔毛；长侧枝聚伞花序头状；小穗披针形或卵状披针形；鳞片先端有外弯的短尖，背面具龙骨状突起，具 1 黄绿色脉，稀 3；雄蕊 1，稀 2。果实具盘状花柱基。

| 生境分布 | 生于海拔 130 ~ 500 m 的海边沙地、河滩沙地、田边、沙田中的湿地上。分布于广东连平、南澳、惠来、陆丰、博罗、阳山、台山、阳春、高州、徐闻及广州（市区）等。

| **资源情况** | 野生资源丰富。药材来源于野生。

| **采收加工** | 夏、秋季采收，切段，晒干。

| **功能主治** | 苦，寒。凉血止血。用于出血症，呕血，咯血，衄血，尿血，便血。

| **用法用量** | 外用捣敷，3 ~ 9 g。

莎草科 Cyperaceae 薹草属 *Carex*

浆果薹草
Carex baccans Nees

药 材 名	山稗子（药用部位：种子。别名：山红稗）、山稗子根（药用部位：根）。
形态特征	秆密丛生，直立粗壮，高 0.8 ~ 1.5 m。叶基生和秆生，平展，基部具红褐色宿存叶鞘。苞片叶状，长于花序，具长鞘；圆锥花序复出；支花序 3 ~ 8，单生，长圆形，支花序梗坚挺，基部 1 支花序梗长 12 ~ 14 cm；果囊倒卵状球形或近球形，肿胀，近革质，成熟时鲜红色或紫红色，具短柄，先端具短喙，喙口具 2 小齿；柱头 3。小坚果椭圆形。
生境分布	生于海拔 200 ~ 1 800 m 的林边、河边及村边。分布于广东北部、中部等。

| 资源情况 | 野生资源丰富。药材来源于野生。

| 采收加工 | **山稗子**：秋季采收，洗净，晒干。
山稗子根：夏、秋季采收，洗净，晒干。

| 功能主治 | **山稗子**：甘、微辛，平。透疹止咳，补中利水。用于麻疹，水痘，百日咳，脱肛，浮肿。
山稗子根：苦、涩，微寒。凉血止血，调经。用于鼻衄，便血，月经过多，产后出血。

| 用法用量 | **山稗子**：内服煎汤，3 ~ 15 g；或入丸、散剂。
山稗子根：内服煎汤，15 ~ 30 g。

莎草科 Cyperaceae 薹草属 Carex

短尖薹草 *Carex brevicuspis* C. B. Clarke

| 药 材 名 | 山稗子（药用部位：全草。别名：山红稗）。

| 形 态 特 征 | 秆高 20 ～ 55 cm，三棱形。叶先端渐狭。苞片短叶状，具长鞘；小穗 4 ～ 5，顶生 1 雄性小穗，侧生小穗大部分为雌花，先端有少数雄花，花密生，最下部 1 小穗柄长 5 ～ 7.5 cm；雌花鳞片先端具短尖，背面 3 脉绿色，柱头 3；果囊斜展，先端急缩成长喙，无毛，喙口具 2 尖齿。小坚果三棱状卵形，基部具弯柄，中部棱上缢缩，下部棱面凹陷，上部具喙，喙先端呈环状。

| 生 境 分 布 | 生于海拔 580 ～ 700 m 的山坡林下、溪旁。分布于广东始兴、乐昌、连平、大埔、连山、连州等。

| 资源情况 | 野生资源较少。药材来源于野生。

| 采收加工 | 夏、秋季采收，切段，晒干。

| 功能主治 | 涩、苦，平。活血止痛。用于跌打损伤。

| 用法用量 | 外用捣敷，3 ~ 9 g。

莎草科 Cyperaceae 薹草属 Carex

十字薹草
Carex cruciata Wahlenb.

| 药 材 名 | 羊胡须（药用部位：全草。别名：油草）。

| 形 态 特 征 | 根茎粗壮，木质，斜升，有莲座状叶丛、密集丛生的花葶和不育茎。秆丛生，高 40 ~ 90 cm。叶基生和秆生，平展，宽 0.4 ~ 1.3 cm，基部具暗褐色宿存叶鞘。枝先出叶囊状，内无花，背面有数脉，被短粗毛；小穗多数，横展，两性，雄雌顺序，雄花部分与雌花部分近等长；雌花鳞片卵形，先端具直伸的短芒，膜质，密生棕褐色点和短线，具 3 脉。

| 生 境 分 布 | 生于海拔 330 ~ 1 800 m 的林边或沟边草地、路旁、火烧迹地。广东各地均有分布。

| 资源情况 | 野生资源丰富。药材来源于野生。

| 采收加工 | 夏、秋季采收，切段，晒干。

| 功能主治 | 辛、甘，平。解表透疹，理气健脾。用于风热感冒，麻疹透发不畅，消化不良。

| 用法用量 | 内服煎汤，6 ~ 15 g。

莎草科 Cyperaceae 薹草属 Carex

舌叶薹草 *Carex ligulata* Nees ex Wight

| 药 材 名 |

香港薹草（药用部位：全草）。

| 形态特征 |

秆疏丛生，高 35 ~ 70 cm，三棱形，基部有红褐色鞘。无地下匍匐茎。小穗 6 ~ 8，顶生小穗为雄小穗，长 2.5 ~ 4 cm，宽 0.5 ~ 0.6 cm，密生，具小穗柄；苞片长于花序；果囊长于鳞片，倒卵形或钝三棱形，长 0.4 ~ 0.5 cm，具锈色短条纹，密被白色短硬毛，具 2 明显的侧脉，基部呈楔形，先端有喙，喙口具 2 短齿；柱头 3。小坚果紧包于果囊内。

| 生境分布 |

生于海拔 600 ~ 1 700 m 的山坡林下、草地、山谷沟边或河边湿地。分布于广东乳源、乐昌、平远、五华、惠东、连州、阳山、佛冈、封开等。

| 资源情况 |

野生资源丰富。药材来源于野生。

| 采收加工 |

夏、秋季采收，切段，晒干。

| **功能主治** | 酸、苦，凉。行气止痛，清热消肿。用于下焦气痛，痈疖。

| **用法用量** | 外用捣敷，3 ~ 9 g。

莎草科 Cyperaceae 薹草属 *Carex*

套鞘薹草 *Carex maubertiana* Boott

| 药 材 名 | 山马鞭草（药用部位：全草。别名：密叶薹草）。

| 形态特征 | 秆丛生，高 60 ~ 80 cm。叶缘稍外卷；叶片背面有小横隔脉；叶鞘口具紫红色叶舌。苞片长于小穗，具苞鞘；小穗 6 ~ 9，顶生雄小穗窄圆柱形，具短柄，侧生雌小穗圆柱形，具短柄；雌花鳞片宽卵形，长约 0.18 cm，先端急尖，具锈色短条纹，中脉绿色，柱头 3；果囊多列，膜质，密被白色短硬毛，侧脉 2，具短柄，喙口具 2 短齿。小坚果具短柄。

| 生境分布 | 生于海拔 400 ~ 1 000 m 的山坡林下、路边阴湿处。分布于广东平远、五华、佛冈、乳源、南雄、阳山、连州、封开、新会等。

| 资源情况 | 野生资源丰富。药材来源于野生。

| 采收加工 | 夏、秋季采收，切段，晒干。

| 功能主治 | 苦，凉。清热利尿。用于淋证，小便不利，烧伤。

| 用法用量 | 内服煎汤，3 ~ 9 g。外用适量。

莎草科 Cyperaceae 薹草属 Carex

条穗薹草

Carex nemostachys Steud.

| **药 材 名** | 条穗薹草（药用部位：全草）。

| **形态特征** | 秆高 40 ～ 90 cm，基部具黄褐色纤维状老叶鞘。叶下部常折合，上部平展。下部苞片叶状，上部苞片刚毛状；小穗常集生于秆上部，顶生雄小穗窄圆柱形，侧生雌小穗圆柱形；雌花鳞片窄披针形，先端具芒，花柱细长，微弯，柱头 3；果囊后期外展，卵形或宽卵形，钝三棱状，长约 0.3 cm，疏被短硬毛，喙长，外弯，喙口斜截形。小坚果较松地包于果囊中。

| **生境分布** | 生于海拔 300 ～ 1 600 m 的小溪旁、沼泽地、林下阴湿处。广东各地均有分布。

| 资源情况 | 野生资源丰富。药材来源于野生。

| 采收加工 | 夏、秋季采收，切段。

| 功能主治 | 酸、苦，凉。祛风止痛，凉血止血，收敛。用于外感发热，温病高热头痛，关节红肿疼痛，外伤出血。

| 用法用量 | 内服煎汤，9 ~ 15 g。外用适量，鲜品捣敷。

莎草科 Cyperaceae 薹草属 Carex

镜子薹草

Carex phacota Spreng

| 药 材 名 | 三棱马尾（药用部位：全草）。

| 形态特征 | 秆丛生，高 20 ~ 75 cm，基部具叶鞘，细裂成网状。叶与秆近等长，边缘反卷。下部苞片叶状，长于花序；小穗 3 ~ 5，下垂，先端小穗雄性，顶部具少数雌花，线状圆柱形，具柄，侧生小穗雌性，顶部具少数雄花，长圆柱形，花密；雌花鳞片先端截形或凹，具芒尖，具锈色点线，柱头 2；果囊长于鳞片，双凸状，密生乳头状突起，无脉，喙口全缘或微凹。

| 生境分布 | 生于沟边草丛中、水边和路旁潮湿处。分布于蕉岭、平远、连平、惠阳、龙门、增城、英德、连州、连山、鼎湖山、封开及潮州（市区）、阳江（市区）等。

| 资源情况 | 野生资源丰富。药材来源于野生。

| 采收加工 | 夏、秋季采收，切段。

| 功能主治 | 辛，平。解表透疹，催生。用于小儿痧疹不出。

| 用法用量 | 内服煎汤，6 ~ 15 g，鲜品 30 ~ 60 g。外用捣敷，3 ~ 9 g。

莎草科 Cyperaceae 薹草属 Carex

大理薹草 *Carex rubrobrunnea* C. B. Clarke var. *taliensis* (Franchet) Kukenthal

| 药 材 名 | 大理薹草（药用部位：全草）。

| 形态特征 | 秆丛生，高 20 ~ 60 cm，三棱形，平滑，基部具褐色呈网状分裂的老叶鞘。叶长于秆，宽 0.3 ~ 0.4 cm，平张，革质，边缘粗糙。最下部的苞片 1 ~ 2，叶状，长于花序，无鞘；小穗 4 ~ 6，排列成禺状，顶生 1 小穗雄性或雌雄顺序，线状圆柱形或近棒状；花密生，具柄或近无柄；果囊长 0.3 ~ 0.4 cm；柱头长约为果囊的 2 倍。

| 生境分布 | 生于山谷沟边或石隙间、林下。分布于广东博罗等。

| 资源情况 | 野生资源一般。药材来源于野生。

| 采收加工 | 夏、秋季采收，切段，晒干。

| **功能主治** | 苦，凉。清热利湿，消疮止痒。用于痈疮，湿疹。

| **用法用量** | 外用捣敷，3 ~ 10 g。

莎草科 Cyperaceae 薹草属 *Carex*

花葶薹草

Carex scaposa C. B. Clarke

| 药 材 名 | 花莛薹草（药用部位：全草。别名：花莛薹草）。

| 形态特征 | 秆侧生，高 20 ~ 80 cm。基生叶丛生，窄椭圆形、椭圆状披针形或椭圆状带形，长 10 ~ 35 cm，先端渐尖，两面无毛或下面粗糙，叶柄不明显至长达 30 cm；秆生叶佛焰苞状。圆锥花序复出；小穗两性，雄花部分线状披针形；雌花鳞片卵形，有褐色斑点，柱头 3；果囊椭圆形，三棱状，长 0.3 ~ 0.4 cm，纸质，密生褐色斑点，先端喙长为果囊的 1/2，喙口微凹。

| 生境分布 | 生于海拔 400 ~ 1 500 m 的常绿阔叶林下、水旁、山坡阴处或石灰岩山坡峭壁上。广东除湛江外，其余地区均有分布。

| 资源情况 | 野生资源丰富。药材来源于野生。

| 采收加工 | 夏、秋季采收，切段。

| 功能主治 | 苦，寒。清热解毒，活血散瘀。用于急性胃肠炎，跌打肿痛，瘀阻疼痛，腰肌劳损。

| 用法用量 | 内服煎汤，3 ～ 10 g。外用适量，鲜品捣敷。

莎草科 Cyperaceae 莎草属 *Cyperus*

密穗砖子苗 *Cyperus compactus* Retz.

| 药 材 名 | 密穗砖子苗（药用部位：全草）。

| 形态特征 | 秆高 50 ~ 90 cm，基部稍膨大。叶状苞片 3 ~ 5，较花序长，斜展；长侧枝聚伞花序复出，具 7 ~ 9 第一次辐射枝，每辐射枝上具 5 ~ 10 第二次辐射枝；穗状花序近球形；小穗辐射展开，钻状，小穗轴具翅；鳞片互生，血红色或红棕色，背面具 5 ~ 7 脉；雄蕊 3；柱头 3。小坚果线状长圆形，具短尖头，三棱形，长为鳞片的 1/2 ~ 3/5，密生细点。

| 生境分布 | 生于空旷的田边。分布于广东英德、郁南及广州（市区）等。

| 资源情况 | 野生资源较少。药材来源于野生。

| **采收加工** |　夏、秋季采收，晒干。

| **功能主治** |　辛、苦，平。止咳化痰，宣肺解表。用于风寒感冒，咳嗽痰多。

| **用法用量** |　内服煎汤，3 ~ 9 g。

莎草科 Cyperaceae 莎草属 Cyperus

砖子苗

Cyperus cyperoides (L.) Kuntze

| 药 材 名 | 大香附子（药用部位：根及根茎。别名：假香附）、砖子苗（药用部位：全草。别名：复出穗砖子苗、三棱草、小穗砖子苗）。

| 形态特征 | 秆通常较粗壮。长侧枝聚伞花序近复出，辐射枝较长，最长达14 cm，每辐射枝具 1 ~ 5 穗状花序；穗状花序狭，宽常不及 0.5 cm，部分穗状花序基部具小苞片，顶生穗状花序一般长于侧生穗状花序；总花梗无或很短；小穗较小，长约 0.3 cm；鳞片黄绿色。

| 生境分布 | 生于水边湿地灌丛或草丛中，有时也生长在较干燥的地方。分布于广东深圳（市区）等。

| 资源情况 | 野生资源较少。药材来源于野生。

| 采收加工 | **大香附子**：夏、秋季采收，晒干。
砖子苗：夏、秋季采收，晒干。

| 功能主治 | **大香附子**：辛，温。行气活血，调经止痛，祛风除湿。用于感冒，月经不调，慢性子宫内膜炎，产后腹痛，跌打损伤，风湿性关节炎。
砖子苗：辛、微苦，平。祛风止痒，化痰止咳，解郁调经。用于皮肤瘙痒，月经不调，崩中。

| 用法用量 | **大香附子**：内服煎汤，9 ~ 30 g。
砖子苗：内服煎汤，30 g。

异型莎草 *Cyperus difformis* L.

| 药 材 名 | 王母钗（药用部位：全草）。

| 形态特征 | 一年生草本。根为须根。秆丛生，高 5 ~ 65 cm，稍粗或细，扁三棱状，平滑，下部叶较多。叶短于秆，宽 0.2 ~ 0.6 cm，平展或折合，上端边缘稍粗糙；叶鞘稍长，褐色。叶状苞片 2 ~ 3，长于花序；鳞片排列稍松，近扁圆形，先端圆形，长不及 0.1 cm，脉不明显；雄蕊 1 ~ 2，花药椭圆形；柱头 3。小坚果倒卵状椭圆形，三棱状，与鳞片近等长。

| 生境分布 | 生于水稻田中或水边潮湿处。分布于广东乳源、翁源、仁化、乐昌、阳山、连州、英德、五华、南澳、斗门、高要、封开、郁南、台山、阳春、高州、廉江、徐闻及深圳（市区）、广州（市区）等。

| 资源情况 | 野生资源丰富。药材来源于野生。

| 采收加工 | 夏、秋季采收，切段。

| 功能主治 | 咸、微苦，凉。利尿通淋，行气活血。用于热淋，小便不利，跌打损伤。

| 用法用量 | 内服煎汤，9 ～ 15 g，鲜品 30 ～ 60 g；或烧存性，研末。

莎草科 Cyperaceae 莎草属 *Cyperus*

穆穗莎草
Cyperus eleusinoides Kunth

| 药 材 名 |

埃及红莎草（药用部位：全草。别名：埃及莎草）。

| 形态特征 |

秆粗壮，高达 1 m。叶短于秆，革质，边缘粗糙。叶状苞片 6，长于花序；长侧枝聚伞花序复出或多次复出，具 6 ~ 12 第一次辐射枝，每第一次辐射枝具 3 ~ 6 第二次辐射枝；小穗轴黑褐色，翅早脱落；鳞片排列疏松，背面具龙骨状突起，两侧苍白色具棕色斑纹或呈褐色，具 5 脉。小坚果倒卵形，三棱状，长为鳞片的 2/3，深褐色，密被微凸起的细点。

| 生境分布 |

生于山谷湿地或疏林下潮湿处。分布于广东乐昌、平远、阳山、英德及广州（市区）等。

| 资源情况 |

野生资源较少。药材来源于野生。

| 采收加工 |

夏、秋季采收，切段，晒干。

| 功能主治 | 苦，凉。活血，止血，散血。用于外伤出血。

| 用法用量 | 外用捣敷，3 ~ 10 g。

莎草科 Cyperaceae 莎草属 Cyperus

畦畔莎草

Cyperus haspan L.

| 药 材 名 | 畦畔莎草（药用部位：全草。别名：埃及红莎草、埃及莎草）。

| 形态特征 | 多年生草本。秆丛生或散生，高 2 ~ 100 cm，扁三棱形，平滑。叶短于秆，宽 0.2 ~ 0.3 cm，有时具叶鞘而无叶片。叶状苞片 2，较花序短，稀较花序长；鳞片密覆瓦状排列，近长圆形，先端钝圆，具短尖，长约 0.15 cm，背面具龙骨状突起，具 3 脉；雄蕊 1 ~ 3，花药窄长圆形；花柱中等长，柱头 3。小坚果宽倒卵形，三棱状，具疣状小突起。

| 生境分布 | 生于水田或浅水塘等水湿处。分布于广东乐昌、始兴、翁源、平远、大埔、惠东、博罗、连南、阳山、高要、罗定、郁南、台山、阳春、高州、徐闻及深圳（市区）、广州（市区）等。

| 资源情况 | 野生资源丰富。药材来源于野生。

| 采收加工 | 夏、秋季采收，切段，晒干。

| 功能主治 | 苦，凉。息风止痉，解热。用于破伤风。

| 用法用量 | 外用捣敷，1 ~ 3 g。

莎草科 Cyperaceae　莎草属 Cyperus

风车草

Cyperus involucratus Rottboll

| 药 材 名 |

九龙吐珠（药用部位：茎叶。别名：伞莎草、紫苏、旱伞草）。

| 形态特征 |

根茎粗短，基部包有无叶的鞘。苞片20，等长，较花序长约2倍，向四周展开；多次复出长侧枝聚伞花序，每第一次辐射枝具4～10第二次辐射枝；小穗密生于第二次辐射枝上，小穗轴不具翅；鳞片紧密覆瓦状排列，膜质，具3～5脉；雄蕊3，花药线形，先端具刚毛状附属物；柱头3。小坚果椭圆形，近三棱形，长为鳞片的1/3。

| 生境分布 |

生于森林、草原地区的大湖、河流边缘的沼泽中。广东韶关（市区）、深圳（市区）、珠海（市区）、广州（市区）等有栽培。

| 资源情况 |

栽培资源丰富。药材来源于栽培。

| 采收加工 |

全年均可采收。

| **功能主治** | 酸、甘、微苦，凉。行气活血，退黄解毒。用于瘀血作痛，蛇虫咬伤。 |

| **用法用量** | 内服煎汤，100 g。外用浸酒擦，200 g。 |

莎草科 Cyperaceae 莎草属 *Cyperus*

碎米莎草
Cyperus iria L.

| 药 材 名 | 三方草（药用部位：全草或茎叶）。

| 形态特征 | 一年生草本。秆丛生，扁三棱状，基部具少数叶。叶短于秆，宽
0.2 ~ 0.5 cm，平展或折合；叶鞘短，红棕色或紫棕色。叶状苞片
3 ~ 5，下部的 2 ~ 3 苞片较花序长；穗状花序于长侧枝组成复出
聚伞花序，卵形或长圆状卵形；小穗松散排列，斜展，长圆形至
线状披针形；鳞片疏松排列，宽倒卵形；雄蕊 3，柱头 3。小坚果，
三棱状，与鳞片等长，褐色。

| 生境分布 | 生于田间、山坡、路旁阴湿处。分布于广东乳源、始兴、乐昌、连南、
大埔、五华、龙门、惠阳、高要、封开、阳春、高州及深圳（市区）、
广州（市区）、珠海（市区）、云浮（市区）等。

| 资源情况 | 野生资源丰富。药材来源于野生。

| 采收加工 | 夏、秋季采收，切段，晒干。

| 功能主治 | 辛，微温。行气，破血，消积，止痛，通经络。用于慢性宫颈炎，经闭，产后腹痛，消化不良，跌打损伤。

| 用法用量 | 内服煎汤，10 ~ 30 g。

莎草科 Cyperaceae 莎草属 Cyperus

茳芏 *Cyperus malaccensis* Lam.

| 药 材 名 |

江离子（药用部位：全草。别名：咸草、咸水草）。

| 形态特征 |

根茎匍匐，木质。秆锐三棱状，平滑，基部具 1 ~ 2 叶及长鞘。叶片较长；叶鞘棕色，先端具短叶片或无。苞片通常极展开，长于花序；鳞片内卷；叶状苞片 3。小坚果窄长圆形，三棱状，与鳞片近等长。

| 生境分布 |

生于河旁、沟边、近水处。分布于广东台山、新会、珠江三角洲及云浮（市区）等。

| 资源情况 |

野生资源一般。药材来源于野生。

| 采收加工 |

夏、秋季采收，切段，晒干。

| 功能主治 | 淡，寒。清热凉血，利尿。用于吐血，尿血，衄血，风火牙痛，带下。

| 用法用量 | 内服煎汤，9 ~ 15 g。

莎草科 Cyperaceae 莎草属 Cyperus

短叶茳芏 *Cyperus malaccensis* Lam. subsp. *monophyllus* (Vahl) T. Koyama

| 药 材 名 | 咸水草（药用部位：全草。别名：江离子）。

| 形态特征 | 秆高 80 ~ 100 cm，锐三棱形，基部具 1 ~ 2 短叶。叶片宽 0.3 ~ 0.8 cm；叶鞘包裹秆下部。苞片 3，叶状，短于花序；长侧枝聚伞花序复出或多次复出，具 6 ~ 10 第一次辐射枝；穗状花序松散，无毛，具 5 ~ 10 小穗；鳞片排列疏松，厚纸质，椭圆形或长圆形；雄蕊 3，花药线形，红色药隔突出于花药先端；柱头 3。小坚果狭长圆形，三棱形，与鳞片近等长。

| 生境分布 | 生于河旁、沟边、近水处。分布于广东台山、新会、珠江三角洲及云浮（市区）等。

| 资源情况 | 野生资源一般。药材来源于野生。

| 采收加工 | 夏、秋季采收，切段，晒干。

| 功能主治 | 淡，寒。清热凉血，利尿。用于吐血，尿血，衄血，风火牙痛，带下。

| 用法用量 | 内服煎汤，9 ～ 15 g。

莎草科 Cyperaceae 莎草属 *Cyperus*

毛轴莎草 *Cyperus pilosus* Vahl

| **药 材 名** | 毛轴莎草（药用部位：全草。别名：紫穗毛轴莎草、少花毛轴莎草、白花毛轴莎草）。

| **形态特征** | 匍匐根茎细长。秆散生，高 25 ~ 80 cm。叶短于秆，宽 0.6 ~ 0.8 cm。苞片通常 3，长于花序；复出长侧枝聚伞花序具 3 ~ 10 第一次辐射枝，辐射枝长短不等，每第一次辐射枝具 3 ~ 7 第二次辐射枝；穗状花序轴上被较密的黄色粗硬毛；雄蕊 3，花药短，线状长圆形，红色，药隔突出于花药先端。坚果宽椭圆形或倒卵形，三棱形，长为鳞片的 1/2 ~ 3/5。

| **生境分布** | 生于水田边、河边潮湿处。分布于广东乐昌、龙门、连州、罗定、阳春、徐闻及深圳（市区）、珠海（市区）、广州（市区）、肇庆

（市区）等。

| **资源情况** | 野生资源较少。药材来源于野生。

| **功能主治** | 辛，温。活血化瘀，利水消肿。用于跌打，浮肿。

| **用法用量** | 外用捣敷，3 ~ 9 g。

莎草科 Cyperaceae 莎草属 Cyperus

香附子
Cyperus rotundus L.

| 药 材 名 | 香附（药用部位：根茎。别名：雷公头、香头草）。

| 形态特征 | 秆稍细弱，高 15 ~ 95 cm，锐三棱形，平滑，基部呈块茎状。叶短于秆，宽 0.2 ~ 0.5 cm。叶状苞片 2 ~ 3（~ 5），常长于花序；长侧枝聚伞花序具（2 ~）3 ~ 10 辐射枝；穗状花序呈陀螺形，具 3 ~ 10 小穗；鳞片膜质，中间绿色，两侧紫红色或红棕色；雄蕊 3，花药线形，暗血红色，药隔突出于花药先端；柱头 3，伸出鳞片外。小坚果长为鳞片的 1/3 ~ 2/5，具细点。

| 生境分布 | 生于山坡荒地草丛中或水边潮湿处。分布于广东乳源、始兴、乐昌、平远、龙门、惠东、博罗、连州、连南、郁南、台山、阳春、高州、徐闻及深圳（市区）、肇庆（市区）等。

| 资源情况 | 野生资源丰富。药材来源于野生。

| 采收加工 | 秋季采挖，用火燎去须根及鳞叶，置沸水中片刻，或放蒸笼中蒸透，晒干，放入竹笼中来回撞擦，除去净灰屑及须毛。

| 功能主治 | 微苦、微甘、辛，平。疏肝解郁，理气宽中，调经止痛。用于脘腹胀痛，两胁疼痛，痛经，月经不调。

| 用法用量 | 内服煎汤，9 g；或研末，30 g。

莎草科 Cyperaceae 荸荠属 *Eleocharis*

紫果蔺
Eleocharis atropurpurea (Retz.) Kunth

| 药 材 名 | 紫果蔺（药用部位：全草）。

| 形态特征 | 无匍匐根茎。秆丛生，高 2 ~ 15 cm，毫发状，圆柱状，基部有 1 ~ 2 叶鞘。叶鞘管状，膜质。小穗卵形、球形或长圆状卵形，先端钝，长 0.2 ~ 0.55 cm，宽 0.15 ~ 0.25 cm；小穗基部 2 鳞片中空无花，其余鳞片均有花，鳞片膜质，背部绿色，具中脉 1，两侧血红色；下位刚毛 4 ~ 6，有倒刺；花柱长和宽分别约为小坚果的 1/6 和 1/4，柱头 2。小坚果倒卵形或宽倒卵形，双凸状。

| 生境分布 | 生于海拔 230 ~ 1 400 m 的水田中、田边、湿地。分布于广东深圳（市区）、广州（市区）等。

| 资源情况 | 野生资源一般。药材来源于野生。

| 采收加工 | 夏、秋季采收，切段。

| 功能主治 | 辛、苦，凉。清热解毒。用于疮疖。

| 用法用量 | 外用鲜品捣敷，3 ~ 9 g。

莎草科 Cyperaceae 荸荠属 *Eleocharis*

荸荠
Eleocharis dulcis (N. L. Burman) Trinius ex Henschel

| 药 材 名 | 马蹄（药用部位：球茎。别名：乌芋、地栗、地梨）、通天草（药用部位：地上部分。别名：芯荠、木贼状荸荠）。

| 形态特征 | 秆丛生，有横隔膜，干后表面有节。叶缺如，仅在秆基部有 2 ~ 3 叶鞘；叶鞘膜质，紫红色、微红色、褐色或麦秆黄色，光滑无毛，鞘口斜。小穗圆柱状，基部通常有不育鳞片 2，稀 1；鳞片紧密覆瓦状排列，有稠密的红棕色细点，具中脉 1；下位刚毛 7 ~ 8，较小坚果长，有倒刺；柱头 3。小坚果宽倒卵形，先端不缢缩。

| 生境分布 | 生于有水的平地。广东各地均有栽培。

| 资源情况 | 栽培资源丰富。药材来源于栽培。

| 采收加工 | **马蹄**：秋、冬季采收，鲜用。
　　　　　通天草：秋、冬季采收，晒干。

| 功能主治 | **马蹄**：甘，寒。清热生津，化痰，消积。用于热病伤津烦渴，咽喉肿痛，口腔炎，湿热黄疸，高血压，小便不利，麻疹，肺热咳嗽，硅肺，痔疮出血。
　　　　　通天草：苦，凉。清热解毒，利尿，降逆。用于呃逆，小便不利。

| 用法用量 | **马蹄**：内服煎汤，2 ~ 4 个；或捣汁。
　　　　　通天草：内服煎汤，15 ~ 30 g。

莎草科 Cyperaceae 荸荠属 *Eleocharis*

牛毛毡

Eleocharis yokoscensis (Franchet & Savatier) Tang & F. T. Wang

| 药 材 名 | 牛毛毡（药用部位：全草。别名：松毛蔺）。

| 形态特征 | 秆多数，细如毫发，密丛生，高 2 ~ 12 cm。叶鳞片状；叶鞘微红色，膜质，管状。小穗卵形，淡紫色；鳞片均具花，膜质，基部 1 鳞片长圆形，有 3 脉，其余鳞片卵形，先端急尖，有 1 脉；下位刚毛 1 ~ 4，长为小坚果的 2 倍，有倒刺；柱头 3，花柱基稍膨大成短尖状，直径约为小坚果的 1/3。小坚果狭长圆形，无棱。

| 生境分布 | 生于水田中、池塘边、湿黏土中。分布于广东乐昌、连州、阳春、高要及深圳（市区）、广州（市区）、茂名（市区）等。

| 资源情况 | 野生资源较少。药材来源于野生。

| 采收加工 | 夏、秋季采收，切段，晒干。

| 功能主治 | 辛，温。发表散寒，祛痰平喘。用于感冒咳嗽，痰多气喘，咳嗽失音。

| 用法用量 | 内服煎汤，9 ~ 30 g。

莎草科 Cyperaceae 飘拂草属 *Fimbristylis*

两歧飘拂草 *Fimbristylis dichotoma* (L.) Vahl

药材名

两歧飘拂草（药用部位：全草。别名：线叶两歧飘拂草）。

形态特征

秆丛生，高 15 ~ 50 cm，无毛或疏被柔毛。叶线形；叶鞘革质，先端近截形。苞片 3 ~ 4，叶状，通常 1 ~ 2 苞片长于花序；长侧枝聚伞花序复出，稀简单；小穗单生于辐射枝先端，具多数花；鳞片具 3 ~ 5 脉，中脉先端延伸成短尖头；雄蕊 1 ~ 2；花柱长于雄蕊，上部有缘毛，柱头 2。小坚果宽倒卵形，双凸状，具 7 ~ 9 纵肋，无疣状突起，具褐色果柄。

生境分布

生于水稻田或空旷草地上。分布于广东乐昌、翁源、大埔、陆丰、宝安、阳山、封开、德庆、新兴、台山及广州（市区）等。

资源情况

野生资源丰富。药材来源于野生。

| **采收加工** | 夏、秋季采收，切段，晒干。

| **功能主治** | 淡，寒。清热利尿，解毒。用于小便不利，湿热浮肿，淋病，胎毒。

| **用法用量** | 内服煎汤，6 ~ 9 g。外用适量，煎汤洗。

莎草科 Cyperaceae 飘拂草属 *Fimbristylis*

暗褐飘拂草
Fimbristylis fusca (Nees) Benth.

| 药 材 名 |

片角草（药用部位：全草）。

| 形态特征 |

无根茎。秆丛生，高 20 ~ 40 cm，具根生叶。叶线形，两面被毛。苞片 2 ~ 4，叶状，被毛，基部甚宽，先端具短尖头；长侧枝聚伞花序复出，具被毛的辐射枝；小穗单生于辐射枝先端；有花鳞片厚纸质，先端有硬尖头，被粗糙短毛，中脉 1，略隆起；雄蕊 3；花柱基部膨大，柱头 3。小坚果倒卵形、三棱形，几无柄，淡棕色或白色，有疣状突起。

| 生境分布 |

生于海拔 100 ~ 230 m 的山顶、草坡、草地、田中。分布于广东博罗、惠阳、阳山及茂名（市区）等。

| 资源情况 |

野生资源较少。药材来源于野生。

| 采收加工 |

夏、秋季采收，切段，晒干。

| **功能主治** | 辛，凉。清热解表。用于小便不利，湿热浮肿。

| **用法用量** | 内服煎汤，6 ~ 9 g。外用适量，煎汤洗。

水虱草 *Fimbristylis miliacea* (L.) Vahl

| 药 材 名 |

水虱草（药用部位：全草。别名：日照飘拂草）。

| 形态特征 |

无根茎。秆丛生，基部有 1 ~ 3 无叶片的鞘。叶鞘侧扁，无叶舌。苞片 2 ~ 4，较花序短；长侧枝聚伞花序常复出或多次复出，辐射枝 3 ~ 6；小穗单生于辐射枝先端；鳞片膜质，具 3 脉；雄蕊 2，花药长为花丝的1/2；花柱三棱形，无缘毛，柱头 3，长为花柱的 1/2。小坚果倒卵形、宽倒卵形或钝三棱形，麦秆黄色，具疣状突起和横长圆形网纹。

| 生境分布 |

生于海拔 100 ~ 500 m 的潮湿沼泽地区和水稻田中。分布于广东乳源、蕉岭、龙门、连南、连州、封开、阳春及云浮（市区）、广州（市区）等。

| 资源情况 |

野生资源丰富。药材来源于野生。

| 采收加工 |　夏、秋季采收，切段，晒干。

| 功能主治 |　甘、淡，凉。清热利尿，凉血解毒。用于小便不利，湿热浮肿。

| 用法用量 |　内服煎汤，6 ~ 9 g。

莎草科 Cyperaceae 飘拂草属 *Fimbristylis*

结壮飘拂草

Fimbristylis rigidula Nees

| 药 材 名 | 毛蜂子（药用部位：根。别名：茅草箭、透骨风）。

| 形态特征 | 秆丛生，基部常具残存的老叶鞘。小穗单生于第一次或第二次辐射枝先端，卵形或椭圆形，长 0.5 ~ 1 cm，宽 0.3 ~ 0.4 cm；鳞片密，卵形或宽卵形，具短尖头，长约 4 mm，红褐色，具多脉，基部 2 鳞片无花，较具花鳞片小；雄蕊 3，花药线形，长约 0.15 cm；花柱扁平，先端具缘毛，柱头 2。小坚果宽倒卵形或近椭圆形，长 0.12 ~ 0.15 cm，具细小的六角形网纹。

| 生境分布 | 生于海拔 300 ~ 1 400 m 的山坡上、路旁、草地、荒地或林下。分布于广东乳源、饶平及云浮（市区）等。

| 资源情况 | 野生资源较少。药材来源于野生。

| 采收加工 | 夏、秋季采收，晒干。

| 功能主治 | 甘，微寒。润肺止咳，补虚。用于咳嗽。

| 用法用量 | 内服煎汤，6 ~ 9 g。

莎草科 Cyperaceae 水蜈蚣属 *Kyllinga*

短叶水蜈蚣 *Kyllinga brevifolia* Rottb.

| **药 材 名** | 水蜈蚣（药用部位：全草。别名：金钮草）。

| **形态特征** | 每节上具 1 秆。秆成列散生，扁三棱形，基部不膨大，具 4 ~ 5 圆筒状叶鞘，鞘口斜截形。叶上部边缘和背面中肋具细刺。叶状苞片 3；穗状花序常为单个，具密生的小穗；小穗压扁，具 1 花；鳞片膜质，具锈斑和刺，先端延脉 5 ~ 7；雄蕊 1 ~ 3；柱头 2，长不及花柱的 1/2。小坚果倒卵状长圆形，扁双凸状，长约为鳞片的 1/2，表面密生细点。

| **生境分布** | 生于海拔 600 m 以下的山坡荒地、路旁草丛中、田边草地、溪边、海边沙滩上。广东各地均有分布。

| 资源情况 | 野生资源丰富。药材来源于野生。

| 采收加工 | 夏、秋季采收。

| 功能主治 | 辛、微苦、甘，平。疏风解表，清热利湿，活血解毒。用于伤风感冒，支气管炎，百日咳，疟疾，痢疾，肝炎，乳糜尿，跌打损伤，风湿性关节炎；外用于蛇咬伤，皮肤瘙痒，疖肿。

| 用法用量 | 内服煎汤，15 ～ 30 g，鲜品 30 ～ 60 g；或捣汁；或浸酒。外用适量，捣敷。

莎草科 Cyperaceae　水蜈蚣属 *Kyllinga*

三头水蜈蚣

Kyllinga bulbosa P. Beauvois

| 药 材 名 | 护心草（药用部位：全草）。

| 形态特征 | 秆丛生，高 8 ~ 25 cm，基部呈鳞茎状膨大。叶短于秆，边缘具疏刺。叶状苞片 2 ~ 3，长于花序；穗状花序 3，稀 1 或 4 ~ 5，排列紧密，居中者宽圆卵形，较大，侧生者球形；小穗排列极密，辐射展开，具 1 花；鳞片膜质，先端具短尖头，具 7 脉；雄蕊 1 ~ 3；柱头 2，长于花柱。小坚果长圆形，扁平凸状，长约为鳞片的 2/3 ~ 3/4，具微凸起的细点。

| 生境分布 | 分布于广东广州（市区）等。

| 资源情况 | 野生资源较少。药材来源于野生。

| 采收加工 | 夏、秋季采收。

| 功能主治 | 辛、苦，平。活血通经，行气止痛。用于胃痛，痛经，风湿性关节炎，跌打肿痛，外伤出血。

| 用法用量 | 内服煎汤，15 ~ 30 g。外用适量，鲜品捣敷。

莎草科 Cyperaceae 水蜈蚣属 *Kyllinga*

单穗水蜈蚣

Kyllinga nemoralis (J. R. Forster & G. Forster) Dandy ex Hutchinson & Dalziel

| 药 材 名 | 一箭球（药用部位：全草。别名：水百足、猴子草）。

| 形态特征 | 多年生草本。秆扁锐三棱形，基部不膨大。叶通常短于秆，具疏锯齿。苞片叶状，斜展，较花序长；穗状花序常 1；小穗具 1 花；鳞片膜质，舟状，与小穗等长，两侧各具 3 ~ 4 脉，背面的龙骨状突起具翅，翅下部狭，延伸出鳞片先端成稍外弯的短尖头，翅边缘具缘毛状细刺；雄蕊 3；柱头 2。小坚果长约为鳞片的 1/2，密生细点，先端具短尖头。

| 生境分布 | 生于山坡林下、沟边、田边近水处、旷野潮湿处。分布于广东乳源、连平、蕉岭、大埔、德庆、阳春及深圳（市区）、广州（市区）、茂名（市区）等。

| **资源情况** | 野生资源丰富。药材来源于野生。

| **采收加工** | 夏、秋季采收。

| **功能主治** | 辛、苦，平。宣肺止咳，清热解毒，散瘀消肿，杀虫截疟。用于百日咳，疟疾；外用于跌打损伤，蛇咬伤。

| **用法用量** | 内服煎汤，15 ~ 30 g。外用适量，鲜品捣敷。孕妇忌服。

莎草科 Cyperaceae 湖瓜草属 Lipocarpha

湖瓜草
Lipocarpha microcephala (R. Brown) Kunth

| 药 材 名 | 钮草（药用部位：全草。别名：七子关）。

| 形态特征 | 一年生草本。秆丛生，被微柔毛。叶基生，短于秆；叶鞘无毛。叶状苞片 2 ~ 3，较花序长；穗状花序 2 ~ 3（~ 4）簇生于秆先端，无柄，卵形，具多数螺旋状覆瓦状排列的小苞片；每小苞片具 1 小穗，倒披针形，先端尾状细尖，外弯，薄膜质；小穗具 2 小鳞片和 1 两性花；小鳞片膜质；雄蕊 2；柱头 3，被微柔毛。小坚果先端具微小短尖头，有细皱纹。

| 生境分布 | 生于水边和沼泽中。分布于广东仁化、连平、丰顺、惠东、高要、封开、罗定、阳春、信宜及深圳（市区）等。

| 资源情况 | 野生资源丰富。药材来源于野生。

| 采收加工 | 夏、秋季采收，晒干。

| 功能主治 | 微苦，平。清热止惊。用于惊风。

| 用法用量 | 内服煎汤，9 ~ 15 g。

莎草科 Cyperaceae 刺子莞属 Rhynchospora

刺子莞

Rhynchospora rubra (Lour.) Makino

| 药 材 名 | 龙须草（药用部位：全草。别名：绣球草）。

| 形态特征 | 秆丛生，圆柱状，具细条纹。叶基生；叶片狭长，钻状线形，纸质。苞片 4 ~ 10，叶状，不等长；头状花序顶生，球形；小穗钻状披针形，具鳞片 7 ~ 8；有花鳞片较无花鳞片大，最上面 1 ~ 2 鳞片具雄花，其下 1 鳞片具雌花；下位刚毛 4 ~ 6，长不及小坚果的 1/3 ~ 1/2；雄蕊 2 ~ 3；花柱基部膨大，柱头 2。小坚果倒卵形，双凸状。

| 生境分布 | 生于海拔 100 ~ 1 400 m 的各种环境中。广东各地均有分布。

| 资源情况 | 野生资源丰富。药材来源于野生。

| 采收加工 | 夏、秋季采收，晒干。

| 功能主治 | 甘、辛，平。疏风清热，利湿通淋。用于食积，呃逆，饱胀，热淋，小便不利。

| 用法用量 | 内服煎汤，15 ~ 30 g。

77 __ 广东卷 12

莎草科 Cyperaceae 萤蔺属 *Schoenoplectiella*

萤蔺

Schoenoplectiella juncoides (Roxburgh) Lye

| 药 材 名 | 野马蹄草（药用部位：全草）。

| 形态特征 | 多年生草本。秆丛生，圆柱状，无棱，具 2 ～ 3 鞘。叶鞘口斜截形，无叶片。苞片 1，为秆的延长；小穗（2 ～ ）3 ～ 5（ ～ 7）聚生成头状，假侧生；鳞片宽卵形或卵形；下位刚毛 5 ～ 6，等长于或短于小坚果，有倒刺；雄蕊 3；柱头 2 ～ 3。小坚果宽倒卵形或倒卵形，平凸状，长约 0.25 cm，稍皱缩，无明显横皱纹，成熟时黑褐色。

| 生境分布 | 生于海拔 300 ～ 1 800 m 的路旁、荒地潮湿处、水田边、池塘边、溪旁、沼泽中。分布于广东始兴、仁化、翁源、新丰、南雄、连平、和平、梅县、五华、博罗、惠东、龙门、阳山、英德、怀集、封开、德庆、新兴、恩平、信宜及深圳（市区）、广州（市区）等。

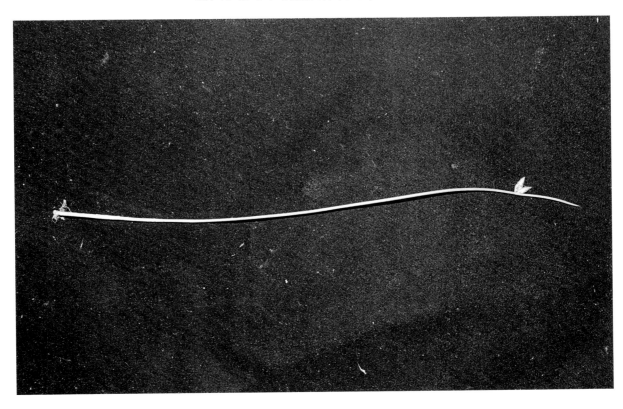

| 资源情况 | 野生资源丰富。药材来源于野生。

| 采收加工 | 夏、秋季采收，切段，晒干。

| 功能主治 | 甘、淡，凉。清热凉血，解毒利湿，消积开胃。用于肺痨咯血，风火牙痛，目赤肿痛，尿路感染。

| 用法用量 | 内服煎汤，60 ~ 120 g。

水毛花 *Schoenoplectiella triangulata* (Roxb.) J. Jung & H. K. Choi

| 药 材 名 | 水毛花（药用部位：全草。别名：蒲草、三角草、水三棱草）、蒲草根（药用部位：根。别名：水毛花根）。

| 形态特征 | 无匍匐根茎。秆丛生，稍粗壮，高 50 ~ 120 cm，锐三棱形，基部具 2 叶鞘，先端呈斜截形，无叶片。苞片 1，为秆的延长，长 2 ~ 9 cm；小穗（2 ~）5 ~ 9（~ 20）聚集成头状，假侧生；鳞片卵形或长圆状卵形，先端急缩成短尖头，具红棕色短条纹，背面具 1 脉；下位刚毛 6，有倒刺；雄蕊 3；柱头 3。小坚果扁三棱形，具光泽，稍有皱纹。

| 生境分布 | 生于海拔 500 ~ 1 500 m 的水塘边、沼泽地、溪边牧草地、湖边等。分布于广东乳源、翁源、曲江、英德、阳山、阳春、信宜、徐闻及

肇庆（市区）、云浮（市区）、广州（市区）等。

| 资源情况 | 野生资源丰富。药材来源于野生。

| 采收加工 | 水毛花：夏、秋季采收，晒干。

| 功能主治 | 水毛花：苦、辛，凉。清热解表，宣肺止咳。用于感冒发热，咳嗽。
蒲草根：淡、微苦，凉。清热利尿，解毒。用于感冒发热。

| 用法用量 | 水毛花：内服煎汤，9 ～ 30 g。
蒲草根：内服煎汤，30 ～ 60 g。

莎草科 Cyperaceae 萤蔺属 *Schoenoplectiella*

猪毛草
Schoenoplectiella wallichii (Nees) Lye

| 药 材 名 | 猪毛草（药用部位：全草）。

| 形态特征 | 丛生。秆细弱，基部具 2 ~ 3 管状近膜质的叶鞘。无叶片。苞片 1；小穗单生或 2 ~ 3 成簇，假侧生，长圆状卵形，先端急尖，淡绿色或淡棕绿色，具 10 余至多数花；鳞片长圆状卵形，先端渐尖，近革质；雄蕊 3，花药长圆形，药隔稍突出；花柱中等长，柱头 2。小坚果宽椭圆形，平凸状，黑褐色。

| 生境分布 | 生于水稻田中、溪边、河旁近水处。分布于广东乳源、乐昌等。

| 资源情况 | 野生资源较少。药材来源于野生。

| 采收加工 | 夏、秋季采收，晒干。

| **功能主治** | 苦、涩，凉。清热，解毒。用于犬咬伤，烫火伤，刀伤。

| **用法用量** | 外用适量，捣敷；或研末调敷。

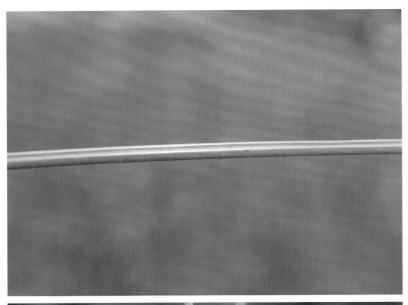

类头状花序蔍草 *Scirpus subcapitatus* Thw.

| 药 材 名 | 龙须草（药用部位：全草。别名：类头状花序蔍草、台湾蔍草）。

| 形态特征 | 根茎短，密丛生。秆细长，无秆生叶，基部具 5 ~ 6 叶鞘。叶鞘棕黄色，先端具很短的钻状叶片。蝎尾状聚伞花序小；小穗卵形或披针形；鳞片排列疏松，卵形或长圆状卵形，先端急尖或钝，皮纸质，麦秆黄色或棕色；雄蕊 3；花柱短，柱头 3。小坚果长圆形、长圆状倒卵形或三棱形，明显隆起，黄褐色。

| 生境分布 | 生于海拔 700 ~ 1 800 m 的林边湿地、山溪旁、山坡路旁湿地上或灌丛中。分布于广东乳源、博罗、从化、阳山、封开、信宜等。

| 资源情况 | 野生资源丰富。药材来源于野生。

| 采收加工 | 夏、秋季采收，晒干。

| 功能主治 | 淡，寒。利尿通淋，清热安神。用于热病烦渴，热淋，尿路感染，目赤肿痛，糖尿病。

| 用法用量 | 内服煎汤，15 ~ 30 g。

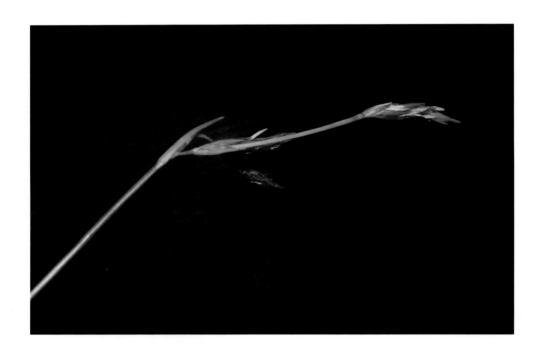

莎草科 Cyperaceae 珍珠茅属 Scleria

黑鳞珍珠茅

Scleria hookeriana Bocklr.

| 药 材 名 | 毛果珍珠茅（药用部位：全草。别名：割鸡刀、三角草）。

| 形态特征 | 秆三棱状，高 0.6 ~ 1 m。叶片长达 45 cm，宽 4 ~ 8 cm；叶鞘紫红色或淡褐色；叶舌半圆形，被紫色髯毛。圆锥花序；小苞片刚毛状，基部有耳，耳具髯毛；雄蕊 3；子房被长柔毛，柱头 3。小坚果卵形、钝三棱形，白色，具网纹或皱纹，常呈锈色并被微柔毛，先端具短尖头；下位盘直径稍短于小坚果或稍 3 裂，裂片半圆状三角形，淡黄色。

| 生境分布 | 生于海拔 450 ~ 1 800 m 的山坡、山沟、山脊灌丛或草丛中。分布于广东乳源、仁化、乐昌、阳山及广州（市区）等。

| 资源情况 | 野生资源较少。药材来源于野生。

| 采收加工 | 夏、秋季采收，切段，晒干。

| 功能主治 | 辛、苦，凉。清肺化痰，散瘀消肿，止痛。用于肺热咳嗽，跌打损伤，骨折。

| 用法用量 | 内服煎汤，3 ~ 9 g。孕妇忌服。

莎草科 Cyperaceae 珍珠茅属 *Scleria*

毛果珍珠茅
Scleria levis Retzius

| 药 材 名 | 珍珠茅（药用部位：根。别名：三面锋、可角草、割鸡刀）。

| 形态特征 | 秆三棱形。叶线形，无毛；叶鞘纸质，无毛，无翅；具叶舌。圆锥花序由顶生和 1～2 侧生的支圆锥花序组成；支圆锥花序轴与分枝被微柔毛，有棱，有时具短翅；小穗单生或 2，无柄，单性；雄蕊 3；柱头 3。小坚果球形或卵形，白色，具隆起的横皱纹，略呈波状，被微硬毛；下位盘略窄于小坚果，3 深裂，裂片多为披针状三角形。

| 生境分布 | 生于林下、沟旁、山地草丛中。分布于广东乐昌、徐闻、惠东及河源（市区）、深圳（市区）、珠海（市区）、广州（市区）、肇庆（市区）、茂名（市区）等。

| **资源情况** | 野生资源丰富。药材来源于野生。

| **采收加工** | 夏、秋季采收，晒干。

| **功能主治** | 辛、苦，平。解毒消肿，消食和胃。用于小儿单纯性消化不良，毒蛇咬伤。

| **用法用量** | 内服煎汤，3～9g。外用适量，捣敷。孕妇忌服。

高秆珍珠茅 *Scleria terrestris* (L.) Fass

| 药 材 名 |

宽叶珍珠茅（药用部位：全草）。

| 形态特征 |

秆高 2 ~ 3 m，三棱形，无毛。叶片长 30 ~ 40 cm，宽 0.6 ~ 1 cm；基部叶鞘无翅，中部的具翅，具叶舌。圆锥花序；雌小穗通常生于分枝基部；鳞片宽卵形或卵状披针形，有时具锈色短条纹；雄蕊 3；柱头 3。小坚果球形或近卵形，白色或淡褐色，具网纹，横纹被微硬毛；下位盘直径 0.18 cm，3 浅裂或几不裂，裂片半圆形。

| 生境分布 |

生于海拔 1 000 m 以下的山谷、溪边草地、灌丛下。分布于广东乳源、乐昌、蕉岭、阳春及河源（市区）、深圳（市区）、广州（市区）、肇庆（市区）等。

| 资源情况 |

野生资源丰富。药材来源于野生。

| 采收加工 |

夏、秋季采收，切段，晒干。

| **功能主治** | 苦、辛，平。祛风除湿，疏经活络，透疹。用于风湿骨痛，瘫痪，跌打损伤。

| **用法用量** | 外用捣敷，3 ~ 9 g。

禾本科 Poaceae 看麦娘属 *Alopecurus*

看麦娘 *Alopecurus aequalis* Sobol.

| 药 材 名 |

看麦娘（药用部位：全草。别名：牛头猛、油草、棒槌草）。

| 形态特征 |

秆细瘦，光滑，节处常膝曲，高 15 ～ 40 cm。叶鞘光滑，短于节间；叶舌膜质，长 2 ～ 5 mm；叶片扁平，长 3 ～ 10 cm，宽 2 ～ 6 mm。圆锥花序圆柱状，灰绿色，长 2 ～ 7 cm，宽 3 ～ 6 mm；小穗椭圆形或卵状长圆形，长 2 ～ 3 mm；颖膜质，基部互相连合，具 3 脉；外稃膜质，先端钝，下部边缘互相连合，芒长 1.5 ～ 3.5 mm；花药橙黄色，长 0.5 ～ 0.8 mm。颖果长约 1 mm。

| 生境分布 |

生于海拔较低的田边及潮湿处。分布于广东阳春、信宜及韶关（市区）、河源（市区）、深圳（市区）、广州（市区）、清远（市区）、肇庆（市区）等。

| 资源情况 |

野生资源丰富。药材来源于野生。

| **采收加工** | 春、夏季采收，晒干或鲜用。

| **功能主治** | 淡，凉。清热利湿，止泻，解毒。用于水肿，水痘，泄泻，黄疸性肝炎，赤眼，毒蛇咬伤。

| **用法用量** | 内服煎汤，30 ~ 60 g。外用适量，捣敷；或煎汤洗。

禾本科　Poaceae　水蔗草属　*Apluda*

水蔗草 *Apluda mutica* L.

| 药 材 名 | 水蔗草（药用部位：根、茎叶。别名：崩疮草、野香草、米草）。

| 形态特征 | 秆高 50～300 cm，质硬，直径可达 3 mm，节间上段常有白粉，无毛。叶舌膜质，长 1～2 mm；叶片扁平，长 10～35 cm，宽 3～15 mm。圆锥花序顶生，由许多总状花序组成；总状花序单生，长 6.5～8 mm，基部以 0.5 mm 长的细柄着生在舟形总苞腋内；有柄小穗含 2 小花，第一小花雄性，外稃长 3～4.5 mm，内稃稍短，第二小花等长于或稍短于第一小花；无柄小穗两性，第一小花雄性，略短于颖，第二小花外稃舟形。颖果卵形，成熟时蜡黄色。

| 生境分布 | 生于海拔 1 900 m 以下的田边、水旁湿地及山坡草丛。广东各地均有分布。

| **资源情况** | 野生资源丰富。药材来源于野生。

| **采收加工** | 夏、秋季采收，洗净，切段，晒干或鲜用。

| **功能主治** | 祛腐解毒，壮阳。用于下肢溃烂，蛇虫咬伤，阳痿。

| **用法用量** | 内服煎汤，10 ~ 15 g。外用适量，捣敷；或煎汤洗。

禾本科 Poaceae 荩草属 *Arthraxon*

荩草
Arthraxon hispidus (Thunb.) Makino

| 药 材 名 |　荩草（药用部位：全草。别名：黄草、细叶秀竹、马耳草）。

| 形态特征 |　秆细弱，无毛，基部倾斜，高 30 ～ 60 cm。叶鞘短于节间，生短硬疣毛；叶舌膜质，长 0.5 ～ 1 mm；叶片卵状披针形，长 2 ～ 4 cm，宽 0.8 ～ 1.5 cm，基部心形，抱茎。总状花序细弱，长 1.5 ～ 4 cm，2 ～ 10 呈指状排列或簇生于秆顶；无柄小穗卵状披针形，长 3 ～ 5 mm；第一颖草质，边缘膜质，包住第二颖的 2/3，具 7 ～ 9 脉，第二颖近膜质，与第一颖等长，具 3 脉而 2 侧脉不明显；雄蕊 2。颖果长圆形。

| 生境分布 |　生于山坡、草地、阴湿处。分布于广东乳源、乐昌、和平、阳山、连州、封开、高要、郁南、罗定、台山、阳春及深圳（市区）、

广州（市区）等。

| **资源情况** | 野生资源丰富。药材来源于野生。

| **采收加工** | 7 ~ 9 月采收，晒干。

| **功能主治** | 苦，平。止咳平喘，解毒杀虫。用于久咳气喘，肝炎，咽喉炎，口腔炎，鼻炎，淋巴结炎，乳腺炎，疮疡疥癣。

| **用法用量** | 内服煎汤，6 ~ 15 g。外用适量，捣敷；或煎汤洗。

| **附　注** | 中亚荩草 *Arthraxon hispidus* (Thunb.) Makino var. *centrasiaticus* (Grisb.) Honda 与本种的区别在于中亚荩草叶片两面有毛，小穗具较长的芒。

禾本科 Poaceae 芦竹属 *Arundo*

芦竹
Arundo donax L.

| **植物别名** | 荻芦竹、绿竹、毛鞘芦竹。

| **药 材 名** | 芦竹根（药用部位：根茎）、芦竹笋（药用部位：嫩苗）、芦竹沥（药材来源：茎竿经烧炙而沥出的液汁）。

| **形态特征** | 具发达根茎。竿粗大直立，高 3 ～ 6 m，直径 1 ～ 2.5 cm，质坚韧，具多数节。叶鞘长于节间；叶舌平截，长约 1.5 mm，先端具短纤毛；叶片扁平，长 30 ～ 50 cm，宽 3 ～ 5 cm，基部白色，抱茎。圆锥花序极大型，长 30 ～ 60 cm，宽 3 ～ 6 cm，分枝稠密；小穗长 10 ～ 12 mm，含 2 ～ 4 小花；外稃中脉延伸成长 1 ～ 2 mm 的短芒，内稃长约为外稃的一半；雄蕊 3。颖果细小，黑色。

| 生境分布 | 生于河岸道旁、砂壤土上。分布于广东南澳、英德、郁南、台山、新会、阳春及深圳（市区）、广州（市区）等。

| 资源情况 | 野生资源较丰富。栽培资源较丰富。药材来源于野生和栽培。

| 采收加工 | **芦竹根**：夏季采收，洗净，剔除须根，切片或整条晒干。
芦竹笋：春季采收，洗净，鲜用。
芦竹沥：全年均可采制，取鲜芦竹竿，截成长 30 ～ 50 cm 的段，两端去节，劈开，架起，用火烤中部，两端即有液汁流出，以器盛之。

| 药材性状 | **芦竹根**：本品为类圆形厚片，直径 2 ～ 2.5 cm，表面棕黄色，具光泽，有时可见大小不等的芽胞突起及叶鞘残痕，切面淡黄白色，质坚而韧。气微，味甘。

| 功能主治 | **芦竹根**：苦、甘，寒。清热泻火，生津除烦，利尿。用于热病烦渴，虚劳骨蒸，吐血，热淋，小便不利，风火牙痛。
芦竹笋：苦，寒。清热泻火。用于肺热吐血，骨蒸潮热，头晕，热淋，聤耳，牙痛。
芦竹沥：苦，寒。清热镇惊。用于小儿高热惊风。

| 用法用量 | **芦竹根**：内服煎汤，15 ～ 30 g；或熬膏。外用适量，捣敷。
芦竹笋：内服煎汤，鲜品 15 ～ 60 g；或捣汁；或熬膏。外用适量，捣汁滴耳。
芦竹沥：内服开水冲，15 ～ 30 g。

禾本科 Poaceae 燕麦属 Avena

野燕麦 *Avena fatua* L.

| **植物别名** | 乌麦、南燕麦。

| **药 材 名** | 燕麦草（药用部位：全草）、野麦子（药用部位：种子）。

| **形态特征** | 秆直立，光滑无毛，高 60 ~ 120 cm，具 2 ~ 4 节。叶片扁平，长 10 ~ 30 cm，微粗糙。圆锥花序金字塔形，长 10 ~ 25 mm；小穗长 18 ~ 25 mm，含 2 ~ 3 小花；小穗轴密生淡棕色或白色硬毛，节脆硬，易断落，第一节间长约 3 mm；颖草质，具 9 脉；外稃质坚硬，第一外稃长 15 ~ 20 mm，背面中部以下具淡棕色或白色硬毛，芒自稃体中部稍下处伸出，长 2 ~ 4 cm，膝曲，芒柱棕色，扭转。

| **生境分布** | 生于荒野。分布于广东乳源、乐昌、高要等。

| 资源情况 | 野生资源一般。药材来源于野生。

| 采收加工 | **燕麦草**：未结实前采收，晒干。
野麦子：夏、秋季果实成熟时采收，取出种子，晒干。

| 功能主治 | **燕麦草**：甘，平。收敛止血，固表止汗。用于吐血，便血，崩中，自汗，盗汗，带下。
野麦子：甘，温。补虚止汗。用于虚汗不止。

| 用法用量 | **燕麦草**：内服煎汤，15 ～ 30 g。
野麦子：内服煎汤，10 ～ 15 g。

| 附　　注 | 光稃野燕麦 *Avena fatua* L. var. *glabrata* Peterm. 与本种的区别在于光稃野燕麦外稃光滑无毛。

禾本科 Poaceae 簕竹属 *Bambusa*

粉单竹
Bambusa chungii McClure

| 药 材 名 |

粉单叶（药用部位：叶）。

| 形态特征 |

丛生竹。竿直立，高 5 ~ 18 m，直径 3 ~ 7 cm，节间幼时被白色厚蜡粉；箨环最初在节下方密生 1 圈向下的棕色刺毛环；箨鞘脱落后在箨环处留存 1 圈窄的木栓环；箨片强烈外翻，基底宽约为箨鞘先端的 1/5；竿分枝习性高，分枝粗细近相等。叶片质较厚，披针形至线状披针形，基部两侧不对称，具次脉 5 ~ 6 对。假小穗宽卵形。

| 生境分布 |

生于山地林中。广东各地均有栽培。

| 资源情况 |

野生资源较少。栽培资源丰富。药材来源于栽培。

| 采收加工 |

全年均可采收，晒干。

| 功能主治 |

苦，寒。清心除烦，清暑止渴。用于热病心

烦，伤暑口渴，烫伤。

| 用法用量 | 　内服煎汤，6 ～ 15 g。

禾本科 Poaceae　箣竹属 Bambusa

坭箣竹
Bambusa dissimulator McClure

| 植物别名 | 箣竹、坭竹、猪姆脯。

| 药 材 名 | 坭箣竹根（药用部位：根茎）、坭箣竹茹（药用部位：茎竿的中间层）。

| 形态特征 | 丛生竹。竿高 10～18 m，尾梢近直立或稍下弯，有时基部具黄白色纵条纹；竿壁厚；竿基部第 1～2 节开始分枝，上方各节 3 至数枝簇生；主枝较粗长，下部分枝上的小枝有时可短缩成弯曲的短刺；箨耳不等长；箨舌高 5～7 mm；箨片直立，基部近圆形或近心形，收窄，宽为箨鞘先端的 1/2～3/5。叶片线状披针形至披针形。笋期 7～8 月，花期 3～4 月。

| 生境分布 | 广东广州（市区）、清远（市区）等有栽培。

倪静波提供

| **资源情况** | 栽培资源较少。药材来源于栽培。

| **采收加工** | 坭簕竹根：夏、秋季采挖，洗净，晒干。

坭簕竹茹：夏、秋季采收，砍取茎竿，刮去外层皮，将中间层刮成丝状，晒干。

| **功能主治** | 坭簕竹根：解毒。用于狂犬病。

坭簕竹茹：清胃止吐。用于胃热呕吐。

| **用法用量** | 坭簕竹根：内服煎汤，6 ~ 10 g。

坭簕竹茹：内服煎汤，6 ~ 10 g。

倪静波提供

倪静波提供

禾本科 Poaceae 簕竹属 Bambusa

慈竹

Bambusa emeiensis L. C. Chia & H. L. Fung

| 植物别名 |

丛竹、绵竹。

| 药 材 名 |

慈竹根（药用部位：根茎）、慈竹叶（药
用部位：叶）、慈竹花（药用部位：花）、
慈竹茹（药用部位：茎竿的中间层）、慈
竹沥（药材来源：茎竿经火烤灼而流出的
液汁）、慈竹笋（药用部位：嫩竿）、慈
竹箨（药用部位：箨片。别名：慈竹笋壳）、
慈竹气笋（药用部位：遭受病害的嫩竿。
别名：慈竹阴笋）。

| 形态特征 |

竿丛生，高 5 ~ 10 m，先端细长，呈弧形或
下垂，每节生 20 余分枝，节间贴生小刺毛；
箨鞘革质，背面密生棕黑色刺毛，鞘口宽广
而下凹；箨舌流苏状，连缘毛长达 10 mm；
箨片外翻，基部宽仅为鞘口的一半。叶片质
薄，窄披针形，长 10 ~ 30 cm。假小穗 2 ~ 4
生于 1 节，具 4 ~ 5 花。笋期 6 ~ 9 月或
12 月至翌年 3 月，花期 7 ~ 9 月。

| 生境分布 |

广东广州（市区）等有栽培。

| 资源情况 | 栽培资源较少。药材来源于栽培。

| 采收加工 | 慈竹根：全年均可采挖，洗净，鲜用或晒干。

慈竹叶：全年均可采收，晒干或鲜用。

慈竹花：7 ~ 9 月采收，晾干或鲜用。

慈竹茹：夏、秋季采收，砍取茎竿，刮去外层皮，将中间层刮成丝状，晒干。

慈竹沥：夏、秋季采制，取鲜茎竿，截成长 30 ~ 50 cm 的段，两端去节，劈开，架起，用火烤中部，两端即有汁液流出，以器盛之。

慈竹笋：笋期采收，鲜用或晒干。

慈竹箨：全年均可采收，晒干。

慈竹气笋：5 ~ 6 月采收，晒干。

| 功能主治 | 慈竹根：下乳。用于乳汁不通。

慈竹叶：甘、苦，微寒。清心利尿，除烦止渴。用于热病烦渴，小便短赤，口舌生疮。

慈竹花：止血。用于劳伤吐血。

慈竹茹：甘，微寒。除烦止呕，清热凉血。用于胃热呕逆，上焦烦热，吐衄，崩中，胎动不安。

慈竹沥：甘，寒。清热化痰，定惊除烦。用于痰热咳喘，心烦，惊风，中风痰迷。

慈竹笋：调气。用于脱肛，疝气，疮疡。

慈竹箨：止血，解毒。用于吐血，恶疮，犬咬伤。

慈竹气笋：清热，解毒，止血。用于消渴，小便热痛，脱肛，小儿头身热疮，刀伤。

| 用法用量 | 慈竹根：内服煎汤，15 ~ 30 g，鲜品 60 ~ 120 g；或炖肉。

慈竹叶：内服煎汤，10 ~ 15 g。

慈竹花：内服煎汤，15 ~ 30 g，鲜品 30 ~ 60 g；或炖肉。

慈竹茹：内服煎汤，7.5 ~ 15 g。

慈竹沥：内服冲，15 ~ 30 ml。

慈竹笋：内服煎汤，15 ~ 30 g，鲜品 60 ~ 120 g；或炖鳖甲。外用适量，烧存性，研末调敷。

慈竹箨：内服煎汤，3 ~ 6 g；或烧灰研末冲。外用适量，烧存性，研末调搽。

慈竹气笋：内服煎汤，30 ~ 100 g。外用适量，煅存性，研末敷。

禾本科 Poaceae 箣竹属 Bambusa

凤尾竹

Bambusa multiplex 'Fernleaf'

| 药 材 名 | 凤尾竹（药用部位：全株）。

| 形态特征 | 竿丛生，高 3 ~ 6 m，直径 1.5 ~ 2.5 cm，中空；节间幼时上半部被棕色至暗棕色小刺毛；分枝自竿基部第 2 ~ 3 节开始，数枝至多枝簇生，主枝稍较粗长；竿箨幼时被薄白粉；箨鞘背面无毛，先端呈不对称的拱形；箨耳微小至不明显；箨片直立，基部宽，与箨鞘先端近等长；小枝稍下弯，具 9 ~ 13 叶。叶长 3.3 ~ 6.5 cm，宽 4 ~ 7 mm，下面粉绿色而密被短柔毛。

| 生境分布 | 广东广州（市区）、清远（市区）等有栽培。

| 资源情况 | 栽培资源较丰富。药材来源于栽培。

| 采收加工 | 夏、秋季采收，晾干。

| 功能主治 | 甘，凉。清热利尿、除烦。用于热病心烦，伤暑口渴。

| 用法用量 | 内服煎汤，15 ～ 30 g。

禾本科 Poaceae 簕竹属 *Bambusa*

撑篙竹 *Bambusa pervariabilis* McClure

| 植物别名 | 油竹、白眉竹、花眉竹。

| 药 材 名 | 撑篙竹叶（药用部位：叶）、撑篙竹茹（药用部位：茎竿的中间层）。

| 形态特征 | 竿丛生，高 7 ~ 10 m，直径 4 ~ 5.5 cm，尾梢近直立，基部数节具黄绿色纵条纹；分枝自竿基部第 1 节开始，数枝至多枝簇生，中央 3 分枝较粗长；箨鞘背面常无毛，新鲜时具黄绿色条纹，先端呈不对称的拱形；箨耳不等大，大耳沿箨鞘先端向下倾斜，倾斜程度可达箨鞘全长的 1/6 ~ 1/5，小耳近圆形或椭圆形；箨片直立，易脱落，基部宽约为箨鞘先端宽的 2/3。

| 生境分布 | 广东各地均有栽培。

| 资源情况 | 栽培资源较丰富。药材来源于栽培。

| 采收加工 | **撑篙竹叶：**全年均可采收，晾干。

撑篙竹茹：夏、秋季采收，砍取茎竿，除去外层皮，刮下中间层，晒干。

| 功能主治 | **撑篙竹叶、撑篙竹茹：**甘、苦，凉。清热，除烦止血，止呕。用于烦热呕吐，吐血，衄血，风热感冒，尿路感染。

| 用法用量 | **撑篙竹叶、撑篙竹茹：**内服煎汤，6 ~ 15 g。

车简竹
Bambusa sinospinosa McClure

| 植物别名 |

硬头犁、泥竹。

| 药 材 名 |

车简竹叶（药用部位：叶）。

| 形态特征 |

竿丛生，高 15 ~ 24 m，直径 8 ~ 14 cm，尾梢略弯；分枝自竿基部第 1 ~ 2 节开始，竿下部的为单枝，向下弯拱，其上的小枝多短缩成硬刺，且相互交织成密刺丛，竿中上部为 3 至多枝簇生；箨鞘革质，鲜时古铜色，具斑点，先端近截形；箨片直立或外展，基部宽约为箨鞘先端宽的 1/2。假小穗线形至线状披针形。笋期 5 ~ 6 月，花期 8 ~ 12 月。

| 生境分布 |

广东各地均有栽培。

| 资源情况 |

栽培资源较丰富。药材来源于栽培。

| 采收加工 |

全年均可采收，晾干。

| 功能主治 | 甘，凉。清热利尿，止血。用于小儿高热，风热感冒，尿路感染，鼻衄。

| 用法用量 | 内服煎汤，6 ~ 15 g。

禾本科 Poaceae 簕竹属 *Bambusa*

青皮竹
Bambusa textilis McClure

| 药 材 名 | 天竺黄（药材来源：竿的内分泌液干燥后的块状物。别名：天竹黄、竹黄、竹膏）。

| 形态特征 | 竿丛生，高 8 ～ 10 m，直径 3 ～ 5 cm，尾梢弯垂，下部挺直；节间幼时被白蜡粉，贴生淡棕色刺毛，后变无毛；分枝常自竿中下部第 7 ～ 11 节开始，数枝或多枝簇生，中央 1 分枝较粗长；箨耳较小，不等大，大耳狭长圆形至披针形；箨片直立，易脱落。叶耳通常呈镰形，边缘具弯曲而呈放射状的继毛；叶片线状披针形至狭披针形。

| 生境分布 | 广东各地均有栽培。

| 资源情况 | 栽培资源较丰富。药材来源于栽培。

| 采收加工 | 冬季采收，剖开竹竿，取出节间的块状物，晾干。

| 药材性状 | 本品呈不规则片块状或颗粒状，大小不一。表面白色、乳白色、灰褐色或灰蓝色，半透明，略带光泽。体轻，质硬而脆，易破碎，断面光亮，稍显粉性，触之有滑感，吸水性强，置于水中有气泡产生，不溶于水。气微，味甘，有清凉感，舐之黏舌。以片块大、色灰白、光亮、质细、体轻、吸湿性强者为佳。

| 功能主治 | 甘，寒。清热豁痰，凉心定惊。用于惊风，癫痫，热病神昏，中风痰迷，痰热咳嗽。

| 用法用量 | 内服煎汤，3 ~ 9 g；或入丸、散剂；或研末，0.6 ~ 1 g。外用适量，研末敷。

禾本科 Poaceae 簕竹属 *Bambusa*

青竿竹 *Bambusa tuldoides* Munro

| **植物别名** | 水竹、硬生桃竹、硬散桃竹。

| **药 材 名** | 竹茹（药用部位：茎竿的中间层）。

| **形态特征** | 竿丛生，高6 ~ 8 m，直径3 ~ 4.5 cm；节间壁厚，幼时被白粉；分枝常于竿基部第1节开始分出，数枝簇生于节上；箨鞘背面无毛，先端呈不对称的拱形；箨耳稍不等大，大耳卵形，略具波褶，边缘被波曲状刚毛，小耳椭圆形；箨片直，呈不对称三角形或狭三角形，基部两侧与耳相连。叶披针形至狭披针形，背面密生短柔毛。

| **生境分布** | 广东各地均有栽培。

| **资源情况** | 栽培资源较丰富。药材来源于栽培。 |

| **采收加工** | 全年均可采制，取新鲜茎竿，除去外皮，将稍带绿色的中间层刮成丝条或削成薄条，捆扎成束，阴干。 |

| **药材性状** | 本品为卷曲成团的不规则丝条或呈长条形薄片状，宽窄厚薄不等，浅绿色或黄绿色。体轻松，质柔韧，有弹性。气微，味淡。 |

| **功能主治** | 甘，微寒。清热化痰，除烦，止呕。用于肺热咳嗽，烦热惊悸等。 |

| **用法用量** | 内服煎汤，5 ~ 10 g；或入丸、散剂。外用适量，熬膏贴。 |

毛臂形草

Brachiaria villosa (Lam.) A. Camus

| 药 材 名 | 臂形草（药用部位：全草）。

| 形态特征 | 秆高 10 ～ 40 cm，基部倾斜，全体密被柔毛。叶片卵状披针形。圆锥花序由 4 ～ 8 总状花序组成；总状花序长 1 ～ 3 cm，主轴与小穗轴密生柔毛；小穗卵形，长约 2.5 cm，被短柔毛或无毛，通常单生；小穗柄长 0.5 ～ 1 mm，有毛；第一颖长为小穗的一半，具 3 脉，第二颖等长于或略短于小穗，具 5 脉；第一小花中性，其外稃与小穗等长，第二外稃草质；鳞被 2，折叠；花柱基分离。

| 生境分布 | 生于田野和山坡草地。分布于广东始兴、乐昌、大埔、梅县、南澳、海丰、阳山、连州等。

| 资源情况 | 野生资源较丰富。药材来源于野生。

| 采收加工 | 夏、秋季采收，鲜用或晒干。

| 功能主治 | 甘、淡，微寒。清热利尿，通便。用于小便赤涩，大便秘结。

| 用法用量 | 内服煎汤，15 ～ 30 g，鲜品 30 ～ 90 g。

禾本科 Poaceae **方竹属** *Chimonobambusa*

方竹

Chimonobambusa quadrangularis (Fenzi) Makino

| 植物别名 |

十方竹、四方竹。

| 药 材 名 |

方竹茹（药用部位：茎竿的中间层）。

| 形态特征 |

竿散生，高 3 ~ 8 m，直径 1 ~ 4 cm，节间呈钝圆的四棱形，幼时密被向下的黄褐色小刺毛，毛落后残留有疣基，甚粗糙，竿中部以下各节上具短而下弯的刺状气生根；箨环初时被金褐色绒毛及小刺毛，后变无毛；箨鞘纸质或厚纸质，小脉明显；箨耳和箨舌均不发达；箨片极小，钻形，基部与箨鞘相连处无关节。末级花枝基部具苞片；假小穗 2 ~ 4。

| 生境分布 |

生于低山、林缘。分布于广东乐昌、乳源等。广东广州（市区）等有栽培。

| 资源情况 |

野生资源一般。栽培资源较少。药材来源于栽培。

| 采收加工 | 全年均可采制，取新鲜茎竿，除去外皮，将稍带绿色的中间层刮成丝条，阴干。

| 功能主治 | 甘、微苦，平。解表退热，化痰。用于感冒发热。

| 用法用量 | 内服煎汤，5 ~ 10 g。

禾本科 Poaceae 金须茅属 *Chrysopogon*

竹节草
Chrysopogon aciculatus (Retz.) Trin.

| 药 材 名 | 鸡谷草（药用部位：全草或根。别名：粘人草、草子花、鬼谷草）。

| 形态特征 | 秆基部常膝曲，直立部分高 20 ～ 50 cm。叶鞘无毛或仅鞘口疏生柔毛；叶片披针形，长 3 ～ 5 cm，宽 4 ～ 6 mm。圆锥花序直立，紫褐色，长 5 ～ 9 cm，分枝细弱，直立或斜升，长 1.5 ～ 3 cm；无柄小穗圆筒状披针形，长约 4 mm，第一颖披针形，具 7 脉，第二颖舟形，先端渐尖至具一劲直的小刺芒，具纤毛，第二外稃具长 4 ～ 7 mm 的直芒；有柄小穗长约 6 mm，具无毛之柄；雄蕊 3。

| 生境分布 | 生于海拔 500 ～ 1 000 m 的向阳贫瘠的山坡草地或荒野中。广东各地均有分布。

| 资源情况 | 野生资源丰富。药材来源于野生。

| 采收加工 | 全年均可采收，鲜用或晒干。

| 功能主治 | 甘、微苦，凉。清热利湿，解毒。用于感冒发热，腹痛泄泻，暑热病，小便赤涩，风火牙痛，金疮肿痛，毒蛇咬伤。

| 用法用量 | 内服煎汤，9 ~ 15 g，鲜品 30 ~ 60 g。

禾本科 Poaceae 薏苡属 Coix

薏苡

Coix lacryma-jobi L.

| 药 材 名 | 回回米（药用部位：根及根茎。别名：苡米、菩提子、五谷子）。

| 形态特征 | 秆直立丛生，高 1 ~ 2 m。叶片扁平宽大，长 10 ~ 40 cm，中脉粗厚，在下面隆起。总状花序腋生成束，长 4 ~ 10 cm，具长梗；雌小穗位于花序下部，外包以骨质念珠状总苞，总苞卵圆形，长 7 ~ 10 mm，直径 6 ~ 8 mm，珐琅质，质坚硬，有光泽，雌蕊具细长的柱头，自总苞先端伸出；雄小穗 2 ~ 3 对，生于总状花序上部。颖果小，不饱满。

| 生境分布 | 生于海拔 200 ~ 1 800 m 的湿润的屋旁、池塘、河沟、山谷、溪涧

或易受涝的农田等处。广东各地均有分布。

| **资源情况** | 野生资源丰富。栽培资源丰富。药材来源于野生和栽培。

| **采收加工** | 夏、秋季采收,晒干。

| **功能主治** | 甘、淡,凉。健脾止泻,利水渗湿。用于尿路感染,尿路结石,水肿,脚气病,蛔虫病,带下。

| **用法用量** | 内服煎汤,15 ～ 30 g。

薏米 *Coix lacryma-jobi* L. var. *ma-yuen* (Rom. Caill.) Stapf

| 植物别名 |

川谷、六谷米、绿谷。

| 药 材 名 |

薏苡根（药用部位：根）、薏苡叶（药用部位：叶）、薏苡仁（药用部位：种仁）。

| 形态特征 |

秆高 1 ~ 1.5 m，具 6 ~ 10 节。叶片宽大开展，无毛。总状花序腋生；雄花序位于雌花序上部，具 5 ~ 6 对雄小穗；雌小穗位于花序下部，为甲壳质总苞所包；总苞椭圆形，先端具颈状的喙，并具 1 斜口，基部的孔小，长 8 ~ 12 mm，宽 4 ~ 7 mm，有纵长直条纹，质较薄，揉搓和指压可破，灰白色、暗褐色或浅棕褐色。颖果饱满，质坚实，粉性，白色或黄白色。

| 生境分布 |

生于溪边、水边、池塘边。广东各地均有栽培。

| 资源情况 |

野生资源较少。栽培资源较少。药材来源于栽培。

| 采收加工 | **薏苡根**：秋季采挖，洗净，晒干。
薏苡叶：夏、秋季采收，鲜用或晒干。
薏苡仁：秋季采收，晒干，碾去外壳及种皮。

| 药材性状 | **薏苡根**：本品呈细柱形或不规则形，外皮灰黄色或灰棕色，具纵皱纹及须根痕，切面灰黄色或淡棕色，有众多小孔排列成环状或已破裂，外皮易与内部分离。质坚韧。气微，味淡。
薏苡仁：本品呈宽卵形或长椭圆形，长 4 ~ 8 mm，宽 3 ~ 6 mm。表面乳白色，光滑，偶有残存的黄褐色种皮，一端钝圆，另一端较宽而微凹，有 1 淡棕色点状种脐；背面圆凸，腹面有一较宽而深的纵沟。质坚实，断面白色，粉性。气微，味微甜。

| 功能主治 | **薏苡根**：苦、甘，微寒。清热通淋，利湿杀虫。用于热淋，血淋，石淋，黄疸，水肿，带下，脚气病，风湿痹痛，蛔虫病。
薏苡叶：暖胃，益气血。用于胃寒痛，气血虚弱。
薏苡仁：健脾补肺，清热利湿。用于脾虚泄泻，小便不利，热淋，水肿，脚气病，风湿热痹，筋脉拘挛，肺痈，肠痈。

| 用法用量 | **薏苡根**：内服煎汤，15 ~ 30 g。外用适量，煎汤洗。
薏苡叶：内服煎汤，15 ~ 30 g。外用适量，煎汤洗。
薏苡仁：内服煎汤，15 ~ 30 g；或入丸、散剂；或浸酒、煮粥、做羹。

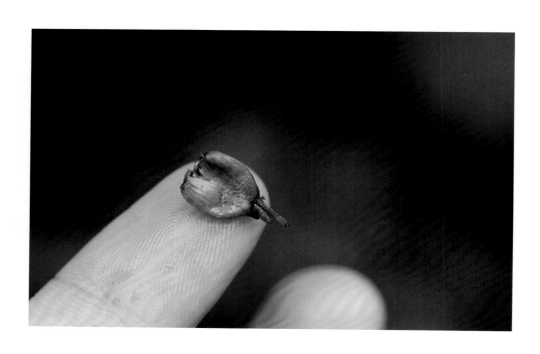

禾本科 Poaceae 香茅属 *Cymbopogon*

青香茅
Cymbopogon caesius (Nees ex Hook. et Arn.) Stapf

| 药 材 名 | 橘香草（药用部位：全草。别名：香花草）。

| 形态特征 | 秆直立，丛生，高 30 ~ 80 cm，常被白粉。叶鞘无毛，短于节间；叶片线形，长 10 ~ 25 cm，宽 2 ~ 6 mm。伪圆锥花序狭窄，长 10 ~ 20 cm，分枝单纯，宽 2 ~ 4 cm；佛焰苞长 1.4 ~ 2 cm，黄色或成熟时带红棕色；总状花序长约 1.2 cm，花序轴节间长约 1.5 mm，与小穗柄边缘均具白色柔毛；第一颖卵状披针形，宽 1 ~ 1.2 mm，脊上部具稍宽的翼；第二外稃长约 1 mm，中下部膝曲，芒针长约 9 mm。

| 生境分布 | 生于海拔约 1 000 m 的开旷干旱的草地上。分布于广东海丰、陆丰、惠东、博罗、惠阳、高要、阳春、徐闻及深圳（市区）、中山等。

| 资源情况 | 野生资源丰富。药材来源于野生。

| 采收加工 | 夏、秋季采收，切段，晒干。

| 功能主治 | 辛，温。祛风除湿，消肿止痛。用于风湿痹痛，胃寒痛，月经不调，跌打损伤，瘀血肿痛，阳痿。

| 用法用量 | 内服煎汤，3 ~ 10 g。

禾本科 Poaceae 香茅属 *Cymbopogon*

香茅

Cymbopogon citratus (DC.) Stapf

| 植物别名 | 香麻、柠檬草、茅草茶。

| 药 材 名 | 香茅（药用部位：全草）、香茅花（药用部位：花）。

| 形态特征 | 秆高达 2 m，节下被白色蜡粉。叶舌干膜质；叶片宽线形至线形，长 30 ~ 90 cm。伪圆锥花序具多次复合分枝，长约 50 cm，疏散，先端下垂；佛焰苞长 1.5 ~ 2 cm；总状花序不等长，具 3 ~ 4 或 5 ~ 6 节，长约 1.5 cm；总花梗无毛；总状花序轴节间及小穗柄长 2.5 ~ 4 mm，边缘疏生柔毛；无柄小穗第一颖质较薄，上部具窄翼，边缘有短纤毛，第二外稃狭小，无芒或具长约 0.2 mm 的芒尖。

| 生境分布 | 栽培于海拔 1 300 m 以下的高温多雨、光照充足、排水良好的肥沃

土壤中。分布于广东博罗、阳西、高州、阳春、雷州、徐闻及中山、茂名（市区）、深圳（市区）、珠海（市区）、广州（市区）、肇庆（市区）、阳江（市区）、湛江（市区）等。

| 资源情况 | 栽培资源丰富。药材来源于栽培。

| 采收加工 | 香茅：全年均可采收，洗净，晒干。

香茅花：花期采收，晒干。

| 功能主治 | 香茅：甘、辛，温。祛风通络，温中止痛，止泻。用于感冒头身疼痛，风寒湿痹，脘腹冷痛，泄泻，跌打损伤。

香茅花：甘、微苦，温。温中和胃。用于感冒头身疼痛，风寒湿痹，跌打损伤，泄泻，脘腹冷痛，恶心呕吐。

| 用法用量 | 香茅：内服煎汤，6 ～ 15 g。外用适量，煎汤洗；或研末敷。

香茅花：内服煎汤，6 ～ 16 g；或入丸、散剂。

禾本科 Poaceae 狗牙根属 Cynodon

狗牙根
Cynodon dactylon (L.) Pers.

| 药 材 名 | 铁线草（药用部位：全草。别名：牛马根、铁丝草、鸡肠草）。

| 形态特征 | 低矮草本。具根茎。秆细而坚韧，下部匍匐于地面蔓延，直立部分高 10 ~ 30 cm，直径 1 ~ 1.5 mm。叶舌仅被一轮纤毛；叶片线形，长 1 ~ 12 cm，宽 1 ~ 3 mm，通常两面无毛。穗状花序 2 ~ 6，长 2 ~ 6 cm；小穗灰绿色或带紫色，长 2 ~ 2.5 mm，仅含 1 小花；颖长 1.5 ~ 2 mm，第二颖稍长，均具 1 脉，背部呈脊而边缘膜质；外稃舟形，具 3 脉，背部明显呈脊，脊上被柔毛。花药淡紫色。

| 生境分布 | 生于旷野、路边、草地。广东各地均有分布。

| 资源情况 | 野生资源丰富。栽培资源丰富。药材来源于野生和栽培。

| 采收加工 | 夏、秋季采收，洗净，晒干或鲜用。

| 功能主治 | 苦、微甘，凉。祛风通络，凉血止血，解毒。用于风湿痹痛，半身不遂，劳伤吐血，鼻衄，便血，跌打损伤，疮疡肿毒。

| 用法用量 | 内服煎汤，30 ~ 60 g；或浸酒。外用适量，捣敷。

禾本科 Poaceae 龙爪茅属 *Dactyloctenium*

龙爪茅
Dactyloctenium aegyptium (L.) Beauv.

| 药 材 名 | 龙爪茅（药用部位：全草）。

| 形态特征 | 秆直立，高 15 ~ 60 cm。叶舌膜质，先端具纤毛；叶片扁平，长 5 ~ 18 cm，宽 2 ~ 6 mm。穗状花序 2 ~ 7 呈指状排列于秆顶，长 1 ~ 4 cm，宽 3 ~ 6 mm；小穗长 3 ~ 4 mm，含 3 小花；第一颖沿 脊龙骨状突起上具短硬纤毛，第二颖先端具短芒，芒长 1 ~ 2 mm； 外稃中脉呈脊，脊上被短硬毛，第一外稃长约 3 mm，内稃与外稃近 等长，背部具 2 脊，背缘有翼；鳞被 2，楔形，折叠。囊果球状， 长约 1 mm。

| 生境分布 | 生于山坡、草地或耕地。分布于广东翁源、海丰、陆丰、惠东、博罗、 惠阳、番禺、德庆、高要、台山、阳春、徐闻及深圳（市区）、中山等。

| 资源情况 | 野生资源丰富。栽培资源丰富。药材来源于野生和栽培。

| 采收加工 | 夏、秋季采收，切段，晒干。

| 功能主治 | 甘，平。补气健脾。用于脾气不足，劳倦伤脾，气短乏力，纳少。

| 用法用量 | 内服煎汤，6～9g。

大头典竹
Dendrocalamopsis beecheyana (Munro) Keng f. var. *pubescens* (P. F. Li) Keng f.

| 药 材 名 |

竹茹（药用部位：茎竿的中间层）。

| 形态特征 |

竿丛生，高达 15 m，直径可达 11 cm，多少呈"之"字形曲折，尾梢弯曲成弧形或下垂如钓丝状，下部节间幼时密生柔毛，节内常密生 1 圈白色或棕色柔毛环；箨鞘先端深下凹，两肩较圆而宽广，背面被刺毛；箨耳极小；箨片直立或外翻；通常在竿第 3 节开始分枝，每节具 1 ~ 3 分枝，主枝甚粗壮。笋期 6 ~ 7 月，花期 9 ~ 12 月。

| 生境分布 |

广东广州（市区）等有栽培。

| 资源情况 |

栽培资源较少。药材来源于栽培。

| 采收加工 |

冬季采收，砍取茎竿，除去枝叶，锯成段，刮去外层青皮，将中间层刮成丝状，晾干。

| 药材性状 | 本品为卷曲成团的不规则丝条或呈长条形薄片状，宽窄厚薄不等，浅绿色或黄绿色。体轻松，质柔韧，有弹性。气微，味淡。

| 功能主治 | 甘，微寒。清热化痰，除烦，止呕。用于肺热咳嗽，烦热惊悸等。

| 用法用量 | 内服煎汤，5～10 g；或入丸、散剂。外用适量，熬膏贴。

| 附　　注 | 在 FOC 中，本种属簕竹属 *Bambusa*。

禾本科 Poaceae 牡竹属 *Dendrocalamus*

麻竹

Dendrocalamus latiflorus Munro

| 药 材 名 | 麻竹笋（药用部位：嫩竿）。

| 形态特征 | 竿丛生，高 20 ～ 25 m，直径 15 ～ 30 cm，梢端弧形弯曲或下垂；节间幼时被白粉，节内具 1 圈棕色绒毛环；竿分枝习性高，每节分枝多数，主枝常单一；箨鞘厚革质，宽圆铲形，鞘口甚窄；箨耳小；箨片外翻，卵形至披针形。末级小枝具 7 ～ 13 叶；无叶耳；叶片长椭圆状披针形。假小穗 1 ～ 7 或更多簇生于各节，卵形。笋期夏、秋季。

| 生境分布 | 广东各地均有栽培。

| 资源情况 | 栽培资源较丰富。药材来源于栽培。

倪静波提供

| 采收加工 | 夏、秋季采收，晒干。

| 功能主治 | 涩、苦，平。化痰止咳，解毒。用于咳嗽。

| 用法用量 | 内服煎汤，15 ~ 30 g。

倪静波提供

倪静波提供

倪静波提供

倪静波提供

倪静波提供

倪静波提供

禾本科 Poaceae 马唐属 *Digitaria*

马唐
Digitaria sanguinalis (L.) Scop.

| 药 材 名 | 马唐（药用部位：全草。别名：羊麻、羊粟、马饭）。

| 形态特征 | 秆直立或下部倾斜，高 10 ~ 80 cm，直径 2 ~ 3 mm。叶片线状披针形，长 5 ~ 15 cm。总状花序长 5 ~ 18 cm，4 ~ 12 呈指状着生于长 1 ~ 2 cm 的主轴上；小穗轴扁平，两侧具宽翼；小穗椭圆状披针形，长 3 ~ 3.5 mm；小穗柄三棱形，边缘粗糙，先端平截；第一颖小，短三角形，无脉，第二颖具 3 脉，披针形，具柔毛；第一外稃等长于小穗，具 7 脉，无毛，脉间及边缘生柔毛。

| 生境分布 | 生于路旁、田野。广东各地均有分布。

| 资源情况 | 野生资源丰富。药材来源于野生。

| 采收加工 | 夏、秋季采收，晒干。

| 药材性状 | 本品长 40 ~ 100 cm。秆分枝，下部节上生根。完整叶片条状披针形，长 5 ~ 15 cm，宽 5 ~ 15 mm，先端渐尖或短尖，基部钝圆，两面无毛或疏生柔毛；叶鞘疏松抱茎，无毛或疏生柔毛。

| 功能主治 | 甘，寒。消食调中，清肝明目。用于消化不良，视物昏花。

| 用法用量 | 内服煎汤，9 ~ 15 g。

禾本科 Poaceae 稗属 *Echinochloa*

光头稗
Echinochloa colona (L.) Link.

| **植物别名** | 芒稷、穇草。

| **药 材 名** | 光头稗子（药用部位：根。别名：扒草）。

| **形态特征** | 秆直立，高10～60 cm。叶片扁平，线形，长3～20 cm，宽3～7 mm。圆锥花序狭窄，长5～10 cm，分枝排列稀疏；小穗卵圆形，长2～2.5 mm，具小硬毛，无芒，呈四行规则排列于小穗轴一侧；第一颖三角形，长约为小穗的1/2，第二颖与第一外稃等长而同形，先端具小尖头，具5～7脉；第一小花常中性，内稃膜质，稍短于外稃，第二外稃椭圆形，包着同质的内稃。

| **生境分布** | 生于田野湿地、路旁。分布于广东翁源、乐昌、英德、德庆、高要、

新兴、台山、阳春、徐闻及深圳（市区）、广州（市区）等。

| 资源情况 | 野生资源丰富。药材来源于野生。

| 采收加工 | 夏、秋季采挖，除去地上部分，洗净，鲜用或晒干。

| 功能主治 | 微苦，平。消肿利水，止血。用于水肿，腹水，咯血。

| 用法用量 | 内服煎汤，30 ~ 120 g，大剂量可用至 180 g。

禾本科 Poaceae 稗属 *Echinochloa*

稗

Echinochloa crus-galli (L.) P. Beauv.

| **植物别名** | 水高粱、扁扁草。

| **药 材 名** | 稗根苗（药用部位：根、苗叶）。

| **形态特征** | 秆高 50 ~ 150 cm，光滑无毛。叶片扁平，线形，长 10 ~ 40 cm，宽 5 ~ 20 mm。圆锥花序直立，近尖塔形，长 6 ~ 20 cm，主轴具棱；小穗卵形，长 3 ~ 4 mm，脉上密被疣基刺毛，密集在小穗轴一侧；第一颖三角形，长为小穗的 1/3 ~ 1/2，第二颖与小穗等长；第一小花通常中性，其外稃草质，先端延伸成一粗壮的芒，第二外稃椭圆形，边缘内卷，包着同质的内稃，内稃先端露出。

| 生境分布 | 生于沼泽地、沟边及水稻田中。分布于广东乐昌、斗门、高要、台山、阳春及深圳（市区）、广州（市区）等。

| 资源情况 | 野生资源丰富。栽培资源丰富。药材来源于野生和栽培。

| 采收加工 | 夏季采收，鲜用或晒干。

| 功能主治 | 甘、苦，微寒。止血生肌。用于金疮，外伤出血。

| 用法用量 | 外用适量，捣敷；或研末撒。

穇

Eleusine coracana (L.) Gaertn.

| **植物别名** | 龙爪粟、鸭爪稗、龙爪稷。

| **药 材 名** | 穇子（药用部位：种仁。别名：鸭距粟）。

| **形态特征** | 秆直立，高 50 ~ 120 cm，常分枝。叶片线形。穗状花序 5 ~ 8 呈指状着生于秆顶，成熟时常内曲，长 5 ~ 10 cm，宽 8 ~ 10 mm；小穗含 5 ~ 6 小花，长 7 ~ 9 mm；颖坚纸质，先端急尖，第一颖长约 3 mm，第二颖长约 4 mm；外稃三角状卵形，先端急尖，背部具脊，脊缘有狭翼，长约 4 mm，内稃狭卵形，具 2 脊，粗糙。囊果；种子球形，黄棕色。

| **生境分布** | 生于田地。分布于广东乐昌、连州、怀集等。

| 资源情况 | 栽培资源较少。药材来源于栽培。

| 采收加工 | 秋季采收成熟果实，晒干，剥出种子，除去种皮，收集种仁，晒干。

| 药材性状 | 本品小，黄白色。气微，味淡。

| 功能主治 | 甘，温。透疹，消食，补中益气，利尿。用于感冒，麻疹不透，小儿消化不良。

| 用法用量 | 内服适量，煮粥；或磨面蒸。

禾本科 Poaceae 穇属 *Eleusine*

牛筋草
Eleusine indica (L.) Gaertn.

| 药 材 名 | 蟋蟀草（药用部位：全草或根。别名：千金草、鸭脚草、扁草）。

| 形态特征 | 秆丛生，基部倾斜，高 10 ～ 90 cm。叶片平展，线形，长 10 ～ 15 cm，宽 3 ～ 5 mm。穗状花序 2 ～ 7 呈指状着生于秆顶，稀单生，长 3 ～ 10 cm，宽 3 ～ 5 mm；小穗长 4 ～ 7 mm，宽 2 ～ 3 mm，含 3 ～ 6 小花；颖披针形，具脊，脊粗糙，第一颖长 1.5 ～ 2 mm，第二颖长 2 ～ 3 mm；第一外稃长 3 ～ 4 mm，具脊，脊上具狭翼，内稃短于外稃，具 2 脊，脊上具狭翼。囊果卵形，长约 1.5 mm。

| 生境分布 | 生于荒芜之地及道路旁。广东各地均有分布。

| 资源情况 | 野生资源丰富。药材来源于野生。

| 采收加工 | 夏、秋季采收，除去茎叶或否，洗净，鲜用或晒干。 |

| 药材性状 | 本品须根细而密。叶扁平，暗绿色。穗状花序。气微，味甘、淡。 |

| 功能主治 | 甘、淡，凉。清热利湿，凉血解毒。用于伤暑发热，惊风，流行性乙型脑炎，流行性脑脊髓膜炎，黄疸，淋证，小便不利，痢疾，便血，疮疡肿痛，跌打损伤。 |

| 用法用量 | 内服煎汤，9 ~ 15 g，鲜品 30 ~ 90 g。 |

鼠妇草

Eragrostis atrovirens (Desf.) Trin. ex Steud.

| 药 材 名 | 鱼串草（药用部位：全草。别名：长穗鼠妇草）。

| 形态特征 | 多年生草本。秆直立，疏丛生，基部稍膝曲，高 50 ~ 100 cm，直径约 4 mm，具 5 ~ 6 节。叶鞘除基部外，均较节间短，光滑，鞘口有毛；叶片扁平或内卷，长 4 ~ 17 cm，宽 2 ~ 3 mm，下面光滑，上面粗糙，近基部疏生长毛。圆锥花序开展，每节有 1 分枝；小穗窄矩形，深灰色或灰绿色，小穗轴宿存；颖具 1 脉；第一外稃广卵形，先端尖，具 3 脉。颖果长约 1 mm。

| 生境分布 | 生于荒芜草地上。分布于广东蕉岭、五华、陆丰、惠阳、英德、德庆、怀集、高要、阳春、高州、徐闻及深圳（市区）、珠海（市区）、广州（市区）等。

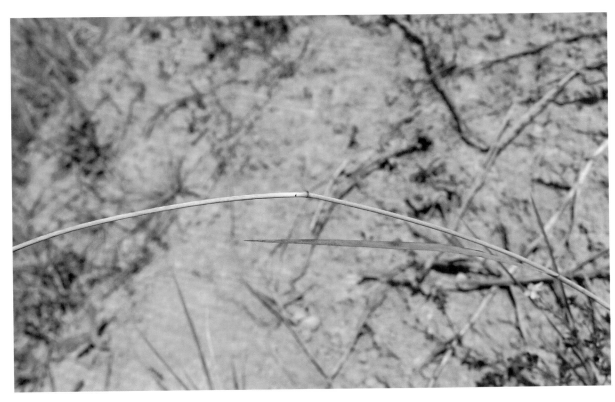

| 资源情况 | 野生资源丰富。药材来源于野生。

| 采收加工 | 夏、秋季采收，晒干。

| 功能主治 | 甘，平。舒筋散瘀。用于暑热病，小便短赤。

| 用法用量 | 内服煎汤，90 ～ 120 g。

禾本科 Poaceae **画眉草属** *Eragrostis*

大画眉草
Eragrostis cilianensis (All.) Janch.

| **植物别名** |

西连画眉草。

| **药 材 名** |

大画眉草（药用部位：全草。别名：星星草）、大画眉草花（药用部位：花。别名：星星草花）。

| **形态特征** |

一年生草本。秆粗壮，高 30 ～ 90 cm，直径 3 ～ 5 mm，直立丛生，基部常膝曲，具 3 ～ 5 节，节下有 1 圈明显的腺体。叶鞘疏松裹秆，脉上有腺体，鞘口具长柔毛；叶舌为 1 圈成束的短毛，长约 0.5 mm；叶片线形，扁平，伸展，长 6 ～ 20 cm，宽 2 ～ 6 mm，无毛，叶脉上与叶缘均有腺体。圆锥花序长圆形或尖塔形，长 5 ～ 20 cm；雄蕊 3，花药长 0.5 mm。颖果近圆形，直径约 0.7 mm。

| **生境分布** |

生于荒芜草地上。广东各地均有分布。

| **资源情况** |

野生资源丰富。药材来源于野生。

| 采收加工 | **大画眉草**：夏、秋季采收，晒干或鲜用。
大画眉草花：秋季采收，晒干。

| 功能主治 | **大画眉草**：甘、淡，凉。利尿通淋，疏风清热。用于热淋，石淋，目赤痒痛。
大画眉草花：淡，平。解毒、止痒。用于黄水疮。

| 用法用量 | **大画眉草**：内服煎汤，15 ~ 30 g，鲜品 60 ~ 120 g。外用适量，煎汤洗。
大画眉草花：外用适量，炒黑，研末调敷或撒。

禾本科 Poaceae 画眉草属 *Eragrostis*

知风草
Eragrostis ferruginea (Thunb.) Beauv.

| 药 材 名 | 知风草（药用部位：根。别名：程咬金）。

| 形态特征 | 多年生草本。秆丛生或单生，高 30 ~ 110 cm，粗壮，直径约 4 mm。叶鞘两侧极压扁，鞘口与两侧密生柔毛，主脉上通常有腺点；叶舌退化为 1 圈短毛，长约 0.3 mm；叶片长 20 ~ 40 mm，宽 3 ~ 6 mm，上部叶超出花序外。圆锥花序大而开展，分枝节密，每节生枝 1 ~ 3；内稃短于外稃，脊上具小纤毛，宿存；花药长约 1 mm。颖果棕红色，长约 1.5 mm。

| 生境分布 | 生于路边、山坡草地。广东各地均有分布。

| 资源情况 | 野生资源丰富。药材来源于野生。

| 采收加工 | 夏、秋季采收。

| 功能主治 | 甘，平。舒筋散瘀。用于跌打损伤，筋骨疼痛。

| 用法用量 | 内服煎汤，6~9g。外用适量，鲜品捣敷。

禾本科 Poaceae 画眉草属 *Eragrostis*

乱草

Eragrostis japonica (Thunb.) Trin.

陈丰林提供

| 药 材 名 |

香榧草（药用部位：全草。别名：碎米知风草、须须草）。

| 形态特征 |

一年生草本。秆直立或膝曲，丛生，高30 ～ 100 cm，直径 1.5 ～ 2.5 mm，具 3 ～ 4节。叶鞘一般比节间长，疏松裹秆，无毛；叶舌干膜质，长约 0.5 mm；叶片平展，长3 ～ 25 cm，宽 3 ～ 5 mm，光滑无毛。圆锥花序长圆形，长 6 ～ 15 cm，宽 1.5 ～ 6 cm，长常超过植株的一半，分枝纤细，簇生或轮生，腋间无毛；雄蕊 2，花药长约 0.2 mm。颖果棕红色，透明，卵圆形，长约 0.5 mm。

| 生境分布 |

生于田野路旁、河边及潮湿地。分布于广东翁源、仁化、始兴、连平、从化、阳山、连州、英德、高要及云浮（市区）、茂名（市区）等。

| 资源情况 |

野生资源较丰富。栽培资源较少。药材来源于野生和栽培。

| **采收加工** | 夏、秋季采收，晒干。

| **功能主治** | 咸，平。凉血止血。用于热淋，咯血，吐血，衄血。

| **用法用量** | 内服煎汤，30 ～ 60 g。

禾本科 Poaceae 画眉草属 *Eragrostis*

小画眉草 *Eragrostis minor* Host.

| **植物别名** | 蚊蚊草。

| **药 材 名** | 小画眉草（药用部位：全草。别名：星星草）。

| **形态特征** | 一年生草本。秆纤细，高 15 ~ 50 mm，直径 1 ~ 2 mm，具 3 ~ 4 节，节下具 1 圈腺体。叶鞘脉上有腺体，鞘口有长毛；叶舌具 1 圈长柔毛，长 0.5 ~ 1 mm；叶片线形，长 3 ~ 15 cm，宽 2 ~ 4 mm，主脉及边缘均具腺体。圆锥花序开展而疏松，长 6 ~ 15 cm，宽 4 ~ 6 cm，每节具 1 分枝，腋间无毛；花序轴、小枝及小穗柄上均具腺体；雄蕊 3，花药长约 0.3 mm。颖果红褐色，近球形，直径约 0.5mm。

| 生境分布 | 生于荒芜田野、草地和路旁。广东各地均有分布。

| 资源情况 | 野生资源较丰富。栽培资源较少。药材来源于野生和栽培。

| 采收加工 | 夏、秋季采收，晒干。

| 功能主治 | 淡，凉。疏风清热，凉血，利尿。用于目赤，目生云翳，崩漏，热淋，小便不利。

| 用法用量 | 内服煎汤，15 ~ 30 g。

禾本科 Poaceae 画眉草属 Eragrostis

画眉草 *Eragrostis pilosa* (L.) Beauv.

| 药 材 名 |

画眉草（药用部位：全草。别名：榧子草、蚊子草）。

| 形态特征 |

一年生草本。秆丛生，直立或基部膝曲，高 15 ~ 60 cm，直径 1.5 ~ 2.5 mm，通常具 4 节，光滑。叶鞘疏松裹秆，长于或短于节间，压扁，鞘缘近膜质，鞘口有长柔毛；叶舌具 1 圈纤毛，长约 0.5 mm；叶片线形，扁平或卷缩，长 6 ~ 20 cm，宽 2 ~ 3 mm，无毛。圆锥花序开展或紧缩，长 10 ~ 25 cm，宽 2 ~ 10 cm，分枝单生、簇生或轮生，直立向上，腋间有长柔毛；雄蕊 3。颖果长圆形，长约 0.8 mm。

| 生境分布 |

生于荒芜田野草地上。分布于广东始兴、和平、大埔、连州、封开、阳春、高州及广州（市区）等。

| 资源情况 |

野生资源较丰富。栽培资源较少。药材来源于野生和栽培。

| 采收加工 | 夏、秋季采收，晒干。

| 功能主治 | 甘、淡，凉。利尿通淋，清热活血。用于膀胱结石，肾结石，肾炎，膀胱炎，结膜炎，角膜炎。

| 用法用量 | 内服煎汤，9～15 g。外用适量，烧存性，研末调搽；或煎汤洗。

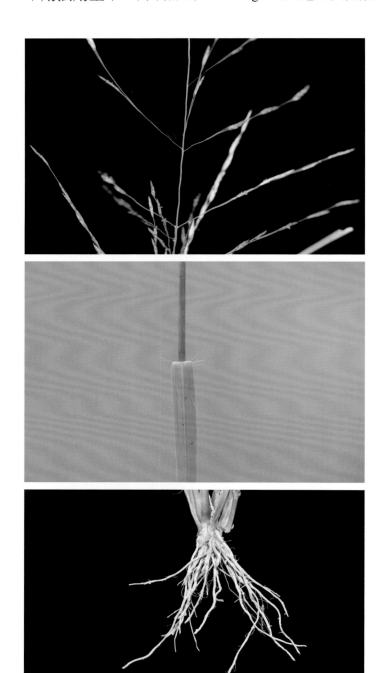

禾本科 Poaceae 画眉草属 *Eragrostis*

无毛画眉草

Eragrostis pilosa (L.) Beauv. var. *imberbis* Franch.

| 药 材 名 | 无毛画眉草（药用部位：全草）。

| 形态特征 | 本种与画眉草 *Eragrostis pilosa* (L.) Beauv. 的区别在于本种植株较矮小；鞘口通常无毛；圆锥花序分枝腋间无毛。

| 生境分布 | 生于田野旁或草地上。分布于广东阳山等。

| 资源情况 | 野生资源一般。药材来源于野生。

| 采收加工 | 夏、秋季采收，晒干。

| 功能主治 | 甘、淡，凉。利尿通淋，清热活血。用于热淋，石淋，目赤肿痛，跌打损伤。

| 用法用量 |　内服煎汤，9 ~ 15 g。

| 附　　注 |　在 FOC 中，本种被修订为多秆画眉草 *Eragrostis multicaulis* Steud.。

禾本科 Poaceae 画眉草属 *Eragrostis*

鲫鱼草
Eragrostis tenella (L.) Beauv. ex Roem. et Schult

| 药 材 名 | 乱草（药用部位：全草）。

| 形态特征 | 一年生草本。秆纤细，高 15 ~ 60 cm，具 3 ~ 4 节，有条纹。叶鞘疏松裹秆，比节间短，鞘口和边缘均疏生长柔毛；叶舌具 1 圈短纤毛；叶片扁平，长 2 ~ 10 cm，宽 3 ~ 5 mm，上面粗糙，下面光滑，无毛。圆锥花序开展，分枝单一或簇生，节间很短，腋间有长柔毛；小枝和小穗柄上均具腺点；雄蕊 3，花药长约 0.3 mm。颖果长圆形，深红色，长约 0.5 mm。

| 生境分布 | 生于田野或背阴处。分布于广东乐昌、南澳、博罗、南海、连州、英德、封开、高要、高州、徐闻及河源（市区）、广州（市区）、云浮（市区）等。

| **资源情况** | 野生资源丰富。栽培资源较少。药材来源于野生和栽培。

| **采收加工** | 夏、秋季采收，晒干。

| **功能主治** | 咸，平。清热，凉血。用于咯血，吐血。

| **用法用量** | 内服煎汤，60 g。

禾本科 Poaceae 蜈蚣草属 *Eremochloa*

假俭草

Eremochloa ophiuroides (Munro) Hack.

| **药 材 名** | 爬根草（药用部位：全草）。

| **形态特征** | 多年生草本。具强壮的匍匐茎。秆斜升，高约 20 cm。叶鞘压扁，鞘口常有短毛；叶片条形，先端钝，无毛，长 3 ~ 8 cm，宽 2 ~ 4 mm，顶生叶片退化。总状花序顶生，稍弓曲，压扁，长 4 ~ 6 cm，宽约 2 mm；花序轴节间具短柔毛；无柄小穗长圆形，花药长约 2 mm，柱头红棕色；有柄小穗退化或仅存小穗柄，披针形，长约 3 mm，与花序轴贴生。

| **生境分布** | 生于潮湿草地及河岸、路旁。分布于广东乐昌、龙门、博罗、惠东、花都、高要、英德、台山、高州、遂溪、徐闻及深圳（市区）、珠海（市区）、清远（市区）、阳江（市区）等。

| 资源情况 | 野生资源较丰富。栽培资源较少。药材来源于野生和栽培。

| 采收加工 | 夏、秋季采收。

| 功能主治 | 辛、苦，凉。活血。用于跌打损伤。

| 用法用量 | 内服煎汤，30 ~ 60 g。外用适量，鲜品捣敷。

禾本科 Poaceae 拟金茅属 *Eulaliopsis*

拟金茅 *Eulaliopsis binata* (Retz.) C. E. Hubb.

| 药 材 名 | 羊草（药用部位：全草或根茎。别名：龙须草、蓑草、山茅草）。

| 形态特征 | 秆高 30 ~ 80 cm，平滑无毛。除下部叶鞘外，其余叶鞘均短于节间，无毛但鞘口具细纤毛；叶舌呈 1 圈短纤毛状；叶片狭线形，长10 ~ 30 cm，宽 1 ~ 4 mm，锥形，无毛，上面及边缘稍粗糙。总状花序密被淡黄褐色绒毛，2 ~ 4 呈指状排列，长 2 ~ 4.5 cm；小穗长 3.8 ~ 6 mm，基盘具乳黄色丝状柔毛，毛长达小穗的 3/4；花药长约 2.5 mm；柱头帚刷状，黄褐色或紫黑色。

| 生境分布 | 生于向阳的山坡草丛中。分布于广东连州等。

| 资源情况 | 野生资源较少。药材来源于野生。

| 采收加工 | 夏、秋季采收，晒干。

| 功能主治 | 甘、淡，凉。清热解毒，凉血散瘀。用于感冒，肝炎，小儿肺炎，乳腺炎，荨麻疹，产后发热，胃痛，外伤出血。

| 用法用量 | 内服煎汤，15 ~ 30 g。

球穗草

Hackelochloa granularis (L.) Kuntze

| 药 材 名 | 珠穗草（药用部位：全草。别名：亥氏草）。

| 形态特征 | 一年生草本。秆直立，多分枝，高 20 ～ 100 cm，直径 2 ～ 3 mm。
叶鞘被疣基糙毛；叶舌短，膜质，边缘具纤毛；叶片线状披针形，
长 5 ～ 15 cm，宽约 1 cm，两面被疣基毛，先端渐尖，基部近心形。
总状花序纤弱，下部常藏于顶生叶鞘中，花序梗被毛；有柄小穗与
无柄小穗分别交互排列于花序轴一侧而成两行；无柄小穗半球形，
直径约 1 mm，成熟后黄绿色；有柄小穗卵形。

| 生境分布 | 生于路边草丛和山坡上。分布于广东乳源、始兴、乐昌、连平、海丰、
从化、连南、阳山、连州、英德、德庆、封开、四会、高要、新兴等。

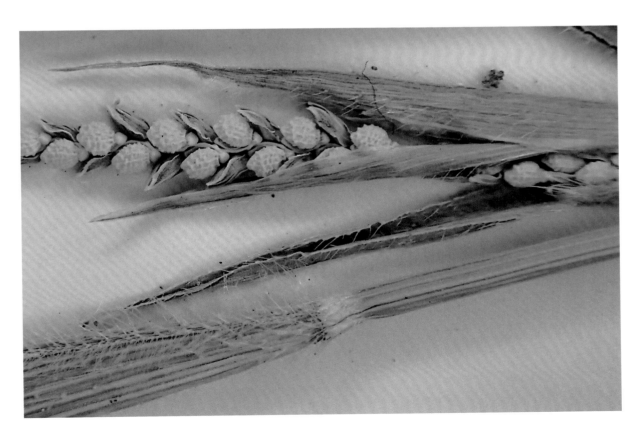

| **资源情况** | 野生资源丰富。栽培资源较少。药材来源于野生和栽培。 |

| **采收加工** | 夏、秋季采收，晒干。 |

| **功能主治** | 酸、苦，凉。清热利湿。用于疮毒，肠炎。 |

| **用法用量** | 内服煎汤，20 ～ 30 g。 |

禾本科 Poaceae 牛鞭草属 *Hemarthria*

扁穗牛鞭草 *Hemarthria compressa* (L. f.) R. Br.

| 药 材 名 | 鞭草（药用部位：全草。别名：牛草、牛仔蔗、马铃骨）。

| 形态特征 | 多年生草本。根茎横走，具分枝，节上生不定根及鳞片。秆直立部分高 20 ~ 40 cm，直径 1 ~ 2 mm，质稍硬。叶片线形，长可达 10 cm，宽 3 ~ 4 mm，两面无毛。总状花序长 5 ~ 10 mm，直径约 1.5 mm，略扁，光滑无毛；无柄小穗陷入总状花序轴凹穴中；有柄小穗披针形；雄蕊 3，花药长约 2 mm。颖果长卵形，长约 2 mm。

| 生境分布 | 生于海拔 1 900 m 以下的田边、路旁湿润处。分布于广东乳源、始兴、曲江、连平、龙门、惠阳、英德、高要、阳春及广州（市区）、茂名（市区）等。

| **资源情况** | 野生资源较丰富。栽培资源较少。药材来源于野生和栽培。

| **采收加工** | 夏、秋季采收，晒干。

| **功能主治** | 甘、苦，平。解表，祛风，开胃。用于久病体虚，食欲不振，感冒，风湿痹痛。

| **用法用量** | 内服煎汤，30 ~ 60 g。

禾本科 Poaceae 黄茅属 Heteropogon

黄茅

Heteropogon contortus (L.) P. Beauv. ex Roem. et Schult.

| 药 材 名 | 地筋（药用部位：全草或根茎。别名：扭黄茅、菅根、毛针子草）。

| 形态特征 | 多年生，丛生草本。秆高 20 ~ 100 cm，基部常膝曲，上部直立，光滑无毛。叶鞘压扁而具脊，光滑无毛，鞘口常具柔毛；叶舌短，膜质，先端具纤毛；叶片线形，扁平或对折，长 10 ~ 20 cm，宽 3 ~ 6 mm，先端渐尖或急尖，基部稍收窄，两面粗糙或表面基部疏生柔毛。总状花序单生于主枝或分枝先端，长 3 ~ 7 cm（除芒外）；雄蕊 3；子房线形，花柱 2。

| 生境分布 | 生于海拔 400 ~ 1 900 m 的山坡草地。分布于广东乳源、南雄、乐昌、曲江、五华、南澳、海丰、连州、英德、封开、高要、阳春、徐闻及深圳（市区）、珠海（市区）、广州（市区）等。

| 资源情况 | 野生资源丰富。栽培资源较少。药材来源于野生和栽培。

| 采收加工 | 夏、秋季采收，晒干。

| 功能主治 | 甘，寒。清热止渴，祛风除湿。用于咳嗽，吐泻，风湿关节疼痛。

| 用法用量 | 内服煎汤，15 ~ 30 g。

禾本科 Poaceae 大麦属 *Hordeum*

大麦 *Hordeum vulgare* L.

| 药 材 名 | 大麦（药用部位：果实。别名：裸麦）、麦芽（药用部位：发芽的果实。别名：大麦芽、大麦毛）。

| 形态特征 | 一年生草本。秆粗壮，光滑无毛，直立，高50～100 cm。叶鞘松弛裹秆，多无毛或基部具柔毛；叶舌膜质，长1～2 mm；叶片长9～20 cm，宽6～20 mm，扁平。穗状花序长3～8 cm（除芒外），直径约1.5 cm；颖线状披针形，外被短柔毛，先端常延伸为长8～14 mm的芒；外稃具5脉，先端延伸成芒，芒长8～15 cm，边棱具细刺，内稃与外稃近等长。颖果成熟时黏着于稃内，不脱出。

| 生境分布 | 栽培于疏松肥沃、排水良好的土壤中。广东各地均有栽培。

| 资源情况 | 野生资源较少。栽培资源丰富。药材来源于野生和栽培。

| 采收加工 | **大麦**：4 ~ 5 月果实成熟时采收，晒干。

麦芽：全年均可采收，以冬、春季为好，洗净，用清水浸泡 3 ~ 4 小时，捞出，每日淋水 2 ~ 3 次，保持湿润至芽长 2 ~ 3 mm，取出，晒干。

| 药材性状 | **大麦**：本品呈梭形，长 8 ~ 12 mm，直径 1 ~ 3 mm。表面淡黄色，背面为外稃包围，具 5 脉，先端长芒已断落，腹面为内稃包围，有 1 纵沟。质硬，断面粉性，白色。气无，味微甘。

麦芽：本品两端狭尖，略呈梭形，长 8 ~ 15 mm，直径 2.5 ~ 4.5 mm。表面淡黄色，背面浑圆，为外稃包围，具 5 脉，先端长芒已断落，腹面为内稃包围，有 1 纵沟。除去内、外稃后，基部胚根处长出胚芽及须根，胚芽长披针状线形，黄白色，长约 5 mm，须根数条，纤细而弯曲。质硬，断面白色，粉性。气无，味微甘。

| 功能主治 | **大麦**：甘、平，凉。健脾和胃，宽肠，利水。用于腹胀，食滞泄泻，小便不利。

麦芽：甘，平。消食化积，回乳。用于食积不消，腹满泄泻，恶心呕吐，食欲不振，乳汁郁积，乳房胀痛。

| 用法用量 | **大麦**：内服煎汤，30 ~ 60 g；或研末。外用适量，炒后研末调敷；或煎汤洗。

麦芽：内服煎汤，10 ~ 15 g，大剂量可用 30 ~ 120 g；或入丸、散剂。

膜稃草

Hymenachne acutigluma (Steud.) Gill.

| **药 材 名** | 灯芯草（药用部位：全草）。

| **形态特征** | 多年生草本。秆高大粗壮，具多数节，下部长，匍匐于地面，节上轮生多数须根，直立部分高达 1 m，直径 6 ~ 10 mm，具海绵质髓部，无毛。叶鞘长 8 ~ 12 cm；叶舌膜质，长 1 ~ 2 mm；叶片质较厚，基部近圆形。圆锥花序紧密，呈穗状，长 20 ~ 40 cm，宽 1 ~ 2 cm，分枝长 0.5 ~ 2 cm；小穗轴有翼，一侧簇生小穗；小穗粗糙，狭披针形；花药长约 1 mm。颖果长约 1.5 mm，先端圆。

| **生境分布** | 生于海拔 1 000 m 以下的溪河边、沼泽浅水处。分布于广东珠江口岛屿等。

| 资源情况 | 野生资源较少。栽培资源较少。药材来源于野生和栽培。

| 采收加工 | 夏、秋季采收，晒干。

| 功能主治 | 淡，凉。清热利水。用于感冒高热，小便不通，尿黄，尿痛，尿血，白浊，肾炎性水肿，宫颈炎等。

| 用法用量 | 内服煎汤，9 ~ 15 g。

| 附　　注 | 在 FOC 中，本种的拉丁学名被修订为 *Hymenachne amplexicaulis* (Rudge) Nees。

禾本科 Poaceae 白茅属 *Imperata*

白茅

Imperata cylindrica (L.) Raeusch.

| 植物别名 |　苏茅。

| 药 材 名 |　白茅根（药用部位：根茎）。

| 形态特征 |　多年生草本，具粗壮的长根茎。秆直立，高 30 ～ 80 cm，具 1 ～ 3 节，节无毛。叶鞘聚集于秆基部；叶舌膜质，长约 2 mm；分蘖叶片长约 20 cm，宽约 8 mm；秆生叶片长 1 ～ 3 cm，窄线形，通常内卷，先端渐尖成刺状，基部上面具柔毛。圆锥花序稠密，长 20 cm，宽达 3 cm；雄蕊 2，花药长 3 ～ 4 mm；花柱细长，基部多少连合，柱头 2，紫黑色，羽状，长约 4 mm，自小穗先端伸出。颖果椭圆形，胚长为颖果的一半。

| 生境分布 |　生于低山带平原河岸草地、沙质草甸、荒漠与海滨。广东各地均有

分布。

| **资源情况** | 野生资源丰富。栽培资源较少。药材来源于野生和栽培。

| **采收加工** | 夏、秋季采收，晒干。

| **功能主治** | 甘，寒。清热利尿，凉血止血。用于急性肾炎性水肿，尿路感染，衄血，咯血，尿血，高血压，热病烦渴，肺热咳嗽。

| **用法用量** | 内服煎汤，15 ~ 30 g。

禾本科 Poaceae 假稻属 *Leersia*

李氏禾
Leersia hexandra Swartz.

| 药 材 名 | 游草（药用部位：全草）。

| 形态特征 | 多年生草本，具发达匍匐茎和细瘦根茎。秆倾卧于地面并于节处生根，直立部分高 40 ～ 50 cm。叶鞘短于节间，多平滑；叶舌长 1 ～ 2 mm；叶片披针形，粗糙。圆锥花序开展，长 5 ～ 10 cm，分枝较细，不具小枝，长 4 ～ 5 cm，具角棱；颖不存在；外稃具 5 脉，两侧具微刺毛，内稃与外稃等长，较窄，具 3 脉，脊生刺状纤毛；雄蕊 6，花药长 2 ～ 2.5 mm。颖果长约 2.5 mm。

| 生境分布 | 生于河沟、田岸、水边湿地。分布于广东阳春及深圳（市区）、珠海（市区）等。

| 资源情况 | 野生资源较丰富。栽培资源较少。药材来源于野生和栽培。

| 采收加工 | 夏、秋季采收，晒干。

| 功能主治 | 辛，平。疏风解表，利湿，通络止痛。用于感冒，头身疼痛，疟疾，痹痛麻木，带下。

| 用法用量 | 内服煎汤，15 ~ 30 g。

禾本科 Poaceae 千金子属 *Leptochloa*

千金子

Leptochloa chinensis (L.) Nees

| 药 材 名 | 油草（药用部位：全草）。

| 形态特征 | 一年生草本。秆直立，基部膝曲或倾斜，高 30 ～ 90 cm，平滑无毛。叶鞘无毛，多数短于节间；叶舌膜质，长 1 ～ 2 mm，常撕裂，具小纤毛；叶片先端渐尖，长 5 ～ 25 cm，宽 2 ～ 6 mm。圆锥花序长 10 ～ 30 cm；小穗多带紫色，长 2 ～ 4 mm，含 3 ～ 7 小花；颖具 1 脉，脊上粗糙；外稃先端钝，第一外稃长约 1.5 mm；花药长约 0.5 mm。颖果长圆球形，长约 1 mm。

| 生境分布 | 生于海拔 200 ～ 1 020 m 的潮湿处。分布于广东连平、高要、高州及深圳（市区）、广州（市区）等。

| **资源情况** | 野生资源较丰富。栽培资源较少。药材来源于野生和栽培。

| **采收加工** | 夏、秋季采收，晒干。

| **功能主治** | 辛、淡，平。行水破血，化痰散结。用于癥瘕积聚，久热不退。

| **用法用量** | 内服煎汤，9 ~ 15 g。

禾本科 Poaceae 淡竹叶属 *Lophatherum*

淡竹叶 *Lophatherum gracile* Brongn

| **植物别名** | 山鸡米草、竹叶草、竹叶麦冬。

| **药 材 名** | 淡竹叶（药用部位：全草）、碎骨子（药用部位：根茎、块根）。

| **形态特征** | 多年生草本，具木质根头。须根中部膨大成纺锤形小块根。秆直立，疏丛生，高 40 ~ 80 cm，具 5 ~ 6 节。叶鞘平滑或外侧边缘具纤毛；叶舌质硬；叶片披针形。圆锥花序长 12 ~ 25 cm，分枝斜升或开展，长 5 ~ 10 cm；小穗线状披针形，具极短柄；颖先端钝，边缘膜质；不育外稃向上渐狭小，互相密集包卷，先端具长约 1.5 mm 的短芒；雄蕊 2。颖果长椭圆形。

| **生境分布** | 生于山坡、林地、林缘、道旁背阴处。广东各地均有分布。

| 资源情况 | 野生资源较丰富。栽培资源较少。药材来源于野生和栽培。

| 采收加工 | 淡竹叶：6～7月花将开时采收，晒干。
碎骨子：夏、秋季采收，晒干。

| 功能主治 | 淡竹叶：甘、淡，寒。清热，除烦，利尿。用于烦热口渴，口舌生疮，牙龈肿痛，小儿惊啼，小便赤涩，淋浊。
碎骨子：甘、淡，寒。清热利尿。用于发热，口渴，心烦，小便不利。

| 用法用量 | 淡竹叶：内服煎汤，9～15 g。
碎骨子：内服煎汤，10～15 g。

禾本科 Poaceae　芒属 *Miscanthus*

五节芒

Miscanthus floridulus (Lab.) Warb. ex Schum et Laut.

| **植物别名** | 竿芒、苦芦骨。

| **药 材 名** | 芭茅（药用部位：茎）、芭茅果（药用部位：虫瘿）。

| **形态特征** | 多年生草本，具发达根茎。秆高大似竹，高 2 ~ 4 m，无毛，节下具白粉。叶鞘无毛，鞘节具微毛；叶舌长 1 ~ 2 mm，先端具纤毛；叶片披针状线形，基部渐窄或呈圆形，先端长渐尖，边缘粗糙。圆锥花序大型，稠密，长 30 ~ 50 cm，主轴粗壮，延伸至超过花序的 2/3，无毛；内稃微小；雄蕊 3，橘黄色；花柱极短，柱头紫黑色，自小穗中部两侧伸出。

| **生境分布** | 生于低海拔的荒地、丘陵潮湿谷地、山坡或草地。广东各地均有分布。

| **资源情况** | 野生资源较丰富。栽培资源较少。药材来源于野生和栽培。

| **采收加工** | 芭茅：夏、秋季采收，切段，晒干。

芭茅果：全年均可采收。

| **功能主治** | 芭茅：甘、淡，平。清热通淋，祛风利湿。用于热淋，石淋，白浊，带下，风湿痹痛。

芭茅果：甘、辛，微温。解表透疹，行气调经。用于小儿疹出不透，小儿疝气，月经不调，胃寒痛，筋骨扭伤，淋病。

| **用法用量** | 芭茅：内服煎汤，15 ~ 30 g。

芭茅果：内服煎汤，5 ~ 10 g；或浸酒。

禾本科 Poaceae 芒属 *Miscanthus*

芒

Miscanthus sinensis Anderss.

| 药 材 名 | 芒茎（药用部位：茎）、芒根（药用部位：根及根茎）、芒花（药用部位：花序）。

| 形态特征 | 多年生苇状草本。秆高 1 ~ 2 m，无毛或花序以下疏生柔毛。叶鞘无毛；叶舌膜质，长 1 ~ 3 mm；叶片线形，下面疏生柔毛及被白粉，边缘粗糙。圆锥花序直立，长 15 ~ 40 cm，主轴无毛；小穗披针形，长 4.5 ~ 5 mm，黄色，有光泽；雄蕊 3，花药长 2 ~ 2.5 mm，紫褐色，先于雌蕊成熟；柱头羽状，长约 2 mm，紫褐色，自小穗中部两侧伸出。颖果长圆形，暗紫色。

| 生境分布 | 生于海拔 1 800 m 以下的山地、丘陵和荒坡原野。广东各地均有分布。

| 资源情况 | 野生资源丰富。栽培资源较少。药材来源于野生和栽培。

| 采收加工 | 芒茎：夏、秋季采收，洗净，切段，鲜用或晒干。
芒根：秋、冬季采收，晒干。
芒花：秋季采收，晒干。

| 功能主治 | 芒茎：甘，平。清热利尿，解毒，散血。用于小便不利，虫兽咬伤。
芒根：甘，平。止咳，利尿，活血，止渴。用于咳嗽，小便不利，干血痨，带下，热病口渴。
芒花：甘，平。活血通经。用于瘀血闭经，月经不调，恶露不净，半身不遂。

| 用法用量 | 芒茎：内服煎汤，3 ~ 6 g。
芒根：内服煎汤，60 ~ 90 g。
芒花：内服煎汤，30 ~ 60 g。

禾本科 Poaceae 类芦属 *Neyraudia*

类芦

Neyraudia reynaudiana (Kunth) Keng.

| **植物别名** | 篱笆竹、石珍茅。

| **药 材 名** | 假芦（药用部位：嫩芽、叶）。

| **形态特征** | 多年生草本，具木质根茎。须根粗，质坚硬。秆直立，高 2 ~ 3 m，直径 5 ~ 10 mm，通常节具分枝，节间被白粉。叶鞘无毛；叶舌密生柔毛；叶片长 30 ~ 60 cm，宽 5 ~ 10 mm。圆锥花序长 30 ~ 60 cm，分枝细长，开展或下垂；小穗长 6 ~ 8 mm，含 5 ~ 8 小花；颖短小，长 2 ~ 3 mm；外稃长约 4 mm，先端具长 1 ~ 2 mm 向外反曲的短芒，内稃短于外稃。

| **生境分布** | 生于海拔 300 ~ 1 500 m 的河边、山坡或砾石草地。广东各地均有分布。

资源情况	野生资源较丰富。栽培资源较少。药材来源于野生和栽培。
采收加工	夏、秋季采收，晒干。
功能主治	甘、淡，平。清热利湿，消肿解毒。用于肾炎性水肿，毒蛇咬伤，竹木刺入肉。
用法用量	内服煎汤，30 ~ 60 g。外用适量，捣敷。

禾本科 Poaceae 稻属 *Oryza*

稻
Oryza sativa L.

| 药 材 名 | 谷芽（药用部位：果实）、籼米（药用部位：种仁）、米皮糠（药用部位：果皮）。

| 形态特征 | 一年生水生草本。秆直立，高 0.5 ～ 1.5 m。叶鞘松弛，无毛；叶舌披针形，长 10 ～ 25 cm；叶片线状披针形，长约 40 cm，宽约 1 cm，无毛，粗糙。圆锥花序大型，疏展，成熟期向下弯垂；小穗含 1 成熟花；颖极小；退化外稃 2，锥刺状，内稃具 3 脉，先端尖而无喙；雄蕊 6，花药长 2 ～ 3 mm。颖果长约 5 mm，宽约 2 mm，厚 1 ～ 1.5 mm；胚小，长约为颖果的 1/4。

| 生境分布 | 广东各地均有栽培。

| 资源情况 | 栽培资源丰富。药材来源于栽培。

| 采收加工 | **谷芽**：春、秋季采收，用水浸泡 1 ~ 2 天，捞出，置于能排水的容器中，每日淋水 1 次，保持湿润，使其发芽，待须根长 3.3 ~ 7 mm 时，晒干。

籼米：夏、秋季采收，晒干。

米皮糠：加工粳米、籼米时，收集米糠，晒干。

| 功能主治 | **谷芽**：甘，平。消食化积，健脾开胃。用于食积，胀满泄泻，脾虚食少，脚气浮肿。

籼米：甘，温。温中益气，健脾止泻。用于脾胃虚寒泄泻。

米皮糠：甘、辛，温。开胃，下气。用于噎膈，反胃，脚气病。

| 用法用量 | **谷芽**：内服煎汤，10 ~ 15 g，大剂量可用至 30 g；或研末。

籼米：内服煎汤，30 ~ 60 g；或煮粥。

米皮糠：内服煎汤，9 ~ 30 g；或入丸、散剂。

禾本科 Poaceae 稻属 *Oryza*

糯稻

Oryza sativa L. var. *glutinosa* Blanco

| 药 材 名 | 糯米（药用部位：种仁）、糯稻根（药用部位：根及根茎）。

| 形态特征 | 一年生栽培植物。秆直立，丛生，高约 1 m。叶鞘无毛，下部者长于节间；叶舌膜质，质较硬，披针形，长 5 ～ 25 mm；叶片扁平，披针形至条状披针形，长 30 ～ 60 cm，宽 6 ～ 15 cm。圆锥花序疏松，成熟时向下弯曲，分枝具角棱，常粗糙；小穗长圆形，两侧压扁；鳞被 2，卵圆形，长 1 mm；雄蕊 6，花药长 2 mm；花柱 2，筒短，柱头帚刷状，自小花两侧伸出。颖果平滑。

| 生境分布 | 广东各地均有栽培。

| 资源情况 | 栽培资源丰富。药材来源于栽培。

| 采收加工 | **糯米**：夏、秋季采收，除去种皮，收集种仁。
糯稻根：夏、秋季采收，除去残茎，洗净，晒干。

| 功能主治 | **糯米**：甘，温。补中益气，健脾止泻，缩尿敛汗。用于脾胃虚寒泄泻，霍乱吐逆，消渴尿多，自汗，痘疮，痔疮。
糯稻根：甘，平。养阴除热，止汗。用于阴虚发热，自汗盗汗，口渴咽干，肝炎，丝虫病。

| 用法用量 | **糯米**：内服煎汤，30 ～ 60 g；或入丸、散剂；或煮粥。外用适量，研末调敷。
糯稻根：内服煎汤，15 ～ 30 g，大剂量可用 60 ～ 120 g。

禾本科 Poaceae 黍属 *Panicum*

稷
Panicum miliaceum L.

| 植物别名 | 糜。

| 药 材 名 | 黍米（药用部位：种子）、黍茎（药用部位：茎）、黍根（药用部位：根）。

| 形态特征 | 一年生栽培草本。秆粗壮，直立，高 40 ～ 120 cm，单生或少数丛生，节密被髭毛。叶鞘松弛，被疣基毛；叶舌膜质，长约 1 mm，先端具长约 2 mm 的睫毛；叶片线形或线状披针形，长 10 ～ 30 cm，宽 5 ～ 20 mm，先端渐尖，基部近圆形，边缘常粗糙。圆锥花序成熟时下垂，长 10 ～ 30 cm，分枝粗或纤细；鳞被长 0.4 ～ 0.5 mm，宽约 0.7 mm。种脐点状，黑色。

| 生境分布 | 栽培种。广东广州（市区）等有栽培。

| **资源情况** | 栽培资源较少。药材来源于栽培。

| **采收加工** | **黍米**：秋季采收，除去种皮，收集种仁。

黍茎：秋季采收，晒干。

黍根：秋季采挖，洗净，晒干。

| **功能主治** | **黍米**：甘，微温。补中益气，除烦止渴，解毒。用于烦渴，泻痢，吐逆，咳嗽，胃痛，鹅口疮，疮痈，烫伤。

黍茎：辛，热；有小毒。利尿消肿，止血，解毒。用于小便不利，水肿，妊娠尿血，脚气病，苦瓠中毒。

黍根：辛，热；有小毒。利尿消肿，止血。用于小便不利，脚气病，水肿，妊娠尿血。

| **用法用量** | **黍米**：内服煎汤，30 ～ 90 g；或煮粥；或淘取泔汁。外用适量，煎汤熏洗。

黍茎：内服煎汤，9 ～ 15 g；或烧存性，研末，每次 1 g，每日 3 次。外用适量，煎汤熏洗。

黍根：内服煎汤，30 ～ 60 g。

禾本科 Poaceae 黍属 Panicum

铺地黍 *Panicum repens* L.

| 药 材 名 | 铺地黍（药用部位：全草。别名：硬骨草）。

| 形态特征 | 多年生草本。根茎粗壮发达。秆直立，坚挺，高50～100 cm。叶鞘光滑，边缘被纤毛；叶舌长约0.5 mm，先端被睫毛；叶片质硬，线形，长5～25 cm，宽2.5～5 mm，上表皮粗糙或被毛，下表皮光滑。圆锥花序开展，长5～20 cm；小穗长圆形，长约3 mm，无毛，先端尖；雄蕊3，花丝极短，花药长约1.6 mm，暗褐色；鳞被长约0.3 mm，宽约0.24 mm。

| 生境分布 | 生于海边、溪边以及潮湿处。分布于广东仁化、乐昌、和平、五华、陆丰、惠东、连州、怀集、高要、郁南、台山、阳春、高州、吴川、徐闻及深圳（市区）、广州（市区）等。

| 资源情况 | 野生资源较丰富。药材来源于栽培。

| 采收加工 | 夏、秋季采收，切段。

| 功能主治 | 甘、微苦，平。清热平肝，通淋利湿。用于高血压，鼻窦炎，鼻衄，湿热带下，尿路感染，肋间神经痛，黄疸性肝炎，骨鲠，外伤出血。

| 用法用量 | 外用捣敷，鲜品 30 ~ 60 g；或煎汤洗；研末撒。

禾本科 Poaceae 雀稗属 *Paspalum*

双穗雀稗 *Paspalum distichum* L.

| 药 材 名 | 铜钱草（药用部位：全草。别名：过江龙）。

| 形态特征 | 多年生草本。匍匐茎横走，长达 1 m，向上直立部分高 20 ~ 40 cm，节生柔毛。叶鞘短于节间；叶舌长 2 ~ 3 mm，无毛；叶片披针形，长 5 ~ 15 cm，宽 3 ~ 7 mm，无毛。总状花序 2 对生，长 2 ~ 6 cm；小穗轴宽 1.5 ~ 2 mm；小穗倒卵状长圆形，疏生微柔毛；第一颖退化或微小，第二颖贴生柔毛，具明显的中脉；第一外稃具 3 ~ 5 脉，第二外稃草质，黄绿色，先端尖，被毛。

| 生境分布 | 生于田边路旁。分布于广东海丰、高要、罗定、台山、电白、徐闻及深圳（市区）、珠海（市区）、广州（市区）等。

| 资源情况 | 野生资源较丰富。栽培资源较少。药材来源于野生和栽培。

| 采收加工 | 夏、秋季采收，切段。

| 功能主治 | 甘，平。活血解毒，祛风除湿。用于骨折筋伤，风湿痹痛，痰火，疮毒。

| 用法用量 | 内服煎汤，10 ~ 30 g。外用适量，鲜品捣敷。

| 附　　注 | 本种拉丁学名的异名为 *Paspalum paspaloides* (Michx.) Scribn.。

禾本科 Poaceae 雀稗属 *Paspalum*

圆果雀稗 *Paspalum orbiculare* Forst.

| 药 材 名 | 圆果雀稗（药用部位：全草）。

| 形态特征 | 多年生草本。秆直立，丛生，高 30 ~ 90 cm。叶鞘长于其节间，无毛；叶舌长约 1.5 mm；叶片长披针形至线形，长 10 ~ 20 cm，宽 5 ~ 10 mm，多数无毛。总状花序长 3 ~ 8 cm，分枝腋间有长柔毛；小穗轴宽 1.5 ~ 2 mm，边缘微粗糙；小穗椭圆形或倒卵形，长 2 ~ 2.3 mm；小穗柄长约 0.5 mm；第二颖与第一外稃等长，具 3 脉，先端稍尖；第二外稃等长于小穗，革质，有光泽，具细点状粗糙。

| 生境分布 | 生于低海拔的荒坡、草地、路旁及田间。广东各地均有分布。

| 资源情况 | 野生资源较丰富。栽培资源较少。药材来源于野生和栽培。

| 采收加工 | 夏、秋季采收，切段，晒干。

| 功能主治 | 清热利尿。用于水肿。

| 用法用量 | 内服煎汤，10 ~ 15 g。

| 附　　注 | 在 FOC 中，本种的拉丁学名被修订为 *Paspalum scrobiculatum* var. *orbiculare* (G. Forst.) Hack.。

雀稗

Paspalum thunbergii Kunth ex Steud

| 药 材 名 | 雀稗（药用部位：全草）。

| 形态特征 | 多年生草本。秆直立，丛生，高 50 ～ 100 cm，节被长柔毛。叶鞘
具脊，长于节间，被柔毛；叶舌膜质，长 0.5 ～ 1.5 mm；叶片线形，
长 10 ～ 25 cm，宽 5 ～ 8 mm，两面被柔毛。总状花序 3 ～ 6，长 5 ～
10 cm，互生于长 3 ～ 8 cm 的主轴上，形成总状圆锥花序；小穗椭
圆状倒卵形，散生微柔毛；第二颖与第一外稃等长，膜质，具 3 脉，
边缘有明显的微柔毛；第二外稃革质，具光泽。

| 生境分布 | 生于荒野潮湿草地。分布于广东翁源、乳源、惠东、丰顺、五华、平远、
紫金、连州、阳山、连南及东莞、肇庆（市区）等。

资源情况	野生资源较少。栽培资源较少。药材来源于野生和栽培。
采收加工	夏、秋季采收，切段，晒干。
功能主治	甘，平。活血解毒，祛风除湿。用于跌打肿痛，骨折筋伤，风湿痹痛，痰火，疮毒。
用法用量	内服煎汤，10 ~ 15 g。

禾本科 Poaceae 狼尾草属 *Pennisetum*

狼尾草

Pennisetum alopecuroides (L.) Spreng

| **植物别名** | 大狗尾草。

| **药 材 名** | 狼尾草（药用部位：全草）、狼尾草根（药用部位：根及根茎）。

| **形态特征** | 多年生草本。须根较粗壮。秆直立，丛生，高30～120 cm，花序下方者密生柔毛。叶鞘光滑，两侧压扁，秆上部者长于节间；叶舌具长约2.5 mm的纤毛；叶片线形，长10～80 cm，宽3～8 mm，先端长渐尖，基部生疣毛。圆锥花序直立，主轴密生柔毛；总花梗长2～3（～5）mm；刚毛粗糙，淡绿色或紫色，长1.5～3 cm；雄蕊3，花药先端无毫毛；花柱基部连合。颖果长圆形，长约3.5 mm。

| **生境分布** | 生于海拔50～1 900 m的田岸、荒地、道旁及小山坡上。分布于广

东仁化、始兴、乐昌、连平、大埔、博罗、阳山、连州、英德、封开、怀集、高要、郁南、新兴、罗定、阳春、吴川、徐闻及深圳（市区）、广州（市区）等。

| 资源情况 | 野生资源较丰富。药材来源于野生。

| 采收加工 | 狼尾草：夏、秋季采收，洗净，晒干。
狼尾草根：全年均可采收，洗净，晒干或鲜用。

| 功能主治 | 狼尾草：甘，平。清肺止咳，凉血明目。用于肺热咳嗽，目赤肿痛。
狼尾草根：甘，平。清肺止咳，解毒。用于肺热咳嗽，疮毒。

| 用法用量 | 狼尾草：内服煎汤，9 ~ 15 g。
狼尾草根：内服煎汤，30 ~ 60 g。

禾本科 Poaceae 显子草属 *Phaenosperma*

显子草 *Phaenosperma globosa* Munro ex Benth.

| **药 材 名** | 岩高粱（药用部位：全草）。

| **形态特征** | 多年生草本。根较稀疏，质硬。秆单生或少数丛生，光滑无毛，直立，质坚硬，高 100 ～ 150 cm，具 4 ～ 5 节。叶鞘光滑，通常短于节间；叶舌质硬，长 5 ～ 15（ ～ 25） mm，两侧下延；叶片宽线形，常翻转而使上面向下呈灰绿色，下面向上呈深绿色，两面粗糙或平滑。花药长 1.5 ～ 2 mm。颖果倒卵球形，长约 3 mm，黑褐色，表面具皱纹，成熟后露出稃外。

| **生境分布** | 生于海拔 150 ～ 1 800 m 的山坡林下、山谷溪旁及路边草丛。分布于广东新丰、从化等。

| 资源情况 | 野生资源较少。栽培资源较少。药材来源于野生和栽培。

| 采收加工 | 夏、秋季采收，切段，晒干。

| 功能主治 | 甘、微涩，平。补虚健脾，活血调经。用于病后体虚，闭经。

| 用法用量 | 内服煎汤，15 ~ 30 g。

藨草
Phalaris arundinacea L.

| 药 材 名 | 藨草（药用部位：全草）。

| 形态特征 | 多年生草本，有根茎。秆通常单生或少数丛生，高 60 ～ 140 cm，有 6 ～ 8 节。叶鞘无毛，下部者长于节间，上部者短于节间；叶舌薄膜质，长 2 ～ 3 mm；叶片扁平，幼嫩时微粗糙，长 6 ～ 30 cm，宽 1 ～ 1.8 cm。圆锥花序紧密狭窄，长 8 ～ 15 cm，分枝直向上举，密生小穗；小穗长 4 ～ 5 mm，无毛或有微毛；花药长 2 ～ 2.5 mm；不孕外稃 2，退化为线形，具柔毛。

| 生境分布 | 生于海拔 75 ～ 1 900 m 的林下、潮湿草地或水湿处。分布于广东乐昌等。

| 资源情况 | 野生资源较少。栽培资源较少。药材来源于野生和栽培。

| 采收加工 | 夏、秋季采收，晒干。

| 功能主治 | 微辛、苦，平。调经，止带。用于月经不调，赤白带下。

| 用法用量 | 内服煎汤，9 ~ 15 g。

禾本科 Poaceae 芦苇属 *Phragmites*

芦苇

Phragmites australis (Cav.) Trin. ex Steud.

| 药 材 名 | 芦根（药用部位：根茎。别名：苇根、芦头）。

| 形态特征 | 多年生草本。根茎十分发达。秆直立，高 1 ~ 3（~ 8）m，直径 1 ~ 4 cm，节下被腊粉。叶鞘下部者短于节间，上部者长于节间；叶舌边缘密生 1 圈长约 1 mm 的短纤毛，两侧缘毛长 3 ~ 5 mm，易脱落；叶片披针状线形，长 30 cm，宽 2 cm，无毛，先端长渐尖成丝状。圆锥花序大型，分枝多数，着生稠密下垂的小穗；雄蕊 3，花药长 1.5 ~ 2 mm，黄色。颖果长约 1.5 mm。

| 生境分布 | 生于江河湖泽、池塘沟渠沿岸和低湿地。分布于广东乳源、乐昌、惠东、高要、阳春、徐闻及深圳（市区）、珠海（市区）、清远（市区）、广州（市区）等。

| **资源情况** | 野生资源较丰富。栽培资源较少。药材来源于野生和栽培。

| **采收加工** | 全年均可采挖，除去芽、须根及膜状叶，鲜用或晒干。

| **功能主治** | 甘，寒。清热泻火，生津止渴，除烦，止呕，利尿。用于热病高热烦渴，牙龈出血，鼻衄，胃热呕吐，肺痈吐脓，大叶性肺炎，气管炎，尿少色黄。

| **用法用量** | 内服煎汤，9 ~ 30 g。

禾本科 Poaceae 芦苇属 *Phragmites*

卡开芦

Phragmites karka (Retz.) Trin. ex Steud.

| 植物别名 |

过江芦荻、水芦荻。

| 药材名 |

水芦荻根（药用部位：根茎）。

| 形态特征 |

多年生苇状草本。根茎粗短，节间较短，长
1 ~ 2 cm，直径 1 ~ 1.2 cm，节具多数直径
约 4 mm 的不定根。秆高大直立，粗壮，不
具分枝，高 4 ~ 6 m，直径 1.5 ~ 2.5 cm。
叶片扁平宽广，长达 50 cm，下面与边缘粗糙，
先端长渐尖成丝状，基部与叶鞘等宽，不易
脱离。圆锥花序大型，具稠密分枝与小穗，
长 30 ~ 50 cm，宽 10 ~ 20 cm，主轴直立，
长约 25 cm，分枝多数轮生于主轴各节。

| 生境分布 |

生于海拔 1 000 m 以下的江河湖岸与溪旁湿
地。分布于广东新丰、乐昌、龙门、连州、
阳春及茂名（市区）、东莞、深圳（市区）、
广州（市区）、梅州（市区）等。

| 资源情况 |

野生资源较丰富。栽培资源较少。药材来源

于野生和栽培。

| **采收加工** | 全年均可采挖，洗净，切段，晒干。

| **功能主治** | 苦，寒。清热解毒，利尿消肿。用于急性热病烦渴，肺痈，泻痢，小便黄赤，肾炎性水肿。

| **用法用量** | 内服煎汤，9 ~ 15 g。

禾本科 Poaceae 刚竹属 *Phyllostachys*

水竹
Phyllostachys heteroclada Oliv.

| 药 材 名 | 水竹叶（药用部位：叶）。

| 形态特征 | 竿散生，高达 6 m，直径达 3 cm，每节分枝 2，分枝近水平开展；箨鞘背面深绿色带紫色，无斑点，被白粉；箨耳小，淡紫色，有时呈短镰形，边缘有数条紫色繸毛，小的箨鞘上无箨耳和繸毛；箨舌低，边缘具白色短纤毛；箨片直立，三角形至狭长三角形，背部呈舟形隆起。末级小枝具 1 ~ 3 叶；叶耳无，繸毛直立；叶片披针形。笋期 5 月。

| 生境分布 | 生于河流两岸及山谷中。分布于广东曲江、仁化、乐昌、乳源、连平、阳山、英德、广宁及广州（市区）等。

资源情况	野生资源较丰富。药材来源于野生。
采收加工	全年均可采收，晒干。
功能主治	淡，凉。清热除烦。用于热病烦渴。
用法用量	内服煎汤，6 ~ 15 g。

禾本科 Poaceae 刚竹属 *Phyllostachys*

毛竹
Phyllostachys edulis (Carrière) J. Houz.

| 植物别名 |

孟宗竹、楠竹。

| 药 材 名 |

毛竹叶（药用部位：叶）。

| 形态特征 |

竿散生，高达 20 m，直径达 20 cm，幼竿密被细柔毛及厚白粉；箨环有毛；每节分枝 2；箨鞘背面黄褐色或紫褐色，具黑褐色斑点及密生棕色刺毛；箨耳微小，繸毛发达；箨舌宽短，强隆起而呈尖拱形，边缘具粗长纤毛；箨片较短，长三角形至披针形。末级小枝具2 ~ 4叶；叶耳不明显，繸毛易脱落；叶片较小，较薄，披针形，长 4 ~ 11 cm。笋期 4 月。

| 生境分布 |

广东各地均有栽培。

| 资源情况 |

栽培资源丰富。药材来源于栽培。

| 采收加工 |

全年均可采收，晒干。

| 功能主治 | 甘、淡、微涩，温。清热利尿，止吐。用于烦热口渴，疳积，小儿发热，高热不退，呕吐。

| 用法用量 | 内服煎汤，6 ~ 15 g。

| 附　注 | 在《中国植物志》中，本种的拉丁学名被修订为 *Phyllostachys heterocycla* (Carr.) Mitford cv. Pubescens。

禾本科 Poaceae 刚竹属 *Phyllostachys*

篌竹

Phyllostachys nidularia Munro

| 植物别名 | 泥竹。

| 药 材 名 | 篌竹叶（药用部位：嫩叶）、篌竹茹（药用部位：茎秆的中间层）。

| 形态特征 | 竿散生，高达 10 m，直径达 4 cm，每节分枝 2，分枝斜上举而使植株狭窄，呈尖塔形；箨鞘背面绿色，无斑点，具条纹，基部密生淡褐色刺毛；箨耳大，为箨片下部向两侧扩大而成，呈三角形或末端延伸成镰形；箨舌宽，紫褐色，边缘具白色短纤毛；箨片宽三角形，直立，舟形。末级小枝具 1 叶，稀 2 叶；叶耳和繸毛不发育；叶片带状披针形。笋期 4 ~ 5 月。

| 生境分布 | 生于山地林中。分布于广东乐昌、乳源、连山、高要及深圳（市区）、

广州（市区）等。

| 资源情况 | 野生资源丰富。栽培资源较少。药材来源于野生。

| 采收加工 | **篌竹叶**：全年均可采收，晒干。

篌竹茹：全年均可采制，取新鲜茎秆，除去外皮，将稍带绿色的中间层刮成丝条，阴干。

| 功能主治 | **篌竹叶、篌竹茹**：苦，寒。清热解毒，利尿除烦，杀虫止痒。用于烦热口渴，失眠，音哑，目赤肿痛，口疮，疥癣，疮毒。

| 用法用量 | **篌竹叶**：内服煎汤，6 ~ 15 g。

篌竹茹：内服煎汤，5 ~ 10 g。

禾本科 Poaceae 刚竹属 Phyllostachys

紫竹

Phyllostachys nigra (Lodd. ex Lindl.) Munro

| 植物别名 |

黑竹。

| 药 材 名 |

紫竹根（药用部位：根茎）。

| 形态特征 |

竿散生，高达 10 m，直径达 5 cm，节间幼时绿色，一年后渐出现紫斑，后变紫色，每节分枝 2；箨鞘背面红褐色或带绿色，无斑点或具微小、不明显的暗棕色斑点，被白粉及棕色刺毛；箨耳和鞘口繸毛发达，紫黑色；箨舌紫色，边缘具长纤毛；箨片直立或稍开展，舟形。末级小枝具 2 ~ 3 叶；叶耳缺；繸毛易脱落；叶片披针形。笋期 4 月。

| 生境分布 |

广东乐昌等偶有栽培。

| 资源情况 |

栽培资源较少。药材来源于栽培。

| 采收加工 |

夏、秋季采收，洗净，晒干。

| 功能主治 | 淡，凉。清热利尿，解毒除烦。用于高热，小儿夜啼，狂犬咬伤。

| 用法用量 | 内服煎汤，15 ～ 30 g。

禾本科 Poaceae 刚竹属 *Phyllostachys*

桂竹

Phyllostachys reticulata (Ruprecht) K. Koch.

| 植物别名 | 金竹、五月季竹、轿杠竹。

| 药 材 名 | 桂竹笋（药用部位：嫩竿）、桂竹箨（药用部位：箨叶）。

| 形态特征 | 竿散生，高达 20 m，直径达 15 cm，幼竿无毛；箨鞘革质，背面黄褐色，有时带绿色或紫色，有较密的紫褐色斑块、小斑点和脉纹，疏生脱落性淡褐色直立刺毛；箨耳镰形或无，紫褐色，继毛发达或无；箨舌拱形；箨片带状，中间绿色，两侧紫色，边缘黄色，外翻。末级小枝具 2 ～ 4 叶；叶耳和继毛发达；叶片长 5.5 ～ 15 cm。笋期 5 月。

| 生境分布 | 生于山地林中。分布于广东乐昌、曲江、始兴、连平、兴宁、惠东、

博罗、英德、阳山、连山、鼎湖、怀集、广宁、信宜等。

| 资源情况 | 野生资源丰富。栽培资源一般。药材来源于野生。

| 采收加工 | **桂竹笋**：5 月采收，晒干或鲜用。

桂竹箨：5 月采收，晒干或鲜用。

| 功能主治 | **桂竹笋**：甘，寒。解毒，除湿热，祛风湿。用于咳嗽，气喘，四肢顽痹，筋骨疼痛，小儿痘疹不出。

桂竹箨：凉血透疹。用于热病，斑疹。

| 用法用量 | **桂竹笋**：内服煮粥，15 ~ 30 g。

桂竹箨：内服煎汤，6 ~ 10 g。

| 附　　注 | 马乃训等（2014）在《中国刚竹属》中认为本种的拉丁学名应为 *Phyllostachys bambusoides* Sieb. et Zucc.。

禾本科 Poaceae 苦竹属 *Pleioblastus*

苦竹

Pleioblastus amarus (Keng) Keng f.

| **植物别名** | 伞柄竹。

| **药 材 名** | 苦竹叶（药用部位：叶）。

| **形态特征** | 竿散生，高 3 ~ 5 m，直径 1.5 ~ 2 cm，每节 5 ~ 7 分枝，节间无毛，节下被白粉；箨环有箨鞘基部木栓质残留物，幼时生 1 圈紫褐色刺毛；箨鞘背面绿色，密被白粉，上部边缘橙黄色至焦枯色，无毛或具微细刺毛；箨耳不明显或无，具数条直立的短继毛，毛易脱落而变无毛；箨舌截形；箨片狭长披针形，反折。末级小枝具 3 ~ 4 叶。笋期 6 月。

| **生境分布** | 生于山谷疏林。分布于广东英德、广宁等。

| **资源情况** | 野生资源较少。药材来源于野生。 |

| **采收加工** | 夏、秋季采收，晒干。 |

| **功能主治** | 苦，寒。清心，利尿，明目，解毒。用于热病烦渴，失眠，小便短赤，口疮，目痛，失音，烫伤。 |

| **用法用量** | 内服煎汤，6 ~ 15 g。 |

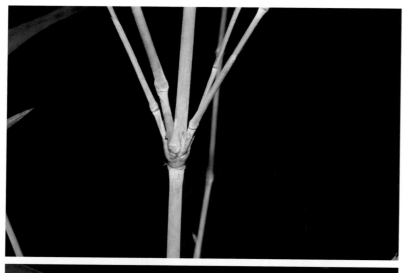

禾本科 Poaceae 早熟禾属 Poa

早熟禾 *Poa annua* L.

| 药 材 名 | 爬地早熟禾（药用部位：全草）。

| 形态特征 | 一年生或冬性禾草。秆直立或倾斜，质软，高 6 ～ 30 cm，全体平滑无毛。叶鞘稍压扁，中部以下闭合；叶舌长 1 ～ 3（～ 5）mm，圆头；叶片扁平或对折，长 2 ～ 12 cm，宽 1 ～ 4 mm，质柔软，常有横脉纹，先端急尖，呈船形，边缘微粗糙。圆锥花序宽卵形，长 3 ～ 7 cm，开展，分枝 1 ～ 3 着生于各节，平滑；花药黄色，长 0.6 ～ 0.8 mm。颖果纺锤形，长约 2 mm。

| 生境分布 | 生于海拔 100 ～ 1 900 m 的平原和丘陵的路旁草地、田野水沟或背阴荒坡湿地。分布于广东乐昌等。

| **资源情况** | 野生资源较少。药材来源于野生。 |

| **采收加工** | 全年均可采收，成捆晒干。 |

| **功能主治** | 甘、淡，平。清热解毒，利尿通淋。用于湿疹，跌打损伤，咳嗽。 |

| **用法用量** | 内服煎汤，6 ~ 9 g。 |

禾本科 Poaceae 金发草属 *Pogonatherum*

金丝草

Pogonatherum crinitum (Thunb.) Kunth

| 植物别名 | 黄毛草。

| 药 材 名 | 金丝草（药用部位：全草。别名：猫毛草）。

| 形态特征 | 秆丛生，直立或基部稍倾斜，高 10 ~ 30 cm，直径 0.5 ~ 0.8 mm，节上被白色髯毛，少分枝。叶片线形，扁平，稀内卷或对折，长 1.5 ~ 5 cm，宽 1 ~ 4 mm，先端渐尖。穗形总状花序单生于秆顶，长 1.5 ~ 3 cm（除芒外），宽约 1 mm，细弱而微弯曲，乳黄色；雄蕊 1，花药细小，长约 1 mm；花柱自基部一分为二，柱头帚刷状，长约 1 mm。颖果卵状长圆形，长约 0.8 mm。

| 生境分布 | 生于海拔 1 900 m 以下的田埂、山边、路旁、河溪边、石缝瘠土或

灌木下阴湿地。广东各地均有分布。

| **资源情况** | 野生资源丰富。栽培资源较少。药材来源于野生和栽培。

| **采收加工** | 夏、秋季采收，鲜用或晒干。

| **功能主治** | 苦，寒。清热解毒，凉血止血，利湿。用于感冒发热，中暑，尿路感染，肾炎性水肿，黄疸性肝炎，糖尿病，小儿久热不退。

| **用法用量** | 内服煎汤，9 ~ 15 g，鲜品可用 30 ~ 60 g。外用适量，煎汤熏洗；或研末调敷。

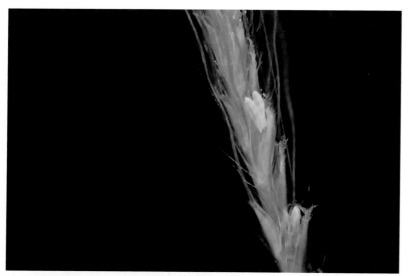

禾本科 Poaceae 金发草属 Pogonatherum

金发草
Pogonatherum paniceum (Lam.) Hack.

| 植物别名 | 竹蒿草。

| 药 材 名 | 金发草（药用部位：全草）。

| 形态特征 | 秆硬似小竹，基部具被密毛的鳞片，直立或基部倾斜，高
30 ~ 60 cm，直径 1 ~ 2 mm，具 3 ~ 8 节；节常稍凸起而被髯毛，
上部各节具多回分枝。总状花序稍弯曲，乳黄色，长 1.3 ~ 3 cm，
宽约 2 mm；雄蕊 2，花药黄色，长约 1.8 mm；子房细小，卵状长
圆形，长约 0.3 mm，无毛，花柱 2，自基部分离，柱头帚刷状，长
约 2 mm。

| 生境分布 | 生于海拔 1 900 m 以下的山坡、草地、路边、溪旁草地的干旱向阳处。

分布于广东翁源、仁化、乐昌、曲江、蕉岭、龙门、博罗、宝安、从化、连州、英德、高要、阳春、信宜、高州及云浮（市区）等。

| **资源情况** | 野生资源较丰富。栽培资源较少。药材来源于野生和栽培。

| **采收加工** | 秋季采收，洗净，鲜用或晒干。

| **功能主治** | 甘，凉。清热，利湿，消积。用于感冒发热，尿道感染，小便短赤涩痛，尿血，黄疸性肝炎，肾炎性水肿，糖尿病，小儿久热不退。

| **用法用量** | 内服煎汤，9 ~ 15 g，鲜品可用 30 ~ 60 g。

禾本科 Poaceae 鹅观草属 Roegneria

鹅观草

Roegneria kamoji Ohwi

| 药 材 名 | 鹅观草（药用部位：全草）。

| 形态特征 | 秆直立或基部倾斜，高 30 ~ 100 cm。叶鞘外侧边缘常具纤毛；叶片扁平，长 5 ~ 40 cm，宽 3 ~ 13 mm。穗状花序长 7 ~ 20 cm，弯曲或下垂；小穗绿色或带紫色，长 13 ~ 25 mm（除芒外），含 3 ~ 10 小花；颖卵状披针形至长圆状披针形，先端锐尖至具短芒，芒长 2 ~ 7 mm，边缘宽膜质；外稃披针形，第一外稃长 8 ~ 11 mm，先端延伸成芒，芒长 20 ~ 40 mm，内稃与外稃近等长，先端钝头。

| 生境分布 | 生于海拔 100 ~ 1 900 m 的山坡和湿润草地。分布于广东乳源、南雄、龙川、平远、英德、阳春等。

| **资源情况** | 野生资源较少。药材来源于野生。

| **采收加工** | 夏、秋季采收，晒干。

| **功能主治** | 甘，凉。清热凉血，镇痛。用于咳痰带血，丹毒，劳伤疼痛。

| **用法用量** | 内服煎汤，15 ~ 30 g。

| **附　　注** | 在 FOC 中，本种被修订为柯孟披碱草 *Elymus kamoji* (Ohwi) S. L. Chen，并由鹅观草属并入披碱草属。

禾本科 Poaceae 筒轴茅属 Rottboellia

筒轴草
Rottboellia exaltata L. f.

| 药材名 | 筒轴茅（药用部位：全草。别名：粗轴草）。

| 形态特征 | 一年生粗壮草本。须根粗壮，常具支柱根。秆直立，高可达 2 m，亦可低矮丛生，直径可达 8 mm，无毛。叶鞘具硬刺毛或无毛；叶舌长约 2 mm，上缘具纤毛；叶片线形，长可达 50 cm，宽可达 2 cm，中脉粗壮，边缘粗糙。总状花序粗壮直立，上部渐尖，长可达 15 cm，直径 3 ~ 4 mm；花药黄色，长约 2 mm；柱头紫色。颖果长圆状卵形。

| 生境分布 | 生于山坡、路旁、草丛中。分布于广东新丰、始兴、南雄、乐昌、连平、惠东、博罗、阳山、连州、高要、郁南、高州、徐闻及汕头（市区）、深圳（市区）、广州（市区）等。

| **资源情况** | 野生资源较丰富。药材来源于野生。

| **采收加工** | 夏、秋季采收，切段，晒干。

| **功能主治** | 清热利尿。用于小便不畅。

| **用法用量** | 内服煎汤，10 ~ 15 g。

| **附　　注** | 在 FOC 中，本种的拉丁学名被修订为 *Rottboellia cochinchinensis* (Lour.) Clayton。

禾本科 Poaceae 甘蔗属 Saccharum

斑茅
Saccharum arundinaceum Retz.

| 植物别名 | 大密、芭茅。

| 药 材 名 | 斑茅（药用部位：根）、斑茅花（药用部位：花）。

| 形态特征 | 多年生高大丛生草本。秆粗壮，高 2 ~ 4（~ 6）m，直径 1 ~ 2 cm，
具多数节，无毛。叶片宽大，线状披针形，长 1 ~ 2 m，宽 2 ~ 5 cm，
先端长渐尖，基部渐窄，中脉粗壮，无毛。圆锥花序大型，稠密，
长 30 ~ 80 cm，宽 5 ~ 10 cm，主轴无毛；花药长 1.8 ~ 2 mm；柱
头紫黑色，长约 2 mm，长为花柱的 2 倍，自小穗中部两侧伸出。颖
果长圆形，长约 3 mm，胚长为颖果的一半。

| 生境分布 | 生于山坡和河岸溪涧草地。分布于广东始兴、乐昌、连平、惠东、惠阳、从化、高要、郁南、恩平、阳春、徐闻及深圳（市区）、清远（市区）等。

| 资源情况 | 野生资源较丰富。栽培资源较少。药材来源于野生和栽培。

| 采收加工 | 斑茅：夏、秋季采收，洗净，晒干。
斑茅花：夏、秋季采收，洗净，晒干。

| 功能主治 | 斑茅：甘、淡，平。活血通经，通窍利水。用于跌打损伤，筋骨风痛，经闭，月经不调，水肿臌胀。
斑茅花：止血。用于咯血，吐血，衄血，创伤出血。

| 用法用量 | 斑茅：内服煎汤，15 ~ 60 g。
斑茅花：内服煎汤，15 ~ 60 g。外用适量，捣敷。

禾本科 Poaceae 甘蔗属 *Saccharum*

甘蔗 *Saccharum officinarum* L.

| 植物别名 |

糖蔗。

| 药 材 名 |

甘蔗（药用部位：茎秆）、甘蔗皮（药用部位：茎皮）、甘蔗渣（药用部位：榨糖后的茎秆渣滓）。

| 形态特征 |

多年生高大实心草本。根茎粗壮发达。秆高3 ~ 5 m，直径 2 ~ 4 cm，具 20 ~ 40 节，下部节间较短而粗大，被白粉。叶鞘长于其节间，除鞘口具柔毛外余无毛；叶舌极短，生纤毛；叶片长达 1 m，宽 4 ~ 6 cm，无毛，中脉粗壮，白色，边缘具锯齿状粗糙。圆锥花序大型，长约 50 cm；总状花序多数轮生，稠密，花序轴节间与小穗柄无毛；鳞被无毛。

| 生境分布 |

广东各地均有栽培。

| 资源情况 |

栽培资源较丰富。药材来源于栽培。

| **采收加工** | **甘蔗**：秋后采收，除去叶，置阴暗不通风处，保持水分。

| **功能主治** | **甘蔗**：甘，寒。清热生津，润燥和中，解毒。用于烦热，消渴，呕哕反胃，虚热咳嗽，大便燥结，痈疽疮肿。

甘蔗皮：清热解毒。用于白秃疮，痈疽，疔疮。

甘蔗渣：清热解毒。用于白秃疮，痈疽，疔疮。

| **用法用量** | **甘蔗**：内服煎汤，鲜品 30 ~ 90 g；或榨汁冲服。外用适量，捣敷。

甘蔗皮：外用适量，煅存性，研末撒或调敷。

甘蔗渣：外用适量，煅存性，研末撒或调敷。

禾本科 Poaceae 甘蔗属 Saccharum

竹蔗
Saccharum sinense Roxb.

| 药 材 名 | 芦蔗（药用部位：茎杆。别名：友巴、草甘蔗）。

| 形态特征 | 秆直立粗壮，实心，高 3 ~ 4 m，直径 3 ~ 4 cm，具多数节，灰褐色。圆锥花序大型，长 30 ~ 60 cm，主轴被白色丝状柔毛，分枝细长；总状花序轴节间长 6 ~ 8 mm，先端稍膨大；雄蕊 3，花药长 1.5 ~ 2 mm；柱头紫褐色，长 1.5 ~ 2 mm，自小穗中部两侧伸出；鳞被 2，长、宽均为 0.5 mm，先端平截，无毛。颖果卵圆形，长约 1.2 mm，胚长为果实的一半。

| 生境分布 | 栽培种。广东偶见栽培。

| 资源情况 | 栽培资源较少。药材来源于栽培。

| 采收加工 | 秋、冬季采收，除去叶、根，鲜用。

| 功能主治 | 甘，寒。清热生津，润燥和中，解毒。用于心烦口渴，便秘，酒醉，口臭，肺热咳嗽，咽喉肿痛。

| 用法用量 | 内服煎汤，30 ~ 90 g；或榨汁冲服。

禾本科 Poaceae 甘蔗属 *Saccharum*

甜根子草 *Saccharum spontaneum* L.

| **药 材 名** | 甜根子草（药用部位：根茎、秆。别名：割手密）。

| **形态特征** | 多年生，具发达横走的长根茎。秆高 1 ~ 2 m，直径 4 ~ 8 mm，中空，具多数节。叶片线形，长 30 ~ 70 cm，宽 4 ~ 8 mm，基部多少狭窄，无毛，灰白色，边缘呈锯齿状粗糙。圆锥花序长 20 ~ 40 cm；鳞被倒卵形，先端具纤毛；雄蕊 3，花药长 1.8 ~ 2 mm；柱头紫黑色，长 1.5 ~ 2 mm，自小穗中部两侧伸出；有柄小穗与无柄小穗相似，有时较无柄小穗短或先端渐尖。

| **生境分布** | 生于海拔 1 900 m 以下的平原、山坡、河旁溪流岸边、砾石沙滩和荒洲上。分布于广东乐昌、南澳、连州、英德、罗定及深圳（市区）、广州（市区）、肇庆（市区）等。

| **资源情况** | 野生资源较丰富。栽培资源较少。药材来源于野生和栽培。

| **采收加工** | 全年均可采挖根茎，秋季采收秆，除去叶片，切段，鲜用。

| **功能主治** | 甘，凉。清热，止咳，利尿。用于感冒发热口干，小便不畅，肾炎，肝炎。

| **用法用量** | 内服煎汤，15 ～ 30 g。

禾本科 Poaceae 囊颖草属 *Sacciolepis*

囊颖草

Sacciolepis indica (L.) A. Chase

| 药 材 名 | 滑草（药用部位：全草）。

| 形态特征 | 一年生草本，通常丛生。秆基部常膝曲，高 20 ～ 100 cm，有时下部节上生根。叶片线形，长 5 ～ 20 cm，宽 2 ～ 5 mm，基部较窄，无毛或被毛。圆锥花序紧缩成圆筒状，长 1 ～ 16 cm 或更长，宽 3 ～ 5 mm，向两端渐狭或下部渐狭，主轴无毛，具棱，分枝短；鳞被 2，阔楔形，折叠，具 3 脉；花柱基分离。颖果椭圆形，长约 0.8 mm，宽约 0.4 mm。

| 生境分布 | 生于湿地或淡水中，常见于水稻田边、林下等地。分布于广东新丰、仁化、始兴、乐昌、连平、大埔、博罗、连山、阳山、德庆、封开、怀集、高要、罗定、阳春、信宜、高州及深圳（市区）、珠海（市区）、

广州（市区）等。

| 资源情况 |　野生资源较丰富。栽培资源较少。药材来源于野生和栽培。

| 采收加工 |　夏、秋季采收，鲜用。

| 功能主治 |　收敛生肌，止血。用于外伤出血。

| 用法用量 |　外用适量，鲜品捣敷。

禾本科 Poaceae 狗尾草属 *Setaria*

大狗尾草 *Setaria faberi* R. A. W. Herrmann.

| 药 材 名 |

大狗尾草（药用部位：全草或根。别名：狗尾毛）。

| 形态特征 |

一年生草本，通常具支柱根。秆粗壮而高大，直立或基部膝曲，高 50 ~ 120 cm，直径达 6 mm，光滑无毛。叶片线状披针形，长 10 ~ 40 cm，宽 5 ~ 20 mm，无毛或上面具较细的疣毛。圆锥花序紧缩成圆柱状，长 5 ~ 24 cm，宽 6 ~ 13 mm（除芒外），通常垂头，主轴具较密的长柔毛，花序基部通常不间断或偶有间断；鳞被楔形；花柱基部分离；颖果椭圆形，先端尖。

| 生境分布 |

生于山坡、路旁、田园或荒野。分布于广东乳源、始兴、乐昌、和平、连平、陆丰、连州、高要及珠海（市区）等。

| 资源情况 |

野生资源较丰富。药材来源于野生。

| 采收加工 |

秋季采收，晒干。

| 功能主治 | 甘，平。清热消疳，祛风止痛。用于疳积，风疹，牙痛。

| 用法用量 | 内服煎汤，10 ~ 30 g。

禾本科 Poaceae 狗尾草属 *Setaria*

莩狗尾草

Setaria geniculata (Lam.) Beauv.

| 药 材 名 | 莩狗尾草（药用部位：全草或根）。

| 形态特征 | 多年生丛生草本，具短节状根茎或根头。秆直立或基部膝曲，高 30 ~ 90 cm。叶片质硬，常卷折成线形，长 5 ~ 30 cm，宽 2 ~ 5 mm。圆锥花序稠密，呈圆柱状，先端稍狭，长 2 ~ 7 cm，宽约 5 mm（刚毛除外），主轴具短细毛，刚毛 8 ~ 12，粗糙，长 5 ~ 10 mm，金黄色、褐锈色或淡紫色至紫色；鳞被楔形，先端较平，具多数脉纹；花柱基部连合。

| 生境分布 | 生于海拔 1 500 m 以下的山坡、旷野或路边。分布于广东乳源、乐昌、和平、连平、龙川、五华、大埔、惠东、英德、德庆、高要、郁南、罗定、新会、阳春、徐闻及深圳（市区）、广州（市区）、茂名（市

区）等。

| 资源情况 | 野生资源较丰富。药材来源于野生。

| 采收加工 | 夏、秋季采收，鲜用或晒干。

| 功能主治 | 淡，凉。清热利湿，解毒。用于黄疸性肝炎，结膜炎，痈肿疔疮。

| 用法用量 | 内服煎汤，15 ~ 30 g。

| 附　注 | 在 FOC 中，本种被修订为幽狗尾草 *Setaria parviflora* (Poir.) Kerguélen。

禾本科 Poaceae 狗尾草属 Setaria

金色狗尾草 Setaria glauca (L.) Beauv.

| 植物别名 | 硬稃狗尾草。

| 药 材 名 | 金色狗尾草（药用部位：全草）。

| 形态特征 | 一年生单生或丛生草本。秆直立或基部倾斜膝曲，近地面节可生根，高 20 ~ 90 cm，光滑无毛。叶片线状披针形或狭披针形，长 5 ~ 40 cm，宽 2 ~ 10 mm，先端长渐尖，基部钝圆，上面粗糙，下面光滑，近基部疏生长柔毛。圆锥花序紧密，呈圆柱状或狭圆锥状，长 3 ~ 17 cm，宽 4 ~ 8 mm（刚毛除外），直立，主轴具短细柔毛；鳞被楔形；花柱基部连合。

| 生境分布 | 生于林边、山坡、路边、园地及荒野。分布于广东乐昌、和平、五华、

龙门、惠东、博罗、惠阳、连南、连山、阳山、英德、封开、高要、阳春及云浮（市区）、深圳（市区）、广州（市区）等。

| **资源情况** | 野生资源较丰富。药材来源于野生。

| **采收加工** | 夏、秋季采收，晒干。

| **功能主治** | 甘、淡，平。清热，明目，止痢。用于目赤肿痛，赤白痢。

| **用法用量** | 内服煎汤，9 ~ 15 g。

| **附　　注** | 在 FOC 中，本种的拉丁学名被修订为 *Setaria pumila* (Poir.) Roem. & Schult.。

禾本科 Poaceae 狗尾草属 Setaria

粱

Setaria italica (L.) Beauv.

| 植物别名 | 黄粟、狗尾草。

| 药 材 名 | 粟米（药用部位：全草或种仁。别名：小米、谷子）。

| 形态特征 | 一年生草本。须根粗大。秆粗壮，直立，高 0.1 ~ 1 m 或更高。叶鞘疏松裹秆，密具疣毛或无毛；叶舌具 1 圈纤毛；叶片长披针形或线状披针形，长 10 ~ 45 cm，宽 5 ~ 33 mm，先端尖，基部钝圆，上面粗糙，下面稍光滑。圆锥花序呈圆柱状或近纺锤状，常因品种不同而各异，主轴密生柔毛；小穗椭圆形或近圆球形；鳞被先端不平，呈微波状；花柱基部分离。

| 生境分布 | 广东各地均有栽培。

| **资源情况** | 栽培资源较少。药材来源于栽培。

| **采收加工** | 夏、秋季采收，晒干。

| **功能主治** | 甘、咸，凉。和中，益肾，除热，解毒。用于食积不消，腹胀口臭，脾胃虚弱，不饥食少。

| **用法用量** | 内服煎汤，15 ~ 25 g。

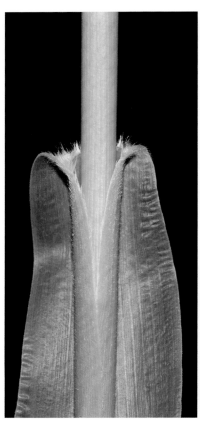 

禾本科 Poaceae 狗尾草属 *Setaria*

棕叶狗尾草 *Setaria palmifolia* (Koen.) Stapf

| 药 材 名 | 竹头草（药用部位：全草。别名：雏茅、苓草）。

| 形态特征 | 多年生草本，具根茎。须根质较坚韧。秆直立或基部稍膝曲，高
0.75 ~ 2 m，直径 3 ~ 7 mm，具支柱根。叶片纺锤状宽披针形，
长 20 ~ 59 cm，宽 2 ~ 7 cm，先端渐尖，基部窄缩，呈柄状。圆
锥花序主轴延伸甚长，呈开展或稍狭窄的塔形，长 20 ~ 60 cm，宽
2 ~ 10 cm，主轴具棱角，分枝排列疏松，甚粗糙，长达 30 cm；鳞
被楔形，微凹；花柱基部连合。颖果卵状披针形，长 2 ~ 3 mm。

| 生境分布 | 生于山坡或谷地林下阴湿处。广东各地均有分布。

| 资源情况 | 野生资源较丰富。药材来源于野生。

| 采收加工 | 夏、秋季采收，晒干。

| 功能主治 | 益气固脱。用于脱肛，子宫脱垂。

| 用法用量 | 内服煎汤，15 ~ 30 g。

禾本科 Poaceae 狗尾草属 Setaria

皱叶狗尾草 *Setaria plicata* (Lam.) T. Cooke

| 药 材 名 | 皱叶狗尾草（药用部位：全草。别名：扭叶草、烂衣草）。

| 形态特征 | 多年生草本。须根细，质坚韧。秆通常瘦弱，少数直径可达 6 mm；节、叶鞘与叶片交接处常具白色短毛。叶鞘背脉常呈脊，密或疏生较细的疣毛或短毛，毛易脱落；叶片质薄，椭圆状披针形或线状披针形，长 4 ~ 43 cm，宽 0.5 ~ 3 cm，先端渐尖，基部渐狭成柄状。圆锥花序狭长圆形或线形，长 15 ~ 33 cm；颖薄纸质；花柱基部连合。颖果狭长卵形，先端具硬而小的尖头。

| 生境分布 | 生于山坡林下、沟谷地阴湿处或路边杂草地上。分布于广东乐昌、惠东、博罗、阳山、连州、英德、封开、阳春、信宜及河源（市区）、深圳（市区）、广州（市区）等。

| **资源情况** | 野生资源较丰富。药材来源于野生。

| **采收加工** | 夏、秋季采收，切段。

| **功能主治** | 淡，平。解毒，杀虫。用于疥癣，丹毒，疮疡。

| **用法用量** | 内服煎汤，15 ~ 30 g。外用适量，鲜品捣敷。

禾本科 Poaceae 狗尾草属 Setaria

狗尾草 *Setaria viridis* (L.) Beauv.

| 药 材 名 |

狗尾草（药用部位：全草。别名：莠）。

| 形态特征 |

一年生草本。根须状，具支柱根。秆直立或基部膝曲。叶鞘松弛；叶舌极短，边缘有长 1 ~ 2 mm 的纤毛；叶片扁平，长三角状狭披针形或线状披针形，通常无毛或疏被疣毛，边缘粗糙。圆锥花序紧密，呈圆柱状或基部稍疏离，主轴被较长的柔毛，通常绿色或褐黄色带紫红色或紫色；鳞被楔形，先端微凹；花柱基分离。

| 生境分布 |

生于海拔 1 900 m 以下的荒野、道旁。分布于广东始兴、南雄、乐昌、高要、阳春及深圳（市区）、广州（市区）等。

| 资源情况 |

野生资源较丰富。药材来源于野生。

| 采收加工 |

秋季采收，晒干。

| 功能主治 | 甘、淡，凉。清热利湿，祛风明目，解毒，杀虫。用于风热感冒，沙眼，目赤疼痛，黄疸性肝炎，小便不利；外用于颈淋巴结结核。

| 用法用量 | 内服煎汤，15 ~ 30 g。外用适量，熬膏贴。

禾本科 Poaceae 高粱属 Sorghum

高粱
Sorghum bicolor (L.) Moench

| 植物别名 | 荻粱、乌禾、稻秫。

| 药 材 名 | 高粱（药用部位：种仁。别名：蜀黍）。

| 形态特征 | 一年生草本。秆较粗壮，直立，高 3 ~ 5 m，直径 2 ~ 5 cm，基部节上具支柱根。叶鞘无毛或稍有白粉；叶舌硬膜质，先端圆，边缘有纤毛；叶片线形至线状披针形，长 40 ~ 70 cm，宽 3 ~ 8 mm，背面淡绿色或有白粉。圆锥花序疏松，主轴裸露，长 15 ~ 45 cm，宽 4 ~ 10 mm；两颖均革质；雄蕊 3。颖果两面平凸，长 3.5 ~ 4 mm，淡红色至红棕色，成熟时宽 2.5 ~ 3 mm。

| 生境分布 | 分布于广东乳源、新丰、翁源、乐昌、和平、连山、连州、高要及

广州（市区）等。

| 资源情况 | 栽培资源较少。药材来源于栽培。

| 采收加工 | 秋季种子成熟后采收，晒干。

| 功能主治 | 甘，平。燥湿祛痰，宁心安神。用于湿痰咳嗽，胃痛不舒，失眠多梦，食积。

| 用法用量 | 内服煎汤，15 ～ 30 g。

禾本科 Poaceae 高粱属 Sorghum

拟高粱
Sorghum propinquum (Kunth) Hitch.

| **植物别名** | 野高粱。

| **药材名** | 水高粱（药用部位：根茎）。

| **形态特征** | 多年生密丛草本。根茎粗壮。须根质坚韧。秆直立，高 1.5 ~ 3 m，基部直径 1 ~ 3 cm。叶鞘无毛；叶舌质较硬，长 0.5 ~ 1 mm，具长约 2 mm 的细毛；叶片线形或线状披针形，两面无毛，中脉较粗，在两面隆起，绿黄色。圆锥花序开展，长 30 ~ 50 cm，宽 6 ~ 15 cm；总状花序具 3 ~ 7 节；颖薄革质，具不明显的横脉；花药长 2 ~ 2.5 mm，棕黄色；花柱 2，柱头帚状。颖果倒卵形，棕褐色。

| **生境分布** | 生于河岸旁或湿润处。广东广州（市区）等有栽培。

| 资源情况 | 栽培资源较少。药材来源于栽培。

| 采收加工 | 夏、秋季采收，切段，晒干。

| 功能主治 | 甘、淡，凉。清肺止咳，健脾利湿，活血止血。用于劳伤咳嗽，吐血，泄泻，消化不良，跌打肿痛。

| 用法用量 | 内服煎汤，30 ~ 60 g。

禾本科 Poaceae 鼠尾粟属 Sporobolus

鼠尾粟
Sporobolus fertilis (Steud.) W. D. Glayton

| 药 材 名 | 鼠尾粟（药用部位：全草或根。别名：狗屎草）。

| 形态特征 | 多年生草本。须根较粗壮且较长。秆直立，丛生，高 25 ～ 120 cm，基部直径 2 ～ 4 mm，质较坚硬，平滑无毛。叶鞘疏松裹秆；叶舌极短，长约 0.2 mm，纤毛状；叶片质较硬，平滑无毛。圆锥花序较紧缩，呈线形，常间断或稠密近穗形，长 7 ～ 44 cm，宽 0.5 ～ 1.2 cm；雄蕊 3，花药黄色，长 0.8 ～ 1 mm。囊果成熟后红褐色，长 1 ～ 1.2 mm，长圆状倒卵形或倒卵状椭圆形，先端平截。

| 生境分布 | 生于海拔 120 ～ 1 900 m 的田野路边、山坡草地、山谷湿处和林下。分布于广东始兴、乐昌、连州、怀集、新兴、阳春、徐闻及惠州（市区）、深圳（市区）、广州（市区）等。

| 资源情况 | 野生资源较丰富。栽培资源较少。药材来源于野生和栽培。

| 采收加工 | 夏、秋季采收，晒干。

| 功能主治 | 甘、淡，平。清热解毒，凉血，利尿。用于伤暑烦热，燥热便秘，湿热淋浊，小儿烦热，尿血。

| 用法用量 | 内服煎汤，60 ~ 90 g。

禾本科 Poaceae 钝叶草属 Stenotaphrum

钝叶草
Stenotaphrum helferi Munro ex Hook. f.

| 药 材 名 | 钝叶草（药用部位：全草。别名：薏米草、鸭口草）。

| 形态特征 | 多年生草本。秆下部匍匐，节处生根，向上抽出高 10 ～ 40 cm 的直立花枝。叶鞘松弛，平滑无毛；叶舌极短，先端有白色短纤毛；叶片带状，长 5 ～ 17 cm，宽 5 ～ 11 mm，先端微钝，具短尖头，基部平截或近圆形，两面无毛，边缘粗糙。花序主轴扁平，呈叶状，具翼，长 10 ～ 15 cm，宽 3 ～ 5 mm，边缘微粗糙；穗状花序嵌生于主轴凹穴内。

| 生境分布 | 生于海拔 1 100 m 以下的湿润草地、林缘或疏林中。分布于广东徐闻及广州（市区）、阳江（市区）等。

| 资源情况 | 野生资源较少。栽培资源较少。药材来源于野生和栽培。

| 采收加工 | 夏、秋季采收，晒干。

| 功能主治 | 甘，平。益气，催产。用于难产，胎盘滞留。

| 用法用量 | 内服煎汤，10 ~ 30 g。

禾本科 Poaceae 菅属 Themeda

苞子草

Themeda caudata (Nees) A. Camus

| 药 材 名 | 苞子草（药用部位：根茎）。

| 形态特征 | 多年生簇生草本。秆粗壮，高 1～3 m，下部直径 0.5～1 cm 或更粗，扁圆形或圆形而有棱，黄绿色或红褐色，光滑，有光泽。叶鞘在秆基部套叠，平滑，具脊；叶舌圆截形，有睫毛，长约 1 mm；叶片线形，长 20～80 cm，宽 0.5～1 cm，中脉明显，背面疏生柔毛，基部近圆形，先端渐尖，边缘粗糙。大型伪圆锥花序多回复出。颖果长圆形，质坚硬，长约 5 mm。

| 生境分布 | 生于海拔 300～1 900 m 的山坡草丛、林缘等处。分布于广东新丰、翁源、乐昌、五华、惠东、博罗、从化、阳山、封开、阳春及深圳（市区）等。

| 资源情况 | 野生资源较丰富。栽培资源较少。药材来源于野生和栽培。

| 采收加工 | 夏、秋季采收，晒干。

| 功能主治 | 清热消炎。用于热咳。

| 用法用量 | 内服煎汤，6～9 g。

禾本科 Poaceae   菅属 *Themeda*

黄背草
Themeda japonica (Willd.) Tanaka

| 药 材 名 |

黄背草（药用部位：全草）。

| 形态特征 |

多年生草本。秆粗壮，直立，高 80 ～ 110 cm。
叶鞘具脱落性疣基长柔毛；叶舌长 1 ～
2 mm，先端钝圆，具短纤毛；叶片狭条形，
长 10 ～ 40 cm，宽 4 ～ 5 mm。假圆锥花序狭，
长 30 ～ 40 cm；佛焰苞舟形；总状花序自
佛焰苞中抽出，长 1 ～ 2 cm；第一颖革质，
边缘内卷，膜质，透明；第一小花外稃膜质，
透明，内稃不存在，第二小花外稃短，有 1
长芒或无芒。

| 生境分布 |

生于海拔 300 ～ 1 900 m 的山坡灌丛、草地
或林缘向阳处。分布于广东乳源、新丰、惠
东、惠阳、高要及广州（市区）等。

| 资源情况 |

野生资源较丰富。栽培资源较少。药材来源
于野生和栽培。

| 采收加工 |

夏、秋季采收，晒干。

| 功能主治 | 甘，温。活血通经，祛风除湿。用于经闭，风湿痹痛。

| 用法用量 | 内服煎汤，30 ~ 60 g。

| 附　注 | 在 FOC 中，本种的拉丁学名被修订为 *Themeda triandra* Forsk.。

禾本科 Poaceae 菅属 *Themeda*

菅

Themeda villosa (Poir.) A. Camus

| 药 材 名 | 菅茅根（药用部位：根茎）。

| 形态特征 | 多年生草本，具根头与须根。秆粗壮，多簇生，高 1 ~ 2 m 或更高，下部直径 1 ~ 2 cm，两侧压扁或具棱，通常黄白色或褐色，平滑无毛而有光泽，实心，髓白色。叶鞘光滑无毛；叶舌膜质，短，先端具短纤毛；叶片线形，长可达 1 m，宽 0.7 ~ 1.5 cm；大型伪圆锥花序多回复出，长可达 1 m；颖草质，主脉延伸成 1 小尖头或仅具芒柱的短芒。

| 生境分布 | 生于海拔 300 ~ 1 900 m 的山坡灌丛、草地或林缘向阳处。分布于广东新丰、乐昌、龙门、连州、英德、阳春及深圳（市区）、广州（市区）、云浮（市区）等。

| 资源情况 | 野生资源较丰富。药材来源于野生。

| 采收加工 | 全年均可采收。

| 功能主治 | 甘、辛，温。祛风散寒，除湿通络，利尿消肿。用于风湿痹痛，风寒感冒，小便淋痛，水肿，骨折。

| 用法用量 | 内服煎汤，15 ~ 30 g。外用适量，鲜品捣敷。

禾本科 Poaceae 棕叶芦属 *Thysanolaena*

棕叶芦

Thysanolaena latifolia (Roxb. ex Hornem.) Honda

| 植物别名 | 棕叶草、莽草。

| 药 材 名 | 棕（药用部位：根、笋）。

| 形态特征 | 多年生丛生草本。秆高 2 ~ 3 m，直立粗壮，具白色髓部，不分枝。叶鞘无毛；叶舌长 1 ~ 2 mm，质硬，平截；叶片披针形，长20 ~ 50 cm，宽 3 ~ 8 cm，具横脉，先端渐尖，基部心形，具柄。圆锥花序大型，质柔软，长达 50 cm；颖无脉，长为小穗的 1/4；花药长约 1 mm，褐色。颖果长圆形，长约 0.5 mm。

| 生境分布 | 生于山坡、山谷、树林下和灌丛中。广东偶见栽培。

| 资源情况 | 栽培资源较少。药材来源于栽培。

| 采收加工 | 春季采收，阴干。

| 功能主治 | 甘，凉。清热截疟，止咳平喘。用于风寒袭肺，肺气壅塞，咳嗽，胸脘痞闷，神疲体倦。

| 用法用量 | 内服煎汤，6 ~ 12 g。

| 附　　注 | 本种拉丁学名的异名为 *Thysanolaena maxima* (Roxb.) O. Kuntze。

禾本科 Poaceae 小麦属 Triticum

普通小麦 *Triticum aestivum* L.

| 植物别名 |

冬小麦。

| 药 材 名 |

小麦（药用部位：种子）、浮小麦（药用部位：果实）。

| 形态特征 |

秆直立，丛生，具6～7节，高60～100 cm，直径5～7 mm。叶鞘松弛裹秆，下部者长于上部者，短于节间；叶舌膜质，长约1 mm；叶片长披针形。穗状花序直立，长5～10 cm（除芒外），宽1～1.5 cm；小穗含3～9小花，上部的小花不发育；颖卵圆形，长6～8 mm，主脉于背面上部具脊，侧脉的背脊及顶齿均不明显；外稃长圆状披针形，长8～10 mm，内稃与外稃近等长。

| 生境分布 |

广东偶见栽培。

| 资源情况 |

栽培资源较少。药材来源于栽培。

| 采收加工 | **小麦**：果实成熟时采收，脱粒，晒干。
浮小麦：夏至前后采收成熟果实，选取瘪瘦轻浮与未脱净皮者，筛去灰屑，漂洗，晒干。

| 功能主治 | **小麦**：甘，凉。养心，益肾，除热，止渴。用于脏躁，烦热，消渴，泻痢，痈肿，外伤出血，烫伤。
浮小麦：甘，凉。用于阴虚发热，盗汗，自汗。

| 用法用量 | **小麦**：内服煎汤，50～100 g；或煮粥。外用适量，炒黑，研末调敷。
浮小麦：内服煎汤，15～30 g；或研末。

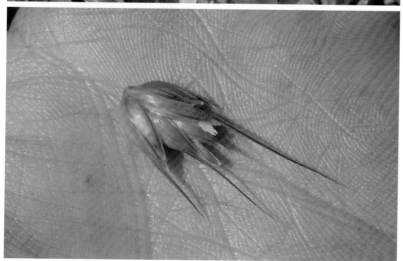

玉米
Zea mays L.

| 植物别名 |

苞米、苞芦、包谷。

| 药 材 名 |

玉蜀黍（药用部位：种子）、玉蜀黍根（药用部位：根）、玉蜀黍叶（药用部位：叶）、玉蜀黍苞片（药用部位：苞片）、玉米须（药用部位：花柱、柱头）、玉米花（药用部位：雄花穗）、玉米轴（药用部位：小穗轴）。

| 形态特征 |

一年生高大草本。秆直立，通常不分枝，高1～4 m，基部各节具气生支柱根。叶鞘具横脉；叶舌膜质，长约2 mm；叶片扁平宽大，线状披针形，基部圆形，呈耳状，无毛或具髭柔毛，中脉粗壮，边缘微粗糙。顶生雄性圆锥花序大型；花药橙黄色，长约5 mm。颖果球形或扁球形，通常长5～10 mm，长略短于宽，胚长为颖果的1/2～2/3。

| 生境分布 |

广东各地均有栽培。

| 资源情况 |

栽培资源丰富。药材来源于栽培。

| 采收加工 | 秋季采收，洗净，鲜用或晒干。

| 功能主治 | 玉蜀黍：甘，平。调中开胃，利尿消肿。

玉蜀黍根：甘，平。利尿通淋，祛瘀止血。

玉蜀黍叶：微甘，凉。利尿通淋。

玉蜀黍苞片：甘，平。清热利尿，和胃。

玉米须：甘、淡，平。利尿消肿，清肝利胆。

玉米花：甘，凉。疏肝利胆。

玉米轴：甘，平。健脾利湿。用于肾炎，水肿，肝炎，高血压，糖尿病，慢性副鼻窦炎，尿路结石，胆道结石。

| 用法用量 | 玉蜀黍：内服煎汤，30 ~ 60 g。

玉蜀黍根：内服煎汤，30 ~ 60 g。

玉蜀黍叶：内服煎汤，9 ~ 15 g。

玉蜀黍苞片：内服煎汤，9 ~ 15 g。

玉米须：内服煎汤，15 ~ 30 g；大剂量可用 60 ~ 90 g；或烧存性，研末。外用适量，烧烟吸入。

玉米花：内服煎汤，9 ~ 15 g。

玉米轴：内服煎汤，9 ~ 12 g。

禾本科 Poaceae　菰属 Zizania

菰
Zizania latifolia (Griseb.) Stapf.

| 药 材 名 | 茭白（药用部位：茎秆。别名：茭笋）、菰根（药用部位：根及根茎）、菰米（药用部位：果实）

| 形态特征 | 多年生草本，具匍匐根茎。须根粗壮。秆高大直立，高 1 ~ 2 m，直径约 1 cm，具多数节，基部节上生不定根。叶鞘长于节间，肥厚；叶舌膜质，长约 1.5 cm，先端尖；叶片扁平宽大。圆锥花序长 30 ~ 50 cm，分枝多数簇生；雄小穗两侧压扁，带紫色，雄蕊 6，花药长 5 ~ 10 mm；雌小穗圆筒形，着生于花序上部和分枝下方与主轴贴生处。颖果圆柱形，长约 1.2 cm。

| 生境分布 | 生于浅水区、沼泽地、湖泊中。广东各地均有栽培。

| 资源情况 | 野生资源较少。栽培资源丰富。药材来源于野生和栽培。

| 采收加工 | 茭白：秋季采收，鲜用或晒干。

菰根：秋季采挖，洗净，鲜用或晒干。

菰米：9 ~ 10 月果实成熟后采收，搓去外皮，扬净，晒干。

| 功能主治 | 茭白：甘，寒。解热毒，除烦渴，利二便。用于热病烦渴，黄疸，二便不利，乳汁不通，痢疾，热淋，目赤，疮疡。

菰根：甘，寒。清热解毒，除烦止渴。用于消渴，心烦，小便不利，小儿麻疹高热不退，黄疸，鼻衄，烫火伤。

菰米：甘，寒。除烦止渴，和胃理肠。用于心烦，口渴，大便不通，小便不利，小儿泄泻。

| 用法用量 | 茭白：内服煎汤，30 ~ 60 g。

菰根：内服煎汤，鲜品 60 ~ 90 g；或绞汁。外用适量，烧存性，研末调敷。

菰米：内服煎汤，9 ~ 15 g。

| 附　　注 | 本种拉丁学名的异名为 *Zizania caduciflora* (Turcz. ex Trin.) Hand.-Mazz.。

药用动物

（本书记载的动物药主要供学术交流使用，在实际临床应用时，应按照相关法律法规应用）

胞孔科 Poricellariidae 苔虫属 Costazia

脊突苔虫 *Costazia aculeata* Canu et Bassler

| **药 材 名** | 海石花（药用部位：骨骼）。

| **形态特征** | 营固着生活的水生群体动物，雌雄同体，常附着于海滨岩礁间，多呈树枝状。个体小，囊状，口缘具马蹄状突起，生数个触手。消化管呈"U"形，接于口而通于肛门。虫体死后，其所泌的石灰质骨骼残留相集成网状。

| **生境分布** | 栖息于海滨岩礁上。分布于广东沿海地区等。

| **资源情况** | 野生资源一般。药材来源于野生。

| **采收加工** | 夏、秋季自海中捞出，用清水洗去盐质及泥沙，晒干。

| **药材性状** | 本品呈珊瑚样不规则块状，略呈扁圆形或长圆形，大小不一，直径约25 cm，灰白色或灰黄色，一面略平坦，另一面多作叉状分枝，中部交织如网状。叉状小枝长3 ~ 5 mm，直径约2 mm，先端多折断，少数完整者呈钝圆形。质硬而脆，表面与断面均密具细孔。体轻，入水不沉。气微腥，味微咸。

| **功能主治** | 咸，寒。归肺、肾经。清肺化痰，软坚散结，通淋。用于肺热咳嗽，瘿瘤，瘰疬，小便不利，目翳等。

| **用法用量** | 内服煎汤，9 ~ 15 g；或入丸、散剂。外用适量，水飞用。

| 附　注 | 药材海浮石分为"海石花"和"海浮石"两类，本种与瘤苔虫 *Costazia costazii* Audouin 均为海石花的基原，与火山喷发出的岩浆所形成的石块（商品名为"浮石"）均为海浮石的基原。

胞孔科 Poricellariidae 苔虫属 Costazia

瘤苔虫 Costazia costazii Audouin

| 药 材 名 | 海石花（药用部位：骨骼）。

| 形态特征 | 营固着生活的水生群体动物，群体形似肿瘤，淡黄褐色，附着于海藻、贝壳、柳珊瑚、岩石等表面。虫体死后仅留骨骼，表面密布的虫室、卵室深深凹下，呈多孔结构。

| 生境分布 | 栖息于海藻、贝壳、柳珊瑚、岩石等表面。分布于广东沿海地区等。

| 资源情况 | 野生资源一般。药材来源于野生。

| 采收加工 | 夏、秋季自海中捞出，用清水洗去盐质及泥沙，晒干。

| 药材性状 | 本品呈不规则块状，直径 1 ~ 3 cm，多为碎块。珊瑚状分枝短，直径约 4 mm，先端钝圆，极少折断，呈灰黄色或灰黑色。气微腥，味微咸。

| 功能主治 | 咸，寒。归肺、肾经。清肺化痰，软坚散结，通淋。用于肺热咳嗽，瘿瘤，瘰疬，小便不利，目翳等。

| 用法用量 | 内服煎汤，9 ~ 15 g；或入丸、散剂。外用适量，水飞用。

海底柏科 Melithaidae 海底柏属 Melitodes

鳞海底柏
Melitodes squamara Nutting

| 药 材 名 | 海底柏（药用部位：石灰质骨骼。别名：海柏、红色珊瑚）。

| 形态特征 | 水螅体型，细小，有 8 白色触手；胃腔内有 8 纵竖的隔膜，隔膜外缘（口道缘）有纵走的肌肉；虫体分泌物形成石灰质骨骼。群体外形似柏树状，高 15 ～ 25（～ 45）cm，主干与分枝均呈圆棒状，中间节略呈球形，分枝自枝节上产出，为二叉分枝，整个分枝面似扇形，节上由钙质骨针组成，中轴由棒形骨针融合而成，皮层骨针呈多疣状纺锤形。

| 生境分布 | 栖息于水深 2 ～ 8 m 的岩礁间或珊瑚丛中。分布于广东湛江沿海地区等。

中国科学院南海海洋研究所提供

| 资源情况 | 药材来源于野生。

| 采收加工 | 全年均可采捞，捞取后，用淡水浸泡数个小时，洗净黏液和泥沙，晾干。

| 药材性状 | 本品呈矮灌木状，主干直径 2 ~ 3.5 cm，二叉分枝，分枝直径 0.3 ~ 1.2 cm，完整者整个分枝伸展似网状扇形，主干、分枝均呈圆形，节部呈球形膨大。平展面长 20 ~ 45 cm，宽 15 ~ 40 cm。表面红色或粉红色。质坚硬，不易折断，断面红色，微呈颗粒状。气微腥，味微咸。

| 功能主治 | 甘、微咸，微寒。归肝、心、肺经。清肺止咳，凉血止血，安神镇惊。用于虚劳咯血，惊风，心神不安，怔忡烦乱，胃肠炎，胃痛，高血压。

| 用法用量 | 内服煎汤，9 ~ 15 g。

杜杷珊瑚科 Oculinidae 盔形珊瑚属 *Galaxea*

粗糙盔形珊瑚 *Galaxea aspera* (Quelch)

| 药 材 名 | 鹅管石（药用部位：石灰质骨骼）。

| 形态特征 | 珊瑚群体，随周围环境而形状各异，空间宽大则呈块状凸形，空间狭小则呈畸形。能分泌石灰质，形成坚硬的骨骼。珊瑚骼凸形。珊瑚杯多而密，近圆形或椭圆形，少数呈长方形。第二轮隔片大而突出，几达珊瑚杯中心，两侧具很多小颗粒；第三轮隔片较狭，宽约为珊瑚杯半径的 1/2，颗粒少；第四轮隔片发育不完全。珊瑚肋粗，自杯壁上部一直延伸至基部。

| 生境分布 | 暖水种，栖息于潮下带至水深约 15 m 的珊瑚礁平台上。分布于广东沿海地区等。

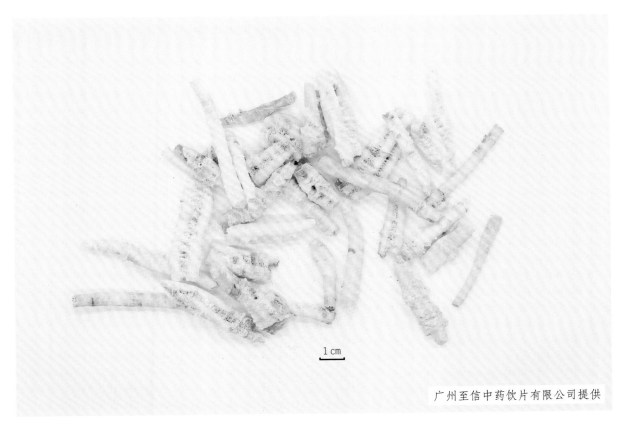

1 cm

广州至信中药饮片有限公司提供

| 资源情况 | 野生资源丰富。药材来源于野生。

| 采收加工 | 于沙滩边采收，或潜水、垂网采收，除去杂质，洗净，晒干。

| 药材性状 | 本品呈不规则块状，有许多圆形或卵形突起，表面灰黄色。气微，味微咸。

| 功能主治 | 甘，温。温肺化饮，降气平喘，温肾壮阳，通乳。用于痢疾，瘰疬，气管炎。

| 用法用量 | 内服煎汤，9 ~ 15 g，先煎；或研末，0.3 ~ 15 g；或入丸剂。

| 附　　注 | 本种同科动物丛生盔形珊瑚 *Galaxea fascicularis* (Linnaeus) 的石灰质骨骼亦作为鹅管石入药。

丛生盔形珊瑚 *Galaxea fascicularis* (Linnaeus)

| 药 材 名 | 鹅管石（药用部位：石灰质骨骼）。 |

| 形态特征 | 块状。珊瑚杯多而密，形状多变，呈圆形、椭圆形、长方形或不规则形。隔片倒楔形，第一至三轮隔片完全，离心端珊瑚肋变粗；第三轮隔片宽约为珊瑚杯半径的 1/2，珊瑚肋变得更粗、更突出；第四轮隔片发育不完全，两侧颗粒小而少。生活时单色为黄色、绿色或灰白色，复色为咖啡色加白色或条纹黄色加白色。 |

| 生境分布 | 暖水种，栖息于潮下带至水深约 15 m 的珊瑚礁平台上。分布于广东沿海地区等。 |

| 资源情况 | 野生资源丰富。药材来源于野生。 |

| 采收加工 | 于沙滩边采收，或潜水、垂网采收，除去杂质，洗净，晒干。 |

| 药材性状 | 本品呈不规则块状，有许多圆形或卵形突起，表面灰黄色。气微，味微咸。 |

| 功能主治 | 甘，温。温肺化饮，降气平喘，温肾壮阳，通乳。用于肺结核，咳嗽气喘，吐血，阳痿，腰膝无力，乳汁不通等。 |

| 用法用量 | 内服煎汤，9 ~ 15 g，先煎；或研末，0.3 ~ 15 g；或入丸剂。 |

| 附 注 | 本种同科动物粗糙盔形珊瑚 *Galaxea aspera* (Quelch) 的石灰质骨骼亦作为鹅管石入药。 |

蝾螺科 Turbinidae 蝾螺属 *Turbo*

节蝾螺 *Turbo articulatus* (Reeve)

| **药 材 名** | 海螺厣（药用部位：厣）。 |

| **形态特征** | 壳质坚实而厚，高约 50 mm，宽约为高的 2/3。螺层约 6 层，自上而下逐渐加宽，露于外面的较膨圆，缝合线明显。壳塔呈低圆锥形，高约为壳高的 1/4，壳顶尖。体螺层稍膨大而较斜。壳表面密生螺肋，每 1 ～ 3 肋间有一稍宽大的粗肋，壳内面灰白色，有珍珠样光泽。壳口圆。外唇有细齿状缺刻和淡蓝色镶边，内唇厚。厣石灰质，圆形，约 2/3 染有黄绿褐色，其余灰白色，边缘有细小的粒状突起，中部逐渐加厚，稍凸。 |

| **生境分布** | 栖息于潮间带中、下区岩礁间或潮下带的泥沙质海底。分布于广东沿海地区等。 |

曾晓起（中国海洋大学）提供

| 资源情况 | 野生资源较丰富。药材来源于野生。 |

| 采收加工 | 采捕后将厣取下，洗净，晒干。 |

| 药材性状 | 本品呈类扁圆球形，直径 1 ~ 4 cm，厚 0.2 ~ 1 cm。内面略平坦，有螺旋纹，有时附有棕色薄膜状物，外面隆起，有显著或不显著的螺旋状隆脊，凹陷处密被小点状突起。质坚硬而重，断面不平滑。气微，味咸。 |

| 功能主治 | 咸，平。归肾经。清热祛湿，利水通淋。用于中耳炎，顽疮。 |

| 用法用量 | 内服煎汤，5 ~ 15 g；或水磨冲，3 ~ 9 g。外用适量，煅存性，研末撒或调敷。 |

| 附　注 | 本种同科动物金口蝾螺 *Turbo chrysostomus* (Linnaeus)、蝾螺 *Turbo cornutus* (Solander)、夜光蝾螺 *Turbo marmoratus* (Linnaeus) 的厣亦作为海螺厣入药，习称"甲香"。 |

蝾螺科 Turbinidae 蝾螺属 Turbo

金口蝾螺
Turbo chrysostomus (Linnaeus)

| 药 材 名 | 海螺厣（药用部位：厣）。

| 形态特征 | 贝壳陀螺形，中等大小，质重厚结实，高约 70 mm，宽约为高的 6/7。螺层约 6 层，自上而下增长迅速，缝合线深。壳塔低圆锥形，壳顶稍高。体螺层膨大。壳表面密生螺肋，生长纹细，呈水波状，将肋面及肋间分切成覆瓦状小鳞片。螺层中部有一稍扩张的螺肋，把壳面分成上、下两部，上部成略倾斜的肩部，下部为一垂直面；扩张的螺肋上有角状突起，体螺层上的角状突起尤为发达。壳表面橙褐色，染有紫色放射条纹。壳口圆，内面金黄色。外唇有缺刻，内唇向下方扩张。

曾晓起（中国海洋大学）提供

| 生境分布 | 暖海种，栖息于低潮线附近的珊瑚礁、岩石间。分布于广东沿海地区等。

| 资源情况 | 野生资源较丰富。药材来源于野生。

| 采收加工 | 采捕后将厣取下，洗净，晒干。

| 药材性状 | 本品呈类扁圆球形，直径1～4 cm，一侧较厚，一侧较薄。一面隆起，表面淡白色、浅棕色或浅绿色，另一面平坦，有螺旋状纹理，附有棕色薄膜状物。质厚、坚韧，不易折断，破碎面类白色，不平坦。气微腥，味咸。

| 功能主治 | 咸，平。归肾经。清热祛湿，利水通淋。用于中耳炎，顽疮。

| 用法用量 | 内服煎汤，5～15 g；或水磨冲，3～9 g。外用适量，煅存性，研末撒或调敷。

| 附　　注 | 本种同科动物节蝾螺 *Turbo articulatus* (Reeve)、蝾螺 *Turbo cornutus* (Solander)、夜光蝾螺 *Turbo marmoratus* (Linnaeus) 的厣亦作为海螺厣入药，习称"甲香"。

蝾螺科 Turbinidae 蝾螺属 Turbo

蝾螺
Turbo cornutus (Solander)

| **药 材 名** | 海螺厣（药用部位：厣）。

| **形态特征** | 贝壳呈拳状，质坚实，高约 90 mm，宽约 80 mm。螺层 5 ~ 6 层，缝合线明显。螺旋部低。体螺层极膨大，各层宽度均匀。壳表面螺肋发达，肋间尚有细肋，生长纹密而纤细，呈鳞片状。体螺层上常有 2 列强大的半管状棘，每列 10 ~ 11。壳表面灰青色。壳基部膨胀。壳口大，圆形，内具珍珠样光泽。内唇往下扩展并加厚。无脐。厣石灰质，厚重，外面灰绿色或灰黄色，中央偏内下方有 1 旋涡状刻纹，内面稍平，有 4 旋纹，核略偏下方。体柔软，触手细长，足发达。

| **生境分布** | 亚热带种，栖息于低潮线附近至水深约 10 m 的岩石质海底。分布于广东沿海地区等。

中国科学院南海海洋研究所提供

| 资源情况 | 野生资源较丰富。药材来源于野生。

| 采收加工 | 采捕后将厣取下，洗净，晒干。

| 药材性状 | 本品呈类扁圆球形，一侧较厚，一侧较薄。一面隆起，表面淡白色、浅棕色或浅绿色，另一面平坦，有螺旋状纹理，附有棕色薄膜状物。质厚、坚韧，不易折断，破碎面类白色，不平坦。气微腥，味咸。

| 功能主治 | 咸，平。归肾经。清热祛湿，利水通淋。用于中耳炎，顽疮。

| 用法用量 | 内服煎汤，5 ~ 15 g；或水磨冲，3 ~ 9 g。外用适量，煅存性，研末撒或调敷。

| 附　　注 | 本种同科动物节蝾螺 *Turbo articulatus* (Reeve)、金口蝾螺 *Turbo chrysostomus* (Linnaeus)、夜光蝾螺 *Turbo marmoratus* (Linnaeus) 的厣亦作为海螺厣入药，习称"甲香"。

鲍科 Haliotidae 鲍属 *Haliotis*

耳鲍
Haliotis asinina (Linnaeus)

| 药 材 名 | 石决明（药用部位：贝壳）。

| 形态特征 | 贝壳小，狭长，略弯曲，呈耳状，一般长约 65 mm，宽略小于长的 1/2，高小于长的 1/6，高约为宽的 1/3，质较薄。螺层约 3 层，自上而下急剧增大，缝合线浅。壳塔极短小，壳顶钝，与体螺层近等高或较体螺层稍低。体螺层极宽大。自第二螺层中部开始至体螺层边缘，具约 30 个排列成 1 行整齐而逐渐增大的突起，为呼吸孔列，其中末端 5 ～ 7 孔开口最大。壳表面颜色多变，有草绿色、灰绿色或黄褐色，散布有暗绿色或紫褐色三角形斑纹及淡褐色或黄褐色不规则的云状斑纹；壳内面银白色，有淡绿色闪光及珍珠样光泽。

| 生境分布 | 暖海种，栖息于低潮线以下的岩石、珊瑚礁及藻类丛生的海底或潮

曾晓起（中国海洋大学）提供

间带下区。分布于广东沿海地区等。

| 资源情况 | 野生资源较少。药材来源于野生。

| 采收加工 | 夏、秋季采捕，除去肉，取贝壳，洗净，晒干，碾碎。

| 药材性状 | 本品为不规则碎块，灰白色，有珍珠样彩色光泽。质坚硬。气微，味微咸。

| 功能主治 | 咸，寒。归肝经。平肝潜阳，清肝明目。用于风阳上扰，头痛眩晕，惊搐，骨蒸劳热，青盲内障。

| 用法用量 | 内服煎汤，10 ～ 30 g，先煎；或入丸、散剂。外用适量，研末水飞点眼。

| 附　　注 | 本种同科动物杂色鲍 *Haliotis diversicolor* (Reeve)、羊鲍 *Haliotis ovina* (Gmelin)、澳洲鲍 *Haliotis ruber* (Leach)、白鲍 *Haliotis laevigata* (Donovan) 的贝壳亦作为石决明入药。

1 cm

杂色鲍
Haliotis diversicolor (Reeve)

| 药 材 名 | 石决明（药用部位：贝壳）。

| 形态特征 | 贝壳长卵圆形，质坚实而厚。螺层约3层，自上而下急剧增大，基部缝合线深，至顶部渐不显。成体壳顶多呈破蚀状态，露出珍珠样光泽。体螺层骤然胀大，占壳的绝大部分。自第二螺层中部开始至体螺层末端边缘，有30余排列成1行整齐而逐渐增大的突起和小孔，其中近体螺层边缘处有7～9开孔。壳表面生有不甚规则的螺旋肋和细密的生长线，有褐色、绿色、黄色云斑；壳内面银白色，具珍珠样光泽。

| 生境分布 | 栖息于低潮线附近至水深约10 m的岩礁或海底，以盐度较高、水质清和藻类丛生的环境为佳。分布于广东沿海地区等。

1 cm

| 资源情况 | 野生资源一般。养殖资源较丰富。药材来源于野生和养殖。

| 采收加工 | 夏、秋季采捕，除去肉，取贝壳，洗净，晒干，碾碎。

| 功能主治 | 咸，寒。归肝经。平肝潜阳，清肝明目。用于风阳上扰，头痛眩晕，惊搐，骨蒸劳热，青盲内障。

| 用法用量 | 内服煎汤，10 ～ 30 g，先煎；或入丸、散剂。外用适量，研末水飞点眼。

| 附　注 | 本种同科动物耳鲍 *Haliotis asinina* (Linnaeus)、羊鲍 *Haliotis ovina* (Gmelin)、澳洲鲍 *Haliotis ruber* (Leach)、白鲍 *Haliotis laevigata* (Donovan) 的贝壳亦作为石决明入药。

鲍科 Haliotidae 鲍属 Haliotis

羊鲍
Haliotis ovina (Gmelin)

| 药 材 名 |　石决明（药用部位：贝壳）。

| 形态特征 |　贝壳较大，低扁，宽短，近正圆形，长约 80 mm，质较薄，但尚坚硬。螺层约 4 层，缝合线明显。体螺层极大，占贝壳的绝大部分。自第二螺层起至体螺层末端边缘有 1 列极突出的突起，为呼水孔列，其中近壳口的 4 ~ 5 开口呈管状，为呼水孔开口，其余全盲闭，这些突起和小孔之间的距离较大，总数 20 余。壳面被呼水孔列分割为左、右两部，右部宽大，自第二螺层开始有顺着螺层旋转排列的粗大隆起，故壳面极不平滑，左部狭小，表面仅具螺旋肋。壳表面灰绿色或褐色；壳内面银白色，具蓝绿色闪光和珍珠样光泽。

1 cm

| 生境分布 | 栖息于低潮线至潮下带的岩石下或石缝内。广东沿海各地区均有分布。

| 资源情况 | 野生资源较少。药材来源于野生。

| 采收加工 | 夏、秋季采捕，除去肉，取贝壳，洗净，晒干，碾碎。

| 药材性状 | 本品为不规则碎块，灰白色，有珍珠样彩色光泽。质坚硬。气微，味微咸。

| 功能主治 | 咸，寒。归肝经。平肝潜阳，清肝明目。用于风阳上扰，头痛眩晕，惊搐，骨蒸劳热，青盲内障。

| 用法用量 | 内服煎汤，10 ~ 30 g，先煎；或入丸、散剂。外用适量，研末水飞点眼。

| 附　　注 | 本种同科动物耳鲍 *Haliotis asinina* (Linnaeus)、杂色鲍 *Haliotis diversicolor* (Reeve)、澳洲鲍 *Haliotis ruber* (Leach)、白鲍 *Haliotis laevigata* (Donovan) 的贝壳亦作为石决明入药。

曾晓起（中国海洋大学）提供

宝贝科 Cypraeidae 绶贝属 *Mauritia*

环纹货贝

Mauritia annulus (Linnaeus)

| 药 材 名 | 白贝齿（药用部位：贝壳）。

| 形态特征 | 贝壳卵圆形，质坚固，一般长 25 ~ 28 mm，宽约 19 mm，高约 13 mm。壳背部中央隆起，周围较低平，有一明显的橘黄色环纹，环纹内通常为淡灰蓝色或淡褐色，环纹外常为灰白色或淡灰褐色。基部白色。壳内面紫色。壳口狭长，与壳近等长，前端稍宽，前、后沟短。两唇缘各具约 12 齿，齿粗壮，稀疏，延伸至基部。

| 生境分布 | 栖息于潮间带中区的珊瑚礁及岩石间。分布于广东湛江沿海地区等。

| 资源情况 | 野生资源一般。药材来源于野生。

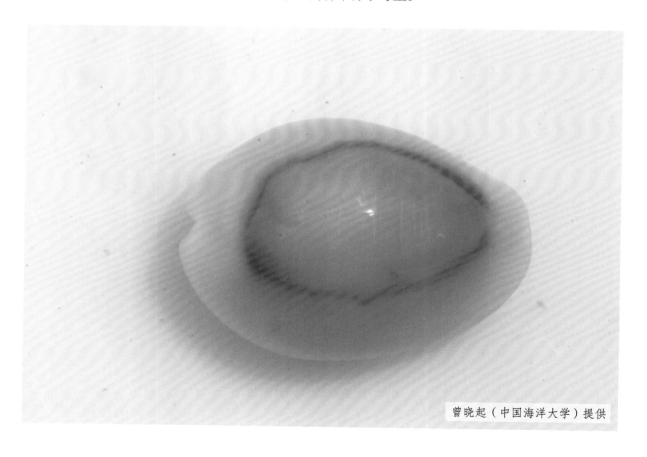

曾晓起（中国海洋大学）提供

| 采收加工 | 夏季于浅海边采捞，除去肉，取贝壳，洗净，晒干。

| 药材性状 | 本品略呈扁圆形，表面光滑，灰黄色或黄白色，背面蓝灰色，有白色细纹，多数具橙红色细纹，有的背面灰绿色或蓝灰色，少数有 3 不明显的深色带，并有棕色斑点。气微，味咸。

| 功能主治 | 咸，平。归肝经。镇惊安神，清肝明目。用于水气浮肿，淋痛尿血，小便不通，眼生翳障，鼻渊脓血，下疳阴疮。

| 用法用量 | 内服煎汤，5 ～ 15 g；或入丸、散剂。外用适量，研末撒。

| 附　　注 | 本种同科动物货贝 *Mauritia moneta* (Linnaeus) 的贝壳亦作为白贝齿入药。

宝贝科 Cypraeidae 绶贝属 *Mauritia*

阿拉伯绶贝

Mauritia arabica (Linnaeus)

| 药 材 名 | 紫贝齿（药用部位：贝壳）。

| 形态特征 | 贝壳长卵圆形，质坚固，一般长 75 mm，宽 42 mm，高 34 mm，大者长可达 80 mm。壳塔和螺旋部绝大部分被珐琅质所遮盖。壳背部膨圆，两侧下部渐收缩，边缘稍厚。壳表面光亮细滑，褐色或浅褐色，具纵横交错、不甚规则的棕褐色断续条纹及许多星状花纹，形似阿拉伯文。背线明显，不具斑纹，背部隐约可见褐色或灰蓝色横带。两侧缘灰褐色，其上有紫褐色斑点，且延伸至基部。壳口狭长，微曲，前端稍宽。两唇齿各约 32，呈紫褐色。

| 生境分布 | 栖息于潮间带低潮线附近有珊瑚礁或岩石的海底，潮水退后多隐藏在岩石下或珊瑚礁的洞穴内，喜昼伏夜出。分布于广东沿海地区等。

| 资源情况 | 野生资源较丰富。药材来源于野生。

| 采收加工 | 5 ~ 7 月采捕，除去贝肉，洗净，晒干。

| 药材性状 | 本品呈长卵形，前后两端均凹入，呈口状。表面具光泽，背面褐色或淡褐色，具棕褐色纵横交错的断续条纹。两侧缘灰褐色，可见紫褐色斑点。唇周具紫褐色齿。质坚硬。气微，味淡。

| 功能主治 | 咸，平。归肝经。镇惊安神，清肝明目。用于高热抽搐，心烦失眠，肝火目赤，头痛头晕。

| 用法用量 | 内服煎汤，10 ~ 15 g，先煎。外用适量，水飞点眼。

| 附　注 | 本种同科动物山猫眼宝贝 *Cypraea lymx* (Linnaeus)、虎斑宝贝 *Cypraea tigris* (Linnaeus) 的贝壳亦作为紫贝齿入药。

宝贝科 Cypraeidae 绶贝属 Mauritia

货贝
Mauritia moneta (Linnaeus)

| 药 材 名 | 白贝齿（药用部位：贝壳）。

| 形态特征 | 贝壳略呈卵圆形，质坚固，一般长 24 ～ 28 mm，宽约 20 mm，高 10 ～ 14 mm。壳背部中央隆起，两侧坚厚而低平，在壳后方约 1/3 处两侧突然扩张，形成瘤状突起。壳表面被光泽的珐琅质，呈淡黄色、鲜黄色或稍带灰绿色，两侧缘颜色较淡，背部有 2 ～ 3 灰绿色横带及不甚明显的橘黄色细环纹。两唇缘具齿各 12 ～ 13，齿较疏，白色。外套膜自两侧伸展向背面卷转包住贝壳，上有许多分枝触手。头宽，吻短，触角长而尖，眼突出，位于触角外侧。足部发达。

| 生境分布 | 栖息于潮间带中区的珊瑚礁间，潮水退后多隐藏在石块下面及珊瑚礁洞穴内。分布于广东湛江沿海地区等。

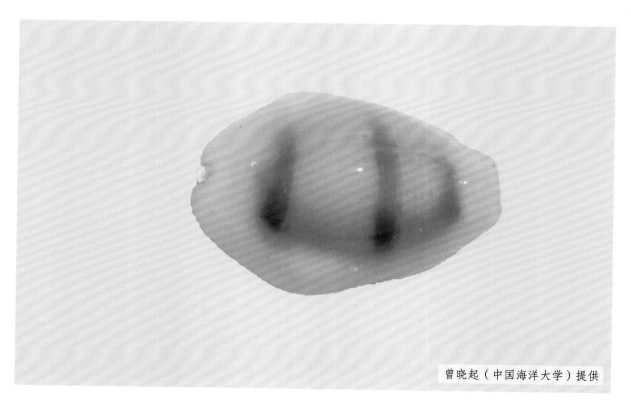

曾晓起（中国海洋大学）提供

| 资源情况 | 野生资源一般。药材来源于野生。

| 采收加工 | 夏季捕捉，除肉取壳洗净，晒干。生用或煅用。

| 药材性状 | 本品略呈扁圆形，表面光滑，灰黄色或黄白色，背面蓝灰色，有白色细纹，多数具橙红色细纹，有的背面灰绿色或蓝灰色，少数有 3 不明显的深色带，并有棕色斑点。气微，味咸。

| 功能主治 | 咸，平。归肝经。镇惊安神，清肝明目。用于水气浮肿，淋痛尿血，小便不通，眼生翳障，鼻渊脓血，下疳阴疮。

| 用法用量 | 内服煎汤，5 ～ 15 g；或入丸、散剂。外用适量，研末撒。

| 附　　注 | 本种同科动物环纹货贝 *Mauritia annulus* (Linnaeus) 的贝壳亦作为白贝齿入药。

盔螺科 Melongenidae 角螺属 Hemifusus

细角螺 *Hemifusus ternatanus* Gmelin

| **药 材 名** | 响螺厣（药用部位：厣。别名：角螺厣）。

| **形态特征** | 壳细长纺锤形，质坚厚，高 20 ~ 30 cm 或更高，宽 9 ~ 11 cm。螺旋部短，约为壳高的 1/3。螺层约 10 层，其肩部有结节，螺肋明显，粗细相间。体螺层中部膨大，前端尖长。壳表面被黄褐色茸毛状壳皮，死后壳皮易脱落，壳内面为淡肉红色。壳口狭长，前沟形成细长的水管沟。外唇稍厚，内唇薄。厣角质，梨形，棕黑色，较粗糙，有皱褶。无脐。

| **生境分布** | 栖息于近海深 10 ~ 70 m 的泥质或泥沙质海底。分布于广东惠阳、惠东、陆丰、宝安等沿海地区。

| **资源情况** | 野生资源较丰富。养殖资源较少。药材来源于野生和养殖。

| **采收加工** | 全年均可采捕，取厣，洗净，鲜用或晒干。

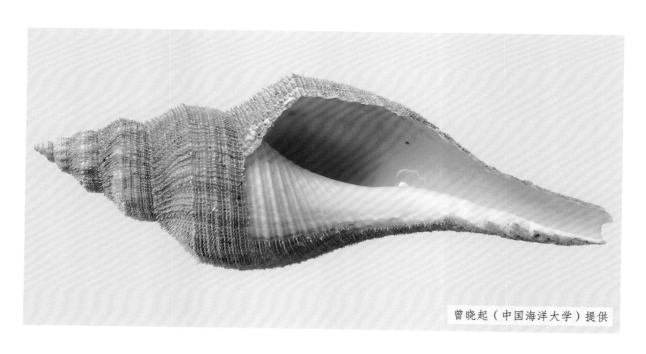

曾晓起（中国海洋大学）提供

| 药材性状 | 本品呈长卵圆形，褐色，较粗糙。核位于前端，生长线明显，呈皱褶状，无脐，角质。质韧。

| 功能主治 | 甘，平。归肝、胃经。养阴清热，解毒敛疮。用于阴虚发热，盗汗，带下；外用于中耳炎，顽癣，小儿头疮。

| 用法用量 | 内服研末，5 ~ 15 g。外用适量，煅存性，研末调敷。

| 附　注 | （1）本种同科动物管角螺 *Hemifusus tuba* Gmelin 的厣亦作为响螺厣入药。
（2）本种又名天狗角螺，软体部分俗称响螺肉、角螺肉，具有滋阴补气之功，用适量鲜品或干品煮汤服可治疗耳聋，与猪脚同炖服可治疗腰痛。

盔螺科 Melongenidae 角螺属 Hemifusus

管角螺
Hemifusus tuba Gmelin

| 药 材 名 | 响螺厣（药用部位：厣。别名：角螺厣）。

| 形态特征 | 壳梨状，质坚厚，高 16 ～ 18 cm，宽 9 ～ 11 cm。螺旋部高不及壳高的 1/3。体螺层中部膨大，自第三层起，每层肩部有 1 列结节状突起和细密的肋纹，突起和肋纹愈向前方愈强大，至体螺层形成三角棘突。壳表面被黄褐色茸毛状壳皮，死后壳皮易脱落。壳口长大，口内肉色，带光泽。外唇厚，内唇薄。厣角质，前端尖，棕色，核位于前端外侧，粗糙，呈皱褶状。无脐。

| 生境分布 | 栖息于近海深 10 余米的泥沙质海底。分布于广东惠阳、惠东、陆丰、宝安等沿海地区。

| 资源情况 | 野生资源较丰富。养殖资源较少。药材来源于野生和养殖。

曾晓起（中国海洋大学）提供

| 采收加工 | 全年均可采捕，取厣，洗净，鲜用或晒干。

| 药材性状 | 本品呈梨形，较厚，前端尖。棕色或棕黑色，较粗糙。核位于前端外侧，生长线明显，呈皱褶状，无脐，角质。质韧。

| 功能主治 | 甘，平。归肝、胃经。养阴清热，解毒敛疮。用于阴虚发热，盗汗，带下；外用于中耳炎，顽癣，小儿头疮。

| 用法用量 | 内服研末，5～15 g。外用适量，煅存性，研末调敷。

| 附　　注 | （1）本种同科动物细角螺 *Hemifusus ternatanus* Gmelin 的厣亦作为响螺厣入药。
（2）本种软体部分俗称响螺肉、角螺肉，具有滋阴补气之功，用适量鲜品或干品煮汤服可治疗耳聋，与猪脚同炖服可治疗腰痛。

背角无齿蚌 *Anodonta woodiana* Lea

| **药 材 名** | 珍珠（药用部位：外套膜受刺激形成的珍珠）。

| **形态特征** | 贝壳外形呈有角突的卵圆形，前端稍圆，后端呈斜切状，腹缘呈弧形。后背部有自壳顶射出的3粗肋脉。壳表面绿褐色，壳内面珍珠层乳白色。闭壳肌痕长椭圆形。

| **生境分布** | 栖息于江、河、湖沼等泥底。广东各地均有分布。

| **资源情况** | 野生资源一般。养殖资源较丰富。药材来源于养殖。

| **采收加工** | 秋末采收，置于饱和盐水中浸泡5～10分钟，洗去黏液，用清水洗净，晾干。

| **药材性状** | 本品呈类球形、长圆形、卵圆形、棒形等，直径 1.5 ～ 8 mm。表面类白色、浅粉红色、浅黄色、浅蓝色等，半透明，光滑或微有凹凸，具特有的彩色光泽。质坚硬，破碎面显层纹。无臭，无味。

| **功能主治** | 甘、咸，寒。归心、肝经。安神定惊，明目消翳，解毒生肌，润肤祛斑，平肝息风。用于头晕目眩，心悸，耳鸣，癫狂惊痫，吐血衄血，崩漏，目生翳障等。

| **用法用量** | 内服煎汤，0.1 ～ 0.3 g；或入丸、散剂。外用适量

| **附　　注** | 本种同科动物褶纹冠蚌 *Cristaria plicata* Leach、三角帆蚌 *Hyriopsis cumingii* Lea 以及珍珠贝科动物马氏珍珠贝 *Pteria martensii* (Dunker)、珍珠贝 *Pinctada margaritifera* (Linnaeus)、大珠母贝 *Pteria maxima* (Jameson) 的外套膜受刺激形成的珍珠均作为珍珠入药，其中大珠母贝野外种群为国家二级保护野生动物。

蚌科 Unionidae 冠蚌属 Cristaria

褶纹冠蚌
Cristaria plicata Leach

| 药 材 名 | 珍珠（药用部位：外套膜受刺激形成的珍珠）。

| 形态特征 | 贝壳较大，略呈不等边三角形。前背缘冠突不明显，后部长高，后背缘向上斜出伸展成大型的冠。壳的后背部自壳顶起向后有一系列逐渐粗大的纵肋。腹缘长，近直线。壳表面深黄绿色至黑褐色，壳顶常受侵蚀而丢失表层颜色。珍珠层有光泽。

| 生境分布 | 栖息于江、河、湖沼等泥质或沙质中。广东各地均有分布。

| 资源情况 | 野生资源一般。养殖资源丰富。药材来源于养殖。

| 采收加工 | 秋末采收，置于饱和盐水中浸泡 5 ～ 10 分钟，洗去黏液，用清水洗净，晾干。

中国科学院南海海洋研究所提供

| **药材性状** | 本品呈类球形、长圆形、卵圆形、棒形等，直径 1.5 ~ 8 mm。表面类白色、浅粉红色、浅黄色、浅蓝色等，半透明，光滑或微有凹凸，具特有的彩色光泽。质坚硬，破碎面显层纹。无臭，无味。 |

| **功能主治** | 甘、咸，寒。归心、肝经。安神定惊，明目消翳，解毒生肌，润肤祛斑。用于热病惊痫，烦渴不眠，咽喉肿痛，口舌生疮，溃疡不敛，目生翳障，肌肤粗裂等。 |

| **用法用量** | 内服煎汤，0.1 ~ 0.3 g；或入丸、散剂。外用适量。 |

中国科学院南海海洋研究所提供

蚌科 Unionidae 帆蚌属 Hyriopsis

三角帆蚌
Hyriopsis cumingii Lea

| 药 材 名 | 珍珠（药用部位：外套膜受刺激形成的珍珠）。

| 形态特征 | 贝壳大而扁平，质重厚、坚硬，外形略呈三角形或不等边四边形。壳顶低，后背缘向上凸起形成一很大的三角形帆状翼，翼脆弱易断。左壳有拟主齿和侧齿各 2，右壳有拟主齿 2 和侧齿 1。珍珠层呈乳白色及肉红色，富有珍珠样光泽。

| 生境分布 | 栖息于水清、流急、泥沙底或泥底略硬的大、中型湖泊及河流内。广东各地均有分布。

| 资源情况 | 野生资源一般。养殖资源丰富。药材来源于养殖。

1 cm

黄小龙（广州采芝林药业有限公司）提供

| 采收加工 | 秋末采收，置于饱和盐水中浸泡 5 ～ 10 分钟，洗去黏液，用清水洗净，晾干。

| 药材性状 | 本品呈类球形、长圆形、卵圆形、棒形等，直径 1.5 ～ 8 mm。表面类白色、浅粉红色、浅黄色、浅蓝色等，半透明，光滑或微有凹凸，具特有的彩色光泽。质坚硬，破碎面显层纹。无臭，无味。

| 功能主治 | 甘、咸，寒。归心、肝经。安神定惊，明目消翳，解毒生肌，润肤祛斑。用于热病惊痫，烦渴不眠，咽喉肿痛，口舌生疮，溃疡不敛，目生翳障，肌肤粗裂等。

| 用法用量 | 内服煎汤，0.1 ～ 0.3 g；或入丸、散剂。外用适量。

蚶科 Arcidae 蚶属 *Arca*

泥蚶
Arca granosa Linn.

| 药 材 名 | 瓦楞子（药用部位：贝壳）。

| 形态特征 | 贝壳卵圆形，质极坚厚，长约 4.5 cm，高约 3.6 cm。两壳相当膨胀，两壳顶间距离较远，宽略小于高。壳面放射肋发达，共 18 ~ 21，肋上具显著断续的颗粒状结节，结节在壳边缘部分不明显；壳内面灰白色，边缘具与壳面放射肋相应的深沟。铰合部直，铰合齿约 40。前闭壳肌痕较小，三角形，后闭壳肌痕大，近方形。

| 生境分布 | 栖息于潮湿带中、下区软泥海滩。分布于广东沿海地区等。

| 资源情况 | 野生资源一般。养殖资源丰富。药材来源于野生和养殖。

曾晓起（中国海洋大学）提供

| **采收加工** | 全年均可采收,在浅海底沙中拾取或从网笼中取出,洗净,入沸水中煮熟,除去肉,晒干。

| **药材性状** | 本品呈卵圆形,两壳相当膨胀,两壳顶间距离较远,壳长 2 ~ 4.5 cm,宽 1.5 ~ 4 m。放射肋 18 ~ 21,肋上有断续的颗粒状突起。壳表面无棕褐色茸毛状壳皮。铰合齿约 40。质坚硬,可砸碎,断面白色。气微,味淡。

| **功能主治** | 甘、咸,平。归肝、肺、胃经。活血化瘀,软坚散结,制酸止痛。用于癥瘕痞块,胃痛泛酸,复合性胃和十二指肠溃疡,佝偻病;外用于瘰疬,牙疳。

| **用法用量** | 内服煎汤,9 ~ 15 g,宜先煎;或入丸、散剂。外用适量,研末调敷。

1 cm

黄小龙(广州采芝林药业有限公司)提供

蚶科 Arcidae 蚶属 *Arca*

魁蚶

Arca inflata Reeve.

| **药 材 名** | 瓦楞子（药用部位：贝壳）。

| **形态特征** | 贝壳斜卵圆形，质坚厚，长 8 ～ 10.4 cm，高 6.2 ～ 8.5 cm。左壳稍大于右壳，极膨胀，壳顶突出。韧带梭形，具黑褐色角质厚皮。壳前缘及肤缘呈圆形，后缘延伸成截形。放射肋 42 ～ 48，宽，平滑整齐，无明显结节，生长轮脉明显，壳表面白色，被棕褐色绒毛状壳皮；壳内面白色。铰合齿 60 ～ 70。闭壳肌痕明显，前痕小，卵形，后痕大，梨形。壳边缘厚，有与放射肋沟相应的齿状突起。

| **生境分布** | 栖息于潮下带 5 m 至水深 10 ～ 30 m 的软泥或泥沙质海底。分布于广东沿海地区等。

曾晓起（中国海洋大学）提供

| **资源情况** | 野生资源一般。养殖资源较丰富。药材来源于野生和养殖。 |

| **采收加工** | 全年均可采收，在浅海底沙中拾取或从网笼中取出，洗净，入沸水中煮熟，除去肉，晒干。 |

| **药材性状** | 本品呈斜卵圆形，长约 8 cm，宽约 6 cm，左壳稍大于右壳。背面隆起，有42 ~ 48 直楞由顶端向周围放射，楞纹明显，无明显结节，被棕色细毛。壳内面乳白色，光滑。铰合齿约 70。质坚硬，可砸碎，断面白色。气微，味淡。 |

| **功能主治** | 甘、咸，平。归肝、肺、胃经。活血化瘀，软坚散结，制酸止痛。用于癥瘕痞块，胃痛泛酸，复合性胃和十二指肠溃疡，佝偻病；外用于瘰疬，牙疳。 |

| **用法用量** | 内服煎汤，9 ~ 15 g，宜先煎，或入丸、散剂。外用适量，研末调敷。 |

蚶科 Arcidae 蚶属 *Arca*

毛蚶
Arca subcrenata Lischke

| 药 材 名 | 瓦楞子（药用部位：贝壳）。

| 形态特征 | 贝壳长卵圆形，质坚厚，长约 5.4 cm，高约 4.6 cm。两壳极膨胀，宽为高的 3/4 ~ 4/5，右壳比左壳稍小，壳顶稍偏前方，两壳顶间距离中等。放射肋 30 ~ 35，肋凸较密，显方形小结节，在左壳上较明显，壳表面被棕褐色绒毛状壳皮，外皮易磨损脱落，使壳面常有白色；壳内面白色或灰黄色。铰合部直，铰合齿约 50，中间的小而密，两侧的大而疏。前闭壳肌痕马蹄形，后闭壳肌痕卵圆形。

| 生境分布 | 栖息于潮间带至水深 4 ~ 20 m 的泥沙质海底，喜稍有淡水流入的河口附近。分布于广东沿海地区等。

1 cm

黄小龙（广州采芝林药业有限公司）提供

| 资源情况 | 野生资源一般。养殖资源较丰富。药材来源于野生和养殖。

| 采收加工 | 夏、秋季自海中采捞，用清水洗去盐质及泥沙，晒干。

| 药材性状 | 本品呈三角形或扇形，较短而宽，长 2～4.5 cm，宽 1.5～4 cm。放射肋 30～34，肋上有小结节，壳表面被棕褐色带毛壳皮或毛已脱落。铰合齿约 50，铰合部具小齿 1 列。质坚硬，可砸碎，断面白色。气微，味淡。

| 功能主治 | 甘、咸，平。归肝、肺、胃经。活血化瘀，软坚散结，制酸止痛。用于癥瘕痞块，胃痛泛酸，复合性胃和十二指肠溃疡，佝偻病；外用于瘰疬，牙疳。

| 用法用量 | 内服煎汤，9～15 g，宜先煎；或入丸、散剂。外用适量，研末调敷。

砗磲科 Tridacnidae 砗磲属 *Tridacna*

大砗磲 *Tridacna gigas* Linn.

| **药 材 名** | 砗磲（药用部位：贝壳。别名：库氏砗磲）。 |

| **形态特征** | 贝壳巨大，质厚重。两壳等大，两侧不对称，前端短，约为壳长的1/3，壳顶前方有1足丝孔。壳表面白色，有5强大的覆瓦状放射肋，生长轮纹明显，形成弯曲重叠的皱褶。两壳均有主齿和后侧齿各1。 |

| **生境分布** | 栖息于浅海珊瑚礁间。分布于广东雷州半岛及沿海地区等。 |

| **资源情况** | 野生资源稀少。养殖资源较少。药材来源于养殖。 |

| **采收加工** | 采捕后取壳，晒干。 |

| **功能主治** | 甘、咸，寒。镇惊，安神，解毒。用于心神不安，失眠多梦，蜂螫伤。 |

| **用法用量** | 内服研末，5 ~ 15 g。

| **附　　注** | 在《世界自然保护联盟濒危物种红色名录》中，本种被列为易危物种。在《国家重点保护野生动物名录》中，本种被列为国家一级保护野生动物。

砗磲科 Tridacnidae 砗磲属 Tridacna

鳞砗磲

Tridacna squamosa Lamarck

| 药 材 名 | 砗磲（药用部位：贝壳）。

| 形态特征 | 贝壳卵圆形，质厚重坚实，长约 190 mm，高约 125 mm，宽约 130 mm。两壳大小相等，两侧近相等，壳顶位于背缘中央，前方有 1 长卵形足丝孔，孔边缘具若干肋状突起，突起近壳顶者大而突出，排列紧密，向前端逐渐稀疏不清。壳背缘稍平，腹缘弯曲，呈波浪状。外韧带黄褐色，长约为壳后半部的 3/4。壳表面黄白色，具细密的生长线，有 4 ~ 6 强大的放射肋，肋上有宽而翘起的大鳞片，壳顶附近的鳞片常因磨损而脱落，肋间沟具数条宽放射肋纹；壳内面白色，具光泽。铰合部长，左壳有主齿及后侧齿各 1，右壳有主齿 1 及并列的后侧齿 2。后闭壳肌痕卵圆形，位于壳中部。外套痕明显。

曾晓起（中国海洋大学）提供

| **生境分布** | 栖息于潮间带珊瑚礁间或浅海珊瑚礁间。分布于广东雷州半岛及沿海地区等。

| **资源情况** | 野生资源稀少。养殖资源较少。药材来源于养殖。

| **采收加工** | 采捕后取壳，晒干。

| **功能主治** | 甘、咸，寒。镇惊，安神，解毒。用于心神不安，失眠多梦，蜂螫伤。

| **用法用量** | 内服研末，5 ～ 15 g。

| **附　　注** | （1）在《国家重点保护野生动物名录》中，本种被列为国家二级保护野生动物。
（2）本种同科动物长砗磲 *Tridacna maxima* Röding 的贝壳亦作为砗磲入药。

帘蛤科 Veneridae 青蛤属 Cyclina

青蛤 Cyclina sinensis Gmelin

| **药 材 名** | 蛤壳（药用部位：贝壳。别名：文蛤、海蛤壳、蛤蜊皮）。

| **形态特征** | 贝壳 2，近圆形，长 3.6～5.6 cm，高与长近等长，宽约为长的 2/3。壳顶突出，位于背侧中央，尖端向前方弯曲。无小月面。壳表面极突出，生长线在顶部者细密，壳表面淡黄色或棕红色；壳内面白色或淡肉色。铰合部狭长而平，左、右壳各具 3 主齿。外套痕明显，外套窦楔形。前闭壳肌痕细长，半月状，后闭壳肌痕大，椭圆形。足扁平，舌状。

曾晓起（中国海洋大学）提供

| **生境分布** | 栖息于近海的泥沙质海底。分布于广东沿海地区等。

| **资源情况** | 野生资源丰富。养殖资源丰富。药材来源于野生和养殖。

| **采收加工** | 春、秋季采捕，除去肉，取壳，洗净，晒干。

| **药材性状** | 本品呈类圆形，壳顶突出，位于背侧近中部。壳表面淡黄色或棕红色，同心生长纹凸出于壳面，略呈环肋状；壳内面白色或淡红色，边缘常带紫色并有整齐的小齿纹。铰合部左右两壳均具主齿3，无侧齿。

| **功能主治** | 苦、咸，寒。归肺、肾、胃经。清热化痰，软坚散结，制酸止痛，收湿敛疮。用于痰火咳嗽，胸胁疼痛，痰中带血，瘰疬瘿瘤，胃痛吞酸；外用于湿疹，烫伤。

| **用法用量** | 内服煎汤，6 ~ 15 g，宜先煎。外用适量，研末撒布，或以油调敷。

| **附　　注** | 本种同科动物文蛤 *Meretrix meretrix* Linn. 的贝壳亦作为蛤壳入药。

1 cm　　　　　　　　广州至信中药饮片有限公司提供

帘蛤科 Veneridae 文蛤属 Meretrix

文蛤
Meretrix meretrix Linn.

| 药 材 名 | 蛤壳（药用部位：贝壳。别名：文蛤、海蛤壳、蛤蜊皮）。

| 形态特征 | 贝壳 2，质坚厚，三角状卵圆形，长 3 ～ 10 cm，略长于高。壳顶突出，位于背面稍靠前方。小月面矛头状。壳表面膨胀，光滑，有黄褐色或红褐色壳皮，磨损处壳皮常脱落，同心生长纹明显，自壳顶始常有环形褐色带；壳内面白色，平滑，有光泽。铰合部宽，左壳具主齿 3 和前侧齿 1；右壳具主齿 3 和前侧齿 2。外套痕明显。后闭壳肌痕大。足扁平，舌状。

| 生境分布 | 栖息于浅海泥沙中。分布于广东沿海地区等。

| 资源情况 | 野生资源丰富。养殖资源丰富。药材来源于野生和养殖。

1 cm

黄小龙（广州采芝林药业有限公司）提供

| 采收加工 | 4 ~ 10 月采捕，除去肉，洗净，晒干。

| 药材性状 | 本品呈扇形或类圆形，长 3 ~ 10 cm，高 2 ~ 8 cm。壳顶突出，位于背面稍靠前方。壳表面光滑，黄褐色，同心生长纹清晰；壳内面白色，前后壳缘有时略带紫色。右壳有主齿 3 和前侧齿 2，左壳有主齿 3 和前侧齿 1。质坚硬，断面有层纹。

| 功能主治 | 苦、咸，寒。归肺、肾、胃经。清热化痰，软坚散结，制酸止痛，收湿敛疮。用于痰火咳嗽，胸胁疼痛，痰中带血，瘰疬瘿瘤，胃痛吞酸；外用于湿疹，烫伤。

| 用法用量 | 内服煎汤，6 ~ 15 g，宜先煎。外用适量，研末撒布，或以油调敷。

| 附　　注 | 本种同科动物青蛤 *Cyclina sinensis* Gmelin 的贝壳亦作为蛤壳入药。

贻贝科 Mytilidae 翡翠贻贝属 Perna

翡翠贻贝 *Perna viridis* Linn.

| 药 材 名 |　淡菜（药用部位：贝肉）。

| 形态特征 |　贝壳呈楔形，壳质中等厚，长约 13.6 cm，高约 5.8 cm，宽约 3.8 cm。壳顶尖，呈喙状。背缘与腹缘约成 30°。壳表面翠绿色，光滑而有光泽，前端具隆起肋，生长线较细密，绕壳顶环生；壳内面瓷白色，由壳皮卷入的角质层狭缘呈碧绿色。无前闭壳肌痕，后闭壳肌痕大，圆形。左壳具铰合齿 2，右壳具铰合齿 1。外套缘较薄，具触手状突起。足细，呈棒状，足丝黄色。

曾晓起（中国海洋大学）提供

| 生境分布 | 栖息于潮线至水深 5 ~ 6 m 水流通畅的岩石上。分布于广东台山、城区及阳江（市区）等。

| 资源情况 | 野生资源一般。养殖资源丰富。药材来源于野生和养殖。

| 采收加工 | 全年均可采捕，剥取贝肉，晒干。

| 药材性状 | 本品呈椭圆状楔形，前端圆，后端扁，后端两侧有大而圆的闭壳肌。足小，呈棒状。外套膜极发达，两外套膜间有明显的生殖腺，生殖腺颜色较深。外套膜后端有 1 点愈合，形成明显的入水孔和出水孔，入水孔呈紫褐色，周边的分枝状小触手颜色更深，出水孔紫褐色，全体深棕色。背部透过外套膜可见深褐色的脏团。气腥，味微咸。

| 功能主治 | 甘、咸，温。归肝、肾经。滋养肝肾，补益精血，解热除烦。用于肝肾阳虚所致的眩晕，头痛，盗汗，虚劳羸瘦，精血亏少等。

| 用法用量 | 内服煎汤，5 ~ 30 g；或研末；或入丸、散剂。

| 附　　注 | 本种同科动物厚壳贻贝 *Mytilus coruscus* Gould、贻贝 *Mytilus edulis* Linnaeus 的贝肉亦作为淡菜入药。

牡蛎科 Ostreidae 牡蛎属 Ostrea

长牡蛎 *Ostrea gigas* (Thunberg)

| 药 材 名 | 牡蛎（药用部位：贝壳）。

| 形态特征 | 贝壳呈长条形，质坚厚，一般壳长 140 ～ 330 mm，高 57 ～ 115 mm，已知最大的长达 722 mm。左壳稍凹，壳顶附着面小，右壳较平，似盖。背缘、腹缘近平行。壳表面淡紫色、灰白色或黄褐色，自壳顶向后缘环生排列稀疏的鳞片，略呈波状，层次甚少，无明显的放射肋；壳内面瓷白色。韧带槽长而宽大。闭壳肌痕大，位于壳的后部背侧，呈棕黄色，马蹄形。

| 生境分布 | 栖息于潮间带至低潮线以下数米的盐度较低的海区。广东沿海地区均有分布或养殖。

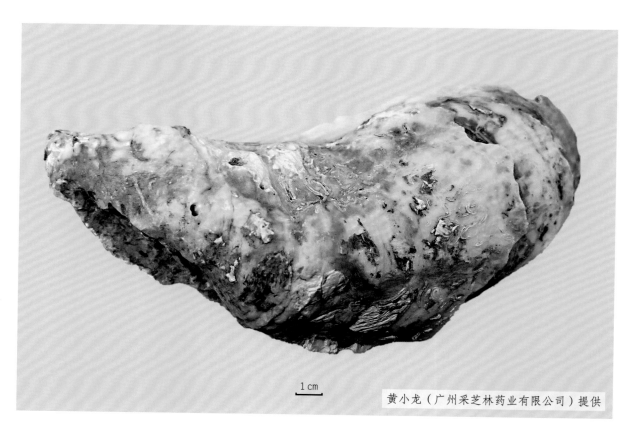

1 cm

黄小龙（广州采芝林药业有限公司）提供

| 资源情况 | 野生资源丰富。养殖资源丰富。药材来源于野生和养殖。

| 采收加工 | 全年均可采收，除去肉，洗净。

| 药材性状 | 本品呈长片状。背缘、腹缘近平行。右壳较小，鳞片坚厚，层状或层纹状排列；左壳凹陷深，鳞片较右壳粗大，壳顶附着面小。壳表面平坦或具数个凹陷，淡紫色、灰白色或黄褐色；内面瓷白色。壳顶两侧无小齿。质硬，断面层状，洁白。气微，味微咸。

| 功能主治 | 咸，微寒。归肝、胆、肾经。重镇安神，滋阴潜阳，软坚散结。用于惊悸失眠，眩晕耳鸣，瘰疬痰核，癥瘕痞块，自汗盗汗，遗精，崩漏，带下，胃痛泛酸。

| 用法用量 | 内服煎汤，9～30 g，先煎；或入丸、散剂。外用适量，研末撒或调敷。

| 附　　注 | 本种同科动物大连湾牡蛎 *Ostrea talienwhanensis* (Crosse)、褶牡蛎 *Ostrea plicatula* (Gmelin)、近江牡蛎 *Ostrea rivularis* (Gould) 的贝壳亦作为牡蛎入药。

1 cm

黄小龙（广州采芝林药业有限公司）提供

牡蛎科 Ostreidae 牡蛎属 *Ostrea*

褶牡蛎 *Ostrea plicatula* (Gmelin)

| 药 材 名 | 牡蛎（药用部位：贝壳）。

| 形态特征 | 贝壳壳顶尖，至后缘渐宽。贝壳略呈三角形，一般壳长 30 ～ 60 mm。左壳顶部圆厚而大，表面有粗壮的放射肋；右壳表面有同心环状鳞片多层，鳞片层末端边缘常伸出许多舌状片或尖形棘。

| 生境分布 | 栖息于潮间带中、上区的岩石上。广东沿海地区均有分布或养殖。

| 资源情况 | 野生资源丰富。养殖资源丰富。药材来源于野生和养殖。

| 采收加工 | 全年均可采收，除去肉，洗净。

1 cm

广州至信中药饮片有限公司提供

| **药材性状** | 本品呈类三角形。背缘、腹缘呈"八"字形。右壳表面淡黄色，具疏松的同心鳞片，鳞片起伏成波浪状，壳内面白色；左壳同心鳞片坚厚，自壳顶发出放射肋数条，明显，壳内面凹下，呈盒状。铰合面小。 |

| **功能主治** | 咸，微寒。归肝、胆、肾经。重镇安神，滋阴潜阳，软坚散结。用于惊悸失眠，眩晕耳鸣，瘰疬痰核，癥瘕痞块，自汗盗汗，遗精，崩漏，带下，胃痛泛酸。 |

| **用法用量** | 内服煎汤，9 ~ 30 g，先煎；或入丸、散剂。外用适量，研末撒或调敷。 |

| **附　注** | 本种同科动物大连湾牡蛎 *Ostrea talienwhanensis* (Crosse)、近江牡蛎 *Ostrea rivularis* (Gould)、长牡蛎 *Ostrea gigas* (Thunberg) 的贝壳亦作为牡蛎入药。 |

牡蛎科 Ostreidae 牡蛎属 Ostrea

近江牡蛎
Ostrea rivularis (Gould)

| 药 材 名 | 牡蛎（药用部位：贝壳）。

| 形态特征 | 贝壳呈圆形、卵圆形、三角形等，壳质坚厚，较大者长 100 ~ 242 mm，高 70 ~ 150 mm。左壳较大而厚，背部为附着面，形状不规则；右壳略扁平，表面环生薄而平直的鳞片，黄褐色或暗紫色。壳内面白色或灰白色，边缘常呈灰紫色，凹凸不平。铰合部无齿，韧带槽长而宽，牛角形，韧带紫黑色。闭壳肌痕甚大，位于中部背侧，淡黄色，形状不规则，常随壳形变化而异，大多为卵圆形或肾脏形。

| 生境分布 | 栖息于低潮线附近至水深约 7 m 的近海区域，河流入海一带的水域中最多，最适盐度为 1% ~ 2.5%。分布于广东沿海地区等。

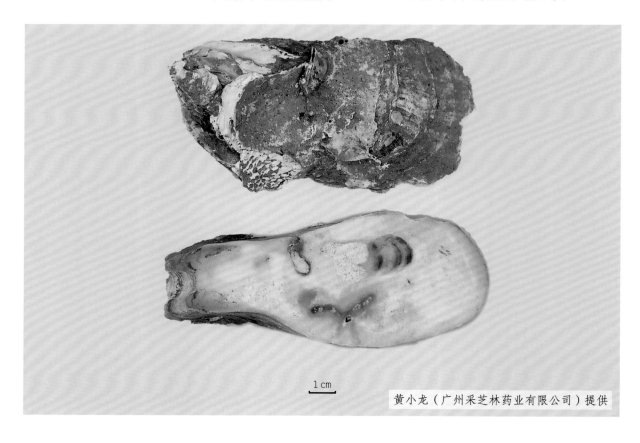

1 cm

黄小龙（广州采芝林药业有限公司）提供

| 资源情况 | 野生资源丰富。养殖资源丰富。药材来源于野生和养殖。

| 采收加工 | 全年均可采收，除去肉，洗净。

| 药材性状 | 本品呈圆形、卵圆形或三角形等。右壳表面稍不平，呈灰色、紫色、棕色、黄色等，环生同心鳞片，幼体鳞片质薄而脆，多年生长者鳞片层层相叠；壳内面白色，边缘有的淡紫色。质硬，断面明显层状，厚 2 ~ 10 mm。无臭，味微咸。

| 功能主治 | 咸，微寒。归肝、胆、肾经。重镇安神，滋阴潜阳，软坚散结。用于惊悸失眠，眩晕耳鸣，瘰疬痰核，癥瘕痞块，自汗盗汗，遗精，崩漏，带下，胃痛泛酸。

| 用法用量 | 内服煎汤，9 ~ 30 g，先煎；或入丸、散剂。外用适量，研末撒或调敷。

| 附　　注 | 本种同科动物大连湾牡蛎 *Ostrea talienwhanensis* (Crosse)、褶牡蛎 *Ostrea plicatula* (Gmelin)、长牡蛎 *Ostrea gigas* (Thunberg) 的贝壳亦作为牡蛎入药。

珍珠贝科 Pteriidae 珍珠贝属 Pteria

马氏珍珠贝

Pteria martensii (Dunker)

| 药 材 名 | 珍珠（药用部位：外套膜受刺激形成的珍珠）、珍珠母（药用部位：贝壳）。

| 形态特征 | 贝壳为斜四方形，壳质较脆，壳长 50 ~ 90 mm，宽 18 ~ 32 mm，高与长近等长，较大者高可超过 100 mm。壳顶位于前方，两侧有耳，前耳较后耳稍小。两壳不等，右壳较平，左壳稍凸，右壳前耳下方有一明显的足丝凹陷。背缘平直，腹缘圆。壳表面淡黄褐色，同心生长轮脉极细密，片状，质薄脆，易脱落，壳中部的常呈磨损状，近腹缘的排列紧密，延伸成小舌状，末端稍翘起，足丝孔大，足丝呈毛发状；壳内面中部珍珠层厚而发达，具极强的珍珠样光泽，边缘淡黄色，无珍珠层。铰合线直，有一凸起的主齿，沿铰合线下方有 1 长齿片。韧带紫褐色。前上掣肌痕明显，位于壳顶下方。闭壳肌痕大，长圆形，前端稍尖，位于壳中央稍后方。

曾晓起（中国海洋大学）提供

| **生境分布** | 栖息于风浪较平静的海湾中，在泥沙、岩礁或石砾较多的海底，以足丝固着生活于岩礁或石块上，以潮流通畅的海区生长较好，低潮线附近至水深约 10 m 处均有生长，通常在水深 5 m 处较多。分布于广东沿海地区等。 |

| **资源情况** | 野生资源较少。养殖资源一般。药材来源于野生和养殖。 |

| **采收加工** | **珍珠**：全年均可采收，以冬季最多，剖开，取出珍珠，用水洗涤，混入少量食盐，用布擦去珠面的体液和污物，用肥皂水洗涤，再用清水洗净，用柔软的绒布或纱布打光，即成。 |
| | **珍珠母**：全年均可采收，以冬季最多，将贝壳置于碱水中煮，然后放入清水中浸洗，再放铁丝网上煅烧，随时翻动，煅至松脆，即成。 |

| **药材性状** | **珍珠**：本品呈类球形、长圆形、卵圆形或棒形，直径 1.5 ~ 8 mm。表面类白色、浅粉红色、浅黄绿色或浅蓝色，半透明，光滑或微有凹凸，具特有的彩色光泽。质坚硬，破碎面显层纹。气微，味淡。 |
| | **珍珠母**：本品呈斜四方形，后耳大，前耳小。背缘平直，腹缘圆。生长线极细密，片状。闭壳肌痕大，长圆形。具一凸起的长形主齿。气微臭，味淡。 |

| **功能主治** | **珍珠**：甘、咸，寒。归心、肝经。安神定惊，明目消翳，解毒生肌，润肤祛斑。用于惊悸失眠，惊风癫痫，目生翳障，疮疡不敛，皮肤色斑。 |
| | **珍珠母**：咸，寒。归肝、心经。平肝潜阳，安神定惊，明目退翳。用于头痛眩晕，烦躁失眠，肝热目赤，肝虚目昏。 |

| **用法用量** | **珍珠**：内服入丸、散剂，0.1 ~ 0.3 g。外用适量。 |
| | **珍珠母**：内服煎汤，10 ~ 25 g，先煎。 |

| **附　注** | 本种同科动物大珠母贝 *Pteria maxima* (Jameson) 和蚌科动物三角帆蚌 *Hyriopsis cumingii* Lea 的外套膜受刺激形成的珍珠亦作为珍珠入药，其贝壳亦作为珍珠母入药。 |

大珠母贝

Pteria maxima (Jameson)

| 药 材 名 | 珍珠（药用部位：外套膜受刺激形成的珍珠）、珍珠母（药用部位：贝壳）。

| 形态特征 | 贝壳近五边形，略圆，壳质坚实厚重，成体壳长超过 200 mm，大者可超过 300 mm，重达 4 ~ 5 kg，是珍珠贝中最大的一种。壳稍平，壳顶位于背缘前端，前耳小，无后耳。壳表面鳞片排列不规则，呈灰黄褐色，放射肋淡褐色，老贝壳体鳞片常脱落，露出珍珠层，放射肋不明显；壳内面具很厚的银白色珍珠层，边缘黄褐色。铰合部后端稍突出。韧带宽厚，脱落后有 1 凹痕。闭壳肌痕宽大，肾形，痕面不平滑，有许多横纹。肛门膜舌形，末端宽圆。

| 生境分布 | 栖息于水深约 20 m 的海区。分布于广东雷州半岛等。

中国科学院南海海洋研究所提供

| 资源情况 | 野生资源较少。药材来源于野生。

| 采收加工 | **珍珠**：全年均可采收，以冬季最多，剖开，取出珍珠，用水洗涤，混入少量食盐，用布擦去珠面的体液和污物，用肥皂水洗涤，再用清水洗净，用柔软的绒布或纱布打光，即成。

珍珠母：全年均可采收，以冬季最多，将贝壳置于碱水中煮，然后放入清水中浸洗，再放铁丝网上煅烧，随时翻动，煅至松脆，即成。

| 药材性状 | **珍珠**：本品呈类球形、长圆形、卵圆形或棒形，直径 1.5 ~ 8 mm。表面类白色、浅粉红色、浅黄绿色或浅蓝色，半透明，光滑或微有凹凸，具特有的彩色光泽。质坚硬，破碎面显层纹。气微，味淡。

珍珠母：本品呈斜四方形，无后耳，前耳小。背缘平直，腹缘圆。生长线极细密，片状。闭壳肌痕大，长圆形。具一凸起的长形主齿。气微臭，味淡。

| 功能主治 | **珍珠**：甘、咸，寒。归心、肝经。安神定惊，明目消翳，解毒生肌，润肤祛斑。用于惊悸失眠，惊风癫痫，目赤翳障，疮疡不敛，皮肤色斑。

珍珠母：咸，寒。归肝、心经。平肝潜阳，安神定惊，明目退翳。用于头痛眩晕，烦躁失眠，肝热目赤，肝虚目昏。

| 用法用量 | **珍珠**：内服入丸、散剂，0.1 ~ 0.3 g。外用适量。

珍珠母：内服煎汤，10 ~ 25 g，先煎。

| 附 注 | 本种同科动物马氏珍珠贝 *Pteria martensii* (Dunker) 和蚌科动物三角帆蚌 *Hyriopsis cumingii* Lea 的外套膜受刺激形成的珍珠亦作为珍珠入药，其贝壳亦作为珍珠母入药。

乌贼科 Sepiidae 乌贼属 Sepia

金乌贼 *Sepia esculenta* (Hoyle)

| 药 材 名 | 海螵蛸（药用部位：内壳）。 |

| 形态特征 | 体形中等大。胴部卵圆形，一般长约 200 mm，长约为宽的 1.5 倍。头部长约 30 mm。腕序为 4>1>3>2，吸盘 4 行，其角质环外缘具不规则的钝形小齿。雄性左侧第 4 腕茎化为生殖腕，特点是基部 7 列、8 列吸盘正常，至 9 ~ 15 列吸盘突然变小，向上的吸盘又正常。触腕略长于胴部，触腕穗呈半月形，约为全腕长度的 1/5，吸盘小而密，约 10 行。生活时体表黄褐色，胴背具棕紫色和乳白色相间的细斑。 |

| 生境分布 | 浅海性生活，主要群体栖息于岛屿附近。分布于广东珠江口近海等。 |

| 资源情况 | 野生资源一般。药材来源于野生。 |

| 采收加工 | 5 月成群乌贼游到海岛附近产卵时采捞，除去软体部分，取乌贼骨，洗净，晒干。 |

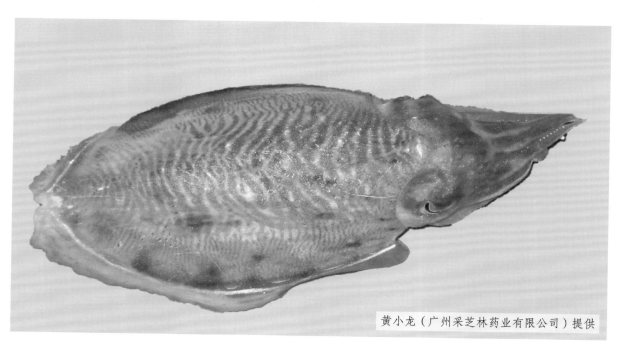

黄小龙（广州采芝林药业有限公司）提供

| **药材性状** | 本品宽约 6.5 cm。背面疣点明显，略呈层状排列。腹面的细密波状横层纹占全体大部分，中间有纵向浅槽。尾部角质缘渐宽，向腹面翘起，末端有 1 骨针，骨针多已断落。

| **功能主治** | 咸、涩，温。归脾、肾经。收敛止血，涩精止带，制酸止痛，收湿敛疮。用于吐血，呕血，崩漏，便血，衄血，创伤，遗精，滑精，赤白带下，胃痛嘈杂，嗳气泛酸，湿疹，溃疡。

| **用法用量** | 内服煎汤，10 ～ 30 g；或研末，1.5 ～ 3 g。外用适量，研末撒，或调敷，或吹耳、鼻。

| **附　注** | 本种同科动物曼氏无针乌贼 *Sepiella maindroni* (de Rochebrune) 的内壳亦作为海螵蛸入药。

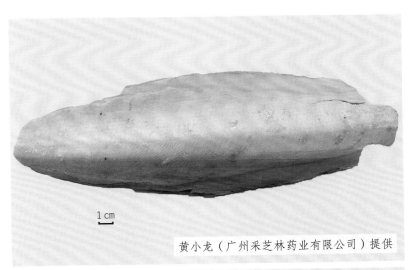

黄小龙（广州采芝林药业有限公司）提供

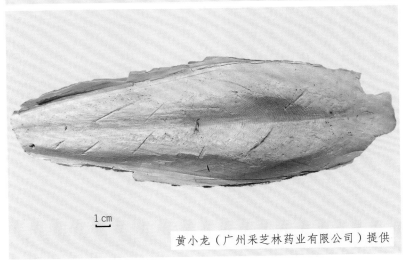

黄小龙（广州采芝林药业有限公司）提供

乌贼科 Sepiidae 无针乌贼属 Sepiella

曼氏无针乌贼 *Sepiella maindroni* (de Rochebrune)

| 药 材 名 | 海螵蛸（药用部位：内壳）。

| 形 态 特 征 | 软体中等大。背腹扁，胴部卵圆形，一般长约 157 mm，长约为宽的 2 倍。头部长约 29 mm，眼大，头部中央有口，口周围有腕 4 对和触腕 1 对。各腕近等长，顺序为 4>1>3>2，内侧有吸盘 4 行，吸盘近等大。触腕一般长于胴部，触腕穗狭小，吸盘 20 行，近等大。头部的腹面有 1 漏斗器，漏斗器下方体内与墨囊相通，可由漏斗器排出黑液。生活时，胴背有明显的白花斑。

| 生 境 分 布 | 栖息于海底。分布于广东沿海地区等。

| 资 源 情 况 | 野生资源较丰富。药材来源于野生。

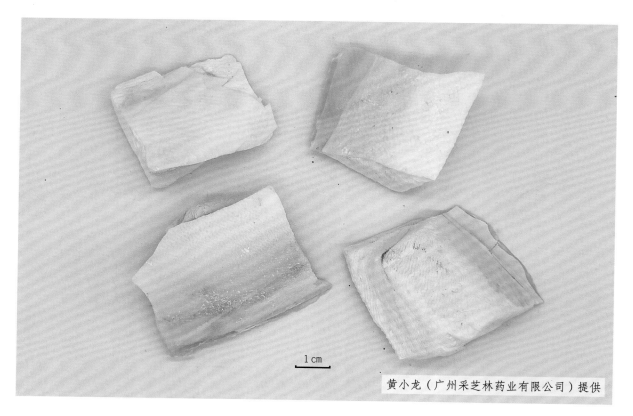

1 cm

黄小龙（广州采芝林药业有限公司）提供

| 采收加工 | 5 月成群乌贼游到海岛附近产卵时采捞，除去软体部分，取乌贼骨，洗净，晒干。

| 药材性状 | 本品呈扁长椭圆形，中间厚，边缘薄，长 9 ~ 14 cm，宽 2.5 ~ 3.5 cm，厚约 1.3 cm。背面有瓷白色脊状隆起，两侧略显微红色。腹面白色，自尾端到中部有细密波状横层纹。角质缘半透明，无骨针。体轻，质松，易折断，断面粉质，显疏松层纹。气微腥，味微咸。

| 功能主治 | 咸、涩，温。归脾、肾经。收敛止血，涩精止带，制酸止痛，收湿敛疮。用于吐血，呕血，崩漏，便血，衄血，创伤，遗精，滑精，赤白带下，胃痛嘈杂，嗳气泛酸，湿疹，溃疡。

| 用法用量 | 内服煎汤，10 ~ 30 g；或研末，1.5 ~ 3 g。外用适量，研末撒，或调敷，或吹耳、鼻。

| 附　注 | 本种同科动物金乌贼 *Sepia esculenta* (Hoyle) 的内壳亦作为海螵蛸入药。

刺参科 Stichopodidae 刺参属 Stichopus

花刺参 *Stichopus variegatus* Semper

| **药 材 名** | 花刺参（药用部位：全体。别名：方参、黄肉、白刺参）。

| **形态特征** | 体呈四方柱形，长 30 ~ 40 cm，最长可达 95 cm。背面散生多数排列不规则的圆锥形肉刺。腹面管足排列成 3 纵带。触手 20。皮内主骨片为桌形体，顶端小齿 12，底盘小，具 4 中央孔和 4 边缘孔，有的桌形体底盘较大，边缘孔较多；附属骨片为"C"形体和数个"C"形体连接组成的花纹样体。体色为深黄色，有深浅不一的橄榄色斑点，肉刺末端有的带红色。

| **生境分布** | 栖息于岸礁处或岩石边，小者栖息于珊瑚下或石下，大者多生活在较深的水域。分布于广东硇洲岛、雷州半岛沿海等。

曾晓起（中国海洋大学）提供

| 资源情况 | 野生资源丰富。养殖资源丰富。药材来源于野生和养殖。

| 采收加工 | 春、秋季采捕，除去内脏，洗净腔内泥沙，在盐水中烧煮约 1 小时，捞起，放凉，暴晒或烘焙至八九成干时，放入蓬叶汁中煮至颜色转黑，取出。

| 药材性状 | 本品长短不一，呈圆柱形、四方体形。背面隆起，具圆锥形大小不等的肉刺，口偏于腹面，周围具触手 20。表面黑色、深黑色、灰黑色、灰白色、灰褐色、浅黄色或黄褐色。质硬。

| 功能主治 | 甘、咸，温。补肾益精，养血润燥。用于精血亏损，肾虚阳痿，遗精，小便频数，肠燥便秘，肺结核，神经衰弱，再生障碍性贫血。

| 用法用量 | 内服煎汤，30 ~ 60 g，鲜品加倍；或炖服。

| 附　　注 | 本种也是中药海参的基原之一，共同入药者还有刺参科动物刺参 *Stichopus japonicus* Selenka、绿刺参 *Stichopus chloronotus* Brandt、糙刺参 *Stichopus horrens* (Selenka) 和梅花参 *Thelenot ananas* (Jaeger)。海参的肠入药，名为"海参肠"，焙干研末，每次服 0.3 ~ 0.6 g，每日 3 次，可治疗复合性胃和十二指肠溃疡；内脏入药，焙干研末外敷，去腐生肌，可治疗疮疖。

長海胆科 Echinometridae 紫海胆属 Anthocidaris

紫海胆
Anthocidaris crassispina (A. Agassiz)

| **药 材 名** | 海胆（药用部位：骨壳）。

| **形态特征** | 体呈半球形，壳坚固，直径 6 ~ 7 cm，高 2 ~ 3 cm。步带和间步带各有大疣 2 纵行，大疣两侧各有中疣 1 纵行，其间沿中线有交错排列的中疣 1 纵行。赤道部的管足孔一般 8 对排列成 1 斜弧，口面的管足孔对数减少，有孔带宽展成瓣状。顶系较小，第 1 和第 5 眼板接触围肛部。大棘强大，末端尖锐。常一侧长，另一侧短。管足内有弓形骨片，两端尖细，中有突起。

| **生境分布** | 栖息于潮间带岩礁间或水洼中及水深 85 m 的沙砾底。分布于广东沿海地区等。

曾晓起（中国海洋大学）提供

| **资源情况** | 野生资源较丰富。养殖资源一般。药材来源于野生。

| **采收加工** | 采捕后除去肉及棘刺，洗净，晒干。

| **药材性状** | 本品呈中空的扁球形，大小不一，直径 2.8 ~ 4 cm，厚 1.5 ~ 3 cm。扁平的一面呈黄棕色，中央有圆形口孔，围口处略向内凹下，口内边缘着生 5 互相连接的 "U" 形薄片状齿。背面隆起，中心有 1 十角星状孔，自顶端系统至口孔有石灰质骨板辐射状排列成 10 带。质坚硬而轻，不易折断，断面呈淡蓝色。气微，味辛。

| **功能主治** | 咸，平。归肝、肾、胃经。软坚散结，化痰，消肿。用于淋巴结结核，痰积不化，胸胁胀痛。

| **用法用量** | 内服煎汤，3 ~ 9 g；或研末，2 g。

| **附　　注** | 刻肋海胆科动物细雕刻肋海胆 *Temnopleurus toreumaticus* (Leske) 的骨壳亦作为海胆入药。

刻肋海胆科 Temnopleuridae 刻肋海胆属 Temnopleurus

细雕刻肋海胆
Temnopleurus toreumaticus (Leske)

| 药 材 名 | 海胆（药用部位：骨壳）。

| 形态特征 | 体呈高圆锥形，壳厚而坚，直径通常为 4 ~ 5 cm。步带宽约为间步带的 2/3，各步带板的缝合线处有明显的三角形凹痕。管足孔每 3 对排列成弧形。步带板有大疣和中疣各 1，小疣多数，各间步带板上有大疣 3 和中、小疣多数。顶系稍凸起，各生殖板上有多数小疣，眼板均不接触围肛部。反口面的大棘短小呈针状；赤道部的大棘最长，末端宽扁；口面的大棘较长略弯曲。

| 生境分布 | 栖息于潮间带至水深 40 ~ 50 m 的沙泥底。分布于广东沿海地区等。

曾晓起（中国海洋大学）提供

| 资源情况 | 野生资源较丰富。养殖资源一般。药材来源于野生。

| 采收加工 | 采捕后除去肉及棘刺，洗净，晒干。

| 药材性状 | 本品呈中空的扁球形，大小不一，直径 2.8 ~ 4 cm，厚 1.5 ~ 3 cm。扁平的一面呈黄棕色，中央有圆形口孔，围口处略向内凹下，口内边缘着生 5 互相连接的 "U" 形薄片状齿。背面隆起，中心有 1 十角星状孔，自顶端系统至口孔有石灰质骨板辐射状排列成 10 带。质坚硬而轻，不易折断，断面呈淡蓝色。气微，味辛。

| 功能主治 | 咸，平。归肝、肾、胃经。软坚散结，化痰，消肿。用于淋巴结结核，痰积不化，胸胁胀痛。

| 用法用量 | 内服煎汤，3 ~ 9 g；或研末，2 g。

| 附　　注 | 长海胆科动物紫海胆 *Anthocidaris crassispina* (A. Agassiz) 的骨壳亦作为海胆入药。

海燕科 Asterinidae 海燕属 Asterina

闽粤海燕
Asterina limboonkengi G. A. Smith

| **药 材 名** | 海燕（药用部位：除去内脏的全体）。

| **形态特征** | 体小，辐径 25 mm。腕短宽，通常 5，稀 4 ~ 8。反口面骨板呈覆瓦状排列，在腕上者排列成纵行，在盘中央者排列成环状。各背板上有 5 ~ 10 呈环形排列的小棘。下缘板构成身体边缘。侧步带板有棘 2 行：外行棘在步带沟上，数目 5，形大；内行棘在口面，数目 7 ~ 8，排列成凹扇形。口板大，具边缘棘 5 ~ 6，口面棘 4。腹侧板 5 行，各板有 5 ~ 7 近等长的棘。生活时深褐色，夹有不规则的红色斑块。

| **生境分布** | 栖息于潮间带岩石海岸和海藻上，喜海水清澈、潮流较通畅的海湾。分布于广东沿海地区等。

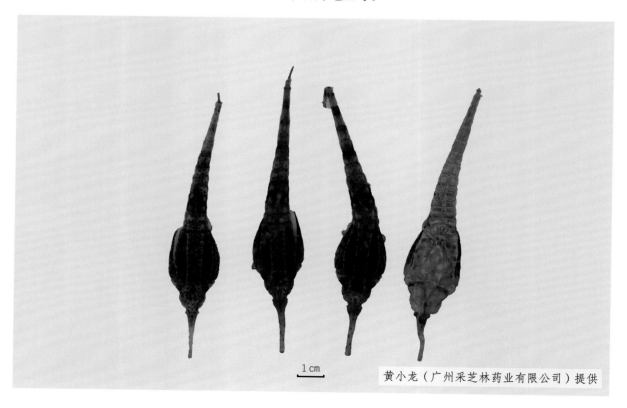

1 cm

黄小龙（广州采芝林药业有限公司）提供

| **资源情况** | 野生资源丰富。药材来源于野生。 |

| **采收加工** | 采捕后除去内脏，洗净，晒干。 |

| **药材性状** | 本品呈扁平钝五角形，颜色多变，具覆瓦状排列的骨板，有 1 ~ 3 筛板，呈粉白色。口面呈橘黄色，中央有口。体盘外周有辐状短腕 5，稀 4 ~ 8。各腕中央反口面具棱，边缘尖锐，口面具步带沟，沟内列生管足 2 列，管足上具吸盘。 |

| **功能主治** | 咸，温。归肾、胃经。补肾阳，祛风湿，制酸止痛。用于阳痿，风湿腰腿痛，胃痛。 |

| **用法用量** | 内服煎汤，9 ~ 15g；或研末。 |

| **附　注** | 本种又名林氏海燕、小五角星，同属动物海燕 *Asterina pectinifera* (Müller et Troschel) 的除去内脏的全体亦作为海燕入药，又名五角星、海五星。 |

角海星科 Goniasteridae 骑士章海星属 Stellaster

骑士章海星
Stellaster equestris Retzius

| 药 材 名 | 海星（药用部位：全体。别名：五角星）。

| 形态特征 | 体呈五角星形，盘大，腕宽，末端尖锐。辐径 6 ~ 7 cm，间辐径 2.4 ~ 2.8 cm。反口面很平，其多角形背板和腹侧板上密生细颗粒，颗粒间常夹杂 1 ~ 2 瓣状叉棘。上缘板 14 ~ 17，大而膨胀，表面密生细颗粒和几个瓣状叉棘；下缘板的形状和数目与上缘板基本相同，各板外侧有一能动的扁且钝的侧棘。侧步带板具沟棘 5 ~ 7，各棘基部有膜相连成掌状。

| 生境分布 | 栖息于浅海带的海底泥沙上。分布于广东沿海地区等。

| 资源情况 | 野生资源丰富。药材来源于野生。

1 cm

黄小龙（广州采芝林药业有限公司）提供

| 采收加工 | 夏、秋季采捕，洗净，晒干。

| 药材性状 | 本品呈五角星形，扁而坚实，盘大，腕宽，末端尖锐。幅径 6 ～ 7 cm。表面黄褐色或浅黄色，有许多颗粒和一些瓣状叉棘。腕末端稍向上或向下弯曲。上缘板和下缘板的形状和数目基本相同，下缘板各板外侧有一能动的扁且钝的侧棘。

| 功能主治 | 咸，平。归肝、胃经。软坚散结，清热，平肝定惊，制酸止痛。用于瘰疬痰核，胃痛泛酸，腹泻，中耳炎，甲状腺肿大。

| 用法用量 | 内服煎汤，9 ～ 15 g；或研末，1.5 ～ 3 g。

| 附　　注 | 本种同科动物中华五角海星 *Anthenea chinensis* (Gray)、蔷薇海星 *Rosater symbolicus* (Sladen) 和槭海星科动物镶边海星 *Craspidaster hesperus* (Muller et Troschel) 的全体亦作为海星入药。

钜蚓科 Megascolecidae 环毛蚓属 *Pheretima*

参环毛蚓

Pheretima aspergillum Perrier

| 药 材 名 | 地龙（药用部位：除去内脏的全体。别名：广地龙、蚯蚓、蛐蟮）。

| 形态特征 | 圆筒形，长 11 ~ 38 cm，直径 1 ~ 2 cm。背部灰紫色，腹部颜色稍淡。头部退化，口在体前端。全体由 100 余体节组成，每节具刚毛 1 圈，第 14 ~ 16 节为生殖环带。雌雄同体；雌生殖孔 1，位于第 14 节腹面正中；雄生殖孔 1 对，位于第 18 节腹面两侧；受精囊孔 3 对，位于第 6/7、7/8、8/9 节间。

| 生境分布 | 栖息于潮湿、疏松的泥土中。广东各地均有分布。

| 资源情况 | 野生资源较丰富。养殖资源丰富。药材来源于养殖。

| **采收加工** | 春季至秋季采捕，剖开腹部，除去内脏及泥沙，洗净，晒干或低温干燥。

| **药材性状** | 本品为长条状薄片，弯曲，边缘略卷，长 15 ~ 20 cm，宽 1 ~ 2 cm。背部棕褐色至紫灰色，腹部浅黄棕色。全体具环节，第 14 ~ 16 环节为生殖环带。体前端稍尖，尾端钝圆，刚毛圈粗糙而硬，色稍浅。体轻，略呈革质，不易折断。

| **功能主治** | 咸，寒。归肝、脾、膀胱经。清热定惊，通络，平喘，利尿。用于高热神昏，惊痫抽搐，关节痹痛，肢体麻木，半身不遂，肺热喘咳，水肿尿少。

| **用法用量** | 内服煎汤，5 ~ 10 g；或入丸、散剂。外用适量，捣烂敷；或研末调敷。

| **附　　注** | 本种同科动物通俗环毛蚓 *Pheretima vulgaris* Chen、威廉环毛蚓 *Pheretima guillelmi* (Michaelsen)、栉盲环毛蚓 *Pheretima pectinifera* Michaelsen 的除去内脏的全体亦作为地龙入药。

1 cm

日本医蛭

Hirudo nipponica Whitman

药 材 名	水蛭（药用部位：全体。别名：蚂蟥、马鳖、肉钻子）。
形态特征	体呈扁长圆柱形，长3～5 cm，宽4～6 mm。背面呈黄绿色或黄褐色，有5黄白色纵纹。腹面平坦，暗灰色，无杂色斑纹。身体各节均有排泄孔，孔开口于腹侧。体环数103。雄生殖孔在第31～32环沟间，雌生殖孔在第36～37环沟间，各孔开口于环与环之间。眼5对，排列成弧形。前吸盘较易见，后吸盘更显著，吸附力强。颚3，颚齿发达。肛门开口于背侧。
生境分布	栖息于水田、沟渠中。广东各地均有分布。
资源情况	野生资源丰富。养殖资源丰富。药材来源于野生和养殖。

| **采收加工** | 夏、秋季采捕，洗净，用石灰或酒闷死，用紫草灰拌，晒干。

| **药材性状** | 本品呈扁长圆柱形，多弯曲扭转，长 2 ~ 5 cm，宽 0.2 ~ 0.3 cm。背部暗绿色或黑棕色，有 5 黄棕色纵线，入水易见。腹面灰绿色。前端稍尖，后端钝圆，两端各具 1 吸盘，后吸盘更显著且较大。体轻脆，断面胶质。气微腥。

| **功能主治** | 咸、苦，平；有毒。归肝经。破血通经，逐瘀消癥。用于血瘀经闭，癥瘕痞块，中风偏瘫，跌仆损伤。

| **用法用量** | 内服煎汤，1 ~ 3 g。孕妇禁用。

| **附　　注** | 本种又名水蛭、线蚂蟥、医用蛭，同科动物宽体金线蛭 *Whitmania pigra* Whitman、柳叶蚂蟥 *Whitmania acranulata* Whitman、丽医蛭 *Hirudo purchra* Song、光润金线蛭 *Whitmania laevis* (Baird)、细齿金线蛭 *Whitmania edentula* (Whitman) 和秀丽金线蛭 *Whitmania gracilis* (Moore) 的全体亦作为水蛭入药。

水蛭科 Hirudinidae 蚂蟥属 Whitmania

柳叶蚂蟥
Whitmania acranulata Whitman

| 药 材 名 | 水蛭（药用部位：全体。别名：蚂蟥、马鳖、肉钻子）。

| 形态特征 | 体呈扁平柳叶形，长 2.5 ~ 2.8 cm，宽 5 ~ 6 mm。背面微凸，棕绿色，有细密的绿黑色斑点组成的纵线 5。腹面浅黄色，甚平坦，散有不规则的暗绿色斑点。眼 10，排列成弧形。前吸盘不显著，后吸盘圆，大。雌、雄生殖孔相距 4 环，均开口于环与环之间。消化道末端两侧各有 1 盲囊。肛门开口于背部末端。

| 生境分布 | 栖息于水田、湖沼中，冬季蛰伏于土中。广东各地均有分布。

| 资源情况 | 野生资源丰富。养殖资源丰富。药材来源于野生和养殖。

1 cm

| 采收加工 | 夏、秋季采捕，用沸水烫死，洗净，用紫草灰拌，或用铁丝串起来，晒干。

| 药材性状 | 本品狭长而扁，宽 0.1 ~ 0.5 cm。两端稍细，均有吸盘，前吸盘不显著，后吸盘圆，大。体节明显或不明显。表面凹凸不平，背、腹两面呈黑色，两端常见加工时穿插晾晒的小孔。质脆，折断面不平坦，无光泽，有泥土气和腥味。

| 功能主治 | 咸、苦，平；有毒。归肝经。破血通经，逐瘀消癥。用于血瘀经闭，癥瘕痞块，中风偏瘫，跌仆损伤。

| 用法用量 | 内服煎汤，1 ~ 3 g。孕妇禁用。

| 附　注 | 本种又名长条水蛭、茶色蛭、牛鳖，同科动物宽体金线蛭 *Whitmania pigra* Whitman、日本医蛭 *Hirudo nipponica* Whitman、丽医蛭 *Hirudo purchra* Song、光润金线蛭 *Whitmania laevis* (Baird)、细齿金线蛭 *Whitmania edentula* (Whitman) 和秀丽金线蛭 *Whitmania gracilis* (Moore) 的全体亦作为水蛭入药。

水蛭科 Hirudinidae 蚂蟥属 *Whitmania*

宽体金线蛭
Whitmania pigra Whitman

| 药 材 名 | 水蛭（药用部位：全体。别名：蚂蟥、马鳖、肉钻子）。

| 形态特征 | 体呈纺锤形，长 6 ~ 12 cm，宽 1.3 ~ 1.4 cm。背面暗绿色，有 5 纵纹，纵纹由黑色和淡黄色两种斑纹间杂排列组成。腹面两侧各有 1 淡黄色纵纹，其余部分为灰白色，杂有茶褐色斑点。体环数 107。前吸盘小。颚齿不发达，不吸血。雄、雌生殖孔各位于第 33 ~ 34、第 38 ~ 39 环沟间。

| 生境分布 | 栖息于水田、湖沼中，冬季蛰伏于土中。广东各地均有分布。

| 资源情况 | 野生资源丰富。养殖资源丰富。药材来源于野生和养殖。

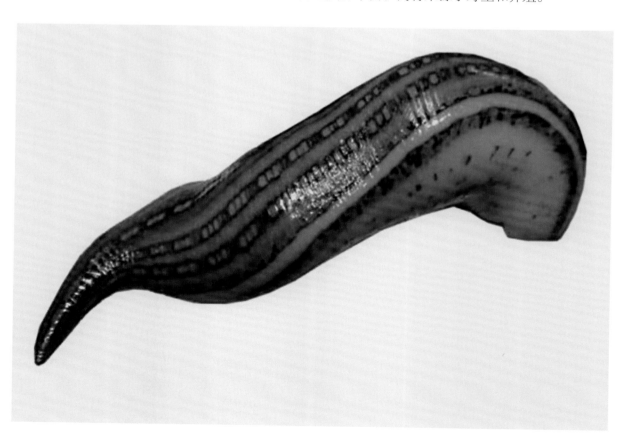

| **采收加工** | 夏、秋季采捕，洗净，用石灰或白酒闷死，或用沸水烫死，晒干或低温干燥。 |

| **药材性状** | 本品呈扁平纺锤形，有多数环节，长 4 ~ 10 cm。背部黑褐色或黑棕色，稍隆起，用水浸后，可见黑色斑点排成 5 纵纹。腹面平坦，棕黄色。两侧棕黄色，前端略尖，后端钝圆，两端各具 1 吸盘，前吸盘不显著，后吸盘较大。质脆，易折断，断面胶质状。气微腥。 |

| **功能主治** | 咸、苦，平；有毒。归肝经。破血通经，逐瘀消癥。用于血瘀经闭，癥瘕痞块，中风偏瘫，跌仆损伤。 |

| **用法用量** | 内服煎汤，1 ~ 3 g。孕妇禁用。 |

| **附　注** | 本种又名宽体蚂蟥、蚂蟥、水蚂蟥，同科动物日本医蛭 *Hirudo nipponica* Whitman、柳叶蚂蟥 *Whitmania acranulata* Whitman、丽医蛭 *Hirudo purchra* Song、光润金线蛭 *Whitmania laevis* (Baird)、细齿金线蛭 *Whitmania edentula* (Whitman) 和秀丽金线蛭 *Whitmania gracilis* (Moore) 的全体亦作为水蛭入药。 |

蜈蚣科 Scolopendridae 蜈蚣属 Scolopendra

少棘巨蜈蚣

Scolopendra subspinipes mutilans L. Koch

| **药 材 名** | 蜈蚣（药用部位：全体。别名：百足、百足虫、千足虫）。

| **形态特征** | 体扁平长条形，长 6 ~ 16 cm，宽 5 ~ 11 mm。头部暗红色或红褐色，两侧有颚肢、触角各 1 对；颚肢强大，末端有毒腺开口；触角细长，多节。躯干 21 节，头板和第一背板金黄色，自第二背板起呈墨绿色或暗绿色，末背板有时近黄褐色，第 4 ~ 9 节背板有 2 不显著的纵沟。胸腹板和步足淡黄色。第 2 ~ 29 节腹板有纵沟。步足 21 对，最末步足最长，呈尾状，前腿节腹面外侧有 2 棘，内侧有 1 棘。

| **生境分布** | 栖息于丘陵地带和多沙土的低山区，喜温暖的地方，常见于林中岩石底或石隙、墙缝中。广东各地均有分布。

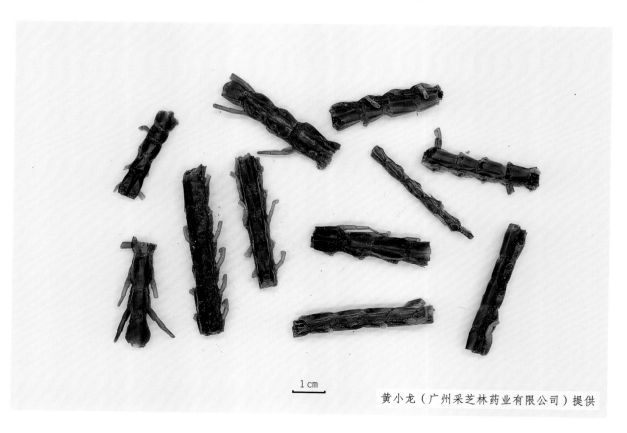

1cm

黄小龙（广州采芝林药业有限公司）提供

| 资源情况 | 野生资源丰富。养殖资源丰富。药材来源于野生和养殖。

| 采收加工 | 野生者于 2 ~ 3 月或夏季采收，人工饲养者于 7 ~ 8 月采收，用两端尖的长竹片插入头尾部，或用沸水烫死，晒干或烘干。

| 药材性状 | 本品呈扁平长条形，长 9 ~ 15 cm，宽 0.5 ~ 1 cm。头部暗红色或红褐色，有颚肢、触角各 1 对。躯干 21 节，第一背板与头板同色，余 20 背板为棕绿色或墨绿色，第四背板至第二十背板上有 2 纵沟线。腹部淡黄色或棕黄色。步足 21 对，黄色或红褐色，最末 1 对步足尾状，易脱落。

| 功能主治 | 辛，温；有毒。归肝经。息风止痉，攻毒散结，通络止痛。用于肝风内动，痉挛抽搐，惊风，中风口歪，半身不遂，破伤风，风湿顽痹，偏正头痛，疮疡，瘰疬，蛇虫咬伤。

| 用法用量 | 内服煎汤，3 ~ 5 g；或研末，0.5 ~ 1 g；或入丸、散剂。外用适量，研末撒，或调敷，或浸油涂。孕妇禁用。

| 附　注 | 本种又名金头蜈蚣、少棘蜈蚣，同科动物多棘蜈蚣 *Scolopndra subspinipes multidens* (Newport)、黑江蜈蚣 *Scolopendra moiiangica* Zhang et Chi、模棘蜈蚣 *Scolopendra subspinipes* Leach、哈氏蜈蚣 *Scolopendra dehaani* Brandt、马氏蜈蚣 *Scolopendra mazbii* gravely 等的全体亦作为蜈蚣入药。

蝉科 Cicadidae 蚱蝉属 *Cryptotympana*

华南蚱蝉 *Cryptotympana mandarina* Dist.

| 药 材 名 | 蝉蜕（药用部位：若虫羽化时蜕落的皮壳。别名：蝉退、蝉衣、虫蜕）。

| 形态特征 | 体粗壮，黑色，带光泽，雄虫长 4.4 cm，雌虫长 4 cm。复眼暗褐色，单眼红棕色。头部与胸部等宽。头冠前缘的冠面相交处有 4 黄色斑点。中胸背板发达，后端有一 "X" 形隆起，均为黑色。前翅基部 1/2 处有烟褐色斑，后翅基部烟黑色。足 3 对，前足股节中部褐黄色，中足胫节中部下缘黑褐色，后足股节中部棕褐色。

| 生境分布 | 栖息于杨树、柳树、榆树、槐树、枫杨树等汁液较多的树上。广东各地均有分布。

| 资源情况 | 野生资源丰富。养殖资源丰富。药材来源于野生和养殖。

| 采收加工 | 夏、秋季在蝉所栖息的树干上或树下附近的地面采收，去净泥杂，晒干。

| 药材性状 | 本品略呈椭圆形而弯曲，长约 3.5 cm，宽约 2 cm。表面黄棕色，半透明，有光泽。头部触角 1 对；复眼突出；口吻发达，上唇宽短，下唇伸长成管状。背部呈"十"字形裂开，脊背两旁具小翅 2 对。腹部钝圆。足 3 对。体轻，中空，易碎。

| 功能主治 | 甘，寒。归肺、肝经。疏风散热，透疹，利咽，明目退翳，解痉。用于风热感冒，咽痛音哑，麻疹不透，风疹瘙痒，目赤翳障，惊风抽搐，破伤风。

| 用法用量 | 内服煎汤，3 ~ 6 g；或入丸、散剂。外用适量，煎汤洗；或研末调敷。

| 附　注 | 本种同科动物鸣蝉 *Oncotympana maculaticollis* Motsch.、朝鲜黑背鸣蝉 *Oncotympana coreana* Kato.、黑蚱蝉 *Cryptotympana pustulata* Fabricius、蚱蝉 *Cryptotympana atrata* Fabricius、山蝉 *Cicada flammata* Dist. 等的若虫羽化时蜕落的皮壳亦作为蝉蜕入药。

蝉科 Cicadidae 蚱蝉属 *Cryptotympana*

黑蚱蝉
Cryptotympana pustulata Fabricius

| 药 材 名 | 蝉蜕（药用部位：若虫羽化时蜕落的皮壳。别名：蝉退、蝉衣、虫蜕）。

| 形态特征 | 体大，黑色，带光泽，雄虫长4.4～4.8 cm，翅展约12.5 cm，雌虫稍短。复眼1对，大型，2复眼间有单眼3；触角1对；口器发达，刺吸式，唇基梳状，上唇宽短，下唇延长成管状。胸部发达，后胸腹板上有一显著的锥状突起，突起向后延伸。足3对。翅2对，膜质，黑褐色，基部黄绿色。腹部7节，雄蝉腹部第1节间有发音器官，雌蝉同一部位有听器。

| 生境分布 | 栖息于杨树、柳树、榆树、槐树、枫杨树等树上。广东各地均有分布。

| 资源情况 | 野生资源较多。药材来源于野生。

1 cm

| 采收加工 | 夏、秋季在蝉所栖息的树干上或树下附近的地面采收，去净泥杂，晒干。

| 药材性状 | 本品略呈椭圆形而弯曲，长约 3.5 cm，宽约 2 cm。表面黄棕色，半透明，有光泽。头部触角 1 对；复眼突出；口吻发达，上唇宽短，下唇延长成管状。背部呈"十"字形裂开，脊背两旁具小翅 2 对。腹部钝圆。足 3 对。体轻，中空，易碎。

| 功能主治 | 甘，寒。归肺、肝经。疏风散热，透疹，利咽，明目退翳，解痉。用于风热感冒，咽痛音哑，麻疹不透，风疹瘙痒，目赤翳障，惊风抽搐，破伤风。

| 用法用量 | 内服煎汤，3～6 g；或入丸、散剂。外用适量，煎汤洗；或研末调敷。

| 附 注 | 本种同科动物寒蝉 *Meimuna opalifera* (Walker)、朝鲜黑背鸣蝉 *Oncotympana coreana* Kato.、鸣蝉 *Oncotympana maculaticollis* Motsch.、华南蚱蝉 *Cryptotympana mandarina* Dist.、蚱蝉 *Cryptotympana atrata* Fabricius 和山蝉 *Cicada flammata* Dist. 等的若虫羽化时蜕落的皮壳亦作为蝉蜕入药。

蝉科 Cicadidae 红娘子属 *Huechys*

黑翅红蝉 *Huechys sanguinea* De gteer.

| **药 材 名** | 红娘子（药用部位：全体。别名：红娘、红娘虫、红女）。

| **形态特征** | 体较大，长 1.5 ~ 2.5 cm，宽 5 ~ 7 mm。头黑色；复眼褐色，突出，呈半球形，单眼 3，淡红色，基部全被黑色长毛。胸部黑色，中胸背两侧有一较大的朱红色斑块。前翅黑色，翅脉黑褐色；后翅淡褐色，透明，翅脉黑褐色。腹部朱红色，有 8 环节，被褐色毛，基部宽，向末端渐窄成塔状，腹面左右各有 1 发音器。雌虫尾部有黑褐色产卵管。

| **生境分布** | 栖息于草间、低矮的树丛中。广东各地均有分布。

| 资源情况 | 野生资源较多。药材来源于野生。

| 采收加工 | 夏、秋季采捕，晒干或烘干。

| 药材性状 | 本品呈长圆形，似蝉而形较小，长 1.5 ～ 2.5 cm，宽 0.5 ～ 0.7 cm。头黑色，嘴红色，复眼大而突出。颈部和胸部棕黑色，两肩红色。背部有 2 对黑棕色膜质翅，内翅薄而透明，具明显的细纹。足 3 对，多脱落。腹部红色，具 8 环节。尾部尖。体轻，质脆。

| 功能主治 | 苦、辛，平；有大毒。归心、肝、胆经。攻毒，祛瘀，破积。用于血瘀经闭，狂犬咬伤；外用于瘰疬，癣疮。

| 用法用量 | 内服煎汤，0.15 ～ 0.3 g；或研末，入丸、散剂。外用适量，研末敷。

| 附　　注 | 本种同科动物短翅红娘子 *Huechys thoracica* Distant、褐翅红娘子 *Huechys philaemata* Fabricius 等的全体亦作为红娘子入药。

蝽科 Pentatomidae 兜蝽属 Aspongopus

九香虫 *Aspongopus chinensis* Dallas

| 药 材 名 | 九香虫（药用部位：全体。别名：臭屁虫、放屁虫、酒香虫）。

| 形态特征 | 全体扁椭圆形，长 1.7 ~ 2.2 cm，宽 1.0 ~ 1.2 cm，紫黑色，带铜色光泽。头小，略呈三角形；复眼突出，卵圆形，单眼 1 对；喙较短，触角 5 节。前胸背板及小盾片均具不规则的横皱纹。翅 2 对，前翅为半鞘翅，棕红色，翅末 1/3 膜质。足 3 对，后足最长。腹部棕红色或棕黑色，腹面密布细刻及皱纹，后胸腹板近前缘区有 2 臭孔，由此放出臭气。

| 生境分布 | 栖息于土块、石块及石缝中。广东各地均有分布。

| 资源情况 | 野生资源丰富。药材来源于野生。

1 cm

彭刚（广东岭南药业有限公司）提供

| 采收加工 | 春、秋季采捕，放于罐内，加酒闷死，或用沸水烫死，晒干或烘干。

| 药材性状 | 本品略呈六角状扁椭圆形，长 1.6 ~ 2 cm，宽约 1 cm，棕褐色或棕黑色，略有光泽。头小，略呈三角形，复眼突出，触角多脱落。翅 2 对，前翅基部较硬，后翅膜质。足 3 对，多脱落。腹部棕红色至棕黑色，每节近边缘处有凸起的小点。气特异。

| 功能主治 | 咸，温。归肝、脾、肾经。温中助阳，理气止痛。用于胃寒胀痛，肝胃气痛，肾虚阳痿，腰膝酸痛。

| 用法用量 | 内服煎汤，3 ~ 9 g；或入丸、散剂，0.6 ~ 1.2 g。

| 蜚蠊科 | Blattidae | 蜚蠊属 | *Blatta*

澳洲蜚蠊

Blatta australasiae Fabricius

| **药材名** | 蟑螂（药用部位：全体。别名：蜚、蜚蠊、飞蠊）、游虫珠（药用部位：粪便。别名：游虫屎、甲由屎、蟑螂粪）。

| **形态特征** | 体椭圆形。背腹扁平，褐棕色，长约 3.5 cm。头小，多位于前胸下面；触角长丝状，100 余节。前胸背板中央有 2 大黑斑，边缘有黄色宽带纹。前翅大，革质，翅脉赤褐色，前缘有 1 黄色带纹；后翅小，膜质，常折叠于前翅下。足侧扁而长，3 对，具刺，跗 5 节。胸部腹板淡黄色。腹部腹板棕褐色，腹部背板与腹板交接处呈波纹状黑色边缘。尾须锥状。

| **生境分布** | 栖息于温暖潮湿、有食物的地方。广东各地均有分布。

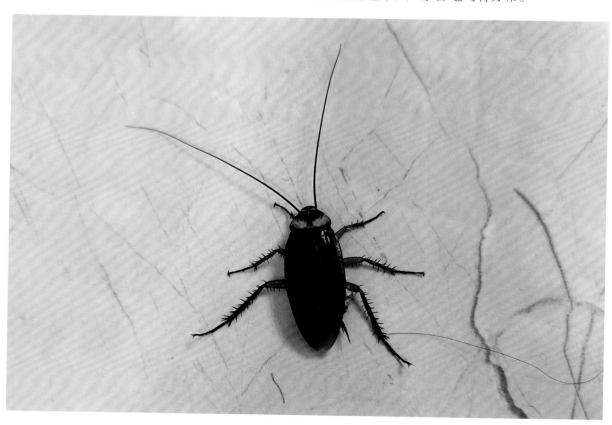

资源情况	野生资源丰富。养殖资源丰富。药材来源于野生和养殖。
采收加工	**蟑螂**：全年均可采捕，夏季较多，用开水烫死，晒干、烘干或鲜用。 **游虫珠**：全年均可采收。
药材性状	**蟑螂**：本品呈椭圆形，背腹扁平，褐棕色，长约 3.5 cm。头小，斜向腹面；触角 1 对。前胸扩大如盾状，盖于头上；前胸背板中央有 2 大黑斑，边缘有黄色宽带纹。足 3 对，具刺，跗 5 节。翅 2 对，掩盖腹端。腹末具尾须 1 对。 **游虫珠**：本品为灰黑色小颗粒，略呈圆柱形，两端圆，长约 1 mm。
功能主治	**蟑螂**：咸，寒。归肝、脾、肾经。活血散瘀，解毒消积，利水消肿。用于癥瘕积聚，疳积，脚气病，水肿；外用于疔疮肿毒，蛇虫咬伤。 **游虫珠**：苦、咸，寒。归脾、胃经。健脾消积。用于疳积。
用法用量	**蟑螂**：内服煎汤，0.5 ~ 1.5 g 或 1 ~ 3 只；或研末。外用适量，捣敷。 **游虫珠**：内服研末，0.5 ~ 1 g。
附　注	本种同科动物美洲蜚蠊 *Periplaneta americana* (Linnaeus)、东方蜚蠊 *Blatta orientalis* Linnaeus、日本大蠊 *Periplaneta japonica* Karny 的全体亦作为蟑螂入药。

蜚蠊科 Blattidae 蜚蠊属 Blatta

东方蜚蠊 *Blatta orientalis* Linnaeus

药 材 名	蟑螂（药用部位：全体。别名：蜚、蜚蠊、飞蠊）、游虫珠（药用部位：粪便。别名：游虫屎、甲由屎、蟑螂粪）。
形态特征	体椭圆形。背腹扁平，长 1.8 ~ 3 cm，黑色或暗褐色，具光泽。头小，弯向腹面，多数隐藏于前胸下面；触角长丝状，100 余节。雄虫前翅覆盖腹部约 2/3，左右翅相互叠置，翅末端多呈截状；雌虫前翅退化成 2 小片，左右分开，后翅消失。腹部 10 节，末端有尾须 1 对。肛上板横阔，呈梯形，有 1 缺刻。足 3 对，多毛，跗 5 节。
生境分布	栖息于温暖潮湿、有食物的地方。广东各地均有分布。
资源情况	野生资源丰富。养殖资源丰富。药材来源于野生和养殖。
采收加工	**蟑螂**：全年均可采捕，夏季较多，用开水烫死，晒干、烘干或鲜用。 **游虫珠**：全年均可采收。
药材性状	**蟑螂**：本品呈椭圆形，背腹扁平，长 1.8 ~ 3 cm，深褐色，带光泽。头小，弯向腹面；长丝状触角 1 对。前胸背板大于中、后胸背板。雄虫前翅覆盖腹部约 2/3；雌虫前翅退化成 2 小片，左右分开。足 3 对，多毛，胫节及跗节均长。腹部 8 ~ 10 节，尾须 1 对。 **游虫珠**：本品为灰黑色小颗粒，略呈圆柱形，两端圆，长约 1 mm。
功能主治	**蟑螂**：咸，寒。归肝、脾、肾经。活血散瘀，解毒消积，利水消肿。用于癥瘕积聚，疳积，脚气病，水肿；外用于疔疮肿毒，蛇虫咬伤。 **游虫珠**：苦、咸，寒。归脾、胃经。健脾消积。用于疳积。

| 用法用量 | **蟑螂**：内服煎汤，0.5 ~ 1.5 g 或 1 ~ 3 只；或研末。外用适量，捣敷。
游虫珠：内服研末，0.5 ~ 1 g。

| 附　　注 | 本种同科动物美洲蜚蠊 *Periplaneta americana* (Linnaeus)、澳洲蜚蠊 *Blatta australasiae* Fabricius 等的全体亦作为蟑螂入药。

姬蠊科 Blattellidae 土鳖属 Opisthoplatia

金边土鳖 *Opisthoplatia orientalis* Burmeister

| 药 材 名 | 土鳖虫（药用部位：全体。别名：金边土鳖、东方后片蠊、赤边水蠊）。

| 形态特征 | 体扁平，卵圆形。背部黑褐色，带光泽。雌虫体长 3.5 ~ 4.5 cm；雄虫体小，长 2.5 ~ 3.5 cm。前胸背板甚发达，略呈三角形，盖住头部，前缘和侧缘有弧形金黄色镶边。头小，棕褐色，有稀疏的银白色短毛；眼不发达，眼间距宽。雄虫有翅；雌虫翅退化。足棕褐色，胫 5 节。雄虫腹部 8 节；雌虫腹部 7 节，最末腹节呈半月形而向后缘内陷。尾须粗短。

| 生境分布 | 栖息于有机质丰富、阴暗潮湿的场所。分布于广东南澳、惠阳、番禺、从化、五华、蕉岭、翁源、廉江及茂名（市区）、珠海（市区）、

1 cm

佛山（市区）、中山等。

| **资源情况** | 野生资源一般。养殖资源丰富。药材来源于野生和养殖。

| **采收加工** | 夏、秋季采捕，置沸水中烫死，晒干或烘干。

| **药材性状** | 本品呈长卵形，扁平，长 3 ~ 3.5 cm，宽 1.5 ~ 2.5 cm。背部黑棕色，带光泽，似壳状小鳖。前胸背板边缘有一黄色镶边。背部有 10 节，第 1 节较宽，余 9 节边缘红棕色，每节具锯齿，第 2、3 节两侧有退化翅基。腹部红棕色。足 3 对。

| **功能主治** | 咸，寒；有小毒。归肝经。破瘀血，续筋骨。用于跌打骨折，瘀血经闭，癥瘕积聚。

| **用法用量** | 内服煎汤，3 ~ 9 g。孕妇忌服。

| **附 注** | （1）鳖蠊科动物地鳖 *Eupolyphaga sinensis* Walker、冀地鳖 *Steleophaga plancyi* Boleny 的雌虫全体亦作为土鳖虫入药。
（2）药材龙虱，为龙虱科动物东方潜龙虱 *Cybister tripunctatus orentalis* Gschwendtner 的全体，其性味、功效与本品差异悬殊，为土鳖虫伪品，使用时应注意鉴别。

鳖蠊科　Corydiidae　真地鳖属　*Eupolyphaga*

地鳖

Eupolyphaga sinensis Walker

| 药 材 名 | 土鳖虫（药用部位：雌虫全体。别名：地鳖虫、土元、地乌龟）。

| 形态特征 | 雌虫体卵圆形，扁平，长 1.3 ～ 3.5 cm，宽 1.2 ～ 2.4 cm。前狭后宽。背板 12 节，黑色，带光泽，无翅。胸、腹部背板隆起，盖住头部。头小；丝状触角 1 对；复眼大，肾形，绕于触角基部。前胸背面密被细短毛，中央有规则的细小花纹。胸足 3 对，前足胫节末端有 8 刺，1 刺单独位于中部下缘。腹面深棕色，有横环节 9，第 1 节窄，第 8、9 节缩入第 7 节。

| 生境分布 | 栖息于阴湿处及墙角松土中。广东各地均有分布。

| 资源情况 | 野生资源一般。养殖资源丰富。药材来源于野生和养殖。

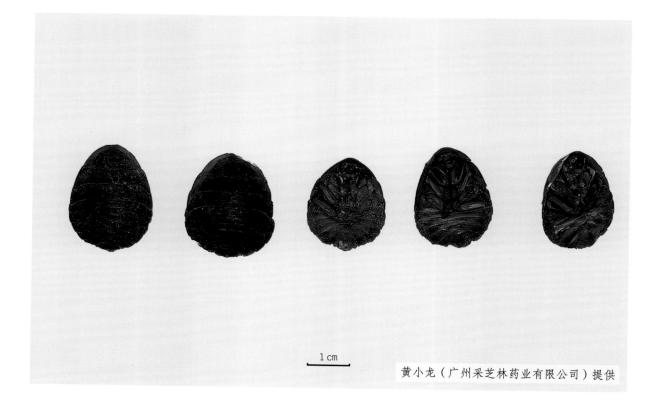

1 cm

黄小龙（广州采芝林药业有限公司）提供

| 采收加工 | 夏、秋季采捕，置沸水中烫死，晒干或烘干。

| 药材性状 | 本品呈卵形，扁平，长 1.3 ～ 3 cm，宽 1.2 ～ 2.4 cm。前端较窄，后端较宽。背部紫褐色，具光泽，无翅。前胸背板较发达，盖住头部；腹部背板 9 节，呈覆瓦状排列。头部较小，有丝状触角 1 对，触角常脱落。胸部有足 3 对，具细毛和刺。腹面红棕色，腹部有横环节。

| 功能主治 | 咸，寒；有小毒。归肝经。破血逐瘀，续筋接骨。用于跌打损伤，筋伤骨折，血瘀经闭，产后瘀阻腹痛，癥瘕痞块。

| 用法用量 | 内服煎汤，3 ～ 9 g。孕妇忌服。

| 附　　注 | 本种又名中华真地鳖、中华地鳖，同科动物冀地鳖 *Steleophaga plancyi* Boleny 的雌虫全体和姬蠊科动物金边土鳖 *Opisthoplatia orientalis* Burmeister 的全体亦作为土鳖虫入药，后者为广东历来惯用品种。此外，本种同科动物云南真地鳖 *Eupolyphaga limbata* Kirby 和西藏真地鳖 *Eupolyphaga thibetana* Chopard 等，亦具有相似的功效。

蚕蛾科 Bombycidae 家蚕属 Bombyx

家蚕 *Bombyx mori* Linnaeus

| 药 材 名 | 僵蚕（药用部位：幼虫感染白僵菌而僵死的全体）、蚕砂（药用部位：幼虫粪便）。

| 形态特征 | 长圆筒形。头部外包灰褐色骨质头壳。胸部3环节各有1对胸足。腹部10环节，有4对腹足和1对尾足，第8节背面中央有1尾角。第1胸节和第1～8腹节体侧各有1对气门。

| 生境分布 | 栖息于阴凉避光处。广东各地均有分布。

| 资源情况 | 药材来源于养殖。

| 采收加工 | **僵蚕：** 春、秋季采收，倒入石灰中拌匀，吸去水分，晒干或烘干。
蚕砂： 采收后晾干或晒干。

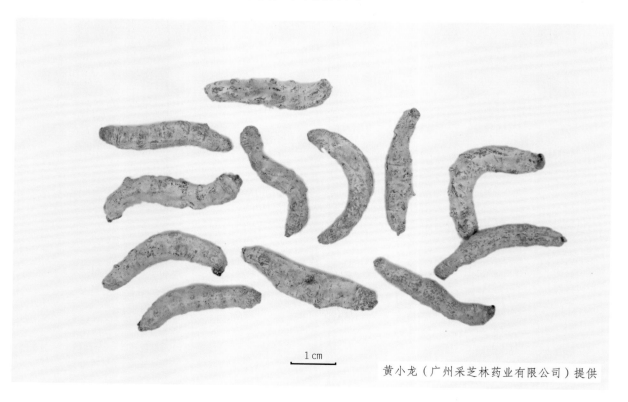

1 cm

黄小龙（广州采芝林药业有限公司）提供

| 药材性状 |　**僵蚕**：本品略呈圆柱形，多弯曲皱缩，长 2～5 cm，直径 0.5～0.7 cm。表面灰黄色，被白色粉霜状气生菌丝和分生孢子。头部较圆，足 8 对，体节明显，尾部略呈二分歧状。质硬而脆，易折断，断面平坦，外层白色，中间有亮棕色或亮黑色的丝腺环 4。气微腥，味微咸。

蚕砂：本品为短圆柱形小粒，长 2～5 mm，直径 1.5～3 mm。表面灰黑色，粗糙，有 6 明显的纵棱及 3～4 横向浅纹。两端略平坦，呈六棱形。质坚而脆，遇潮后易散碎。微有青草气。

| 功能主治 |　**僵蚕**：咸、辛，平。归肝、肺、胃经。息风止痉，祛风止痛，化痰散结。用于肝风夹痰，惊痫抽搐，急惊风，破伤风，中风口歪，风热头痛，目赤咽痛，风疹瘙痒，痄腮等。

蚕砂：甘、辛，温。归肝、脾经。祛风除湿，活血定痛。用于风湿痹痛，风疹瘙痒，头风，皮肤不仁，关节不遂，吐泻转筋，腰脚冷痛，烂弦风眼等。

| 用法用量 |　**僵蚕**：内服煎汤，5～10 g；或入散剂。

蚕砂：内服煎汤，15～25 g；或入丸、散剂。外用适量，炒熨；或煎汤洗；或研末调敷。

蚁蛉科 Myrmeleontidae 蚁蛉属 Myrmeleon

蚁蛉
Myrmeleon formicarius Linn.

| 药 材 名 | 金沙牛（药用部位：幼虫）。

| 形态特征 | 体宽 2 ~ 3.5 mm，灰黑色，并有淡黄色斑纹，大小随龄期而改变，体躯粗壮，背面隆起。头和前胸很小，腹部膨大。口器发达，上颚长而弯，呈镰刀状，内侧有 3 齿，两侧边缘有强大的刚毛。复眼小，黑色，位于头部前方两侧。前胸细而窄，呈颈状。足细长，淡黄色，被黑色长毛。每体节两侧均有散生和丛生的黑色毛。腹背中央有 1 黑色纵线，两侧有黑色斑印。

| 生境分布 | 栖息于没有风雨侵袭的极松的沙地上。广东各地均有分布。

| 资源情况 | 野生资源较少。养殖资源较少。药材来源于养殖。

| **采收加工** | 春、秋季采捕，置沸水中烫死，晒干。

| **药材性状** | 本品呈土黄色及污褐色，有黑褐色花纹，多为半透明的躯壳，内脏部分极少。

| **功能主治** | 辛、咸，平；有毒。解热通淋，截疟杀虫，软坚消积，拔毒去腐，泻下通便。用于石淋，疟母，癥瘕，阴疽久溃不敛等。

| **用法用量** | 内服研末，1 ～ 1.5 g 或 3 ～ 10 只。外用适量，研末撒；或捣敷。

| **附　　注** | 本种同科动物黄足蚁蛉 *Hagenomyia micans* (Maclachlan) 的幼虫亦作为金沙牛入药。

蚁蛉科 Myrmeleontidae 哈蚁蛉属 Hagenomyia

黄足蚁蛉 *Hagenomyia micans* (Maclachlan)

| **药 材 名** | 金沙牛（药用部位：幼虫）。

| **形态特征** | 虫体瘦长，似蜻蜓，长 32 mm，翅展 73 mm。头部黑色，明显宽于前胸，顶部有 2 黄色斑；口器黄色；复眼褐色，呈钢盔状；触角棒状，柄节黄色。前胸黄色，有黄色长毛，背面有 2 宽的褐色纵带；中、后胸黑色，明显大于前胸。足黄色，并有黄色长毛。翅透明，有淡彩色反光，膜质，柔弱，上、下缘及外缘有黄色毛，翅脉黄色，前、后翅的形状、大小和翅脉均相似。腹部细长，黑色，有黄色毛。幼虫形似蜘蛛，长 6 ~ 18 mm，土黄色至污白色，有黑褐色花纹，身上有散生和丛生的黑褐色硬毛；头部有钳状颚 1 对；无翅；胸足 3 对；腹部较大。

| 生境分布 | 栖息于干燥沙地上。广东各地均有分布。

| 资源情况 | 野生资源较少。养殖资源较少。药材来源于养殖。

| 采收加工 | 春、秋季采捕，置沸水中烫死，晒干。

| 药材性状 | 本品呈土黄色及污褐色，有黑褐色花纹，多为半透明的躯壳，内脏部分极少。

| 功能主治 | 咸、辛，温；有小毒。利水通淋，消肿拔毒，截疟。用于石淋，疟疾，尿路结石，胆结石；外用于疔疮，瘰疬。

| 用法用量 | 内服研末，1 ~ 1.5 g 或 3 ~ 10 只。外用适量，研末撒；或捣敷。

| 附　　注 | 本种同科动物蚁蛉 *Myrmeleon formicarius* Linn. 的幼虫亦作为金沙牛入药。

胡蜂科 Vespoidea 长脚黄蜂属 Polistes

黄星长脚蜂 *Polistes mandarinus* Saussure

| 药 材 名 | 蜂房（药用部位：蜂巢）。

| 形态特征 | 雌蜂黑色，长 20 ~ 25 mm。头三角形；复眼 1 对，单眼 3；触角 1 对；颜面、头顶、后头、唇基、上颚及颊部均有黄褐色斑纹。胸部有刻点，前胸背板后缘及中胸背板中部有 2 黄色纵线。翅 2 对，前翅较后翅大。胸腹节呈黑色，有 4 黄褐色纵线。腹部纺锤形，各腹节中央有黑色纵线，尾端有毒针。足 3 对，细长，黄褐色。飞行时常伸长 6 足，呈下垂状。

| 生境分布 | 营巢于树木上或屋檐下，喜群栖。广东各地均有分布。

| 资源情况 | 野生资源一般。药材来源于野生。

| 采收加工 | 10 ~ 12 月采收，晒干，倒出死蜂，除去杂质，剪成块状。

| 药材性状 | 本品完整者呈盘状、莲蓬状或重叠形似宝塔状，商品多破碎成不规则扁块状，大小不一。表面灰白色或灰褐色。腹面有多数整齐的六角形房孔，孔径 3 ~ 4 mm 或 6 ~ 8 mm；背面有 1 或数个黑色突出的柄。体轻，质韧，略有弹性。气微，味辛、淡。

| 功能主治 | 甘，平；有毒。祛风止痛，解毒杀虫。用于风痹，头风，鹅掌风；外用于皮肤瘙痒，疮肿疥癣，龋齿痛。

| 用法用量 | 内服煎汤，5 ~ 10 g；或研末，2 ~ 5 g。外用适量，煎汤洗；或研末撒或调敷。

胡蜂科 Vespoidea 长脚黄蜂属 Polistes

梨长脚蜂 *Polistes hebraeus* Fabr.

| 药 材 名 | 蜂房（药用部位：蜂巢。别名：露蜂房、黄蜂窝）。

| 形态特征 | 雌蜂体长 2 ~ 2.4 cm。头部黄色，所有缝线均为黑色；触角背面黑褐色，末端几节褐色；唇基桃形，黄色；大颚发达，有 4 齿；额顶上 2 复眼间黑色，其后有 2 宽的黄斑。前胸背板前缘和后缘黄色；中胸背板有 2 宽的褐色条纹和 2 浅的平行凹纵线；胸部两侧黑色与褐色交杂；小盾片和后小盾片褐色，周围的缝均为黑色。前足腿节基部 1/3 黑色，后足腿节 2/3 黑色，其余黄褐色，中部有一横的波纹状黑线。第 3 ~ 5 腹节常有波状黑线，第 2 腹节有一横的波状黑线。

| 生境分布 | 栖息于树木、屋檐或房屋附近的裂缝内，喜群栖。广东各地均有分布。

| 资源情况 | 野生资源一般。药材来源于野生。

| 采收加工 | 秋末冬初采收，晒干或略蒸，除去死蜂，晒干。

| 药材性状 | 本品多呈莲房状，扁平，房体仅一层，较小，直径 5 ~ 6 cm，顶端有 1 房柄。外表灰黄色或灰青色，房孔较小。体轻，质软，具弹性。

| 功能主治 | 甘，平；有毒。祛风止痛，解毒杀虫。用于风痹，头风，鹅掌风；外用于皮肤瘙痒，疮肿疥癣，龋齿痛。

| 用法用量 | 内服煎汤，5 ~ 10 g；或研末，2 ~ 5 g。外用适量，煎汤洗；或研末撒，或调敷。

中华蜜蜂 *Apis cerana* Fabricius

| **药 材 名** | 蜂蜜（药用部位：在蜂窝中酿成的蜜）、蜂蜡（药用部位：工蜂分泌的蜡质）。 |

| **形态特征** | 蜂群由蜂王、工蜂及雄蜂组成。蜂王体较大，长 18 ～ 22 mm，黑色、棕红色，被黑色及深黄色混杂的绒毛。工蜂长 10 ～ 13 mm；头部呈三角形；胸部有 2 对膜质透明的翅和 3 对足；腹部圆锥状，末端有毒腺和螫针，腹面有 4 对蜡腺，可分泌蜡质。雄蜂较工蜂稍大，长 11 ～ 14 mm；头部呈球形；尾无毒腺和螫针；腹部无蜡腺。 |

| **生境分布** | 栖息于树洞或岩石缝隙洞中。广东各地均有养殖。 |

| **资源情况** | 野生资源一般。养殖资源较丰富。药材来源于养殖。 |

| 采收加工 | **蜂蜜**：春、夏、秋季采收，过滤。
蜂蜡：采收后将蜂巢置水中加热，过滤，冷凝，或再精制而成。

| 药材性状 | **蜂蜜**：本品为稠厚的液体，白色至淡黄色或橘色至琥珀色。夏季如清油状，半透明，有光泽，冬季不透明，有颗粒状结晶析出，状如鱼子。气芳香，味极甜。
蜂蜡：本品为不规则团块，大小不一，呈黄色、淡黄棕色或黄白色，不透明或微透明，表面光滑。体较轻，蜡质，断面砂粒状，用手搓捏能软化。有蜂蜜样香气，味微甘。

| 功能主治 | **蜂蜜**：甘，平。补中，润燥，止痛，清热。用于脘腹虚痛，肺燥咳嗽，肠燥便秘，目赤，口疮，溃疡不敛，风疹瘙痒，水火烫伤，手足皲裂。
蜂蜡：甘，微温。收涩，敛疮，止痛，生肌。用于溃疡不敛，臁疮糜烂，外伤破溃，烫火伤。

| 用法用量 | **蜂蜜**：内服冲调，15 ~ 20 g；或入丸、膏剂。外用适量，涂敷。
蜂蜡：外用适量，溶化敷。

| 附　　注 | 本种同科动物意大利蜂 *Apis mellifera* Linn. 在蜂窝中酿成的蜜和工蜂分泌的蜡质亦作为蜂蜜、蜂蜡入药。

| 蜜蜂科 | Apidae | 蜜蜂属 | Apis

意大利蜂 *Apis mellifera* Linn.

| 药 材 名 | 蜂蜜（药用部位：在蜂窝中酿成的蜜）、蜂蜡（药用部位：工蜂分泌的蜡质）、蜂胶（药用部位：工蜂采集的植物树脂与其分泌物混合形成的黏性固体胶状物）。

| 形态特征 | 雌蜂腹部一般呈棕黄色，末端多呈黑色。工蜂体长 12 ～ 14 mm，腹部有 3 或 5 金黄色环节。雄蜂体长 15 ～ 17 mm，体格粗壮，头、尾近圆形。

| 生境分布 | 栖息于树洞或岩石缝隙洞中。广东各地均有分布。

| 资源情况 | 野生资源一般。养殖资源较丰富。药材来源于野生和养殖。

| 采收加工 | **蜂蜜**：春季至秋季采收，过滤。
蜂蜡：春、秋季采收，将取去蜂蜜后的蜂巢置水中加热，过滤，冷凝，或再精制而成。
蜂胶：在温暖季节每隔 10 天左右开箱检查蜂群时采收，紧捏成球形，包上一层蜡纸，置凉爽处收藏。

| 药材性状 | **蜂蜜**：本品为半透明、带光泽、浓稠的液体，白色至淡黄色或橘黄色至黄褐色，久置或遇冷时渐有白色颗粒状结晶析出。气芳香，味极甜。
蜂蜡：本品为不规则团块，大小不一，呈黄色、淡黄棕色或黄白色，不透明或微透明，表面光滑。体较轻，蜡质，断面砂粒状，用手搓捏能软化。有蜂蜜样香气，味微甘。
蜂胶：本品为黄褐色或黑褐色树脂状团块，具黏性。气芳香。

| 功能主治 | **蜂蜜**：甘，平。归脾、胃、大肠经。补中，润燥，止痛，解毒，生肌敛疮。用于脘腹虚痛，肺燥干咳，肠燥便秘，乌头中毒；外用于疮疡不敛，水火烫伤等。
蜂蜡：甘，微温。归脾经。解毒，敛疮，生肌，止痛。用于溃疡不敛，臁疮糜烂，外伤破溃，烫火伤等。
蜂胶：苦、辛，寒。归脾、胃经。补虚弱，化浊脂，止消渴，解毒消肿，收敛生肌。用于体虚早衰，高脂血症，消渴等；外用于皮肤皲裂，烫火伤等。

| 用法用量 | **蜂蜜**：内服冲调，15 ~ 20 g；或入丸、膏剂。外用适量，涂敷。
蜂蜡：外用适量，溶化敷。
蜂胶：内服制成片剂或醇浸液，1 ~ 2 g。外用适量，制成酊剂或软膏涂敷。

| 附 注 | 本种同科动物中华蜜蜂 *Apis cerana* Fabricius 在蜂窝中酿成的蜜和工蜂分泌的蜡质亦作为蜂蜜、蜂蜡入药。

木蜂科 Xylocopidae 木蜂属 *Xylocopa*

木蜂 *Xylocopa dissmilis* Lepel

| **药 材 名** | 竹蜂（药用部位：全体）。

| **形态特征** | 体形钝圆，肥大，长约 25 mm，黑色，密生柔软的黑色绒毛。复眼 1 对；触角稍弯曲。胸部背面密生黄色毛。翅紫蓝色，基部色泽较深，翅端色泽较淡，全翅显金色光辉。足 3 对，黑色而短。

| **生境分布** | 栖息于竹类茎竿中。广东各地均有分布。

| **资源情况** | 野生资源一般。药材来源于野生。

| **采收加工** | 秋、冬季蜂群居竹内时采捕，晒干，或用盐水腌浸贮存。

| **药材性状** | 本品粗大，黑色，有光泽。雌虫胸前有浓密的黑色长毛，雄虫胸前有一带状浓密的淡黄色绒毛。翅基部蓝紫色，向外缘顶部变铜色，有金属样光泽。 |

| **功能主治** | 甘、酸，寒。清热化痰，利咽止痛，祛风定惊。用于惊风，口疮，咽痛。 |

| **用法用量** | 内服煎汤，3 ~ 5 只；或入散剂。 |

1 cm

芫菁科 Meloidae 芫菁属 *Mylabris*

黄黑小斑蝥 *Mylabris cichorii* Linn.

| 药 材 名 | 斑蝥（药用部位：全体）。

| 形态特征 | 外形与南方大斑蝥极相近，区别在于本种体形小，长 10 ～ 15 mm，触角末节基部与前节等宽。

| 生境分布 | 喜群集栖息，栖息于菜园，棉田附近。广东各地均有分布。

| 资源情况 | 野生资源较少。药材来源于野生。

| 采收加工 | 5 ～ 10 月采捕，以 6 ～ 8 月最盛，多在清晨露水未干时捕捉，或日出后用纱兜捕捉，用沸水烫死，晒干或烘干。

广州至信中药饮片有限公司提供

| 药材性状 | 本品较小，长 10 ~ 15 mm，宽 5 ~ 7 mm。头及口器向下垂，有较大的复眼及触角各 1 对，触角多已脱落。背部具革质翅 1 对，黑色，有 3 黄色或棕黄色横纹；鞘翅下面有棕褐色薄蜡状透明的内翅 2。胸部有足 3 对。有特殊的臭气。

| 功能主治 | 辛，热；有大毒。破血消癥，攻毒蚀疮。用于癥瘕，经闭，顽癣，瘰疬，赘疣，痈疽不溃，恶疮死肌。

| 用法用量 | 内服入丸、散剂，0.03 ~ 0.06 g。外用适量，研末；或浸酒、醋；或制油膏涂敷。内服慎用，孕妇禁服；外用不宜面积过大。

芫菁科 Meloidae 芫菁属 Mylabris

南方大斑蝥 Mylabris phalerata Pall

| **药 材 名** | 斑蝥（药用部位：全体）。

| **形态特征** | 体长 15 ~ 30 mm。全体被黑毛。头圆三角形，具粗密刺点；复眼大，略呈肾形；触角 1 对。前胸长稍大于宽。鞘翅端部宽于基部，底色黑色，每翅基部各有 2 大黄斑，翅中央前后各有一黄色波纹状横带，翅面黑色部分刻点密集，黄色部分刻点甚粗。

| **生境分布** | 喜群集栖息，栖息于菜园，棉田附近。广东各地均有分布。

| **资源情况** | 野生资源较少。药材来源于野生。

| **采收加工** | 5 ~ 10 月采捕，以 6 ~ 8 月最盛，多在清晨露水未干时捕捉，或日出后用纱兜捕捉，用沸水烫死，晒干或烘干。

| **药材性状** | 本品呈长圆形，长 1.5 ~ 2.5 cm，宽 0.5 ~ 1 cm。头及口器向下垂，有较大的复眼及触角各 1 对，触角多已脱落。背部具革质翅 1 对，黑色，有 3 黄色或棕黄色横纹；鞘翅下面有棕褐色薄蜡状透明的内翅 2。胸部有足 3 对。有特殊的臭气。

| **功能主治** | 辛，热；有大毒。破血消癥，攻毒蚀疮。用于癥瘕，经闭，顽癣，瘰疬，赘疣，痈疽不溃，恶疮死肌。

| **用法用量** | 内服入丸、散剂，0.03 ~ 0.06 g。外用适量，研末；或浸酒、醋；或制油膏涂敷。内服慎用，孕妇禁服；外用不宜面积过大。

丽蝇科 Calliphoridae 金蝇属 Chrysomyia

大头金蝇 *Chrysomyia megacephala* Fab.

| **药 材 名** | 五谷虫（药用部位：幼虫）。

| **形态特征** | 成虫绿蓝色；头部宽，顶部黑色，复眼大，深红色，触角褐色；胸腹部有紫色光泽。幼虫成熟时黄白色，前端尖细，后端平截；体表有由小棘形成的环；后气门略高出表面，较偏于上方，气门环不完全，后气门间距不大于后气门直径，前气门具 10 ~ 13 指状突起。

| **生境分布** | 滋生于稀的人粪垃圾、腐败物质中。广东各地均有分布。

| **资源情况** | 药材来源于野生。

| **采收加工** | 7 ~ 9 月采收，装入布袋，在流水中反复漂洗，使虫体内容物排净，晒干。

广州至信中药饮片有限公司提供

药材性状	本品呈扁圆柱形，头部较尖，长 1 ~ 1.5 cm，宽 2 ~ 3 mm，黄白色，有的略透明。
功能主治	咸，寒。清热消疳。用于疳积，腹胀，疳疮。
用法用量	内服研末，3 ~ 5 g；或入丸剂。外用适量，研末撒或调敷。

虻科 Tabanidae 黄虻属 Atylotus

复带虻

Atylotus bivittateinus Takahasi

| 药 材 名 | 虻虫（药用部位：雌虫）。

| 形态特征 | 雌虻体长 13～17 mm，黄绿色。复眼大型，无细毛，中部有一细窄的黑色横带；前额黄色或略带浅灰色；头顶被短毛；触角黄色，第3节肥大，基部具粗钝的角突；唇基和颊黄灰色；下颚须第2节浅黄色，被白色短毛，并杂有黑色短毛。中胸背板、侧板、腹板灰黄色，被黄色短毛，并杂有黑色和黄灰色长毛。翅透明无斑，平衡棒黄色。足3对，中、后足股节基部1/3处灰色，前足跗节及前足胫节端部黑色，中、后足跗节端部黑褐色。腹部暗黄灰色，被稠密的黄色或黄灰色短毛，有时夹杂黑色短毛；腹面灰色，第1～2或第1～3腹板两侧黄色；第1～3或1～4节背板两侧有大块黄色斑点，中间有暗

广州至信中药饮片有限公司提供

黄色纵带，纵带宽约为腹部的 1/4 ~ 1/3。雄虻与雌虻形状相似，但体较小，复眼被纤细的灰色短毛。

| 生境分布 | 栖息于草丛及树林中。广东各地均有分布。

| 资源情况 | 药材来源于野生。

| 采收加工 | 6 ~ 8 月采捕，用线穿起，晒干或阴干。

| 药材性状 | 本品长 9 ~ 12 mm，呈黄黑色。头部与胸腹部常分离。复眼黄棕色，位于额两侧。胸腹部中胸背板及小盾片密被黄色毛，腋瓣上的一小撮毛为金黄色。翅 1 对，透明，与身体常分离，翅脉黄褐色。腹部背板第 1 ~ 3 或 1 ~ 4 节两侧具大块黄色斑纹，腹部暗灰黄色。质轻而脆，易破碎。气微腥，味咸。

| 功能主治 | 苦，微寒；有小毒。逐瘀，破积，通经。用于癥瘕积聚，少腹蓄血，血滞经闭，扑损瘀痛等。

| 用法用量 | 内服煎汤，1.5 ~ 3 g；或研末，0.3 ~ 0.6 g；或入丸、散剂。外用适量，研末敷，或调搽。

螳螂科 Mantidae 巨斧螳螂属 *Hierodula*

广腹螳螂 *Hierodula patellifera* Serville

| 药 材 名 | 桑螵蛸（药用部位：卵鞘。别名：黑螵蛸）。

| 形态特征 | 体中等大小，绿色。头三角形；触角丝状；复眼发达，单眼3。前胸粗短，前半部两侧扩大，最大宽度为最狭处的2倍，两侧有明显的小齿。前翅革质，狭长如叶片状，外缘及基部青绿色，中部透明，外缘中间有淡黄色斑块；后翅膜质。前足镰状，基节下缘有4齿，中足和后足细长。

| 生境分布 | 栖息于农田附近的瓜架、灌木或墙壁上。广东各地均有分布。

| 资源情况 | 药材来源于野生。

| 采收加工 | 秋季至翌年春季采收，除去杂质，蒸20～40分钟，晒干或烘干。

| 药材性状 | 本品略呈平行四边形，长2～4 cm，宽1.5～2 cm。表面灰褐色，上面带状隆起明显，两侧有斜向纹理，近尾端微向上翘。质硬而韧。

| 功能主治 | 甘、咸，平。补肾助阳，固精缩尿。用于遗精，白浊，小便频数，遗尿，赤白带下，阳痿，早泄。

| 用法用量 | 内服煎汤，5～10 g；或研末，3～5 g；或入丸剂。外用适量，研末撒，或以油调敷。

螳螂科 Mantidae 薄翅螳属 *Mantis*

薄翅螳螂 *Mantis relogiosa* Linn.

| 药 材 名 | 桑螵蛸（药用部位：卵鞘。别名：黑螵蛸）。

| 形态特征 | 体淡绿色或褐绿色，雄虫体长 34 ～ 45 mm，雌虫体长 49 ～ 63 mm。头部三角形，中间稍凹平；单眼 3，复眼圆形，两侧突出，褐色；触角丝状，雄者长而扁粗，雌者细而短。腹部细长，黄褐色。翅薄而透明，前翅淡灰绿色，后翅宽大扁形，略长于前翅。前足基节长，向后伸超过前胸背板后缘；前足腿节与前胸背板等长，腹面内列刺 13，长刺黑色，短刺末端黑色，外列刺、中列刺各 4，刺尖端均黑色；中、后足腿节无端刺。

| 生境分布 | 栖息于农田、农地及居民点附近，多产卵于树皮上或草根附近。广东各地均有分布。

| 资源情况 | 药材来源于野生和养殖。

| 采收加工 | 秋季至翌年春季采收，除去杂质，蒸 20 ～ 40 分钟，晒干或烘干。

| 药材性状 | 本品略呈平行四边形，长 2 ～ 4 cm，宽 1.5 ～ 2 cm。表面灰褐色，上面带状隆起明显，两侧有斜向纹理，近尾端微向上翘。质硬而韧。

| 功能主治 | 甘、咸，平。补肾助阳，固精缩尿。用于遗精，白浊，小便频数，遗尿，赤白带下，阳痿，早泄。

| 用法用量 | 内服煎汤，5 ～ 10 g；或研末，3 ～ 5 g；或入丸剂。外用适量，研末撒，或以油调敷。

螳螂科 Mantidae 小刀螂属 *Statilia*

小刀螂
Statilia maculata Thunb.

药 材 名	桑螵蛸（药用部位：卵鞘。别名：长螵蛸）。
形态特征	体长 4.8 ～ 6.5 cm，灰褐色至暗褐色，散布有黑褐色不规则的刻点。头部稍大，呈三角形。前胸背细长，侧缘细齿排列明显。侧角部的齿稍特殊。前翅革质，末端钝圆，带黄褐色或红褐色，有污黄色斑点；后翅翅脉为暗褐色。前足腿节内侧基部及胫节内侧中部各有一大的黑色斑纹。
生境分布	栖息于农田、农地及居民点附近，多产卵于树皮上或草根附近。广东各地均有分布。
资源情况	药材来源于野生。
采收加工	夏、秋季采捕，晒干。
药材性状	本品略呈长条形，一端较细，长 2.5 ～ 5 cm，宽 1 ～ 1.5 cm。表面灰黄色，上面带状隆起明显，带状隆起两侧各有一暗棕色浅沟及斜向纹理。质硬而脆。
功能主治	甘、咸，平。归肝、肾经。补肾助阳，固精缩尿。用于遗尿，尿频，遗精，滑精，白浊，腰膝酸软等。
用法用量	内服煎汤，5 ～ 10 g；或研末，3 ～ 5 g；或入丸剂。外用适量，研末撒，或以油调敷。

中华刀螳
Tenodera sinensis Saussure

| 药 材 名 | 桑螵蛸（药用部位：卵鞘。别名：团螵蛸）。

| 形态特征 | 体大型，雌虫体长约 92 mm，雄虫体长约 78 mm，全体淡褐色或暗黄绿色。头部大，比前胸背板宽，近三角形，宽大于高；复眼椭圆形，浅褐绿色，单眼 3，呈三角形排列；触角丝状，柄节粗大，鞭节细小。前胸细长。前胸背板、肩部较发达，后部至前肢基部稍宽。前翅浅褐色或浅绿色，末端有较明显的褐色翅脉；后翅扇形，比前翅稍长，散布有深浅不等的黑褐色斑点。雌虫腹部特别膨大。足 3 对，前足粗大，镰状，中足和后足细长。

| 生境分布 | 栖息于农田附近的瓜架、灌木或墙壁上。广东各地均有分布。

| 资源情况 | 药材来源于野生。

| 采收加工 | 夏、秋季采捕，晒干。

| 药材性状 | 本品略呈圆柱形或半圆形，由多数膜状薄层叠成，长 2.5 ～ 4 cm，宽 2 ～ 3 cm。表面浅黄褐色，上面带状隆起不明显，底面平坦或有凹沟。横断面可见外层为海绵状，内层为许多放射状排列的小室，室内各有一细小的椭圆形卵；卵深棕色，有光泽。体轻，质松而韧。气微腥，味淡、微咸。

| 功能主治 | 甘、咸，平。归肝、肾经。补肾助阳，固精缩尿。用于遗尿，尿频，遗精，滑精，白浊，腰膝酸软等。

| 用法用量 | 内服煎汤，5 ～ 10 g；或研末，3 ～ 5 g；或入丸剂。外用适量，研末撒，或以油调敷。

蟋蟀科 Gryllidae 大蟋属 *Tarbinskiellus*

花生大蟋蟀 *Tarbinskiellus portentosus* Lichtenstein

| 药 材 名 | 蟋蟀（药用部位：全体。别名：促织）。

| 形态特征 | 体长 38 ~ 44 mm，大型，赤褐色，粗糙。头半圆形，有稀疏的刻点；单眼 3，并列在同一水平线上；触角与体近等长或较体略长。前胸背板前方膨大，尤以雄虫为甚，前缘向后凹入，呈弧形，后缘波纹形，背区深褐色，具刻点，中线凹入，两侧隐约可见 1 对淡色三角形斑纹，侧叶前后角圆，淡黄色。雄虫前翅略长于腹部，发音镜很小，近长方形，后角圆，镜内有 1 曲脉将镜分为 2 室，斜脉 2 ~ 3，端区很长，约占全翅的 1/3，具规律斜纵脉与小横脉相间成长方形小室；后翅发达，伸出腹端，似长尾。足粗壮，前足胫节外侧有一大卵圆形听器，内侧有一小圆形听器；后足腿节长约为胫节和跗节之和，外侧具褐

色斜条纹，胫节背侧有 4 ~ 5 对强刺，基部跗节背方有 4 ~ 5 对小齿。雌虫产卵管粗短，长度仅为后足胫节的一半。

| **生境分布** | 栖息于田埂、房角、砖块堆下的缝隙中和杂草丛生处。广东各地均有分布。

| **资源情况** | 野生资源较少。养殖资源丰富。药材来源于野生和养殖。

| **采收加工** | 夏、秋季于田间杂草堆下采捕，用沸水烫死，晒干或烘干。

| **药材性状** | 本品呈长圆形，黑色。头略呈三角形，触角和足多数脱落，复眼 1 对。前胸背板发达，中、后胸被翅覆盖。尾毛 1 对，雌虫在尾毛间有 1 产卵管。气臭，味微咸。

| **功能主治** | 辛、咸，温；有毒。利水消肿，温肾助阳。用于水肿，小便不利，小儿遗尿，阳痿，难产，膀胱麻痹，输尿管痉挛。

| **用法用量** | 内服煎汤，4 ~ 6 只；或研末，1 ~ 3 只。外用适量，研末敷。

蟋蟀科 Gryllidae 油葫芦属 Teleogryllus

小油葫芦 *Scapsipedus mamdicularis* Saussure

| **药材名** | 蟋蟀（药用部位：全体。别名：促织）。

| **形态特征** | 体长 13 ~ 21 mm，黑色，有光泽。头部宽大，棕褐色，头顶略向前方突出；触角很大，线形；复眼黑褐色，单眼 3，黄色；口器发达，有 2 锯刀形大颚。前胸背板长方形，背中线稍向下陷。雄虫前翅基部有坚硬透明的发声器，借左右 2 翅摩擦发声；雌虫前翅短于腹部，后翅长，灰黄色，卷叠在腹端。足 3 对，后足腿节十分粗壮。雌虫腹部大，尾部有产卵管，形似细管；雄虫尾端有尖长的尾毛 1 对。

| **生境分布** | 栖息于杂草丛、枯枝烂叶及砖石下。广东各地均有分布。

| **资源情况** | 野生资源较少。药材来源于野生。

| **采收加工** | 夏、秋季清晨露水未干时，于湿地和石下采捕，也可堆草诱捕，或挖深 1 m 的坑，撒下麦麸、糖渣等诱捕，用开水烫死，晒干。 |

| **药材性状** | 本品呈长圆形，黑色。头略呈三角形，触角和足多数脱落，复眼 1 对。前胸背板发达，中、后胸被翅覆盖。雄虫尾毛 1 对，雌虫尾部有 1 产卵管。气臭，味微咸。 |

| **功能主治** | 辛、咸，温；有毒。利水消肿，温肾助阳。用于水肿，小便不利，小儿遗尿，阳痿，难产，膀胱麻痹，输尿管痉挛。 |

| **用法用量** | 内服煎汤，2 ～ 6 只；或研末入散剂。 |

| **附　注** | 依据相关文献，本书以油葫芦属 *Teleogryllus* 作为本种的属名，*Scapsipedus mamdicularis* Saussure 作为本种的拉丁学名。本种的分类有待进一步研究和考证。 |

鲎科 Limulidae 鲎属 *Tachyples*

中国鲎
Tachyples tridentatus Leach

| 药 材 名 |　鲎壳（药用部位：甲壳）。

| 形 态 特 征 |　外形似瓢，全长可达 600 mm。胸甲略呈马蹄形，前缘圆；背面隆起，有 2 不带柄的复眼，前方中央有 1 对单眼；腹面凹陷，不分节而具附肢 6 对，前面 2 对为头部的附肢，第 1 对短、小，分 3 节，为螯肢，第 2 对长、大，由 6 节组成，称为脚须，幼体末 2 节呈钳状，成体雌雄异型，雌体末 2 节呈螯状，雄体脚须末端呈弯钩状，其余 4 对为胸肢，位于口两侧，基节常有倒刺，称颚肢，前 3 对胸肢的末 2 节呈钳状。腹部略呈六角形，两侧有可活动的倒刺，具 6 对附肢，第 1 对又称生殖厣，其余各对的外肢节内侧都有 150 ~ 200 页薄板状书鳃，其内有血管网，可进行气体交换。头胸部有 1 对四叶的基

黄小龙（广州采芝林药业有限公司）提供

节腺。腹部末端有一细长而坚硬的尾剑。

| **生境分布** | 栖息于浅海沙质海底。分布于广东沿海地区等。

| **资源情况** | 野生资源稀少。养殖资源较少。药材来源于养殖。

| **采收加工** | 采捕后将壳取下，洗净，晒干。

| **药材性状** | 本品表面棕红色或灰棕色，光滑，有光泽。头胸甲背面自前缘至左右两侧缘呈半圆形，两侧后端部向后突出成刺。胸甲背面前方中央有 2 单眼，隆起线中央刺突起外侧各有 1 复眼。腹甲两侧缘有 6 大棘，腹面有 6 对覆板状附肢。尾剑细长，基部背面有 3 突起。质坚硬，易折断。气微，味微咸。

| **功能主治** | 咸，温。止咳止血，活血止痛。用于跌打损伤，创伤出血，烫伤，腰损伤，肺痨，疔疮肿毒等。

| **用法用量** | 内服适量，研末冲。外用适量，研末调敷。

| **附 注** | 在《世界自然保护联盟濒危物种红色名录》中，本种被列为濒危物种。在《国家重点保护野生动物名录》中，本种被列为国家二级保护野生动物。

东亚钳蝎
Buthus martensi Karsch

| 药 材 名 |　全蝎（药用部位：全体）。

| 形态特征 |　体长约 6 cm。头胸部与前腹部为绿褐色，后腹部为土黄色。头胸部背甲梯形。侧眼 3 对。螯肢的钳状上肢有 2 齿；触肢钳状，上下肢内侧有 12 行颗粒斜列。胸板三角形，第三、第四对步足胫节有距，各步足跗节末端有 2 爪和 1 距。前腹部前背板上有 5 隆脊线，生殖厣由 2 半圆形甲片组成，栉状器有 16 ～ 25 齿；后腹部前 4 节各有 10 隆脊线，第五节有 5 隆脊线，第六节毒针下方无距。

| 生境分布 |　栖息于石隙或石缝的潮湿阴暗处。广东各地均有分布。

| **资源情况** | 野生资源稀少。养殖资源一般。药材来源于养殖。

| **采收加工** | 春末至秋初采捕,除去泥沙,置沸水或沸盐水中,煮至全身僵硬,捞出,置通风处,阴干。

| **药材性状** | 本品头胸部及前腹部呈扁平长椭圆形,后腹部尾状,完整者长约 6 cm,全体绿褐色,腹及肢黄色,尾刺尖端褐色。折断后可见胸部内有黑色或棕黄色残余物,后腹部中空。体轻,质脆。气微腥,味咸。

| **功能主治** | 辛,平;有毒。息风止痉,攻毒散结,通络止痛。用于肝风内动,痉挛抽搐,惊风,中风口歪,半身不遂,破伤风,风湿顽痹,偏正头痛,疮疡,瘰疬。

| **用法用量** | 内服煎汤,3 ~ 6 g;或研末,入丸、散剂,0.5 ~ 1 g。外用适量,研末撒;或熬膏或浸油涂敷。

鳐科 Myliobatidae 前口蝠鲼属 *Manta*

双吻前口蝠鲼 *Manta birostris* (Walbaum)

| 药 材 名 | 鳐鱼鳃（药用部位：鳃。别名：角鱼鳃）。

| 形态特征 | 体重超过 2 吨，体盘宽可超过 6 m，为长的 2.2 ~ 2.4 倍，前缘圆凸，后缘凹入。头宽大，稍凸起，前缘扁薄，平切。头鳍侧扁，大，呈长方形，前端圆形，突出于眼前，能自由摇动，也能自下向外卷成管状。眼大，侧位。前囟宽，三角形。喷水孔小，横椭圆形，宽约为长的 2 倍，露出于背面，外端延续为 1 浅沟，伸至体盘外侧。鼻孔亚前位。口前位，很宽大，上颌无牙，下颌突出，具一细狭牙带，未伸达口隅。牙 100 余，细小，粒状，纵行，前面牙疏散，不整齐，后面牙紧密，较整齐。鳃裂很宽，前后距离近等长。背鳍 1，小型，大小约为腹鳍的 1/2，前缘圆凸，后缘凹入，起点约与腹鳍起点相对。

1 cm

黄小龙（广州采芝林药业有限公司）提供

腹鳍小，长方形，与胸鳍后角约在同一水平线上。尾细而短，长约为头与躯干（不包括头鳍）的 1.2 倍；尾刺 1，短宽，三角形，包于皮下。体背面浅青灰色，腹面淡白色，头的前部自前囟至喷水孔以及头鳍里面上下缘均为黑褐色，胸鳍外缘灰褐色，尾的后部黑褐色，胸鳍外部、后部及腹鳍青灰色，腹部中区具不规则的灰黑色斑点 8 ~ 9。大者体背面深青褐色，腹面淡白色，头侧至肩区具灰白色大斑 1 对。

| 生境分布 | 栖息于深海底层，有时游至近海。分布于广东沿海地区等。

| 资源情况 | 野生资源稀少。药材来源于野生。

| 采收加工 | 夏、秋季采捕，取出鳃，用淡水洗去盐质，晒干。

| 药材性状 | 本品呈扁条形，一般宽 5 ~ 8 cm，长度不一，大者长超过 30 cm，宽超过 8.5 cm。表面灰黑色，内面浅黄白色。全体由众多横列的鳃小瓣组成，鳃小瓣略呈"人"字形排列成覆瓦状，相互交叉连贯，每鳃小瓣长约 5 mm，宽 1 ~ 2 mm，上缘具睫状细齿。质轻而韧。气微腥，味微咸。

| 功能主治 | 咸，寒。归脾、肺经。清热解毒，透疹化瘀。用于小儿麻疹，疮疖等。

| 用法用量 | 内服研末，6 ~ 9 g。

| 附　注 | （1）本种脑可入药，药材名为鲼鱼脑，具有活血化瘀的功效。
（2）在《中国物种红色名录》中，本种被列为濒危物种。

鲼科 Myliobatidae 蝠鲼属 Mobula

无刺蝠鲼 *Mobula diabolus* (Shaw)

| 药 材 名 | 鳐鱼鳃（药用部位：鳃）。

| 形态特征 | 体盘菱形，宽约为长的 2.4 倍。头宽大，微凸起，前缘平切。头鳍中大，前端钝尖。眼侧位，向腹面里侧略斜。前囟宽，三角形。喷水孔小。鼻孔近前位。口下位，平扁，近前端。两颌各具 1 细牙横带，呈铺石状排列。鳃孔宽大。背鳍 1，比腹鳍稍小，前缘斜直，后缘凹入，上角圆钝，下角稍尖突。腹鳍小而狭长。尾细长如鞭，长为体盘长的 1 ~ 1.5 倍，无尾刺，无侧褶，上下皮褶均退化，两侧无白色小鳞。体背面黑褐色，头鳍里侧黑褐色，外侧白色。

| 生境分布 | 近海暖水性底层鱼类，栖息于泥质海区中。分布于广东沿海地区等。

| 资源情况 | 野生资源稀少。药材来源于野生。

| 采收加工 | 夏、秋季采捕，取出鳃，用淡水洗去盐质，晒干。

| 药材性状 | 本品呈扁条形，一般宽 5 ~ 8 cm，长度不一，大者长超过 30 cm，宽超过 8.5 cm。表面灰黑色，内面浅黄白色。全体由众多横列的鳃小瓣组成，鳃小瓣略呈"人"字形排列成覆瓦状，相互交叉连贯，每鳃小瓣长约 5 mm，宽 1 ~ 2 mm，上缘具睫状细齿。质轻而韧。气微腥，味微咸。

| 功能主治 | 咸，寒。归脾、肺经。清热解毒，透疹化瘀。用于小儿麻疹，疮疖等。

| 用法用量 | 内服研末，6 ~ 9 g。

鲼科 Myliobatidae 蝠鲼属 *Mobula*

日本蝠鲼 *Mobula japonica* (Moller et Henle)

| 药 材 名 | 鲼鱼鳃（药用部位：鳃）。

| 形态特征 | 体盘近棱形，宽为长的 2.3 倍，前缘圆凸，后缘凹入，里缘圆凸，前角尖而下弯，后角尖突。头宽大，微凸起，前缘扁薄，平切，头鳍中大，侧扁，长大于宽，前端圆钝，呈角状突出于眼前，能自由摇动，亦能自下向外转卷成 "S" 形。眼比喷水孔大，侧位，向腹面里侧稍倾斜，眼间隔很宽。喷水孔中大，三角形，外缘几扩展至体盘外侧。鼻孔亚前位。口下位，宽平，近前端。上下颌各具 1 牙带，几伸达口隅，前面牙较小，平扁，圆形，后面牙渐大，横条状椭圆形，每牙具 1 ~ 3 齿尖。鳃裂中大，最后 2 较狭小。腹鳍小而狭长，稍伸出胸鳍里角后，后缘斜，圆形，外角圆，里角尖。背鳍 1，比腹鳍稍小，前缘斜直，后缘凹入，起点前于腹鳍基底，后缘与胸鳍后端约在同一水平线上。尾细长，为体长的近 3 倍，两侧具白色小鳞；尾刺 1，短小。体背面粗糙，青褐色，腹面白色，头鳍里侧青褐色，外侧白色。

| 生境分布 | 生态海产软骨鱼类，栖息于水底。分布于广东沿海地区等。

| 资源情况 | 野生资源稀少。药材来源于野生。

| 采收加工 | 夏、秋季采捕，将鳃取出，用淡水洗去盐质，晒干。

| 药材性状 | 本品呈扁条形，一般宽 5 ~ 8 cm。上表面灰黑色，下表面浅黄白色。全体由很多略呈 "人" 字形的鳞状鳃齿整齐排列成覆瓦状。气微腥。

| 功能主治 | 咸，寒。归脾、肺经。清热解毒，透疹化瘀。用于小儿麻疹，疮疖等。

| 用法用量 | 内服研末，6 ~ 9 g。

海龙科 Syngnathidae 海马属 Hippocampus

刺海马

Hippocampus histrix Kaup

| 药 材 名 | 海马（药用部位：全体）。

| 形态特征 | 体长 20 ~ 24 cm。头冠不高，尖端具 4 ~ 5 细而尖锐的小棘。吻细长，呈管状，吻长大于或等于眶后头长。体部骨环 11，尾部骨环 35 ~ 36，体上各骨环接结处及头部的小棘特别发达。背鳍 18，近尖端处具 1 纵列斑点。臀鳍 4，很小。胸鳍 18，短而宽。体淡黄褐色，臀鳍、胸鳍淡色，体上小棘尖端黑色。

| 生境分布 | 温暖性海洋鱼类，栖息于近海内水质澄清、藻类繁茂的低潮区。分布于广东沿海地区等。

| 资源情况 | 野生资源稀少。药材来源于野生。

王信（中国科学院南海海洋研究所）提供

| **采收加工** | 夏、秋季采捕，洗净，除去内脏及外部黑褐色皮膜，将尾部盘卷好，晒干。 |

| **药材性状** | 本品呈扁长形，弯曲，体长 15 ~ 20 cm，黄白色。头略似马头，有冠状突起，前方有 1 管状长吻；口小，无牙；两眼凹陷。头部及体上环节间的棘细而尖。躯干部七棱形，尾部四棱形，渐细而卷曲。体上有瓦楞形节纹并具短棘。体轻，骨质，坚硬。气微腥，味微咸。 |

| **功能主治** | 甘、咸，温。归肝、肾经。温肾壮阳，调气活血，散结消肿。用于肾虚阳痿，气喘，难产，癥瘕积聚，跌打损伤；外用于痈肿疔疮。 |

| **用法用量** | 内服煎汤，3 ~ 9 g；或研末，1 ~ 1.5 g。外用适量，研末撒或调敷。 |

海龙科 Syngnathidae 海马属 Hippocampus

日本海马

Hippocampus japonicus Kaup

| 药 材 名 | 海马（药用部位：全体）。

| 形态特征 | 体形很小，侧扁，躯干部七棱形，尾部四棱形，卷曲。头部小棘及体环上的棱棘发达。头冠低小，上有 5 短小的钝棘。体长为头长的 4.5 ~ 7.8 倍。吻管状，很短，短于眼后头长。眼中大，侧位而高，眼间隔狭小，微凹。鼻孔很小，每侧 2，相距很近，紧位于眼前方。口小，前位，无牙。鳃盖突出，无放射状纹；鳃孔小，位于鳃盖后上方。头侧及眶上各棘均特别发达。体无鳞，全体包以骨环，以背侧棱棘最为发达，其次为腹侧棱棘，其他棱棘短钝或不明显。腹部很突出，不具棱棘。背鳍较发达，位于躯干最后 3 环和尾部第 1 环的背方。臀鳍短小。胸鳍短宽，略呈扇形。无腹鳍和尾鳍。各鳍无棘，鳍条

1 cm

王信（中国科学院南海海洋研究所）提供

不分枝。体暗褐色，头上吻部及体侧具斑纹。

| **生境分布** | 栖息于沿海及内湾的中潮线至低潮线一带海藻中。分布于广东沿海地区等。

| **资源情况** | 野生资源稀少。养殖资源较少。药材来源于野生和养殖。

| **采收加工** | 夏、秋季采捕，洗净，除去内脏及外部黑褐色皮膜，将尾部盘卷好，晒干。

| **药材性状** | 本品侧扁而长，有方棱。表面灰褐色或黄褐色，加工时去净皮膜的显白色。头略似马头，弯曲，与体略呈直角，顶部有冠状突起。躯干部有瓦楞形节纹，具数棱。腹部突出。尾部细长，通常向内卷曲，具棱。体轻，骨质，坚硬，不易折断。气微腥，味微咸。

| **功能主治** | 甘、咸，温。归肝、肾经。温肾壮阳，调气活血，散结消肿。用于肾虚阳痿，气喘，难产，癥瘕积聚，跌打损伤；外用于痈肿疔疮。

| **用法用量** | 内服煎汤，3～9 g；或研末，1～1.5 g。外用适量，研末撒或调敷。

海龙科 Syngnathidae 海马属 Hippocampus

克氏海马

Hippocampus kelloggi Jordan et Snyder

| 药 材 名 | 海马（药用部位：全体）。

| 形态特征 | 体形侧扁，腹部稍突出，躯干部七棱形，尾部四棱形，体长 30 ～ 33 cm。头冠短小，尖端有 5 短小的棘，略向后方弯曲。吻长，呈管状。眼较大，侧位而高，眼间隔小于眼径，微隆起。鼻孔很小，每侧 2，相距甚近，紧位于眼前方。口小，端位，无牙。鳃盖突出，无放射状纹；鳃孔小，位于头侧背方。肛门位于躯干第 11 节的腹侧下方。体无鳞，完全为骨环所包，体部骨环 11，尾部骨环 39 ～ 40，体上各骨环棱棘短钝，呈瘤状。背鳍 18 ～ 19，长，较发达，位于躯干部最后 2 环及尾部最前 2 环的背方。臀鳍 4，短小。胸鳍 18，短宽，略呈扇形。无腹鳍及尾鳍。各鳍无棘，鳍条均不分枝，尾端卷曲。体淡黄色，体侧具白色线状斑点。

1 cm

王信（中国科学院南海海洋研究所）提供

| 生境分布 | 栖息于深海藻类繁茂处。分布于广东沿海地区等。

| 资源情况 | 野生资源稀少。药材来源于野生。

| 采收加工 | 夏、秋季采捕，洗净，除去内脏及外部黑褐色皮膜，将尾部盘卷好，晒干。

| 药材性状 | 本品呈扁长形而弯曲，长约 30 cm，黄白色，体上有瓦楞形节纹，并具短棘。头略似马头，有 1 管状长吻，两眼深陷。躯干部七棱形，尾部四棱形，渐细而向内卷曲。体轻，骨质，坚硬。气微腥，味微咸。

| 功能主治 | 甘、咸；温。归肝、肾经。温肾壮阳，调气活血，散结消肿。用于肾虚阳痿，气喘，难产，癥瘕积聚，跌打损伤；外用于痈肿疔疮。

| 用法用量 | 内服煎汤，3 ~ 9 g；或研末，1 ~ 1.5 g。外用适量，研末撒或调敷。

海龙科 Syngnathidae 海马属 Hippocampus

大海马

Hippocampus kuda Bleeker

| 药 材 名 | 海马（药用部位：全体）。

| 形态特征 | 体长 20 ～ 30 cm。头冠较低，尖端具 5 短钝的粗棘。吻长等于眶后头长。体部骨环 11，尾部骨环 35 ～ 36，头部、体环与尾环上的小棘均不甚明显。背鳍 17，有黑色纵列斑纹。臀鳍 4。胸鳍 16。体黑褐色，头部及体侧有细小的暗黑色斑点，弥散有细小的银白色斑点，臀鳍、胸鳍淡色。

| 生境分布 | 近海暖水性鱼类，栖息于水质澄清、藻类多的海区。分布于广东沿海地区等。

| 资源情况 | 野生资源稀少。养殖资源一般。药材来源于养殖。

1 cm

彭刚（广东岭南药业有限公司）提供

| **采收加工** | 夏、秋季采捕，洗净，除去内脏及外部黑褐色皮膜，将尾部盘卷好，晒干。 |

| **药材性状** | 本品长约 30 cm。黄白色，头略似马头，有冠状突起，前方有 1 管状长物；口小，无牙；两眼深陷。躯干部七棱形，尾部四棱形，渐细卷曲。体上有瓦楞形节纹，并具短棘。体轻，骨质，坚硬，不易折断。气微腥，味微咸。 |

| **功能主治** | 甘、咸，温。归肝、肾经。温肾壮阳，调气活血，散结消肿。用于肾虚阳痿，气喘，难产，癥瘕积聚，跌打损伤；外用于痈肿疔疮。 |

| **用法用量** | 内服煎汤，3 ~ 9 g；或研末，1 ~ 1.5 g。外用适量，研末撒或调敷。 |

海龙科 Syngnathidae 海马属 Hippocampus

三斑海马

Hippocampus trimaculatus Leach

| 药 材 名 | 海马（药用部位：全体）。

| 形态特征 | 体长 10 ~ 18 cm。头冠短小，尖端具 5 小棘。吻管较短，不及头长的 1/2。体部骨环 11，尾部骨环 40 ~ 41，体节 1、4、7、11 骨环和尾节 1、5、9、13、17 骨环的背方接结处具隆起状嵴，背侧方棘较其他种类大。背鳍 20 ~ 21。臀鳍 4。胸鳍 17 ~ 18。体黄褐色至黑褐色，眼上具放射状褐色斑纹，体侧背方第 1、4、7 节小棘基部各具 1 大黑斑。

| 生境分布 | 栖息于深海藻类繁茂处。分布于广东汕头沿海地区等。

| 资源情况 | 野生资源稀少。养殖资源一般。药材来源于养殖。

1 cm

黄小龙（广州采芝林药业有限公司）提供

| 采收加工 | 夏、秋季采捕，洗净，除去内脏及外部黑褐色皮膜，将尾部盘卷好，晒干。

| 药材性状 | 本品长 10 ~ 17 cm，黄褐色或黑褐色，体侧背部第 1、4、7 节短棘基部各有 1 黑斑。

| 功能主治 | 甘、咸，温。归肝、肾经。温肾壮阳，调气活血，散结消肿。用于肾虚阳痿，气喘，难产，癥瘕积聚，跌打损伤；外用于痈肿疔疮。

| 用法用量 | 内服煎汤，3 ~ 9 g；或研末，1 ~ 1.5 g。外用适量，研末撒或调敷。

| 附　　注 | 本种同属动物小海马 *Hippocampus japonicus* Kaup，又名小海驹，形状与本种相似，体形小，长 7 ~ 10 cm，黑褐色，节纹及短棘均较细小，其全体亦作为海马入药。

海龙科 Syngnathidae 刁海龙属 Solenognathus

刁海龙
Solenognathus hardwickii Gray

| **药 材 名** | 海龙（药用部位：全体）。

| **形态特征** | 体狭长，侧扁，一般长 37 ~ 47 cm，最长可达 50 cm，躯干部五棱形，尾部前方六棱形，后方逐渐变细，呈四棱形，尾端卷曲。腹部中央棱特别突出，体上棱嵴粗糙，骨环每棱面中央及每间质上均形成一颗粒状突起棘。头长，与体轴在同一水平线上，或与体轴形成大钝角。吻特别长，侧扁。眼大而圆，眼眶突出。鼻孔每侧 2，很小。口小，前位，口闭时，口裂近垂直。两颌短小。鳃盖突出，不具隆起嵴，具明显的放射状线纹；鳃孔小，呈裂孔状。体无鳞，被包在骨环中。背鳍较长，位于尾部。胸鳍短宽，侧位，较低。臀鳍极小，鳍条 23。无尾鳍。体黄色或淡褐色，躯干部上侧棱骨环相接处有 1 列黑褐色斑点，各鳍色浅。

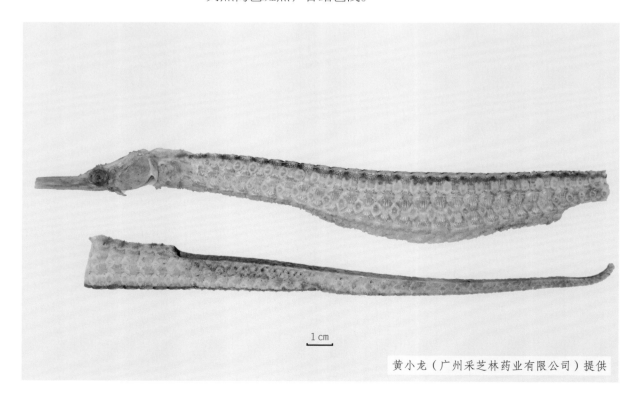

1 cm

黄小龙（广州采芝林药业有限公司）提供

| 生境分布 | 近海暖水性鱼类，栖息于藻类茂盛的浅海中。分布于广东海丰、陆丰、惠阳及深圳（市区）等。

| 资源情况 | 野生资源稀少。药材来源于野生。

| 采收加工 | 全年均可采捕，除去内脏及外部皮膜，洗净，晒干。

| 药材性状 | 本品体狭长，侧扁，长 30 ~ 50 cm，躯干部宽 3 cm。表面黄白色或灰褐色。头部前方具一侧扁的管状长吻；口小，无牙；两眼圆而深陷。头与体轴略呈钝角；躯干部五棱形；尾部前方六棱形，后方渐细成四棱形，尾端卷曲。背棱两侧各有 1 列灰黑色斑点状色带，腹部中央棱特别突出。全体被具花纹的骨环及细横纹，各骨环内有颗粒状突起棘。胸鳍宽短。背鳍较长，有的不明显。无尾鳍。骨质，坚硬。气微腥，味微咸。

| 功能主治 | 甘、咸，温。温肾壮阳，散结消肿，舒筋活血，止血催产。用于肾虚阳痿，夜尿频多，癥瘕积聚，瘰疬痰核，难产，不孕，跌打损伤；外用于疔疮肿毒。

| 用法用量 | 内服煎汤，3 ~ 9 g；或研末，1.5 ~ 3 g。外用适量，研末撒或调敷。

海龙科 Syngnathidae 拟海龙属 Syngnathoides

拟海龙 *Syngnathoides biaculeatus* (Bloch)

| **药 材 名** | 海龙（药用部位：全体）。

| **形态特征** | 体长 20 ～ 22 cm，宽大于高，躯干部粗强，近四棱形，尾部细尖卷曲，前方六棱形，后方渐细，为四棱形。头长，与体轴在同一水平线上。除眼嵴上缘各具一向后的小棘外，余无棘刺。吻长而侧扁，约为眼眶后头长的 2 倍。眼眶稍突出。体部骨环 16 ～ 17，尾部骨环 51 ～ 53。体上棱嵴粗杂。背鳍 40 ～ 41，起于体环最末节，止于尾环第 9 ～ 10 节。臀鳍 5 ～ 6，很小，紧位于肛门后方。胸鳍 20 ～ 22，短宽，侧位，较低，基部前方各具一较大而突出的结。无尾鳍。体鲜绿黄色，体侧及腹面均有大小不等的鲜黄色斑点，吻侧及下方具不规则的深绿色网纹。

1 cm

黄小龙（广州采芝林药业有限公司）提供

| **生境分布** | 暖水性近岸浅海小型鱼类，栖息于藻类繁茂的浅海中。分布于广东近海等。

| **资源情况** | 野生资源稀少。药材来源于野生。

| **采收加工** | 全年均可采捕，除去内脏及外部皮膜，洗净，晒干。

| **药材性状** | 本品长，扁平，全长 20 ~ 22 cm，中部直径约 2 cm。吻长管状，常与体轴在同一水平线上。表面灰棕色，全体有细条纹组成的图案状花纹。躯干部具 7 纵棱，其中腹侧 3 纵棱不明显，有骨环 16 ~ 17；尾部前段具 6 纵棱，后段具 4 纵棱，有骨环 51 ~ 53。无尾鳍。质轻而脆，易折断。

| **功能主治** | 甘、咸，温。温肾壮阳，散结消肿，舒筋活血，止血催产。用于肾虚阳痿，夜尿频多，癥瘕积聚，瘰疬痰核，难产，不孕，跌打损伤；外用于疔疮肿毒。

| **用法用量** | 内服煎汤，3 ~ 9 g；或研末，1.5 ~ 3 g。外用适量，研末撒或调敷。

海龙科 Syngnathidae 海龙属 Syngnathus

尖海龙

Syngnathus acus Linn.

| **药 材 名** | 海龙（药用部位：全体）。

| **形态特征** | 体细长，呈鞭状，长 11 ~ 20 cm，高与宽近等长，躯干部七棱形，尾部后方渐细，不卷曲。头长而细尖。吻长超过头长的 1/2。体部骨环 19，尾部骨环 36 ~ 41。背鳍 39 ~ 45，较长，始于体环最末节，止于尾环第 9 节。臀鳍 4，短小。胸鳍 12 ~ 13，扇形，位低。尾鳍 9 ~ 10，后缘圆形。体黄绿色，腹侧淡黄色，体上具多数不规则的暗色横带，背鳍、臀鳍及胸鳍淡色，尾鳍黑褐色。

| **生境分布** | 暖水性近海小型鱼类，栖息于海藻丛中。分布于广东近海等。

| **资源情况** | 野生资源稀少。药材来源于野生。

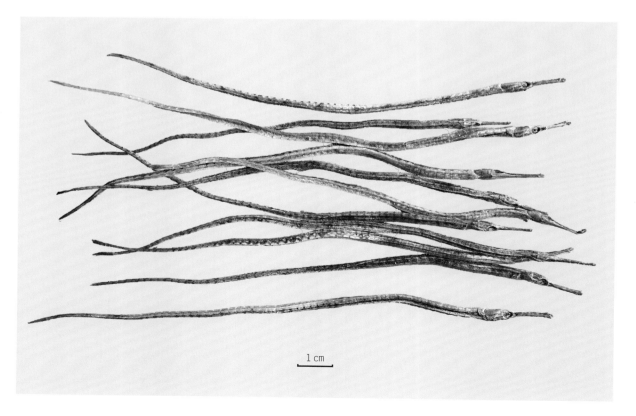

1 cm

| 采收加工 | 全年均可采捕，除去内脏及外部皮膜，洗净，晒干。

| 药材性状 | 本品长而弯曲，呈扭曲形，长 1.5 ～ 2 cm，直径 0.4 ～ 0.5 cm。头小，嘴长，眼大而圆。背部灰褐色，腹部灰黄色。躯干部有 7 纵棱，尾部有 4 纵棱，尾长约为躯干的 2 倍，全体骨环不甚明显。质轻而脆，易折断。气腥，味淡、微咸。

| 功能主治 | 甘、咸，温。温肾壮阳，散结消肿，舒筋活血，止血催产。用于肾虚阳痿，夜尿频多，癥瘕积聚，瘰疬痰核，难产，不孕，跌打损伤；外用于疔疮肿毒。

| 用法用量 | 内服煎汤，3 ～ 9 g；或浸酒。外用适量，研末撒或调敷。

海蛾鱼科 Pegasidae　海蛾鱼属 Pegasus

海蛾
Pegasus laternarius Cuvier

| **药 材 名** | 海麻雀（药用部位：全体。别名：海蛾鱼、海雀）。

| **形态特征** | 体稍延长，扁平，躯干部圆盘状，尾部四棱形，体宽大于体高。吻部突出，粗短，雌体吻突较短小，略呈小三角形，雄体吻突较大，呈短柄状。眼较大而圆，侧位，眼间隔小于眼径，凹陷。鼻孔每侧1，小而不明显。口小，下位，无牙。鳃盖各骨愈合形成1鳃瓣，鳃孔很小，紧位于胸鳍基部前方。体无鳞，完全被骨板所包，躯干部密接，不能活动，尾部稍可活动。躯干部背方具4列隆起嵴，嵴上具细锯齿。尾环11，尾节各棱具尖锐棘刺。各鳍无棘，鳍条不分枝。背鳍5，臀鳍5，较小，完全相对，均位于尾部。胸鳍11，发达，呈翼状，与体侧下缘在同一水平面上，鳍条呈棘状。腹鳍3，腹位，紧位于肛门前方。尾鳍8，后缘截形。体背暗绿褐色，腹侧及尾部淡铬黄色，

1 cm

黄小龙（广州采芝林药业有限公司）提供

尾部背方具 1 ~ 2 较宽的暗绿褐色横带，背鳍、胸鳍及尾鳍具大小不等的绿褐色斑点。

| **生境分布** | 底栖小型鱼类，栖息于暖水性深海区。分布于广东沿海地区等。

| **资源情况** | 野生资源稀少。药材来源于野生。

| **采收加工** | 采捕后除去内脏，洗净，晒干。

| **药材性状** | 本品形似麻雀，褐色或灰黄色，长 5 ~ 8 cm。嘴尖。眼骨凸起。躯干部宽扁，腹部扁平，背部有 4 纵棱，另有 4 ~ 5 弧形横纹与纵棱相交成瓦格形；尾部有 4 纵棱，呈节状，方柱形，近尾端渐小。气腥，味咸。

| **功能主治** | 苦、咸，寒。归肺、大肠经。化痰止咳，止泻，解毒消肿。用于小儿麻疹，腹泻，咽喉肿痛，疔疮肿毒等。

| **用法用量** | 内服煎汤，10 ~ 15 g。

| **附　　注** | 本种同科动物飞海蛾鱼 *Pegasus volitans* Cuvier、龙海蛾鱼 *Pegasus draconis* Linn. 在我国亦有分布。

海蛾鱼科 Pegasidae　海蛾鱼属 Pegasus

飞海蛾鱼
Pegasus volitans Cuvier

| 药 材 名 |　海麻雀（药用部位：全体）。

| 形态特征 |　海生鱼类，小型，长 6 ~ 9 cm，较窄长而扁平，尾部细长，体长为体高的 11.2 ~ 16.2 倍。头短。吻部特别延长突出，呈平扁的长柄状，两侧具细锯齿。眼大而圆。口小，下位，两颌无牙，可稍伸出。鳃盖各骨愈合成大型鳃瓣，鳃孔很小，紧位于胸鳍基部前方。体无鳞，完全被骨板所包，躯干部紧密，不能活动。背鳍、臀鳍较小，完全相对，位于尾部。胸鳍发达，呈翼状。尾鳍后缘截形。体淡铬黄色，背面及背鳍、胸鳍、尾鳍等散布有细小的绿褐色斑点，腹面及腹鳍、臀鳍淡黄白色，体上具不甚明显的暗绿褐色横带 4 ~ 6。

| 生境分布 |　栖息于大陆架内深海区底层。分布于广东沿海地区等。

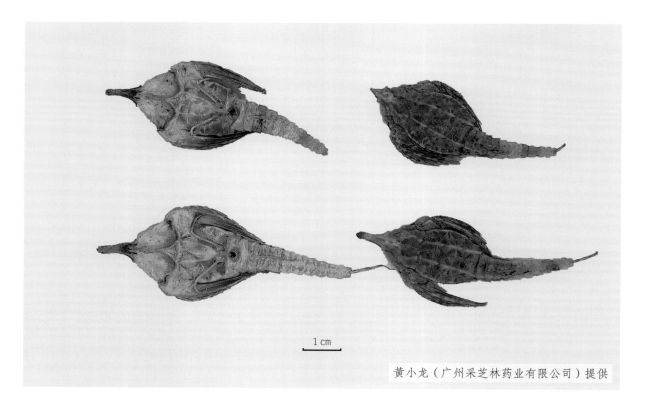

1 cm

黄小龙（广州采芝林药业有限公司）提供

| 资源情况 | 药材来源于野生。

| 采收加工 | 全年均可采捕，以夏、秋季鱼汛时捕获较多，除去内脏，用淡水洗净，晒干或烘干。

| 药材性状 | 本品形似麻雀而扁平，外表黑褐色、灰褐色或灰黄色，体长 5 ~ 8 cm，无鳞，完全为骨板所包被。嘴尖，无牙。眼骨凸起。鳃盖各骨愈合成 1 鳃瓣。躯干部紧密而宽扁，有的背部具纵棱。胸鳍发达，呈翅状。尾部方柱形，长，渐细。气腥，味咸。

| 功能主治 | 苦、咸，寒。归肺、大肠经。化痰止咳，止泻，解毒消肿。用于小儿麻疹，腹泻，咽喉肿痛，疔疮肿毒等。

| 用法用量 | 内服煎汤，10 ~ 15 g。

鳢科 Channidae 鳢属 Channa

月鳢
Channa asiatica Linn.

药 材 名	山斑鱼（药用部位：全体。别名：七星鱼、张公鱼、花财鱼）。
形态特征	鱼类，长 8 ～ 31 cm，体重一般不超过 500 g，体延长，前部亚圆筒形，后部侧扁。头宽大。吻宽短而圆钝。口宽大，前位，口裂倾斜，向后伸达眼后缘下方。下颌稍突出，两颌、犁骨及颚骨均具绒毛状牙带。具副呼吸器。前背部稍扁平。头、体均被小圆鳞。侧线鳞 59 ～ 62，侧线平直，自鳃盖上缘沿体侧上部向后延至肛门上方附近，向后沿体中部延至尾鳍基部。背鳍甚长，起点在胸鳍基部上方。臀鳍长，紧靠肛门后。胸鳍宽圆。无腹鳍。尾鳍圆形。体绿褐色至灰黑色，有彩色花点，腹部灰白色，沿体侧中线有黑色"<"形横纹 7 ～ 12，头部眼后具 2 黑色纵带，尾鳍基部有一具白缘的近圆形眼状斑，斑周围有珠色亮点，体侧、背鳍和臀鳍各有许多珠色亮点。
生境分布	栖息于水草茂盛、水质易混浊的泥底水层中，通常潜伏在浅水区多水草的水底。广东各地均有分布。
资源情况	野生资源稀少。养殖资源一般。药材来源于养殖。
采收加工	全年均可采捕，用网兜捕捞或以钓饵诱钓，置于有清水的容器中备用，或随捕随用。
功能主治	甘，平。归肝、肾经。滋养肝肾，强筋壮骨。用于肝肾阴虚，四肢乏力，病后、术后体虚，阴血不足。
用法用量	内服煎汤，100 ～ 200 g；或煮粥。

斑鳢
Channa maculata Lacepede

| **药 材 名** | 生鱼（药用部位：全体）。 |

| **形态特征** | 体前部圆筒形，后部侧扁。头扁平，似蛇头，有鳞片。口大，端位，下颌长于上颌，口内有锐齿。眼小，在头的前方。侧线鳞 60 ~ 67。背鳍和臀鳍很长，无硬刺。尾鳍圆形。体灰黑色，背部色较暗，腹部色较淡，体侧有许多不规则的黑色斑条，头侧有 2 纵行黑色条纹，背鳍、臀鳍和尾鳍有黑白相间的花纹。 |

| **生境分布** | 栖息于水草茂盛、水质易混浊的泥底水层中，通常潜伏在浅水区多水草的水底。广东各地均有分布。 |

| **资源情况** | 野生资源较少。养殖资源一般。药材来源于养殖。 |

| **采收加工** | 全年均可采捕，以夏季最多，用网或钩钓，置于有清水的木盆里，每天换水一次。 |

| **药材性状** | 本品体及头部被圆鳞。侧线平直。背鳍长，起点在胸鳍基部上方。臀鳍长，起点紧靠肛门后方，起点上方有 1 小弯曲。胸鳍宽长，圆形，伸达腹鳍后端。腹鳍小。尾鳍圆形。体灰黑色，腹部灰白色，背部具 1 纵行黑斑，体侧具 2 纵行不规则的黑斑，腹侧具 1 纵行小黑斑，尾柄末端与尾鳍基部间有数行黑白交错的斑条，背鳍、臀鳍和尾鳍具黑白相间的斑纹，头上有不规则的黑色斑点，眼后至胸鳍有 1 黑色纵纹。 |

| **功能主治** | 甘，寒。归大肠、小肠、肺经。补脾利水，除湿消肿，养阴益肾。用于水肿，脚气病，妊娠水肿，湿痹，月经不调，肺结核，慢性肾小球肾炎，肾病综合征。 |

| **用法用量** | 内服煎汤，100 ~ 200 g。 |

石首鱼科 Sciaenidae 黄鱼属 Larimichthys

大黄鱼

Larimichthys crocea (Richardson)

| 药 材 名 | 鱼脑石（药用部位：头骨中的耳石。别名：黄花、大鲜、黄瓜鱼）。

| 形态特征 | 体近长卵形而侧扁。尾柄长超过高的 3 倍。头较大，具发达的黏液腔。下颌稍突出。侧线鳞 56 ~ 58。背鳍起点至侧线间具鳞 8 ~ 9。背鳍具鳍棘 9 ~ 11，鳍条 27 ~ 38（一般为 31 ~ 33）。臀鳍具鳍棘 2，鳍条 7 ~ 10，第 2 鳍棘等于或稍大于眼径。鳔较大，前端圆形，具侧枝 31 ~ 33 对，每侧枝最后分出的前小支和后小支等长。头颅内有 2 白色耳石。椎骨 26 ~ 27，有时 25。体黄褐色，腹面金黄色，各鳍黄色或灰黄色，唇橘红色。

| 生境分布 | 暖温性近海集群洄游鱼类，栖息于水深 80 m 以内的沿岸和近海中下层。分布于广东琼州海峡、雷州半岛以东沿海地区、南澳岛等。

| 资源情况 | 野生资源稀少。养殖资源一般。药材来源于野生和养殖。

| 采收加工 | 5 ~ 6 月汛期采收，将头骨中最大的一块耳石取出，洗净，晾干，放铁勺内，上覆一碗，在烈火上煅至有爆裂声后取出，放凉。

| 药材性状 | 本品呈长卵形，长 1.5 ~ 2 cm，宽 0.8 ~ 1.8 cm，磁白色。关节面较平坦，表面可见明显的圆形节痕，另一面向一侧隆起，近尖端处有一斜的凹沟，并有横突数个，其隆起的下方可见细长纹理。质坚硬，不易破碎。气微，味稍涩。以色洁白、质坚硬、无杂质者为佳。

| 功能主治 | 咸，平。利尿，通淋，排石。用于尿路结石，淋病，小便不利，化脓性中耳炎，慢性鼻炎。

| 用法用量 | 内服磨汁，3 ~ 9 g；或研末冲。外用适量，煅存性，研末吹耳或鼻。

| 附　　注 | 本种同科动物小黄鱼 *Pseudosciaena polyactis* Bleeker 头骨中的耳石亦作为鱼脑石入药。

蟾蜍科 Bufonidae 蟾蜍属 *Bufo*

黑眶蟾蜍 *Bufo melanostictus* Schneider

| **药 材 名** | 蟾酥（药材来源：耳后腺及皮肤毒腺分泌的白色乳状浆液经加工而成的干燥品）、蟾蜍干（药用部位：全体）。

| **形态特征** | 雄蟾体长约 76 mm，雌蟾体长约 106 mm。头宽大于头长，头部具黑色骨质嵴棱，除无顶棱外，其他嵴棱均明显。耳后腺不紧接眼后。头顶部显著凹陷，皮肤与头骨紧密相连。鼓膜大，椭圆形，与上眼睑近等宽。指端圆，黑色，指侧微具缘膜，边上有小刺疣，指长顺序为 3、1、4、2，关节下瘤单个或成对，外掌突略大于内掌突。后肢短，前伸贴体时胫跗关节达肩后方，左右跟部不相遇；趾端圆，黑棕色，趾侧有缘膜，基部相连成半蹼，蹼及缘膜边缘有成行的黑色刺疣，关节下瘤不明显，内外趾突较小。皮肤粗糙，除头顶无疣外，其余各部分满布瘰粒或刺疣。耳后腺大，长椭圆形。四肢上的刺疣

1 cm

黄小龙（广州采芝林药业有限公司）提供

小，无蹼褶。腹面密布小刺疣。生活时成体背面一般为黄棕色或黑棕色，有的具不规则的棕红色花斑，腹面乳黄色，有的个体多少有花斑。雄蟾前肢略粗壮，内侧 3 指有棕黑色婚垫，有单咽下内声囊，声囊壁紫色，声囊孔长裂形，位于舌的右侧或左侧，少数两侧均有。

| **生境分布** | 栖息于海拔 10 ~ 1 700 m 的山区住宅及耕地附近的石堆、杂草中。分布于广东佛山（市区）、湛江（市区）等。

| **资源情况** | 野生资源稀少。养殖资源丰富。药材来源于养殖。

| **采收加工** | 蟾酥：夏、秋季采捕，洗净，晾干，用特制的钢夹钳从头部两侧的耳后腺及背部皮肤腺瘤状突起处挤出白色浆液，盛于瓷器内，立即用铜筛滤去泥沙及杂质，将滤净的浆液置于圆形模型中，晒干，干燥后成扁圆形团块，称为"团蟾酥"，或将滤净的浆液涂在玻璃板上，晒干，干燥后呈薄片状，称为"片蟾酥"。
蟾蜍干：采捕后剖腹，除去内脏，洗净，用小麻绳从嘴部穿起，挂起，晾干、晒干或烘干。

| **药材性状** | 蟾酥：本品呈扁圆形厚饼状或不规则片状。厚饼状者直径 6 ~ 8 cm，厚 0.5 ~ 1 cm，不透明，表面有光泽，呈紫红色或棕褐色；质坚而韧，不易折断，断面平坦，紫棕色至棕褐色，微具光泽，呈半透明胶质样。片状者大小厚薄不一，半透明，胶质样，表面有光泽，呈棕褐色或红色。
蟾蜍干：本品拘挛抽皱，纵面有棱角，四足伸缩不一。表面灰绿色或绿棕色，除去内脏者腹腔内面灰黄色，可见骨骼及皮膜。气微腥，味辛。

| **功能主治** | 蟾酥：甘，温；有大毒。解毒，止痛，开窍醒神。用于痈疽疔疮，咽喉肿痛，风虫牙痛，牙龈肿烂，痧证腹痛等。
蟾蜍干：甘、辛，凉；有小毒。破癥结，行水湿，解毒消肿，止痛利尿。用于癥瘕积聚，水肿，痈疽发背，疔肿瘰疬，咽喉肿痛，小便不利，慢性支气管炎。

| **用法用量** | 内服煎汤，1 只；或入丸、散剂，0.3 ~ 1 g。外用适量，烧存性，研末敷；或熬膏贴。

鳖科 Trionychidae 鳖属 *Pelodiscus*

鳖

Pelodiscus sinensis Wiegmann

| 药 材 名 | 鳖甲（药用部位：背甲）。

| 形态特征 | 体圆而扁，背腹有甲。吻长。鼻孔位于吻突前端。眼小。颈长，头和颈能完全缩入甲内。体表有柔软的皮肤，背面皮肤有小疣，排列成纵行棱。体边缘柔软，称裙边。前肢5指，3指有爪，后肢亦然。指（趾）间有发达的蹼。雄性体较扁，尾较长，末端露出鳖甲的边缘，雌性相反。体背面榄绿色，有黑斑，腹面肉黄色，有浅绿色斑；颈背面褐色，颈侧和颈腹面有黄色条纹。

| 生境分布 | 栖息于江湖、水库、池塘和水田中。广东各地均有分布。

| 资源情况 | 野生资源较少。养殖资源较丰富。药材来源于野生和养殖。

1 cm

黄小龙（广州采芝林药业有限公司）提供

| 采收加工 | 春、秋季采捕，用刀砍断颈部，取下背甲，刮净残肉，晒干。

| 药材性状 | 本品呈椭圆形或卵圆形，背面隆起，长 10～15 cm，宽 9～14 cm。外表面黑褐色或墨绿色，略有光泽，具细网状皱纹和灰黄色或灰白色斑点，中间有 1 纵棱，两侧各有左右对称的 8 横凹纹，外皮脱落后，可见锯齿状嵌接缝。内表面类白色，中部有凸起的脊椎骨，颈骨向内卷曲，两侧各有 8 肋骨，伸出边缘。质坚硬。气微腥，味淡。

| 功能主治 | 咸，微寒。归肝、肺、脾经。滋阴潜阳，软坚散结，退热除蒸。用于阴虚发热，骨蒸劳热，阴虚阳亢，头晕目眩，虚风内动，经闭，癥瘕，久疟，疟母等。

| 用法用量 | 内服煎汤，9～24 g，先煎。

乌龟
Chinemys reevesii Gray

| 药 材 名 | 龟甲（药用部位：背甲、腹甲）、龟甲胶（药用来源：甲壳熬成的胶块）。

| 形态特征 | 体呈扁椭圆形，背、腹均有硬甲，甲一般长 12 cm，宽 8.5 cm，高 5.5 cm，最长者长可超过 20 cm。头顶前端光滑，后部覆被细粒状小鳞。吻端尖圆。颌无齿而具角质硬喙。眼略突出。耳鼓膜明显。颈部细长，周围均被细鳞。背、腹甲的上面为角质板，下面为骨板，背脊中央及其两侧有 3 较显著的纵棱，雄龟不甚明显。背甲棕褐色或黑色，颈盾前窄后宽，椎盾 5，两侧有对称排列的肋盾各 4，缘盾每侧 11，臀盾 2，近长方形。腹甲淡黄色，少数褐色，有盾片 6 对；喉盾 2，三角形；肱盾 2，外缘宽凸；胸、腹盾各 2；股盾 2，外缘较宽于中线；肛盾 2，后缘凹陷。背、腹甲在体两侧由甲桥相连，形成体腔。

1 cm

黄小龙（广州采芝林药业有限公司）提供

四肢较扁平，前肢具 5 指及爪，后肢具趾，除第 5 趾无爪外，余皆有爪，指（趾）间具蹼。尾长一般 20 ～ 30 mm，较细。头侧及喉侧有带黑边的黄绿色纵横线，头颈部背面深褐色，腹面色稍浅；背甲各盾片边缘外呈黄色，盾片上的花纹形似金钱；腹甲每盾片外侧下方色较深；四肢背面灰褐色或深棕色，腹面色稍浅；尾部背面棕褐色；泄殖孔周围色浅，往后棕褐色。

| **生境分布** | 栖息于河流、池塘。广东各地均有分布。

| **资源情况** | 药材来源于养殖。

| **采收加工** | 全年均可采捕，以秋、冬季为多，杀死或用沸水烫死，剥取背甲及腹甲，除去残肉。

| **药材性状** | **龟甲**：本品背甲及腹甲由甲桥相连，背甲与腹甲常分离。背甲呈拱状长椭圆形，外表面棕褐色或黑褐色，脊棱 3；颈盾 1，前窄后宽，椎盾 5，第 1 椎盾长大于宽或与宽近相等，第 2 ～ 4 椎盾宽大于长，肋盾两侧对称，各 4，缘盾每侧 11，臀盾 2。腹甲呈板片状，近长方状椭圆形，外表面淡黄棕色至棕黑色，盾片 12，每盾片常具紫褐色放射状纹理，腹盾、胸盾和股盾中缝均长，喉盾、肛盾次之，肱盾中缝最短；内表面黄白色至灰白色，有的略带血迹或残肉，除净后可见骨板 9，呈锯齿状嵌接。前端钝圆或平截，后端具三角形缺刻，两侧残存呈翼状向斜上方弯曲的甲桥。质坚硬。气微腥，味微咸。

龟甲胶：本品为长方形或方形扁块，深褐色。质硬而脆，断面光亮，对光照视时呈透明状。气微腥，味淡。

| **功能主治** | **龟甲**：甘、咸，微寒。归肾、肝、心经。滋阴潜阳，益肾强骨，养血补心，固经止崩。用于骨蒸盗汗，阴虚潮热，头晕目眩，虚风内动，筋骨痿软，心虚健忘，崩漏等。

龟甲胶：甘、咸，凉。归肝、肾、心经。滋阴，养血，止血。用于骨蒸盗汗，阴虚潮热，腰膝酸软，血虚萎黄，崩漏，带下等。

| **用法用量** | **龟甲**：内服煎汤，9 ～ 24 g，先煎。

龟甲胶：内服烊化，3 ～ 9 g。

海龟科 Cheloniidae 玳瑁属 Eretmochelys

玳瑁
Eretmochelys imbricata Linn.

| 药 材 名 | 玳瑁（药用部位：背甲）。

| 形态特征 | 体长 60 ~ 170 cm。头部具对称的鳞片。上颌钩曲，嘴似鹦鹉，颌缘锯齿状。幼时背甲的盾片呈覆瓦状排列，随年龄增长渐呈平铺状镶嵌排列；颈盾短宽；椎盾 5，中央有一明显的棱脊；肋盾左右各 4，第 2 肋盾最大；缘盾每侧 11；臀盾 2。腹甲前缘有较小的喉盾，两侧均有 1 隆起，在腹部中沟两侧形成 2 明显的棱嵴，每侧甲桥处有 4 下缘盾，腋、胯区尚有数块小盾片。四肢扁平，呈桨状，覆被大鳞，前肢较大，具 2 爪，后肢短小，具 1 爪。尾短小，不露于甲外。背甲棕红色或棕褐色，有光泽，缀有浅黄色小花纹，头及四肢棕色，腹部黄黑色，有褐斑。

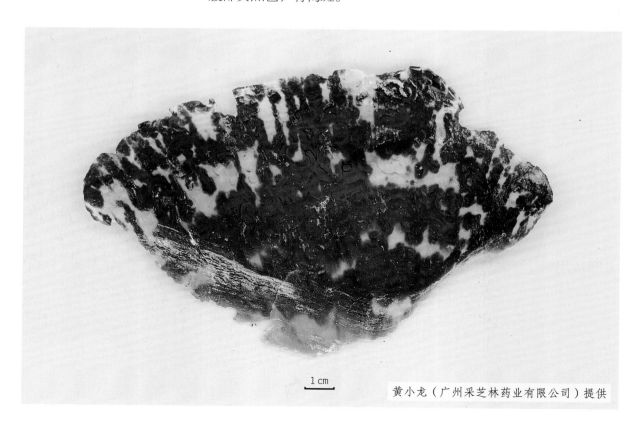

1 cm

黄小龙（广州采芝林药业有限公司）提供

| **生境分布** | 栖息于珊瑚礁中。分布于广东沿海地区等。

| **资源情况** | 野生资源稀少。养殖资源较少。药材来源于养殖。

| **采收加工** | 全年均可采捕，剥去背部鳞片，除去残肉，洗净。

| **药材性状** | 本品呈长方形、菱形、三角形、多角形或近圆形板片状，长 8 ~ 24 cm，宽 8 ~ 17 cm，厚 1 ~ 3 mm，中间较厚，边缘薄似刀刃，具不整齐的锯齿。外表面平滑而有光泽，半透明状，有暗褐色与乳黄色相间的不规则花纹，背鳞甲中间有隆起的棱脊，斜切面显层纹；内表面有条纹形成的云彩样纹理。质坚韧，不易折断，断面角质。气微，味淡。

| **功能主治** | 甘、咸，寒。归心、肝经。清热解毒，息风潜阳，平肝镇痉。用于热病惊狂，高热烦躁，神昏谵语，惊厥，惊痫，痈肿疮毒；外用于皮肤瘙痒。

| **用法用量** | 内服煎汤，3 ~ 5 g；或磨汁；或入丸、散剂。外用适量，磨汁涂。

| **附　注** | 在《国家重点保护野生动物名录》中，本种被列为国家一级保护野生动物。

壁虎科 Gekkonidae 壁虎属 Gekko

壁虎
Gekko chinensis Gray

| 药 材 名 | 盐蛇干（药用部位：全体。别名：壁虎干、守宫、天龙）。

| 形态特征 | 体长一般约 10 cm，最长达 14.5 cm。眼大，瞳孔纵竖。吻钝尖，长于眼耳间距，吻鳞宽明显大于高，与鼻鳞相接；上唇鳞 10 ~ 13，下唇鳞 9 ~ 11；颏鳞三角形，稍狭于吻鳞，后颏鳞 2 ~ 3 对，第 1 对最大，长大于宽；外鼻孔位于吻鳞与第 1 上唇鳞间，鼻鳞 2 ~ 3。头背部被细疣鳞，吻部疣突稍大于头顶部疣突。体背部覆小粒鳞而间杂有多数略呈锥形的疣鳞，腹部被光滑的覆瓦状圆鳞。尾稍纵扁，其切面呈椭圆形，长于头体，背部覆小方鳞而杂有少许大疣突，下面为片状鳞且呈覆瓦状，中央 1 列鳞横向增大。后肢向前伸接近或达腋部。趾（指）端扩大，基部稍扩张，末节均与扩展部相连，各趾（指）均有单行趾（指）下瓣，第 4 趾（指）的趾（指）下瓣

1 cm

黄小龙（广州采芝林药业有限公司）提供

12 ~ 16，第 1 趾（指）缺爪，其余趾（指）均具爪。蹼明显，第 3 ~ 4 趾（指）间者最深，其余长均不及趾（指）的 3/4。雄性具肛前孔 17 ~ 23。体背部灰褐色，有不明显且不规则的深色斑纹，常形成波状横斑或黑点斑，腹部淡灰色或污白色。

| **生境分布** | 栖息于屋檐、墙隙等隐僻处。广东各地均有分布。

| **资源情况** | 药材主要来源于野生。

| **采收加工** | 夏、秋季采捕，用热水烫死，立即捞起，用微火烤干或晒干。

| **药材性状** | 本品头部呈钝三角形，略扁，约为身躯的 1/3，头及体长 4 ~ 8 cm。口大，舌肥厚。两眼凹陷成窟窿。两颌密生细齿。脊部有暗灰色或白色斑纹，鳞片细小，黑色。腹部黄色，鳞片较大。四肢短，各具 5 趾（指），除第 1 趾（指）外，均有钩爪，趾（指）底部有吸盘。尾尖长，一般稍长于头体。质稍硬，易吸潮变软。气微腥，味微咸。

| **功能主治** | 咸，寒；有小毒。归心、肝经。祛风，定惊，散结，解毒。用于风痰惊痫，中风瘫痪，关节风痛，痰火瘰疬，恶疮，神经衰弱，食管癌，宫颈癌，小儿高热惊厥，淋巴结结核，肺结核，骨结核，关节结核。

| **用法用量** | 内服煎汤，2 ~ 5 g；或研末；或浸酒。

壁虎科 Gekkonidae 壁虎属 Gekko

蛤蚧
Gekko gekko (Linnaeus)

| 药 材 名 | 蛤蚧（药用部位：除去内脏的全体）。

| 形态特征 | 体长 12 ～ 30 cm，尾长 10 ～ 14.5 cm。体背腹略扁。皮肤粗糙，被粒状细鳞，其间杂有大的颗粒状疣粒。头大，扁三角形。眼大，位于头两侧，瞳孔纵竖。头后两侧具斜直的椭圆形耳孔 1 对，耳孔内有下陷的鼓膜。颈短而粗。两腹侧各有 1 皮肤褶。尾长，基部粗，易断，可再生。趾（指）底部有许多皱褶。雄性后肢股部腹面有 1 列鳞，且有圆形股孔 14 ～ 22，雌性无或不明显。体色多样，基色有黑色、灰褐色、深灰色、青黑色、青蓝色等，头、体背部有黑色、褐色、深灰色、蓝褐色、青灰色的横条纹，体上散布有 6 ～ 7 行横行排列的白色、灰白色或灰色点，多数具成行或不成行的锈色、棕

1 cm

黄小龙（广州采芝林药业有限公司）提供

黄色、淡红色或栗黑色的圆形斑点。尾具灰白色环 6 ~ 7，再生尾无灰白色环。

| **生境分布** | 栖息于悬崖石壁洞缝中、树洞中及房舍顶等处。广东各地均有分布。

| **资源情况** | 药材来源于养殖。

| **采收加工** | 采捕后无痛处死，用尖头利刀自肛门向前直切至喉前部，除净内脏，用 2 根细竹条分别插入前后肢，用 2 根约宽 1 cm 的扁薄竹片交叉固定四肢基部，用 2 块扁薄竹片将腹壁左右横撑开，再用 1 根长于全身的扁竹条，沿背部内面直伸至头腹皮下，用纱纸条将尾和扁竹条捆扎固定，烘干至灰色、眼睛全部陷入、尾干瘪、用手指击敲头部有响声时为止。

| **药材性状** | 本品呈扁片状，腹背部宽 6 ~ 11 cm，尾长 6 ~ 12 cm。头略呈扁三角状，两眼多凹陷成窟窿。口内有细齿，生于颚边缘，无异形大齿。吻部半圆形，吻鳞不切鼻孔，与鼻鳞相连；上鼻鳞左右各 1；上唇鳞 12 ~ 14 对，下唇鳞（包括颏鳞）21。腹背部呈椭圆形，腹薄。体背部呈灰黑色或银灰色，有黄白色、灰绿色或橙红色斑点散在或密集呈不显著的斑纹。四足均具 5 趾（指），趾（指）间仅具蹼迹，足趾底有吸盘。尾细而质坚实，微现骨节，有 6 ~ 7 明显的银灰色环带，有的再生尾较原生尾短，且银灰色环带不明显。全体密被圆形或多角形微有光泽的细鳞。气腥，味微咸。

| **功能主治** | 咸，平。归肺、肾经。补肺益肾，纳气定喘，助阳益精。用于肺肾不足，虚喘气促，劳嗽咯血，阳痿，遗精等。

| **用法用量** | 内服煎汤，3 ~ 6 g；或入丸、散剂；或浸酒。

壁虎科 Gekkonidae 壁虎属 Gekko

蹼趾壁虎

Gekko subpalmatus Guenther

| 药 材 名 | 盐蛇干（药用部位：全体）。

| 形态特征 | 体长 97 ~ 150 mm。吻斜扁，长明显大于眼径和眼至耳孔的距离，吻鳞长方形，宽为高的 2 倍，上缘与鼻间鳞、鼻孔相接；鼻孔圆形，近吻端，位于吻鳞、第 1 上唇鳞、鼻鳞之间，2 上鼻鳞间有 1 小鳞，少数有 2 小鳞；上、下唇鳞 8 ~ 11，多数 10；颏鳞三角形，颏片 3 ~ 5 对，大小不一，排列不对称。眼大，瞳孔垂直，椭圆形。颞部鼓起。耳孔明显，呈卵圆形，鼓膜内陷。鼻孔至眼具纵列鳞约 14。眼眶间具横列鳞 45 ~ 48。头、躯干和四肢背面均被粒鳞而无疣鳞。喉部被粒鳞。体腹部鳞片呈覆瓦状排列。趾（指）呈瓣状，趾（指）间具蹼，第 1 趾（指）无爪，具单行趾（指）下瓣。尾略纵扁，背部被覆瓦状鳞片，腹部有 1 列横向扩大的鳞片，基部膨大，每侧有 1 大疣鳞，雄性具 7 ~ 11 肛前孔。体背部灰褐色，躯干背部有 6 ~ 10 不规则的浅色横斑，尾背部有 9 ~ 12 浅色环状横斑，腹部白色。

| 生境分布 | 栖息于丘陵地区的农村、野外岩石裂隙和石块下，在无人居住的荒岛上也有分布。广东各地均有分布。

| 资源情况 | 药材来源于野生。

| 采收加工 | 夏、秋季在夜晚灯光下昆虫聚集处采捕，处死，烘干，或用刀破腹，除去内脏，擦干血液，用细竹片撑之，使身体及四肢顺直，烘干。

| 药材性状 | 本品干瘪，呈屈曲状。头呈卵圆形，尾多残缺不全。体背部黑色，腹部黄褐色。质脆，易折断。气腥。

| 功能主治 | 咸，寒。归肝经。祛风镇惊，解毒散结。用于中风惊痫，关节风痛，破伤风，疮痈，瘰疬，疠风，风癣，噎膈等。

| 用法用量 | 内服煎汤，2 ~ 5 g；或研末，1 ~ 2 g；或浸酒；或入丸、散剂。

石龙子科 Scincidae 石龙子属 *Eumeces*

石龙子 *Eumeces chinensis* (Gray)

| 药 材 名 | 铜石龙子（药用部位：全体）。

| 形态特征 | 全长约 210 mm，周身被覆瓦状排列的细鳞。鳞片质薄而光滑，24 ~ 26 行。吻端圆凸。鼻孔 1 对。眼分列于头部两侧。舌短，稍分叉。体背部黄铜色，有金属样光泽，一般有 3 浅灰色纵线，鳞片周围淡灰色，略呈网状斑纹。四肢发达，具 5 趾（指），有钩爪。尾细长，末端尖锐。

| 生境分布 | 栖息于山野草丛中。广东各地均有分布。

| 资源情况 | 药材来源于野生。

| 采收加工 | 夏、秋季于山坡杂草间采捕，无痛处死，剖除内脏，置通风处干燥。

| 药材性状 | 本品呈不规则的条状，头颈部及躯干部长 8 ~ 10 cm，腹背部宽 3 ~ 4 cm，尾长 12 ~ 15 cm。头呈三角形，有活动眼睑，头背部鳞片光滑。口内无异形大齿。体背部灰棕色，腹部灰棕色。尾粗且长，尾下正中 1 行鳞片扩大，灰棕色。爪发达，钩状，无蹼迹。

| 功能主治 | 咸，寒；有毒。归脾、肾经。解毒，散结，行水。用于恶疮瘰疬，臁疮，乳癌，肺痈，小便不利，石淋，风湿病，皮肤瘙痒等。

| 用法用量 | 内服烧存性，研末，2 ~ 5 g；或入丸、散剂。外用适量，熬膏涂；或研末调敷。

青环海蛇

Hydrophis cyanocinctus (Daudin)

| **药 材 名** | 海蛇（药用部位：除去内脏的全体）。

| **形态特征** | 全长 120 ~ 200 cm。头大小适中。体较长，前部不细，后部侧扁，最大直径约为颈径的 2 倍。眼前鳞 1，眼后鳞 2，稀 1。前颞鳞大多 2，稀 1 或 3。上唇鳞 7 ~ 8，稀 6 或 9，为 2 ~ 3（2）~ 3（4、2）式；下唇鳞 8 ~ 11，第 2 或第 3 下唇鳞后的唇缘有 1 列小鳞。体鳞雄性颈部 27 ~ 31 行，体最粗部 34 ~ 40 行，雌性颈部 27 ~ 35 行，体最粗部 36 ~ 43 行，呈覆瓦状排列，具棱，有时断裂成 2 ~ 3 小结节。体最粗部鳞略呈圆形。腹鳞雄性 311 ~ 383，雌性 293 ~ 363，前部腹鳞宽约为相邻体鳞的 2 倍，后部腹鳞稍窄，每片具 2 平行的短棱，通身清晰。肛前鳞一般 4，稍大。生活时头背部黄橄榄色至深橄榄色，眼后及颞部有黄斑，体背部深灰色或铁灰色，腹部黄橄榄色、淡黄色或灰黄色，具铁灰色或青黑色完全环纹 50 ~ 71 ＋ 5 ~ 10。背部环纹宽、色深；腹部环纹窄；体侧环纹最窄，色浅。腹鳞可见黑色。

| **生境分布** | 栖息于大陆架和海岛周围的浅水中。分布于广东沿海地区等。

| **资源情况** | 药材来源于野生。

| **采收加工** | 夏、秋季采捕，用开水烫死，用手从头至尾反复挤压，挤尽肠中废物，或剖腹，除去内脏，晒干或烘干。

| **药材性状** | 本品呈圆盘状或弯折条状，盘径 12 cm，全体长一般 20 ~ 200 cm。头大小适中。体后部侧扁，最大直径约为颈径的 2 倍。鼻孔向上，位于吻背，鼻鳞彼此相接。体侧扁，全体带黑白相间的环纹，背部鳞片菱形，呈镶嵌状排列，腹部淡黄色，可见排列均匀而微隆起的肋骨。质坚韧，不易折断。气腥，味咸。

| **功能主治** | 甘、咸，温；有毒。滋补强壮，祛风止痛，舒筋活络，除湿止痒。用于小儿营养不良，风湿性关节炎，腰腿酸痛，肌肤麻木，产后皮肤湿痒，疮疖等。 |

| **用法用量** | 内服煎汤，10 ~ 30 g；或浸酒。 |

海蛇科 Hydrophiidae 长吻海蛇属 Pelamis

长吻海蛇
Pelamis platurus Linn.

| 药 材 名 | 海蛇（药用部位：除去内脏的全体。别名：大海蛇、蛇婆）。

| 形态特征 | 头部狭长，背面黑色，常有黄斑。吻长，唇缘黄色至黄绿色。通体背部黑色。体侧扁，侧线以下黄色至黄染青色，两色截然分开，其间或有淡黄色纵纹。尾部扁状，略似桨，约有 10 黑斑，黑斑常相连成波状纹或不规则的大小黑斑。体最宽处不及颈宽的 2 倍，全长一般 54.5 ～ 70.7 cm，最长可达 90 cm。眼大，瞳孔圆。鼻孔位于吻背面。上唇鳞一般为 3-2-4（5），第 2 上唇鳞与前额相切；下唇鳞 11 ～ 12，第 5、6 下唇鳞最大。颏片 3 对，中间有小鳞列隔开。眼前鳞 1 或 2，眼后鳞 2，个别有眼下鳞。颞鳞 2（3）＋ 3（4，2）。

中国科学院南海海洋研究所提供

背鳞呈六角形或近方形，镶嵌状排列，背面鳞光滑，侧面鳞有 1 短棱，最下几行有 2 ～ 3 短棱，成年雄体的棱较强，背鳞式：雄体为（34 ～ 50）-（43 ～ 59）-（34 ～ 52），雌体为（41 ～ 50）-（53 ～ 47）-（44 ～ 48）。腹鳞宽大于背鳞，常被中央纵沟分裂成碎裂或一分为二，呈镶嵌状排列，雄体 306 ～ 431，雌体 315 ～ 426。肛鳞大小适中，2 分。尾下鳞，雄体 41 ～ 64，雌体 55 ～ 66。蜕皮前体背面黑灰色，头、腹及腹侧黄色，部分带灰黑色，背、腹交界处色较淡，蜕皮后体色复原。

| 生境分布 | 栖息于海洋中。分布于广东湛江、阳江、汕头、汕尾等沿海地区。

| 资源情况 | 药材来源于野生。

| 采收加工 | 全年均可采捕，以夏、秋季为多，剖腹，除去内脏，洗净，沥去水，以头部为中心盘成饼状，或割断肋骨后摊平，晒干或烘干。

| 药材性状 | 本品略呈扁棒状，全体被镶嵌状细鳞。头部稍尖长，口常微张，两颌每侧有 1 列细尖齿，7 ～ 11，上颌有一稍大的前沟牙。体向后渐侧扁，尾部略呈小刀状。腹部剖口常裂开，可见内壁灰白色至淡灰黄色。外表面灰色带褐色，自头背面起至尾中部背面有一明显的灰黑色纵带斑，此带斑边缘很直，尾两侧有若干不规则的块斑或波状斑，末端灰黑色，有时尚残留淡黄色。气腥，味甘。

| 功能主治 | 甘、咸，温；有毒。归肝、脾经。祛风通络，强筋壮骨。用于风湿痹痛，腰腿酸痛无力，肌肤麻木，产后皮肤湿痒。

| 用法用量 | 内服煎汤，10 ～ 30 g；或煅存性，研末冲，3 ～ 6 g；或浸酒。

金环蛇
Bungarus fasciatus (Schneider)

| 药 材 名 | 黄花蛇（药用部位：除去内脏的全体）。

| 形态特征 | 全长约 150 cm。头部椭圆形，稍大于颈，有前沟牙，无颊鳞。上唇鳞 7，2-2-3 式；下唇鳞 7 ~ 8，3 ~ 4 切前颌片。眼前鳞 1，稀 2；眼后鳞 2，稀 1。颞鳞 1 ＋ 2（1）。背鳞平滑，通身 15 行，少数颈部有 16 或 17 行；脊鳞扩大，呈六角形；背脊棱起成嵴。腹鳞雄性 214 ~ 230，雌性 214 ~ 227。肛鳞完整。尾下鳞单列，雄性 29 ~ 39，雌性 31 ~ 39；尾短，末端钝圆。生活时通身有黑黄相间的环纹，黑节与黄节近等宽，躯干部黄色环纹 20 ~ 28，尾部黄色环纹 3 ~ 5，有的部分黄色环纹消失或不清晰，有的黄色环纹中央有黑色斑。

| **生境分布** | 栖息于丘陵、山地的水域附近。分布于广东湛江（市区）、梅州（市区）等。

| **资源情况** | 药材来源于野生。

| **采收加工** | 夏、秋季采捕，剖腹，除去内脏，盘起，烘干。

| **药材性状** | 本品呈圆盘形，盘径 14 ~ 20 cm。头居中，椭圆形，黑褐色，鼻尖向前，不上翘。通体具 23 ~ 33 对黑黄相间的色环，黄节与黑节近等宽，体背部有明显的脊棱。尾短，末端钝圆。气腥，味咸。背鳞椭圆形，长 6.5 ~ 7 mm，宽 4.5 ~ 5 mm，黄褐色，上半部边缘整齐，具 8 ~ 13 小孔，无中肋，无端窝，表面平滑，透明；脊鳞扩大成六边形，有孔 30 ~ 34，不规则的分布于鳞片上半部，无中肋，无端窝。质韧，不易折断。

| **功能主治** | 咸，温。归肝经。通关透节，祛风除湿。用于风湿麻痹，手足瘫痪，关节肿痛等。

| **用法用量** | 内服煎汤，3 ~ 9 g；或浸酒。

眼镜蛇科 Elapidae 环蛇属 Bungarus

银环蛇

Bungarus multicinctus (Blyth)

| 药 材 名 | 广东白花蛇（药用部位：除去内脏的全体）。

| 形态特征 | 全长约 140 cm。头部椭圆形，稍大于颈，有前沟牙。眼小。鼻鳞 2，鼻孔椭圆形，位于 2 鳞之间。颊鳞缺。上唇鳞 7，下唇鳞 7，稀 6 或 8，3 ~ 4 切前颌片。眼前鳞 1，眼后鳞 2。颞鳞 1（2）＋ 2。背鳞光滑，通身 15 行，少数颈部有 16 ~ 17；脊鳞扩大成六角形；背脊棱起不明显。腹鳞雄性 204 ~ 231，雌性 203 ~ 227。肛鳞完整。尾下鳞单列，雄性 43 ~ 54、雌性 37 ~ 55；尾末端较尖细。生活时体背部黑白横纹相间，躯干部白色横纹 20 ~ 50，尾部白色横纹 7 ~ 17，白色横纹宽相当于 1 ~ 2 鳞片宽，腹部白色，个别黑色色变者，白色横纹仅在体侧隐约可见。

张永利提供

| 生境分布 | 栖息于平原及丘陵地带多水之处，亦可在海拔约700 m处见到。分布于广东普宁、饶平、陆丰等。

| 资源情况 | 野生资源。药材来源于野生。

| 采收加工 | 夏、秋季采捕，剖腹，除去内脏，擦净血，用乙醇浸泡后，以头为中心盘成圆盘形，用竹签撑开，烘干。

| 药材性状 | 本品呈圆盘状，盘径3～6 cm，蛇体直径0.2～0.4 cm。头盘在中间，尾细，常纳口内，上颌骨前端有前沟牙1对，鼻鳞2，颊鳞缺，上、下唇鳞通常各7。背部黑色或灰黑色，有白色环纹20～50，黑白相间，白色环纹宽相当于1～2鳞片宽，向腹部渐宽，黑色环纹宽相当于3～5鳞片宽，背部正中明显凸起1脊棱；脊鳞较大，呈六角形；背鳞细密，通身15行。尾下鳞单列。气微腥，味微咸。

| 功能主治 | 甘、咸，温。归肝经。祛风，通络，止痉。用于风湿顽痹，麻木拘挛，中风口眼歪斜，半身不遂，抽搐痉挛，破伤风，麻风，疥癣等。

| 用法用量 | 内服煎汤，2～5 g；或研末，1～1.5 g；或浸酒，3～9 g。

蝰蛇科 Viperidae 蝮蛇属 Agkistrodon

尖吻蝮 *Agkistrodon acutus* (Guenther)

| 药 材 名 | 蕲蛇（药用部位：除去内脏的全体）。

| 形态特征 | 体长 120 ~ 150 cm，大者可超过 200 cm。头大，呈三角状，有管牙。吻鳞和鼻间鳞向上前方凸起，鼻孔与眼之间有 1 椭圆形颊窝。背鳞具强棱。腹鳞 157 ~ 171。尾下鳞 52 ~ 60，多成对，末端鳞片角质化，形成 1 尖出硬物，称"佛指甲"。体色变化较大，背面黑褐色、黑灰色、棕褐色、土褐色、土黄色、棕绿色或棕红色，自颈至尾有 2 行中央色浅的深色圆斑或由此斑形成的网纹，有的斑纹不明显。尾色同体色。腹面色浅者，颔部灰白色；腹面黑色发亮者，颔片和下唇鳞腹侧有黑斑，颔部灰白色。眼后斜向口角处有深色宽带状斑，其背缘有醒目的细白边。

1 cm

黄小龙（广州采芝林药业有限公司）提供

| **生境分布** | 生活于海拔 100 ~ 1 350 m 的山区或丘陵地带，栖息于海拔 300 ~ 800 m 的山谷溪涧沟岩石下。分布于广东韶关（市区）、清远（市区）、河源（市区）等。 |

| **资源情况** | 药材来源于野生。 |

| **采收加工** | 夏、秋季采捕，剖腹，除去内脏，洗净，用竹片撑开腹部，盘成圆盘状，干燥后拆除竹片。 |

| **药材性状** | 本品卷曲成圆盘状，盘径 17 ~ 34 cm，体长可达 2 m。头在中间稍向上，呈三角形而扁平，吻端向上，上颚有管状毒牙，毒牙中空尖锐。体背部两侧各有黑褐色与浅棕色组成的"V"形斑纹 17 ~ 25，"V"形的两上端在背中线上相接，有的左右不相接，呈交错排列。腹部撑开或不撑开，灰白色，鳞片较大，有黑色类圆形斑点；腹内壁黄白色，脊椎骨的棘突较高，呈刀片状上突，前后椎体下突基本同形，多呈弯刀状，向后倾斜，尖端明显超过椎体后隆面。尾部骤细，末端有三角形深灰色角质鳞片 1。气腥，味微咸。 |

| **功能主治** | 甘、咸，温；有毒。归肝经。祛风，通络，止痉。用于风湿顽痹，麻木拘挛，中风口眼歪斜，半身不遂，抽搐痉挛，破伤风，麻风，疥癣等。 |

| **用法用量** | 内服煎汤，3 ~ 9 g；或研末，1 ~ 1.5 g，每日 2 ~ 3 次；或浸酒；或熬膏；或入丸、散剂。 |

游蛇科 Colubridae 锦蛇属 *Elaphe*

王锦蛇

Elaphe carinata Guenther

| 药 材 名 | 蛇蜕（药用部位：蜕下的皮膜）。

| 形态特征 | 体粗壮，全长约 2 m。体背面黑色，混杂有黄色花斑，形似菜花；头背面棕黄色，鳞缘和鳞沟黑色，形成"王"字形黑斑；体腹面黄色，腹鳞后缘有黑斑。幼体背面灰橄榄色，鳞缘淡黑色，枕后有 1 短黑纵纹；腹面肉色。

| 生境分布 | 栖息于山区、丘陵地带、平原。广东各地均有分布。

| 资源情况 | 药材来源于养殖。

| 采收加工 | 全年均可采收，除去泥沙，干燥。

| 药材性状 | 本品呈圆筒形，多压扁而皱缩，完整者形似蛇，长可超过 1 m。背部银灰色或淡灰棕色，有光泽，鳞迹菱形或椭圆形，衔接处呈白色，略抽皱或凹下；腹部乳白色或略显黄色，鳞迹长方形，呈覆瓦状排列。体轻，质微韧，手捏之有润滑感和弹性，轻轻搓揉，沙沙作响。气微腥，味淡、微咸。

| 功能主治 | 咸、甘，平。祛风，定惊，解毒，退翳。用于惊风，抽搐痉挛，目生翳障，喉痹，疗肿，皮肤瘙痒。

| 用法用量 | 内服煎汤，3 ~ 6 g；或研末，1.5 ~ 3 g。外用适量，煎汤洗；或研末撒或调敷。

黑眉锦蛇 *Elaphe taeniura* Cope

| 药 材 名 | 蛇蜕（药用部位：蜕下的皮膜）。

| 形态特征 | 全长可达 2 m。头、体背面黄绿色或棕灰色。体背面前中段具黑色梯状或蝶状纹，至后段逐渐不显，自中段开始，两侧有 4 明显的黑色纵带直达尾末端。腹面灰黄色或浅灰色，两侧黑色。上、下唇鳞及下颌淡黄色。眼后具明显的眉状黑纹延至颈部。

| 生境分布 | 栖息于平原、丘陵及山区的房屋及其附近。分布于广东佛山（市区）、东莞等。

| 资源情况 | 药材来源于养殖。

| 采收加工 | 春末夏初、冬初采收，除去泥沙，干燥。

| 药材性状 | 本品呈圆筒形，多压扁而皱缩，长可超过 1 m。背部银灰色或淡灰棕色，有光泽，鳞迹菱形或椭圆形，衔接处呈白色，略抽皱或凹下；腹部乳白色或略显黄色，鳞迹长方形，呈覆瓦状排列。体轻，质微韧，手捏之有润滑感和弹性，轻轻搓揉，沙沙作响。气微腥，味淡、微咸。

| 功能主治 | 咸、甘，平。祛风定惊，明目退翳，杀虫止痒。用于惊风，抽搐痉挛，目生翳障，喉痹，皮肤瘙痒。

| 用法用量 | 内服煎汤，3 ~ 6 g；或研末，1.5 ~ 3 g。外用适量，煎汤洗；或研末撒或调敷。

| 附　　注 | 本种常被加工成乌梢蛇涫同使用，应注意区分。

游蛇科 Colubridae 乌梢蛇属 *Zaocys*

乌梢蛇 *Zaocys dhumnades* Cantor

| 药 材 名 |　乌梢蛇（药用部位：除去内脏的全体。别名：黑蛇、乌蛇、黑风蛇）、蛇蜕（药用部位：蜕下的皮膜）。

| 形态特征 |　体较粗壮且长。尾尖长。头略长，呈椭圆形。吻钝。眼大，瞳孔圆。颈略明显。背鳞光滑，背中央2列棱起形成并行的棱嵴直迄尾末端。上唇鳞3-2-3，第7上唇鳞最大；下唇鳞通常10，第6下唇鳞最大，稀11，第7下唇鳞最大。颊鳞1。眼鳞2＋2，眼前下鳞细小。颞鳞2（1）＋2。颚片2对。后颏片大于前颏片，具颏沟。成体背面浓灰黑色至褐黑色，前半部有2背鳞宽的黄褐色纵纹；体两侧有黄灰色花纹；腹面前半部乳白色，向后半部渐呈淡灰黑色，腹鳞外端灰褐色至灰黑色。尾背面有黄褐色脊线纹，两侧有黑色纵纹。

1 cm

黄小龙（广州采芝林药业有限公司）提供

| **生境分布** | 栖息于平原、丘陵地带。分布于广东广州、佛山（市区）等。

| **资源情况** | 药材来源于养殖。

| **采收加工** | 乌梢蛇：夏末至冬初采捕，除去内脏，卷成圆盘形，用炭火熏烤至表面略呈黑色，晒干或烘干。

蛇蜕：春末、夏、秋季采收，抖净泥屑，晒干。

| **药材性状** | 乌梢蛇：本品呈螺旋状圆盘形，盘径 10 ~ 20 cm。头居中，椭圆形，表面黑褐色至黑色。体部灰褐色至灰黑色，背脊正中 2 列背鳞灰黄色至黄褐色，至体中部渐呈灰褐色，体两侧有灰黄色花纹，至体后部渐成黄褐色纹。腹部切口缘灰白色至灰色。尾部脊线黄褐色，两侧有黑色纵纹。鳞片略呈菱形且光滑。两颌有 1 列同型的小刺状细齿。眼大，不陷入，有光泽。背部肌肉较厚，呈黄白色或淡棕色，可见排列整齐的肋骨。尾部细长。气腥，味淡。

蛇蜕：本品为破裂的半透明角质薄膜或呈长圆筒状。背部银灰色或淡棕褐色，斑纹隐约可见，鳞迹大多呈菱形，略呈椭圆形，鳞迹间常为槽状白线；腹部透明度常不及背部而显乳白色或淡黄色，鳞迹为 1 行横长矩形且略呈覆瓦状排列；尾腹部的鳞迹成对排列。体轻，质微韧，手触之有油腻润滑感及弹性，轻轻搓揉，沙沙作响。气微腥，味淡、微咸。

| **功能主治** | 乌梢蛇：咸、甘，平。归肝经。祛风，通络，止痉。用于风湿痹痛，四肢麻木不仁，抽搐痉挛，中风口眼歪斜，半身不遂，破伤风，皮肤瘙痒，麻风。

蛇蜕：咸、甘，平；有毒。归肝经。祛风定惊，明目退翳，杀虫止痒。用于惊风，抽搐痉挛，目翳，喉痹，疮癣瘙痒；外用于诸恶虫伤，疔肿。

| **用法用量** | 乌梢蛇：内服煎汤，9 ~ 15 g；或研末，0.3 ~ 0.6 g；或入丸、散剂；或制成胶囊；或浸酒。外用适量，烧灰存性，研末调敷。

蛇蜕：内服煎汤，1.5 ~ 3 g；或入散剂。外用适量，煎汤洗；或研末调敷。

鸠鸽科 Columbidae 鸽属 Columba

家鸽
Columba livia domestica (Linnaeus)

药 材 名	白鸽屎（药用部位：粪便）。
形态特征	形态变化较大,毛色以青灰色较普遍,有纯白色、纯褐色、黑白混杂等。
生境分布	栖息于平房或棚中。广东各地均有养殖。
资源情况	药材来源于养殖。
采收加工	全年均可采收,洗净,晒干。

| **药材性状** | 本品表面灰白色与灰绿色相间，常黏附有羽毛或谷粟。质脆，易碎。气腥、微臭。 |

| **功能主治** | 辛、微苦，温。祛风消肿，杀虫止痒。用于瘰疬疮毒，癥瘕。 |

| **用法用量** | 外用适量，涂搽。 |

雉科 Phasianidae 原鸡属 Gallus

家鸡
Gallus gallus domesticus Brisson

| 药 材 名 | 鸡内金（药用部位：沙囊内壁。别名：鸡肾衣、鸡肫皮）。

| 形态特征 | 家禽。嘴短而尖，略呈圆锥状，上嘴略弯曲。鼻孔裂状，被鳞状瓣。头上有肉冠，喉部两侧有肉垂，皆以雄者为大。雌、雄羽色不同，雄者羽色较美，有长而鲜丽的尾羽。雄者跗跖部后方有距。

| 生境分布 | 栖息于田间、村落及附近的小树林中。广东各地均有分布。

| 资源情况 | 药材来源于养殖。

| 采收加工 | 采收后烘干。

| 药材性状 | 本品呈不规则卷片状，略卷曲，大小不一，完整者长约 3.5 cm，厚

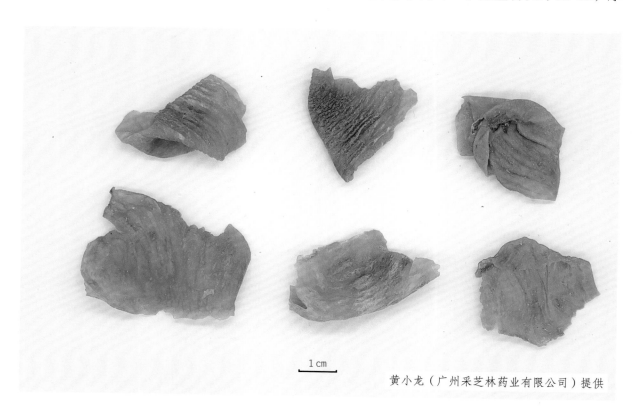

1 cm

黄小龙（广州采芝林药业有限公司）提供

约 0.2 cm。表面黄色、黄绿色或黄褐色，薄而半透明，有明显的条状皱纹。质脆，易碎，断面角质样，有光泽。气微腥，味微苦。

| **功能主治** | 甘，平。健胃消食，涩精止遗，通淋化石。用于食积不消，呕吐泻痢，疳积，遗尿，遗精，石淋涩痛。

| **用法用量** | 内服煎汤，3 ~ 10 g；或研末，1.5 ~ 3 g；或入丸、散剂。外用适量。

乌骨鸡 *Gallus gallus domesticus* Brisson

| 药 材 名 | 竹丝鸡（药用部位：除去内脏的全体）。

| 形态特征 | 体躯矮小，身轻。头小，颈短，颌下有须，耳叶蓝中透绿。脚有5爪。羽衣有白色、黑色、杂色3种，除两翅外，其余体羽呈绒丝状反卷，头上有一撮细毛凸起，下颌、两颊有细短毛。雄性头顶具桑椹形圆冠，雌性头顶带白色绒球。两翅短，飞羽分裂，飞翔力弱。皮、骨、肉白色、乌色或部分乌色等。

| 生境分布 | 栖息于草地或竹阴下。广东各地均有分布。

| 资源情况 | 药材来源于养殖。

| 采收加工 | 全年均可采收，处死，除去毛及内脏，洗净，沥去水。

| 药材性状 | 本品皮、肉、骨均呈乌色，或皮、肉白色而骨乌色。气微腥，味微甘。

| 功能主治 | 甘，平。归肝、脾、肾经。补肝肾，益气血，退虚热。用于阴虚血少所致的头晕目眩，遗精，潮热盗汗，肌肉消瘦，崩漏，带下。

| 用法用量 | 内服适量，煮食、炖汁、煲汤、煮酒；或入丸剂。

鸦鹃科 Cuculidae 鸦鹃属 Centropus

褐翅鸦鹃

Centropus sinensis Stephens

| 药 材 名 | 毛鸡（药用部位：除去内脏的全体）。

| 形态特征 | 体形似鸡。雄鸟除两翅、肩及肩间部呈栗褐色外，其余体羽呈黑色；头、颈及胸部带紫蓝色光泽；羽干乌亮，略呈硬刺状；胸、腹、胁、尾及其上下覆羽渐变为略显暗绿色光泽；初级飞羽端部暗褐色，次级飞羽端部略带褐色；翼下覆羽暗褐色，羽端稍带棕色。雌鸟体色较暗。虹膜深红色。嘴、脚均呈黑色，后爪特形延长而直。幼鸟虹膜灰色、浅蓝色或暗褐色。

| 生境分布 | 栖息于平原和丘陵近水的灌丛、茅草、棘丛中。分布于广东韶关（市区）、河源（市区）、广州等。

霍达提供

| 资源情况 | 药材来源于养殖。

| 采收加工 | 全年均可采捕，剖腹，除去内脏，洗净，用竹片撑开，干燥。

| 功能主治 | 甘，温。滋阴补血，调经通乳，祛风除湿。用于产后头风，手足麻痹，缺乳，跌打损伤等。

| 用法用量 | 内服煎汤，5 ~ 10 g；或入散剂。外用适量，研末撒或调敷。

鸭科 Anatidae 雁属 Anser

家鹅

Anser cygnoides domestica Brisson

| 药 材 名 | 鹅胆（药用部位：胆囊）。

| 形态特征 | 体长 60 ~ 80 cm。嘴扁阔。前额有肉瘤，雄者膨大，呈黄色或黑褐色。颈长。龙骨长。胸部丰满。尾短。羽毛呈白色或灰色。脚大有蹼，呈黄色或黑褐色。体躯宽壮，站立时昂然挺立。

| 生境分布 | 栖息于水中。广东各地均有分布。

| 资源情况 | 药材来源于养殖。

| 采收加工 | 全年均可采捕，宰杀，剖腹，取出。

| **药材性状** | 本品鲜者呈囊状，内装胆汁，呈深绿色，长 2.5 ～ 5 cm，颈部较细；干者呈扁平状，外皮较厚，淡棕色。气微腥，味苦。

| **功能主治** | 苦，寒。归肝、胆经。清热解毒，杀虫。用于痔疮，杨梅疮，疥癞。

| **用法用量** | 内服适量，取汁。外用适量，涂敷。

刺猬 *Erinaceus europaeus* Linnaeus

| **药 材 名** | 刺猬皮（药用部位：带刺外皮）。 |

| **形态特征** | 体形肥短。头宽，吻尖，眼小，耳短。体背面被粗而硬的棘刺，头顶部的棘刺略向两侧分列。四肢粗短，爪发达，均具5趾（指）。脸部褐色，棘刺棕色，腹毛纯白色。 |

| **生境分布** | 栖息于平原、丘陵或山地的灌丛中，亦见于市郊、村落附近。广东各地均有分布。 |

| **资源情况** | 药材来源于养殖。 |

| **采收加工** | 春、秋季采捕，杀死，剥皮，除去油脂、残肉等，用竹片将皮撑开， |

1 cm

黄小龙（广州采芝林药业有限公司）提供

悬放于通风处，阴干。

| **药材性状** | 本品呈多角形板刷状或直条状。外表面密生错杂交叉的棘刺，刺坚硬如针。腹部皮上有灰褐色软毛，皮内面灰白色或棕褐色。具特殊腥臭气。

| **功能主治** | 苦，平。收敛止血，固精缩尿，化瘀止痛。用于胃痛，子宫出血，便血，痔疮，遗精，遗尿等。

| **用法用量** | 内服煎汤，3～10 g；或研末，1.5～3 g；或入丸剂。外用适量，研末调敷。

穿山甲科 Manidae 穿山甲属 Manis

穿山甲
Manis pentadactyla Linnaeus

| 药 材 名 | 穿山甲（药用部位：鳞甲）。

| 形态特征 | 体披覆瓦状角质鳞片，多呈棕褐色，嵌接成行，鳞片间有刚毛。头细，眼小，舌长，无牙齿。四肢粗短，前肢指爪强壮，走路时掌背着地，受惊则蜷成球状。尾长扁阔，披鳞。肌筋发达。

| 生境分布 | 栖息于丘陵、山地的树林、灌丛、草莽中。分布于广东韶关（市区）、河源（市区）、东莞、潮州（市区）、惠州（市区）、梅州（市区）、肇庆（市区）、阳江（市区）、茂名（市区）等。

| 资源情况 | 药材来源于养殖。

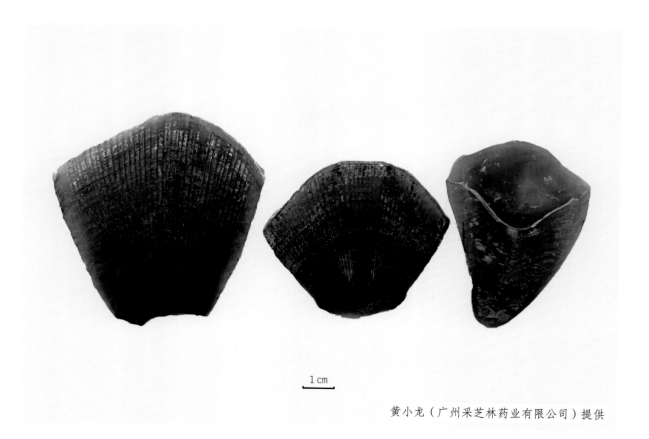

1 cm

黄小龙（广州采芝林药业有限公司）提供

| **采收加工** | 采捕后无痛处死，剥取甲皮，放入沸水中烫至鳞片自行脱落，捞出，洗净，晒干。

| **药材性状** | 本品呈扇面形、三角形、菱形或盾形，扁平片状或半折合状，中间较厚，边缘较薄，大小不一，长、宽均 0.7 ~ 5 cm。外表面黑褐色或黄褐色，有光泽，宽端有数十条排列整齐的纵纹及数条横线纹，窄端光滑；内表面色较浅，中部有一明显凸起的弓形横向棱线，其下方有数条与棱线平行的细纹。角质，半透明，质坚韧而有弹性，不易折断。气微腥，味淡。

| **功能主治** | 苦，平。收敛止血，固精缩尿，化瘀止痛。用于经闭，癥瘕，乳汁不通，痈肿疮毒，风湿痹痛，中风瘫痪，麻木拘挛等。

| **用法用量** | 内服煎汤，5 ~ 10 g；或入散剂。外用适量，研末撒或调敷。

蝙蝠科 Vespertilionidae 彩蝠属 Kerivoula

管耳彩蝠 *Kerivoula picta bellissima* (Thomas)

| **药 材 名** | 夜明砂（药用部位：粪便。别名：蝙蝠粪、飞鼠屎、天鼠屎）。

| **形态特征** | 体形似华菊头蝠，区别在于本种无鼻叶。体长约 4.5 cm，耳大，略似漏斗状，耳屏细长而削尖。尾稍长于体且不突出股间膜。前臂长约 40 mm。体毛细长而密，橙黄色，腹部橙色减少，背部带棕色，较腹部色稍深。指骨两侧有条斑，呈淡黄色。翼膜和股间膜呈黑色。

| **生境分布** | 栖息于岩石、树木等洞穴中。分布于广东湛江（市区）、韶关（市区）、云浮（市区）、清远（市区）、惠州（市区）、梅州（市区）等。

| **资源情况** | 野生资源较少。药材来源于野生。

| **采收加工** | 全年均可采收，以夏季为多，除去泥沙等杂质，晒干。

| **药材性状** | 本品呈颗粒状，完整者呈长椭圆形，长 5 ~ 7 mm，直径约 2 mm，两端稍尖。表面不光滑，呈黑褐色或棕褐色，具微弱光泽。质松，易碎。气微臭，味微苦、辛。

| **功能主治** | 辛，寒。清肝明目，散血消肿，消疳积。用于肝热目赤，白睛溢血，青盲雀目，白内障，角膜云翳，疳积，瘰疬，疟疾；外用于腋臭。

| **用法用量** | 内服煎汤，3 ~ 9 g；或入丸、散剂。外用适量，研末撒或调敷。

菊头蝠科 Rhinolophidae 蹄蝠属 *Hipposideros*

华南大蹄蝠
Hipposideros armiger swinhoei (Peter)

| **药 材 名** | 夜明砂（药用部位：粪便。别名：蝙蝠粪、飞鼠屎、天鼠屎）。 |

| **形态特征** | 体形似鼠，长约 10 cm。前肢特化为翼，前臂长约 9.5 cm，与后肢相连，掌骨和指骨较长，其间有翼膜。趾 5，均具钩爪。尾与后肢间具薄膜，称股间膜。第一趾退化，仅留痕迹，在翼膜外，其余 4 趾均无爪。后足外翻，跟骨纤长，向后伸成距，其长约为胫骨的一半，支持股间膜。 |

| **生境分布** | 栖息于山洞或洞穴的缝隙中。分布于广东湛江（市区）、韶关（市区）、云浮（市区）、清远（市区）、惠州（市区）、梅州（市区）等。 |

| **资源情况** | 野生资源较少。药材来源于野生。 |

| **采收加工** | 全年均可采收，以夏季为多，除去泥沙等杂质，晒干。 |

| **药材性状** | 本品呈颗粒状，完整者呈长椭圆形，长 5 ~ 7 mm，直径约 2 mm，两端稍尖。表面不光滑，呈黑褐色或棕褐色，具微弱光泽。质松，易碎。气微臭，味微苦、辛。 |

| **功能主治** | 辛，寒。清肝明目，散血消肿，消疳积。用于肝热目赤，白睛溢血，青盲雀目，白内障，角膜云翳，疳积，瘰疬，疟疾；外用于腋臭。 |

| **用法用量** | 内服煎汤，3 ~ 9 g；或入丸、散剂。外用适量，研末撒或调敷。 |

菊头蝠科 Rhinolophidae 菊头蝠属 Rhinolophus

华菊头蝠 *Rhinolophus rouxi sinicus* (Anderson)

药 材 名	夜明砂（药用部位：粪便。别名：蝙蝠粪、飞鼠屎、天鼠屎）。
形态特征	鼻部有构造较为复杂的鼻叶；鼻前叶位于最下方，呈宽大的马蹄形，其两外侧具副小叶 4；前叶后面为鞍叶，呈棒状；顶叶位于鞍叶之后，分裂成 4 小块，比前叶狭小。耳大而尖，略呈三角形，且有一稍突出的前外叶。尾较长，超过体长的一半，与股间膜相连。全身被柔软的绒毛，背部棕褐色至黑褐色，腹部棕褐色至深棕色，翼膜黑褐色，毛基灰白色至灰褐色。
生境分布	栖息于山洞或洞穴的缝隙中。分布于广东湛江（市区）、韶关（市区）、云浮（市区）、清远（市区）、惠州（市区）、梅州（市区）等。
资源情况	野生资源较少。药材来源于野生。
采收加工	全年均可采收，以夏季为多，除去泥沙等杂质，晒干。
药材性状	本品呈颗粒状，完整者呈长椭圆形，长 5 ~ 7 mm，直径约 2 mm，两端稍尖。表面不光滑，呈黑褐色或棕褐色，具微弱光泽。质松，易碎。气微臭，味微苦、辛。
功能主治	辛，寒。清肝明目，散血消肿，消疳积。用于肝热目赤，白睛溢血，青盲雀目，白内障，角膜云翳，疳积，瘰疬，疟疾；外用于腋臭。
用法用量	内服煎汤，3 ~ 9 g；或入丸、散剂。外用适量，研末撒或调敷。

兔科 Leporidae 兔属 Lepus

华南野兔

Lepus sinensis Gray

| 药 材 名 | 望月砂（药用部位：粪便）。 |

| 形态特征 | 小型，体毛粗，背毛中针毛稍粗硬，手抚摸略有粗硬感。耳短。颅骨眶上突前端无显著缺刻；鼻骨前端在垂直线上超出上门齿前缘，后端略超过前颌骨后端，后部较前部宽；颧弧前端稍宽于后端；下颌骨髁突较草兔的发达。脑盒较小。 |

| 生境分布 | 栖息于农田附近的山坡灌丛或杂草丛中。分布于广东广州等。 |

| 资源情况 | 药材来源于野生。 |

| 采收加工 | 全年均可采收，以秋季较多，拣净杂草、泥沙，晒干。 |

| 药材性状 | 本品呈圆球形而略扁，长 9 ～ 12 mm，直径 6 ～ 9 mm。表面粗糙， |

1 cm

有草质纤维，内、外均呈浅棕色或灰黄色。质轻松，易破碎，手搓之即碎成乱草状。无臭，味微苦、辛。

| **功能主治** | 辛，微寒。去翳明目，解毒杀虫。用于目翳目暗，疳积，痔瘘。

| **用法用量** | 内服煎汤，5 ~ 10 g；或入丸、散剂。外用适量，烧灰调敷。

牛科 Bovidae 牛属 *Bos*

黄牛

Bos taurus domesticus (Gmelin)

| 药 材 名 | 牛黄（药用部位：胆结石。别名：天然牛黄、丑宝）。

| 形态特征 | 体格高大壮实，一般体长可达 2 m，体重可达 250 kg。头大，额广，鼻孔粗大，2 鼻孔间无毛，皮肤硬而光滑，眼、耳大，上颚无门齿或犬齿，臼齿强大。头上部有短角 1 对，角稍弯曲，不分枝，中空，内有骨质角塞，终生不脱落。喉、胸部有垂肉。四肢健壮，有 4 趾（指），均有蹄甲，后 2 趾（指）不着地。尾长，尾端有丛毛。全身毛短，毛色因品种差异，多呈黄色或褐黄色。

| 生境分布 | 各种环境均能生活。分布于广东湛江（市区）、韶关（市区）、云浮（市区）、清远（市区）、惠州（市区）、梅州（市区）等。

| 资源情况 | 野生资源较少。养殖资源较丰富。药材来源于野生和养殖。

| 采收加工 | 全年均可采收，滤去胆汁，取出结石，除去外部薄膜，阴干。

| 药材性状 | 本品呈卵形、类球形、三角形或四方形，大小不一，直径 0.6 ～ 3（～ 4.5）cm。表面黄红色至棕黄色，粗糙或具裂纹。质细腻而轻松，易破碎，断面有细密的同心层纹，平滑而略有光泽。气清香，味苦而后甘，有清凉感，嚼之易碎，不黏牙。

| 功能主治 | 甘，凉。清心，豁痰，开窍，凉肝，息风，解毒。用于热病神昏，中风痰迷，惊痫抽搐，癫痫发狂，咽喉肿痛，口舌生疮，痈肿疔疮。

| 用法用量 | 内服入丸、散剂，0.15 ～ 0.35 g。外用适量，研末敷。

牛科 Bovidae 水牛属 *Bubalus*

水牛
Bubalus bubalis (Linnaeus)

| **药 材 名** | 水牛角（药用部位：角）。 |

| **形态特征** | 体形肥胖高大，长超过 2.5 m。头大，额广，鼻阔，上唇上部有 2 大鼻孔，其间皮肤硬而光滑，无毛，眼、口、耳部很大。头上有角 1 对，角中空，长大而稍扁，呈弧形弯曲，上部有许多节纹。腰腹隆凸。四肢较短，蹄较大。皮厚，无汗腺，毛粗而短，体前部毛较密，后背及胸腹各部毛稀疏。体色大多灰黑色，亦有黄褐色或白色。 |

| **生境分布** | 生活于温暖的湿地。分布于广东湛江（市区）、韶关（市区）、云浮（市区）、清远（市区）、惠州（市区）、梅州（市区）等。 |

| **资源情况** | 野生资源较少。养殖资源较丰富。药材来源于野生和养殖。 |

1 cm

黄小龙（广州采芝林药业有限公司）提供

| 采收加工 | 全年均可采收，取角后水煮，除去角塞，干燥。

| 药材性状 | 本品呈稍扁平而弯曲的锥形，长短不一。表面棕黑色或灰黑色，一侧有数条横向沟槽，另一侧有密集的横向凹陷条纹。上部渐尖，有纵纹，基部略呈三角形，中空。角质，坚硬。气微腥，味淡。

| 功能主治 | 苦，寒。清热凉血，解毒，定惊。用于温病高热，神昏谵语，发癍发疹，吐血衄血，惊风，癫狂。

| 用法用量 | 内服煎汤，15 ~ 30 g，宜先煎 3 小时以上。

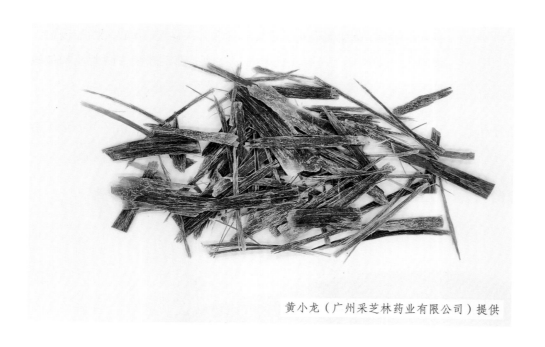

黄小龙（广州采芝林药业有限公司）提供

鹿科 Cervidae 鹿属 Cervus

马鹿 *Cervus elaphus* Linn.

| 药 材 名 | 鹿茸（药用部位：未骨化密生茸毛的幼角）。

| 形态特征 | 雄鹿有角，角很大，一般分为6或8叉，个别可分为9～10叉；眉叉斜向前伸，与主干几成直角；主干较长，向后倾斜，表面有密布的小突起和少数浅槽纹，第2叉紧靠眉叉，第3叉与第2叉间距较大，以后主干再分出2～3叉，各分叉基部较扁。雌鹿仅在相应部位有隆起的嵴突。夏毛短，无绒毛，通体赤褐色；背面较深，腹面较浅；冬毛厚密，有绒毛，毛灰棕色。臀斑较大，褐色、黄赭色或白色。

黄小龙（广州采芝林药业有限公司）提供

| 生境分布 | 栖息于面积大的针阔叶混交林、林间草地、高山森林草原。分布于广东韶关（市区）、清远（市区）等。 |

| 资源情况 | 野生资源稀少。养殖资源较少。药材来源于野生和养殖。 |

| 采收加工 | 6 月下旬采收头茬，8 月下旬采收二茬。一年生者 6 月中旬采割；2 年以上者，待茸长成二杠、顶端呈凹形而第 3 分叉还未长出时采割。 |

| 药材性状 | 本品分枝较多，粗大，茸皮灰褐色，茸毛青灰色或灰黄色，粗而疏，锯口外围骨质，下部有纵棱。气微腥，味微咸。 |

| 功能主治 | 甘、咸，温。归肾、肝经。壮肾阳，益精血，调冲任，托疮毒。用于肾阳不足，精血亏虚，阳痿滑精，宫冷不孕，羸瘦，神疲，畏寒，眩晕，耳鸣，耳聋，腰脊冷痛，筋骨痿软，崩漏，带下，阴疽不敛。 |

| 用法用量 | 内服研末，1 ~ 2 g。 |

| 附　注 | 本种为国家二级保护野生动物，未经批准，不得捕猎。 |

鹿科 Cervidae 鹿属 Cervus

梅花鹿华南亚种

Cervus nippon kopschi Swinhoe

| 药 材 名 | 鹿茸（药用部位：未骨化密生茸毛的幼角）。

| 形态特征 | 体形中等，体长约 1.5 m，体重约 100 kg，躯干不粗大。眶下腺明显。耳大，直立，可转动。颈细长，有鬣毛和白斑。尾短。冬毛颜色较深，栗棕色；夏毛颜色较淡，躯干两侧有明显的白斑，呈梅花状。臀部白斑较密集。仅雄鹿有角，眉叉与主干几成钝角，角实心，富有血管，密生茸毛。

| 生境分布 | 栖息于山地草原和森林边缘地带。分布于广东乳源、仁化等。

| 资源情况 | 野生资源稀少。养殖资源较少。药材来源于野生和养殖。

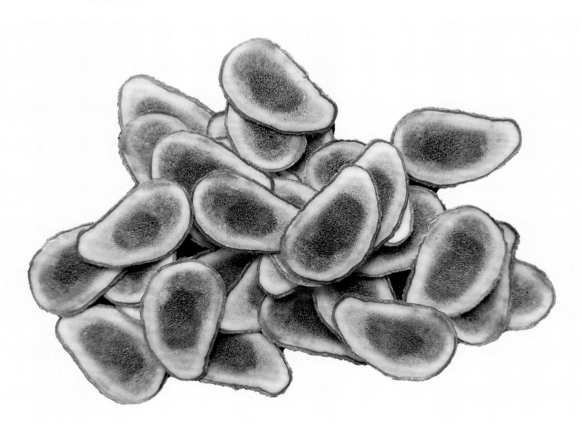

| 采收加工 | 初生茸于茸角长成杆状，长 15 ～ 20 cm 时采收；二杠茸于第二侧枝将长出，茸角顶部膨大裂开时采收；三岔茸于第三侧枝将生长，茸角顶部欲裂时采收。采收后立即将茸角的锯口扎紧，放沸水中反复煮炸，排净茸血，至有蛋黄味时取出，晾干或烘干。

| 药材性状 | 本品分为二杠和三岔 2 种规格。二杠具 1 分枝，一般呈圆柱形，大小、长短不一；表皮红棕色，光润，附红黄色茸毛，上端毛密，下部毛较稀疏；锯口多洁白，有蜂窝状细孔，外圈无骨质。三岔具 2 分枝，较二杠粗大，一般呈圆柱形，顶端圆，下部有时起筋；表皮红棕色，略带黄色，茸毛比二杠略稀。气微腥，味微咸。

| 功能主治 | 甘、咸，温。壮肾阳，益精血，调冲任，托疮毒。用于肾阳不足，精血亏虚，畏寒肢冷，阳痿早泄，宫冷不孕，小便频数，腰脊冷痛，头晕耳聋，精神疲乏，筋骨痿软，崩漏，带下，阴疽久溃不敛，白细胞减少症，再生障碍性贫血。

| 用法用量 | 内服研末，1 ～ 3 g；或入丸、散剂；或隔水炖；或与肉类同炖。

鹿科 Cervidae 鹿属 Cervus

水鹿
Cervus unicolor Kerr

| 药 材 名 | 水鹿茸（药用部位：未骨化密生茸毛的幼角）。

| 形态特征 | 雄鹿颈部和背前部有长鬃毛，背部一般呈黑褐色或深棕色，腹部呈黄白色。雌鹿体色比雄鹿较浅且略带红色，有的呈棕褐色、灰褐色。自颈部沿背中线直达尾部具深棕色纵纹。仅雄鹿有角，角自额部后外侧生出，稍向外倾斜，相对的角叉形成"U"形，一般长70～80 cm，最长的可达125 cm；角形简单，呈三尖形，前端较光滑，其余部分粗糙，基部有1圈骨质瘤突，称为"角座"，俗称"磨盘"。

| 生境分布 | 栖息于热带、亚热带山地。分布于广东韶关（市区）、清远（市区）、河源（市区）、梅州（市区）等。

| 资源情况 | 野生资源稀少。养殖资源较少。药材来源于野生和养殖。

| 采收加工 | 夏初采收，在茸角表面涂敷一层黄泥稠浆，也可用棉花蘸盐水或白矾水洗涤茸角外表后，再涂敷黄泥稠浆，悬挂于通风处，晾干。

| 药材性状 | 本品分为5种规格。牛眼：未分叉，长6～10 cm，附头顶骨；毛极短，灰白色或灰黄色，光滑细致；子眼不明显，红色或红黄色；味浓。人字：长12～16 cm，附头骨；毛稍粗长，光滑细致，灰白色或灰黄色；子眼细密，比牛眼色稍浅；气味长。四平头：长22～33 cm，附头骨；毛较粗长，光滑，灰白色或灰黄色；气味较短。大鱼尾：长40～50 cm，无头骨，尖子钝尖；毛粗长，刺手，灰黑色或棕黄色，茸角基部毛下开始起钉包，断面外缘骨化成骨膘；子眼粗，微黄色；气味短。老鱼尾：长40～50 cm，无头骨，尖子锐尖；毛稀，粗硬，灰黑色或棕褐色；除尖子外通体起棱，钉包显著，断面骨膘厚；子眼更粗，色淡干枯；气味极短。

| 功能主治 | 甘、咸，温。壮肾阳，益精血，调冲任，托疮毒。用于虚劳羸瘦，精神倦乏，眩晕耳聋，腰膝酸软，阳痿，滑精，子宫虚冷，崩漏，带下等。

| 用法用量 | 内服研末，0.3 ~ 0.6 g；或入丸、散剂。

| 附　注 | 本种为国家二级保护野生动物，未经批准，不得捕猎。

麝科 Moschidae 麝属 *Moschus*

林麝
Moschus berezovskii Flerov

| 药 材 名 | 麝香（药用部位：成熟雄体香囊中的分泌物）。

| 形态特征 | 体长约 70 cm。雌雄均无角。耳长，直立，端部稍圆。雄麝腹部生殖器前有麝香囊。尾粗短。四肢细长，后肢长于前肢，站立时后高前低，后肢发达。体毛粗硬，色深，呈深橄榄褐色，并染以橘红色。臀部毛色近黑色，成体不具斑点，幼体具斑点。

| 生境分布 | 栖息于多岩石的混交林中。分布于广东南岭山地以南。

| 资源情况 | 药材来源于养殖。

| 采收加工 | 采捕成年雄性，将腺囊连皮割下，将毛剪短，阴干。

| 药材性状 | 本品为扁圆形或类椭圆形囊状体，直径 3 ~ 7 cm，厚 2 ~ 4 cm。开口面皮革质，棕褐色，略平，密生白色或灰棕色短毛，从两侧围绕中心排列，中间有 1 小囊孔；另一面为棕褐色略带紫色的皮膜，微皱缩，偶显肌肉纤维。略有弹性，剖开后可见中层皮膜呈棕褐色或灰褐色，半透明，内层皮膜呈棕色，内含颗粒状、粉末状的麝香仁和少量细毛及脱落的内层皮膜。

| 功能主治 | 辛，温。开窍醒神，活血通经，消肿止痛。用于热病神昏，中风痰厥，气郁暴厥，中恶昏迷，经闭，癥瘕，难产死胎，胸痹心痛，心腹暴痛，跌仆伤痛。

| 用法用量 | 内服入丸、散剂，0.03 ~ 0.1 g。外用适量，调敷。

猪科 Suidae 猪属 *Sus*

猪
Sus scrofa domestica Brisson

药 材 名	猪胆汁（药用部位：胆汁）、猪胆粉（药材来源：胆汁的干燥品）、猪蹄甲（药用部位：蹄甲。别名：猪悬蹄、猪爪甲、猪退）。
形态特征	头大，眼小，颈粗，鼻长，鼻孔大，口吻长。体形肥大，肋骨拱圆，腹部膨大。耳形状不一，有的小而直立，有的大而下垂，有的遮盖整个脸面。后躯发达，腰背长而宽平，背线平直，有的凹背。四肢较短，有 4 趾（指），中央 2 趾（指）较大，侧趾（指）小。尾短小，末端有毛丛。体有稀疏的硬粗毛，项背疏生鬃毛，毛纯黑色、纯白色或黑白混杂。
生境分布	饲养于栏舍中。广东各地均有养殖。
资源情况	养殖资源较丰富。药材来源于养殖。
采收加工	**猪胆汁**：采捕成年猪后无痛处死，剖腹，取猪胆，滤取胆汁。 **猪胆粉**：采收胆汁，过滤，干燥，粉碎。

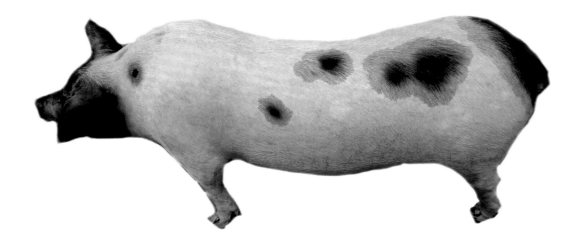

猪蹄甲：采捕成年猪后无痛处死，刮去猪毛，剁下蹄甲，洗净，晾干。

| **药材性状** | **猪胆粉**：本品为黄色或灰黄色粉末，易吸潮。气微腥，味苦。

猪蹄甲：本品呈三角锥体状，底部较平坦，蹄壁厚薄不一，蹄尖部（蹄关壁）最厚，厚 3 ～ 4 mm，向后方渐薄，蹄后部（蹄踵壁和蹄侧壁）厚约 2 mm，蹄缘处最薄，呈薄膜状，黄白色或黑褐色。外表面平滑或粗糙，有光泽，蹄甲尖部上侧具角质轮纹和细密纵线纹，后端具细密纵条线纹，周边蹄缘外翻或内卷；蹄底边缘宽 1 ～ 4.2 mm，由蹄壁及蹄白线两部分构成，其上可见密集凸起的角小叶条纹，后端为半椭圆形角质球，具皱纹及密集凸起的小点。内表面上部前端及两侧壁具密集纵向排列的角小叶。半透明或微透明状。质坚韧，不易折断。气腥，味咸。

| **功能主治** | **猪胆汁**：苦，寒。归心、肺、肾经。清热，燥湿，解毒。用于热病烦渴，便秘，黄疸，百日咳，哮喘，痢疾，泄泻，目赤等。

猪胆粉：苦，寒。归肝、胆、肺、大肠经。清热润燥，止咳平喘，解毒。用于顿咳，哮喘，热病燥渴，目赤，喉痹，黄疸，泄泻，痢疾，便秘，疮痈肿毒。

猪蹄甲：咸，微寒。归胃、大肠经。化痰定喘，解毒生肌。用于咳嗽喘息，痔疮，白秃疮，冻疮。

| **用法用量** | **猪胆汁**：内服适量，煎汤；或开水冲。外用适量，涂敷；或点眼；或灌肠。

猪胆粉：内服冲，0.3 ～ 0.6 g；或入丸、散剂。外用适量，研末水调敷。

猪蹄甲：内服烧灰存性，研末，3 ～ 9 g；或入丸、散剂。外用适量，研末调敷。

犬科 Canidae 犬属 Canis

狗

Canis familiaris (Linnaeus)

| **药 材 名** | 狗鞭（药用部位：阴茎、睾丸。别名：狗肾、牡狗阴茎）。 |

| **形态特征** | 雄性，体形、毛色、大小、姿态因品种不同而异。一般鼻吻部较长。眼呈卵圆形，视觉敏锐。两耳或竖或垂，听觉灵敏。胸部粗于腹部。肢体矫健，前肢 5 指，后肢 4 趾，均具不能伸缩的爪。尾向上卷曲，呈环形或镰形。 |

| **生境分布** | 栖息于人类居住的环境中。分布于广东湛江（市区）、韶关（市区）、云浮（市区）、清远（市区）、惠州（市区）、梅州（市区）等。 |

| **资源情况** | 养殖资源较丰富。药材来源于养殖。 |

| **采收加工** | 全年均可采收，以冬季为好，宰杀雄狗，割下阴茎及睾丸，除去相连的肌肉和脂肪，拉直，晾干、焙干或拌石灰晒干。 |

| **药材性状** | 本品阴茎呈直棒状，长 10 ~ 15 cm，直径 1.5 ~ 2 cm，先端稍尖，具一不规则的纵沟，另一端有细长的输精管连接睾丸。睾丸椭圆形，长 3 ~ 4 cm，直径约 2 cm。淡棕色淡黄色，外表光滑。质坚硬，不易折断。气微腥、味微咸。 |

| **功能主治** | 咸，温。温肾壮阳，补精益髓，强筋健骨。用于阳痿，遗精，不育，阴囊湿冷，虚寒带下，腰膝酸软，形体羸弱，产后体虚。 |

| **用法用量** | 内服煎汤，3 ~ 9 g；或研末，1.5 ~ 3 g；或入丸、散剂。 |

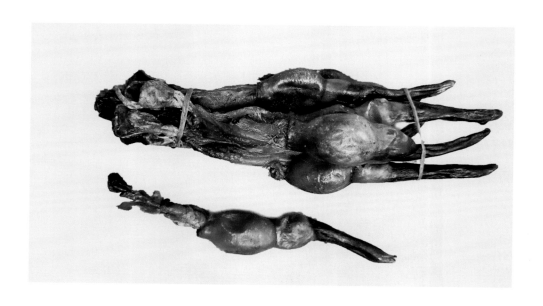

熊科 Ursidae　黑熊属 *Selenarctos*

黑熊台湾亚种 *Selenarctos thibetanus formosanus* (Swinhoe)

| 药 材 名 | 熊胆（药用部位：胆囊。别名：狗熊胆）。

| 形态特征 | 体形肥大。头面部似狗，耳大而圆，嘴短，鼻吻部较突出。颈部毛较长。四肢短粗，前肢5指，后肢5趾，爪黑色，长且弯，前肢腕垫与掌垫相连，后肢较前肢长，跖垫肥厚，可直立。尾短。全身毛黑色，长且粗，具光泽；鼻面毛栗棕色；下颌毛白色；胸部具新月形白斑。

| 生境分布 | 栖息于混交林、阔叶林等树林的洞穴中。分布于广东乐昌、乳源、阳山等。

| 资源情况 | 野生资源较少。药材来源于野生。

1 cm

广州至信中药饮片有限公司提供

| 采收加工 | 采捕后剖腹，用线扎紧胆管，除去肝脏，取出胆囊，用沸水反复烫 4 ~ 5 次，每次 2 ~ 3 分钟，烫至胆皮 40% 熟度，于通风处阴干或用石灰缸吸干水分。 |

| 药材性状 | 本品呈扁长卵形，长 10 ~ 20 cm，下部宽 5 ~ 10 cm，表面灰褐色或黄棕色，上部细小，半透明，下部膨大成囊状，囊皮薄。囊内有干燥的胆汁，色深浅不一，具光泽。气清香、微腥，味苦而回甜，嚼之不黏牙。 |

| 功能主治 | 苦，寒。清热解毒，止痉，明目。用于肝热炽盛，惊风，癫痫，抽搐，目赤肿痛，目生翳膜，咽喉肿痛，跌打内伤；外用于恶疮痈肿，痔疮肿痛。 |

| 用法用量 | 内服入丸、散剂，1 ~ 2.5 g。外用适量，研末水调敷。 |

| 附 注 | 本种同科动物黑熊 Ursus thibetanus (Cuvier) 和棕熊 Ursus arctos (Linnaeus) 的胆囊亦作为熊胆入药。 |

猴科 Cercopithecidae 猕猴属 Macaca

猕猴
Macaca mulatta Zimmermann

| 药 材 名 | 猴骨（药用部位：骨骼）、猴子肉（药用部位：肌肉）。

| 形态特征 | 个体稍小，头体长 43 ~ 60 cm，尾长 15 ~ 32 cm，约为体长的 1/2。颜面瘦削，两颊有颊囊。头顶没有向四周辐射的旋毛，额略突。肩毛较短，体毛多呈棕灰色或黄棕色，毛色因地区、个体年龄不同而异。四肢粗短，均具 5 趾（指），有扁平的趾（指）甲。颜面和两耳多呈肉色。臀胝明显，呈肉红色。

| 生境分布 | 栖息于石山峭壁、溪旁沟谷和江河岸边的密林中或疏林岩山上。分布于广东乐昌、曲江、乳源、阳山、英德、怀集及内伶仃岛、担杆岛、二洲岛、上川岛等。

霍达提供

| 资源情况 | 野生资源稀少。养殖资源一般。药材来源于野生和养殖。

| 采收加工 | 猴骨：全年均可采捕，无痛处死后剥去皮毛（四肢不去皮毛），除去内脏，剔除骨上筋肉，挂通风处晾干。

猴子肉：采捕后无痛处死，除去毛及内脏，剔除骨骼，取肉，鲜用或烘干。

| 药材性状 | 猴骨：本品分为四肢骨和全身骨2种规格。四肢骨：前肢肱骨长约13 cm，直径1.3 cm；尺、桡骨大小相近，长约14 cm，直径0.8 ~ 1 cm；后肢股骨长约17 cm，直径约1.5 cm；前后肢、掌部与爪均带皮毛，毛呈黄棕色；质轻，外表不甚洁白，断面骨髓多已干枯；气微腥。全身骨：分头骨、脊骨、肋骨、髋骨及尾骨等；脊骨粗大，28节；肋骨13对，细瘦而弯曲；尾骨从前至后渐细，15节。

| 功能主治 | 猴骨：甘、酸，平。归心、肝、肾经。祛风湿，通经络。用于风寒湿痹，四肢麻木，惊风，疟疾发热等。

猴子肉：甘、酸，温。补肾助阳，消疳除积。用于肾虚阳痿，遗精，遗尿，神经衰弱，风湿痹痛等。

| 用法用量 | 猴骨：内服煎汤，5 ~ 15 g；或浸酒；或入丸、散剂。

猴子肉：内服蒸食，100 ~ 200 g；或烘烤成肉干。

| 附　　注 | 本种为国家二级保护野生动物，未经批准，不得猎捕。

猴科 Cercopithecidae 猕猴属 *Macaca*

短尾猴 *Macaca speciosa* F. Cuvier

药材名	猴骨（药用部位：骨骼）、猴子肉（药用部位：肌肉）。
形态特征	体形较大，头体长 48 ~ 65 cm，尾极短，长约 4.8 cm。脸部狭长，一般为暗红色或带紫红色斑块。头顶无旋毛。体色深暗，背部多为暗褐黑色或暗橄榄棕褐色，腹部色稍浅于背部，为暗棕黄色。
生境分布	栖息于石山乔木与灌木相杂的丛林中。分布于广东乐昌、曲江、乳源、阳山、英德、怀集等。
资源情况	野生资源稀少。养殖资源较少。药材来源于野生和养殖。
采收加工	**猴骨：**全年均可采捕，无痛处死后剥去皮毛（四肢不去皮毛），除去内脏，剔除骨上筋肉，挂通风处晾干。

猴子肉：采捕后无痛处死，除去毛及内脏，剔除骨骼，取肉，鲜用或烘干。

| 药材性状 | **猴骨：**本种分为四肢骨和全身骨 2 种规格。四肢骨：前肢肱骨长约 13 cm，直径 1.3 cm，尺、桡骨大小相近，长约 14 cm，直径 0.8 ~ 1 cm；后肢股骨长约 17 cm，直径约 1.5 cm；前后肢、掌部与爪均带皮毛，毛呈黄棕色；质轻，外表不甚洁白，断面骨髓多已干枯；气微腥。全身骨：分头骨、脊骨、肋骨、髋骨及尾骨等；脊骨粗大，28 节；肋骨 13 对，细瘦而弯曲；尾骨从前至后渐细，15 节。

| 功能主治 | **猴骨：**甘、酸，平。归心、肝、肾经。祛风湿，通经络。用于风寒湿痹，四肢麻木，惊风，疟疾发热等。

猴子肉：甘、酸，温。补肾助阳，消疳除积。用于肾虚阳痿，遗精，遗尿，神经衰弱，风湿痹痛等。

| 用法用量 | **猴骨：**内服煎汤，5 ~ 15 g；或浸酒；或入丸、散剂。

猴子肉：内服蒸食，100 ~ 200 g；或烘烤成肉干。

| 附　　注 | 本种为国家二级保护野生动物，未经批准，不得捕猎。

药用矿物

黄铁矿 Pyrite

| 药 材 名 | 自然铜（别名：接骨丹、石髓铅）、人造清矾（别名：人工青矾、绿矾、皂矾）。 |

| 形态特征 | 等轴晶系。晶体呈立方体、五角十二面体及八面体。立方体或五角十二面体晶面上有条纹，相邻2晶面的条纹互相垂直。集合体呈致密块状或结核状。条痕绿黑色。具强金属样光泽。无解理，断口参差状。 |

| 生境分布 | 形成于热液矿床、缺氧条件下形成的沉积岩层中。分布于广东开平、恩平、阳春、兴宁等。 |

| 资源情况 | 药材来源于天然矿物资源。 |

广州至信中药饮片有限公司提供

| 采收加工 | **自然铜：**全年均可采挖，除去杂石。
人造清矾：采挖黄铁矿，捣碎，喷水洒湿，使其与空气接触而氧化，将氧化的矿石溶解于水中，过滤，将滤液煎熬浓缩。

| 药材性状 | **自然铜：**本品呈立方体，粒径 0.2 ~ 2.5 cm，表面亮淡黄色，有金属样光泽，有的表面黄棕色或棕褐色，无金属样光泽。晶面具条纹，相邻晶面上具互相垂直的条纹，条痕绿黑色或棕红色。体重，质坚硬或稍脆，易砸碎，断面黄白色，有金属样光泽，有的断面棕褐色，可见银白色亮星。无味，烧之具硫黄气。
人造青矾：本品呈类棱柱状或不规则块粒状至碎末状，棱柱形者大的长 1.5 ~ 3 cm，碎粒形者如细砂，青绿色或黄绿色，半透明。易风化，风化则表面生成一层粉状物。空气温度高则迅速氧化，表面产生黄棕色碱式硫化铁。质稍硬而脆，断面显玻璃样光泽。气微弱，味涩、微甜。

| 功能主治 | **自然铜：**辛，平。散瘀止痛，续筋接骨。用于跌打损伤，筋伤骨折，瘀肿疼痛。
人造清矾：酸、涩，微寒。归肝、脾、大肠经。解毒燥湿，杀虫止痒，止血补血。用于血虚萎黄，钩虫病，肠风便血，缺铁性贫血；外用于湿疮疥癣。

| 用法用量 | **自然铜：**内服煎汤，3 ~ 9 g，宜先煎；或入丸、散剂。外用适量。
人造清矾：内服煅存性，入丸、散剂，0.8 ~ 1.6 g。外用适量，研末撒或调敷；或制成溶液洗涂。

自然硫 Sulphur

| **药 材 名** | 硫黄（别名：硫磺、石硫黄、黄硇砂）。

| **形态特征** | 斜方晶系。晶体呈锥柱状、板状，常见者多为致密粒块状、被膜状或隐晶质块状，浅黄色、黄色或绿黄色。条痕白色或淡黄色。晶面具金刚样光泽，断口具油脂样光泽。

| **生境分布** | 形成于温泉、喷泉、火山口区域或沉积岩中。分布于广东阳春、梅县及韶关（市区）、云浮（市区）等。

| **资源情况** | 药材来源于天然矿物资源。

| **采收加工** | 全年均可开采，采挖后加热熔化，除去杂质。

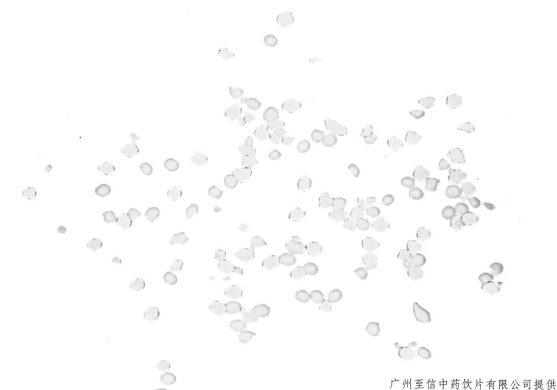

广州至信中药饮片有限公司提供

| **药材性状** | 本品呈不规则块状，浅黄色、黄色或绿黄色，条痕白色或淡黄色。表面不平坦，断口具脂肪样光泽，常具多数小孔隙。用手紧握置于耳边，可听到微弱爆裂声。体轻，质松，易碎，断面呈蜂窝状，可见细柱或针状晶体近平行排列，具金刚样光泽。有特异臭气，味淡。

| **功能主治** | 酸，温；有毒。归肾、大肠经。补火助阳，通便，解毒，杀虫疗疮。用于阳痿，足冷，虚喘冷哮，虚寒便秘；外用于疥癣，白秃疮，阴疽恶疮。

| **用法用量** | 内服入丸、散剂，1.5 ~ 3 g。外用适量，研末，以油调涂。

白云母 Muscovitum

| 药 材 名 | 云母石（别名：云母）。

| 形态特征 | 单斜晶系。晶体呈六方形或菱形，通常呈板状或短柱状。集合体呈片状或鳞片状，柱面上有明显的横条纹，一般无色，亦常带浅黄色、浅灰色或浅绿色。条痕白色。具珍珠样光泽。解理面极平整光滑，透明，可撕成极薄片，薄片具弹性及绝缘性。硬度1.5。相对密度2.76 ～ 3。

| 生境分布 | 形成于伟晶岩、云母片岩及花岗岩中。分布于广东廉江、高州、信宜、蕉岭、怀集等。

| 资源情况 | 药材来源于天然矿物资源。

韩禹（张家口地质博物馆）提供

| **采收加工** | 全年均可采挖，除净泥土及杂质。 |

| **药材性状** | 本品呈不规则片状集合体，大小、长宽不一，一般长、宽均为 2 ~ 8 cm，集合体为数层至数十层薄片叠合而成，无色或略带浅黄色、浅灰色、浅绿色等。质韧，片块状时为半透明，可剥离成极薄片，极薄片透明而具弹性，曲折不断。气无或微有土腥气，味无。 |

| **功能主治** | 甘，平。归肺、肝、脾经。降气平喘，敛疮止血。用于气逆咳喘，吐血，咯血；外用于痈疮肿毒，疮溃出血。 |

| **用法用量** | 内服煎汤，9 ~ 15 g。外用适量，研末调敷。 |

辰砂矿石 Cinnabar

| 药 材 名 | 水银（别名：汞）。

| 形态特征 | 三方晶系。晶体呈厚板状或菱面体状，有的是极不规则的粒状集合体或致密块体，也有呈粉末状被膜者，红色或带铅灰色。条痕红色。具金属样光泽。硬度 2 ~ 2.5。相对密度 8 ~ 8.2。

| 生境分布 | 形成于石灰岩、板岩、砂岩中。分布于广东乳源等。

| 资源情况 | 药材来源于天然矿物资源。

| 采收加工 | 采挖后砸碎，置于特制的炼炉中加热，蒸馏，升华，过滤。

韩禹（张家口地质博物馆）提供

| 药材性状 | 本品在常温下为不透明的银白色液体，有光泽，极易流动，少量置水平板上呈小球状，极浑圆，用力压按，立即分裂为大小不等的小球，集合后又迅速聚合成圆球体。流动所经处，不留任何痕迹。遇热易挥发。坠于地上，无孔不入。气无，味淡。

| 功能主治 | 辛，寒；有大毒。归心、肝、肾经。杀虫，攻毒。外用于恶毒顽癣，梅毒，恶疮，痔瘘。

| 用法用量 | 外用适量，涂敷。

石膏 Gypsum

| **药 材 名** | 石膏（别名：白虎、细理石、冰石）。

| **形态特征** | 单斜晶系。晶体常呈板状，无色，透明，成分不纯时可呈灰色、青色、肉红色、蜜黄色至黑色。集合体呈纤维状、叶片状、粒状，常呈白色，透明至半透明。条痕白色。解理片状，解理面具玻璃样光泽或珍珠样光泽，纤维状者具绢丝样光泽。硬度 1.5～2，可用指甲刻划显痕。

| **生境分布** | 形成于石灰岩、泥质岩层或金属矿床的氧化带，常与石灰岩、黏土、岩盐共生。分布于广东兴宁、三水等。

| **资源情况** | 药材来源于天然矿物资源。

| **采收加工** | 全年均可采挖，除去杂石及泥沙。

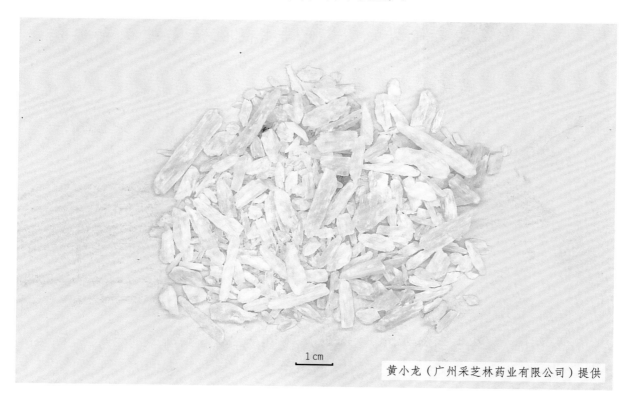

1 cm

黄小龙（广州采芝林药业有限公司）提供

| **药材性状** | 本品为纤维状集合体，呈长块状、板块状或不规则块状，大小、长短不一。上下两面平滑而无光泽及纹理，纵断面具绢丝样光泽，侧面具明显的纤维状细直条纹，捣碎仍具细针状纹理。白色、灰白色或淡黄色，有的半透明。体重，质软。气微，味淡。 |

| **功能主治** | 甘、辛，大寒。归肺、胃、三焦经。清热泻火，除烦止渴。用于外感热病，高热烦渴，肺热喘咳，胃火亢盛，头痛，牙痛。 |

| **用法用量** | 内服煎汤，15～60 g，先煎。 |

毒砂 Arsenopyrite

药 材 名	砒霜（别名：信石、人言、砒石）。
形态特征	单斜晶系。晶体呈柱状、棒状、针状，较完整，双晶常呈"十"字形。集合体呈粒状、致密块状。晶面锡白色，其上有平行条纹。断口钢灰色，常因氧化而稍呈黄色。条痕灰黑色。有金属样光泽。
生境分布	形成于多金属矿床中。分布于广东英德、阳春等。
资源情况	药材来源于天然矿物资源。
采收加工	采挖后砸为小块，与煤、木炭或木材烧炼，升华。

广州至信中药饮片有限公司提供

| 药材性状 | 本品分为红砒、白砒 2 种。红砒：又称红信石，呈不规则方块状，形状、大小不一，大者长、宽均为 6 ~ 10 cm，高 3 ~ 5 cm；小者长、宽均为 2 ~ 3 cm，厚约 2 cm；上下面稍平坦，灰白色带微红色，纵断面常呈分层状，红色、黄红色、白色或灰褐色分层样横向相间混杂成彩晕花纹，半透明状，具玻璃样光泽或绢丝样光泽；体重，质坚硬而性脆，较易击碎，碎断面形态与纵断面相同；气微，有剧毒，不可口尝。白砒：又称白信石，形状与红砒相同，白色或类白色，具玻璃样光泽与绢丝样光泽，无分层及彩晕花纹。 |

| 功能主治 | 辛、酸，热；有毒。归肺、肝经。祛痰，平喘，蚀疮去腐，截疟，杀虫。用于寒痰哮喘，久疟；外用于走马牙疳，恶疮，恶癣，痈疽疔毒，溃疡，腐肉不脱。 |

| 用法用量 | 内服入丸、散剂，0.0015 ~ 0.003 g。外用适量，研末调敷。孕妇禁用。 |

| 附 注 | 本品有剧毒，内服和外用须遵医嘱或在医生指导下使用，不宜与水银同用，不能作酒剂服用。 |

方解石 Calcitum

| **药 材 名** | 寒水石（别名：南寒水石、凝水石、硬石膏）。

| **形态特征** | 三方晶系。晶体大多呈菱面体状、柱状或板块状。集合体形态多样，常见致密块状、粒状、板状、纤维状、土状、多孔状、钟乳状等，常呈白色或乳白色，因夹杂他物而呈灰色、红色、绿色、紫色等。条痕白色。具玻璃样光泽。有的完全解理，晶体可沿3个不同方向劈开，断面呈贝壳状。硬度3，用小刀可以刻划。

| **生境分布** | 形成于沉积岩和变质岩中。分布于广东阳山、曲江、始兴、和平、廉江、高州、信宜、蕉岭等。

| **资源情况** | 药材来源于天然矿物资源。

1 cm

黄小龙（广州采芝林药业有限公司）提供

| 采收加工 | 全年均可采挖，除去泥土及杂石。

| 药材性状 | 本品呈斜方块状或长方块状，集合体整齐，四角棱锐，形状、大小不一，呈白色、乳白色或黄白色，平滑，显玻璃样光泽，半透明。质甚坚硬，性脆，砸碎时呈方棱状崩解，碎块呈方块状或长方块形，断面色泽与表面一样。气微，味淡。

| 功能主治 | 辛、咸，寒。归心、胃、肾经。清热降火，除烦止渴。用于高热烦渴，胃火炽盛所致的牙痛、口渴，小便短赤，烫伤，丹毒，水肿。

| 用法用量 | 内服煎汤，5 ~ 30 g，宜先煎。外用适量，研末敷。

钟乳石 Stalactitum

| 药 材 名 | 钟乳石（别名：石钟乳、钟乳）。

| 形态特征 | 三方晶系冰柱状，倒悬于洞顶。

| 生境分布 | 形成于石灰岩山洞中。分布于广东始兴、南雄、曲江、乐昌、英德、
和平、蕉岭、怀集、封开、阳春等。

| 资源情况 | 药材来源于天然矿物资源。

| 采收加工 | 全年均可采挖，除去杂石，洗净，晾干。

| 药材性状 | 本品为钟乳状集合体，略呈圆锥形或圆柱形，似竹笋状，一般长

1 cm

黄小龙（广州采芝林药业有限公司）提供

5 ～ 20 cm，直径 2 ～ 7 cm，一端渐钝圆，一端平而有采凿的断痕，形状、大小不一。表面白色、灰白色或棕黄色，粗糙，凹凸不平，呈瘤状凸起。体重，质硬，断面较平整，有自中心向外呈放射状的纹理，白色至浅灰白色，对光观察具闪星状亮光，近中心处常有 1 圆孔，圆孔周围具浅橙黄色同心环数层。气微，味微咸。

| 功能主治 | 甘，温。归肺、肾、胃经。温肺，助阳，平喘，制酸，通乳。用于寒痰咳喘，阳虚冷喘，腰膝冷痛，胃痛泛酸，乳汁不通。

| 用法用量 | 内服煎汤，3 ～ 9 g，先煎；或入丸、散剂。

蛇纹大理石 Ophicalcite

| 药 材 名 | 花蕊石（别名：花乳石、白云石）。

| 形态特征 | 呈不规则块状，大小不一，灰白色，有淡黄色或黄绿色彩晕相间，表面不平坦，有棱角，对光照之有闪星状光亮。

| 生境分布 | 形成于变质岩类岩石含蛇纹石大理岩的石块。分布于广东北部、广东西部等。

| 资源情况 | 为天然矿物资源。药材来源于天然矿物资源。

| 采收加工 | 采挖后敲去杂石，选取有淡黄色或黄绿色彩晕的小块。

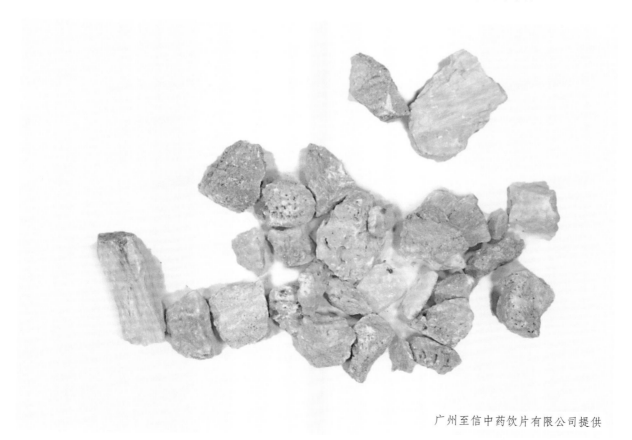

广州至信中药饮片有限公司提供

| 药材性状 | 本品为粒状和致密块状的集合体，呈不规则块状，具棱角，不锋利。白色或浅灰白色，间有浅绿色或淡黄色点状或条状蛇纹石，对光观察有闪星状光泽。体重，质硬，不易破碎。气微，味淡。

| 功能主治 | 酸、涩，平。归肝经。化瘀止血。用于咯血，吐血，外伤出血，跌仆伤痛。

| 用法用量 | 内服研末，4.5 ~ 9 g。外用适量。

磁铁矿 Magnetite

| 药 材 名 | 磁石。

| 形态特征 | 等轴晶系。晶体呈八面体、菱形、十二面体，或为粗至细粒的粒块状集合体，铁黑色，表面或氧化、水化为红黑色、褐黑色，风化严重者，附有水赤铁矿、褐铁矿被膜。条痕黑色。不透明。无解理。断口不平坦。硬度 5.5 ~ 6。相对密度 4.9 ~ 5.2。

| 生境分布 | 形成于岩浆岩和变质岩中。分布于广东阳春、新丰、佛冈、和平等。

| 资源情况 | 为天然矿物资源。药材来源于天然矿物资源。

| 采收加工 | 全年均可采挖，除去杂石。

1 cm

黄小龙（广州采芝林药业有限公司）提供

| **药材性状** | 本品为块状集合体，呈不规则块状或略带方形，多具棱角，灰黑色或棕褐色；条痕黑色；具金属样光泽。具磁性。体重，质坚硬，断面不整齐。有土腥气，味淡。

| **功能主治** | 寒，辛。归肝、肾经。补肾，纳气平喘，镇惊安神，潜阳益血。用于头晕目眩，视物昏花不清，耳鸣，耳聋，易惊，心慌心悸，肾虚气喘，癫痫，痈疮肿毒，外伤出血，癫狂等。

| **用法用量** | 内服煎汤，9 ~ 30 g，先煎。

褐铁矿 Limonite

| 药 材 名 | 禹余粮（别名：太一余粮、石脑、禹哀）。

| 形态特征 | 块状集合体，呈不规则的斜方块状，长 5 ~ 10 cm，厚 1 ~ 3 cm，红棕色、灰棕色或浅棕色，多凹凸不平或覆有黄色粉末。断面多显深棕色与淡棕色或浅黄色相间的层纹。

| 生境分布 | 形成于地表风化壳中。分布于广东北部、广东中部等。

| 资源情况 | 为天然矿物资源。药材来源于天然矿物资源。

| 采收加工 | 全年均可采挖，去净杂石、泥土。

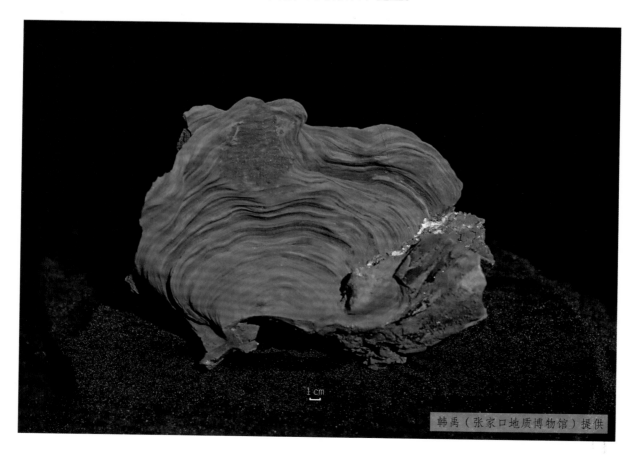

1 cm

韩禹（张家口地质博物馆）提供

| **药材性状** | 本品为不规则碎块或粉末。块状者表面黄棕色、红棕色至黑褐色，粗糙，无光泽；断面红褐色、棕褐色至黑褐色，凹凸不平。粉末状者黄棕色至棕褐色。体重，质脆。气微，味淡。

| **功能主治** | 甘、涩，微寒。归胃、大肠经。涩肠止泻，收敛止血。用于久泻久痢，大便出血，崩漏，带下。

| **用法用量** | 内服煎汤，9 ～ 15 g；或入丸、散剂。

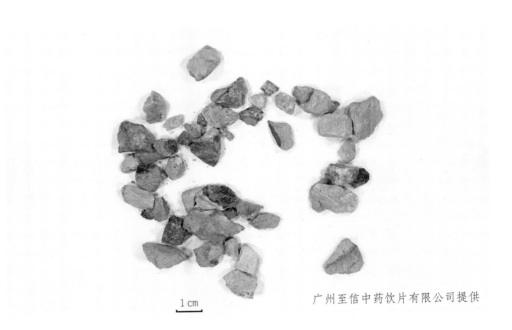

1 cm

广州至信中药饮片有限公司提供

软锰矿 Pyrolusite

药 材 名	无名异（别名：土子、干子、秃子）。
形态特征	四方晶系。晶体呈细柱状或三方等长的晶形，完整晶体极少见，常呈肾状、结核状、块状或粉末状集合体，黑色，表面常呈带浅蓝色的金属锖色。条痕蓝黑色至黑色。具半金属样光泽至暗淡，不透明。硬度视结晶程度而异，显晶者 5 ~ 6.5，隐晶者或块状集合体者 1 ~ 2。相对密度 4.7 ~ 5。
生境分布	形成于沿岸相的沉积锰矿床和风化矿床中。分布于广东北部、广东西部等。
资源情况	为天然矿物资源。药材来源于天然矿物资源。

1 cm

广州至信中药饮片有限公司提供

| 采收加工 | 采挖后选择小块状或球形者，除去杂质，洗净。

| 药材性状 | 本品为结核状、块状集合体，呈类圆球形或不规则块状，一般直径 7 ～ 30 mm，细小者直径 1 ～ 4 mm，棕黑色或黑色，条痕黑色。表面不平坦，常覆有黄棕色细粉，有的表面被褐色薄层风化膜包围，除去细粉后具半金属样光泽或暗淡，不透明。体较轻，质脆，断面棕黑色或紫棕色，易污手。微有土腥气，味淡。

| 功能主治 | 甘，平。归肝、肾经。涩肠止泻，收敛止血，祛瘀，消肿止痛，生肌敛疮。用于跌打损伤，金疮出血，痈肿疮疡，水火烫伤。

| 用法用量 | 内服入丸、散剂，2.4 ～ 4.5 g。外用适量，研末调敷。

石英 Quartz

| 药 材 名 | 白石英。

| 形态特征 | 三方晶系。晶体呈六方柱状，晶面上有水平条纹，也有的呈晶簇状、粒状等集合体产出，无色、白色、浅红色、烟色、紫色等。条痕白色。结晶体显玻璃样光泽，块状体显油状光泽，光泽强度不一，透明至半透明，也有不透明者。断口贝壳状、不平坦状或参差状。硬度7。相对密度2.65。

| 生境分布 | 形成于岩石晶洞中、热液矿脉中。分布于广东北部、广东东部、广东西部等。

| 资源情况 | 为天然矿物资源。药材来源于天然矿物资源。

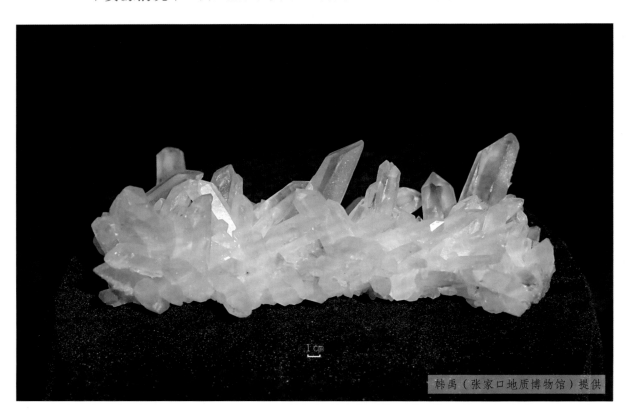

1 cm

韩禹（张家口地质博物馆）提供

| **采收加工** | 全年均可采挖，去净杂石、泥土。

| **药材性状** | 本品呈不规则块状，多具棱角，大小不一，全体呈白色或乳白色，有的微带黄色。表面不平坦而光滑，透明至不透明，具玻璃样光泽或脂肪样光泽。质坚硬而重，砸断面不整齐，边缘较锋利，可刻划玻璃。气无，味无。以色白、明洁、有光泽、无杂色、无杂质者为佳。

| **功能主治** | 甘，温。入肺、肾、心经。温肺肾，安心神，利小便。用于肺寒咳喘，阳痿，消渴，心神不安，惊悸善忘，小便不利，黄疸，石水，风寒湿痹。

| **用法用量** | 内服煎汤，9 ~ 15 g；或入丸、散剂。

浮石 Pumice

| 药 材 名 | 浮海石（别名：水花、白浮石、海浮石）。

| 形态特征 | 为多矿物集合体。矿物组分 90% 以上为非晶质火山玻璃，或含少量晶质矿物，晶质主要是长石，其次有石英、辉石及其变化产物角闪石，另外填充在矿物颗粒间或孔隙中的，尚有沸石等次生矿物。晶质矿物长石呈条柱状、板柱状白色至灰白色小晶体或碎粒嵌生在玻璃质中，有石英共生的酸性火山岩浮石中主要是钾－钠长石，无石英共生的中基性火山岩浮石中主要是钠－钙长石。石英呈白色至灰白色粒状嵌生在玻璃质中。辉石多数已变化成角闪石，未脱铁时呈黑褐色，已脱铁时呈灰白色或绿白色。沸石是长石沸石化的产物，为白色粉末状、纤维状微粒，或为填充在孔洞中的白色纤维状集合体。

韩禹（张家口地质博物馆）提供

| 生境分布 | 形成于海岸边。分布于广东沿海地区等。

| 资源情况 | 为天然矿物资源。药材来源于天然矿物资源。

| 采收加工 | 夏、秋季采收，用清水泡去盐质及泥沙，晒干。

| 药材性状 | 本品为稀松似海绵状的卵形不规则块体，大小不等。表面灰白色或灰黄色，偶呈浅红色。具多数细孔，形似蛀窠，有时呈管状。体轻，质硬而脆，易碎，断面疏松，具小孔，常有玻璃样光泽或绢丝样光泽。气微弱，味微咸。

| 功能主治 | 咸，寒。入肺、肾、肝、大肠经。清肺火，化痰，利水通淋，软坚散结。用于痰热壅肺，咳喘痰稠难咯，小便淋沥涩痛，瘿瘤瘰疬。

| 用法用量 | 内服煎汤，10 ~ 15 g；或入丸、散剂。外用适量，水飞后吹耳或点眼。

1 cm

芒硝 Mirabilite

| 药 材 名 | 芒硝（别名：皮硝、盐消、朴硝）、玄明粉（别名：风化硝）。

| 形态特征 | 单斜晶系。晶体呈短柱状，通常呈致密粒状、被膜状，无色，透明，常带浊白色、浅黄色、淡蓝色、淡绿色等。条痕白色。具玻璃样光泽。断口贝壳状。硬度 1.5 ~ 2。相对密度 1.5。

| 生境分布 | 形成于含钠离子和硫酸根离子饱和溶液的内陆盐湖中。分布于广东吴川等。

| 资源情况 | 为天然矿物资源。药材来源于天然矿物资源。

| 采收加工 | **芒硝**：采挖后用热水溶解，过滤，放冷，析出结晶，干燥后即得；

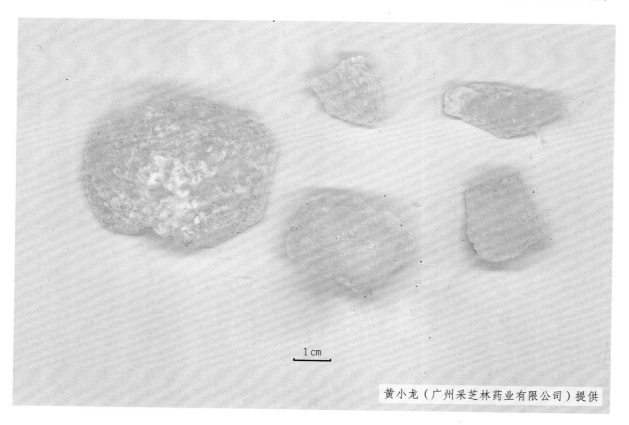

1 cm

黄小龙（广州采芝林药业有限公司）提供

或取萝卜洗净，切片，置锅内加水煮透，加入芒硝，煮至完全溶化，取出，过滤或澄清后取上清液，放冷，待析出结晶，干燥后即得。

玄明粉： 采挖后放于通风处，待表面风化成白色粉末，收集粉末。

| **药材性状** | **芒硝：** 本品为棱柱状或长方形结晶，两端不整齐，无色，透明。质脆。气无，味苦、咸，尝之有清凉感。以无色透明、结晶块状者为佳。

玄明粉： 本品为松散状白色粉末，放于水中可完全溶化。气无，味咸。

| **功能主治** | **芒硝：** 咸、苦，寒。归胃、大肠经。泻下通便，润燥软坚，清火消肿。用于实热积滞，腹满胀痛，大便燥结，肠痈肿痛；外用于乳痈，痔疮肿痛。

玄明粉： 咸、苦，寒。归胃、大肠经。泻下通便，润燥软坚，清火消肿。用于实热积滞，腹满胀痛，大便燥结，肠痈肿痛；外用于乳痈，痔疮肿痛。

| **用法用量** | **芒硝：** 内服溶入汤剂，6 ～ 12 g。外用适量。

玄明粉： 内服溶入汤剂，6 ～ 12 g。外用适量。

多水高岭土 Halloysite

| 药 材 名 | 赤石脂（别名：赤符、红高岭、赤石土）。

| 形态特征 | 单斜晶系。很少成结晶状态，多数为胶凝体，白色，通常染有浅红色、浅褐色、浅黄色、浅蓝色、浅绿色等色，新鲜者具蜡样光泽，疏松多孔者具土状光泽。有平坦的贝壳状断口。硬度 1 ~ 2。相对密度 2 ~ 2.2，随水分子含量变化而异。

| 生境分布 | 形成于岩石的风化壳和黏土层中。广东各地均有分布。

| 资源情况 | 为天然矿物资源。药材来源于天然矿物资源。

| 采收加工 | 采挖后选择红色滑腻如脂的块状体，拣去杂石、泥土。

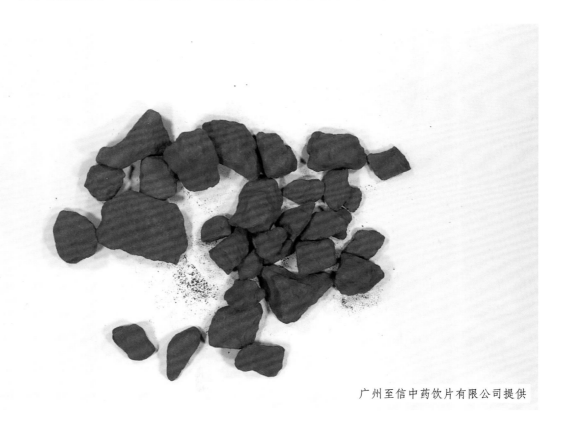

广州至信中药饮片有限公司提供

| **药材性状** | 本品为块状集合体，呈不规则块状，粉红色、红色至紫红色，或有红白相间的花纹。吸水性强。质软，易碎，断面有的具蜡样光泽。具黏土气，味淡，嚼之无砂粒感。

| **功能主治** | 甘、酸、涩，温。归大肠、胃经。涩肠，止血，生肌敛疮。用于久泻久痢，大便出血，崩漏，带下；外用于疮疡久溃不敛，湿疮脓水浸淫。

| **用法用量** | 内服煎汤，9 ~ 12 g。外用适量，研末敷。

1 cm

韩禹（张家口地质博物馆）提供

萤石 Fluorite

| 药 材 名 | 紫石英（别名：氟石）。

| 形态特征 | 等轴晶系。晶体呈立方体、八面体、十二面体。集合体常呈致密粒状块体。稀无色，透明，大部分染以黄色、浅绿色、浅蓝色、紫色及紫黑色等，以浅绿色、紫色和紫黑色最为常见，其色可因加热、压力、X 射线、紫外线等而改变，加热时色彩可褪，受 X 射线照射后色彩恢复。条痕白色。具玻璃样光泽，透明至微透明。解理块为八面体。断面呈贝壳状。硬度 4。相对密度 3.18。

| 生境分布 | 形成于热液矿床中，或伟晶气液作用形成的矿脉中，有时也大量出现于铅锌硫化物矿床中。分布于广东英德、佛冈、博罗、海丰、曲江及茂名（市区）、河源（市区）、潮州（市区）等。

韩禹（张家口地质博物馆）提供

| **资源情况** | 为天然矿物资源。药材来源于天然矿物资源。

| **采收加工** | 采挖后拣选紫色者，去净外附的砂砾及黏土。

| **药材性状** | 本品呈不规则块状，呈紫色或浅绿色，色深浅不匀，半透明至透明，具玻璃样光泽。表面常有裂纹。质坚，体重，不易碎，断面不整齐。气无，味淡。以色紫、质坚者为佳。

| **功能主治** | 甘，温。归肾、心、肺经。温肾暖宫，镇心安神，温肺平喘。用于肾阳亏虚，宫冷不孕，惊悸不安，失眠多梦，虚寒咳喘。

| **用法用量** | 内服煎汤，9 ~ 15 g，先煎。

广州至信中药饮片有限公司提供

滑石 Talc

| **药 材 名** | 滑石（别名：液石、共石、脱石）。

| **形态特征** | 单斜晶系。晶体呈六方形或菱形板状，完好的晶体极少见，通常为粒状和鳞片状致密块体，淡绿色、白色或灰色。条痕白色或淡绿色。具脂肪样光泽，半透明至不透明。解理面显珍珠状，解理沿底面极完全。硬度1。相对密度2.7～2.8。

| **生境分布** | 形成于变质岩、石灰岩、白云岩、菱镁矿及页岩中。分布于广东廉江、化州、高州等。

| **资源情况** | 为天然矿物资源。药材来源于天然矿物资源。

1cm

彭刚（广东岭南药业有限公司）提供

| **采收加工** | 采挖得去净泥土、杂石。 |

| **药材性状** | 本品多为块状集合体，呈不规则块状，白色、黄白色或淡蓝灰色，有蜡样光泽。无吸湿性，置水中不崩散。质软，细腻，手摸之有滑润感。气微，味淡。 |

| **功能主治** | 甘、淡，寒。归膀胱、肺、胃经。利尿通淋，清热解暑，祛湿敛疮。用于热淋，石淋，尿热涩痛，暑湿烦渴，湿热水泻；外用于湿疹，湿疮，痱子。 |

| **用法用量** | 内服煎汤，10 ～ 20 g。外用适量。 |

中文笔画索引

《中国中药资源大典·广东卷》1 ～ 12 册共用同一索引，为方便读者检索，
该索引在每个物种名后均标注了其所在册数（如"[1]"）及页码。

一画

一叶萩	[5]	222
一年蓬	[9]	424
一把伞南星	[11]	348
一串红	[10]	646
一枝黄花	[9]	540
一点红	[9]	418
一品红	[5]	212

二画

二列叶栒	[4]	384
二色波罗蜜	[6]	490
二形卷柏	[1]	418
丁公藤	[10]	146
丁香	[4]	464
丁香杜鹃	[8]	172
丁香罗勒	[10]	604
丁香蓼	[4]	122
丁葵草	[6]	344
十大功劳	[3]	112
十字薹草	[12]	17
十棱山矾	[8]	338
七爪龙	[10]	158
七叶一枝花	[11]	292

七里明	[9]	334
七层楼	[8]	592
七指蕨	[1]	452
人心果	[8]	230
人参娃儿藤	[8]	594
人面子	[7]	552
八角	[2]	410
八角枫	[8]	22
八角莲	[3]	102
八宝	[3]	408
九节	[9]	150
九节龙	[8]	276
九龙盘	[11]	200
九头狮子草	[10]	376
九里香	[7]	410
九香虫	[12]	378
九翅豆蔻	[11]	124
九管血	[8]	240
儿茶	[5]	534
刁海龙	[12]	436
了哥王	[4]	144
刀豆	[6]	36

三画

三七	[8]	82

三叉蕨	[2] 176	三裂蛇葡萄	[7] 282
三分丹	[8] 590	三蕊草	[4] 556
三叶山姜	[11] 90	三褶虾脊兰	[11] 585
三叶木蓝	[6] 186	干花豆	[6] 152
三叶地锦	[7] 320	土丁桂	[10] 150
三叶委陵菜	[5] 420	土人参	[3] 506
三叶海棠	[5] 402	土牛膝	[4] 2
三叶崖爬藤	[7] 324	土田七	[11] 156
三叶朝天委陵菜	[5] 424	土坛树	[8] 32
三白草	[3] 256	土沉香	[4] 134
三头水蜈蚣	[12] 69	土荆芥	[3] 602
三尖叶猪屎豆	[6] 70	土茯苓	[11] 314
三尖杉	[2] 340	土蜜树	[5] 162
三色堇	[3] 378	下田菊	[9] 252
三羽新月蕨	[2] 72	下延叉蕨	[2] 174
三花冬青	[7] 100	下垂线虫草	[1] 270
三角叶须弥菊	[9] 522	大丁草	[9] 440
三角叶堇菜	[3] 376	大八角	[2] 406
三角帆蚌	[12] 320	大叶土蜜树	[5] 160
三角形冷水花	[7] 58	大叶山蚂蝗	[6] 108
三角草	[11] 214	大叶山扁豆	[5] 630
三枝九叶草	[3] 104	大叶山楝	[7] 468
三点金	[6] 128	大叶千斤拔	[6] 146
三品一枝花	[11] 551	大叶云实	[5] 604
三脉紫菀	[9] 302	大叶牛奶菜	[8] 568
三基脉紫菀	[9] 312	大叶凤仙花	[4] 66
三敛	[4] 54	大叶火焰草	[3] 426
三斑海马	[12] 434	大叶石龙尾	[10] 206
三裂叶野葛	[6] 280	大叶仙茅	[11] 539

大叶白纸扇	[9] 108	大头橐吾	[9] 496
大叶冬青	[7] 86	大百合	[11] 208
大叶过路黄	[9] 636	大百部	[11] 452
大叶合欢	[5] 564	大血藤	[3] 136
大叶刺篱木	[4] 198	大麦	[12] 175
大叶金腰	[3] 442	大芽南蛇藤	[7] 108
大叶鱼骨木	[9] 8	大花田菁	[6] 292
大叶胡枝子	[6] 198	大花羊耳蒜	[11] 657
大叶相思	[5] 532	大花忍冬	[9] 206
大叶骨碎补	[2] 182	大花枇杷	[5] 382
大叶钩藤	[9] 178	大花金钱豹	[10] 16
大叶度量草	[8] 386	大花美人蕉	[11] 170
大叶桂樱	[5] 398	大花旋覆花	[9] 472
大叶桉	[4] 460	大花斑叶兰	[11] 639
大叶臭花椒	[7] 442	大花紫薇	[4] 92
大叶拿身草	[6] 114	大豆	[6] 156
大叶黄杨	[6] 388	大丽花	[9] 394
大叶匙羹藤	[8] 552	大吴风草	[9] 436
大叶鹿角藤	[8] 456	大沙叶	[9] 144
大叶紫珠	[10] 428	大尾摇	[10] 56
大叶黑桫椤	[1] 512	大青	[10] 448
大叶蒟	[3] 244	大青薯	[11] 456
大叶榉树	[6] 480	大苞水竹叶	[11] 42
大叶新木姜子	[2] 552	大苞赤瓟	[4] 284
大叶酸藤子	[8] 298	大苞香简草	[10] 564
大叶醉鱼草	[8] 370	大苞鸭跖草	[11] 32
大头典竹	[12] 135	大苞寄生	[7] 194
大头金蝇	[12] 406	大苞景天	[3] 422
大头茶	[4] 404	大画眉草	[12] 151

大果卫矛	[7]	150	小一点红	[9]	416
大果飞蛾藤	[10]	182	小二仙草	[4]	130
大果马蹄荷	[6]	364	小刀豆	[6]	34
大果巴戟天	[9]	100	小刀螂	[12]	412
大果冬青	[7]	88	小木通	[3]	20
大果西番莲	[4]	236	小升麻	[3]	14
大果咖啡	[9]	22	小心叶薯	[10]	160
大罗伞树	[8]	262	小叶三点金	[6]	116
大狗尾草	[12]	249	小叶云实	[5]	606
大砗磲	[12]	328	小叶五月茶	[5]	148
大香秋海棠	[4]	318	小叶书带蕨	[2]	26
大独脚金	[10]	254	小叶石楠	[5]	410
大珠母贝	[12]	346	小叶买麻藤	[2]	354
大海马	[12]	432	小叶红叶藤	[7]	570
大理藁草	[12]	27	小叶冷水花	[7]	44
大黄鱼	[12]	448	小叶罗汉松	[2]	333
大野芋	[11]	360	小叶爬崖香	[3]	230
大猪屎豆	[6]	58	小叶海金沙	[1]	498
大麻槿	[5]	72	小叶假糙苏	[10]	612
大盖球子草	[11]	262	小叶猪殃殃	[9]	38
大落新妇	[3]	438	小叶猕猴桃	[4]	430
大蓟	[9]	368	小叶黑面神	[5]	156
大管	[7]	406	小白菜	[3]	312
大蕉	[11]	86	小灰球菌	[1]	288
大箭叶蓼	[3]	532	小舌唇兰	[11]	681
大藻	[11]	376	小舌菊	[9]	498
万年青	[11]	278	小红湿伞	[1]	342
万寿竹	[11]	226	小赤麻	[7]	12
万寿菊	[9]	560	小芸木	[7]	408

小花八角	[2]	408
小花八角枫	[8]	24
小花山小橘	[7]	404
小花龙芽草	[5]	356
小花远志	[3]	382
小花青藤	[3]	4
小花鸢尾	[11]	444
小花莕苎	[10]	588
小花扁担杆	[4]	620
小花琉璃草	[10]	46
小花黄堇	[3]	284
小花蜘蛛抱蛋	[11]	202
小连翘	[4]	586
小驳骨	[10]	362
小苦荬	[9]	478
小画眉草	[12]	157
小刺槌果藤	[3]	294
小果十大功劳	[3]	108
小果山龙眼	[4]	164
小果丫蕊花	[11]	290
小果叶下珠	[5]	280
小果冬青	[7]	90
小果皂荚	[5]	638
小果咖啡	[9]	18
小果香椿	[7]	484
小果菝葜	[11]	310
小果葡萄	[7]	336
小果微花藤	[7]	166
小果蔷薇	[5]	442
小果酸模	[3]	586
小金梅草	[11]	543
小鱼仙草	[10]	592
小油葫芦	[12]	416
小柱悬钩子	[5]	466
小窃衣	[8]	150
小黄构	[4]	146
小楝木	[8]	18
小野芝麻	[10]	536
小盘木	[5]	266
小巢菜	[6]	322
小戟叶耳蕨	[2]	164
小紫金牛	[8]	246
小蓬草	[9]	378
小蓑衣藤	[3]	30
小槐花	[6]	106
小酸浆	[10]	88
小蜡	[8]	422
小蝉线虫草	[1]	272
小藜	[3]	604
小露兜	[11]	533
山一笼鸡	[10]	392
山马钱	[8]	392
山木通	[3]	26
山乌桕	[5]	290
山石榴	[9]	10
山白前	[8]	526
山芝麻	[5]	20
山血丹	[8]	268

山麦冬	[11] 252	山楝	[7] 470
山壳骨	[10] 380	山槐	[5] 556
山杜英	[5] 8	山慈菇	[3] 218
山豆根	[6] 144	山蓼	[3] 540
山牡荆	[10] 496	山樱花	[5] 370
山冷水花	[7] 42	山樫叶泡花树	[7] 528
山鸡椒	[2] 516	山橘	[7] 398
山矾	[8] 364	山櫄	[2] 512
山油柑	[7] 352	山蟛蜞菊	[9] 588
山油麻	[6] 474	千日红	[4] 36
山茱萸	[8] 6	千斤拔	[6] 148
山胡椒	[2] 502	千头艾纳香	[9] 344
山奈	[11] 152	千年桐	[5] 316
山牵牛	[10] 398	千年健	[11] 368
山香	[10] 544	千里光	[9] 526
山香圆	[7] 548	千里香	[7] 412
山姜	[11] 98	千金子	[12] 183
山扁豆	[5] 632	千金藤	[3] 172
山莓	[5] 468	千根草	[5] 214
山桂花	[4] 194	川钓樟	[2] 510
山桐子	[4] 204	川桂	[2] 486
山黄菊	[9] 270	川黄檗	[7] 414
山黄麻	[6] 476	川楝	[7] 480
山菅	[11] 216	及己	[3] 264
山猪菜	[10] 170	广布野豌豆	[6] 318
山麻杆	[5] 132	广东大青	[10] 456
山椒子	[2] 452	广东万年青	[11] 334
山酢浆草	[4] 58	广东玉叶金花	[9] 112
山蒟	[3] 238	广东石豆兰	[11] 569

广东冬青	[7] 84	女萎	[3] 16
广东丝瓜	[4] 266	飞龙掌血	[7] 424
广东地构叶	[5] 310	飞扬草	[5] 194
广东西番莲	[4] 232	飞机草	[9] 434
广东虫草	[1] 276	飞海蛾鱼	[12] 444
广东杜鹃	[8] 176	飞蛾槭	[7] 520
广东金叶子	[8] 158	飞蛾藤	[10] 180
广东金钱草	[6] 126	叉唇角盘兰	[11] 653
广东酒饼簕	[7] 356	叉蕊薯蓣	[11] 462
广东蛇葡萄	[7] 280	马比木	[7] 170
广东紫珠	[10] 420	马氏珍珠贝	[12] 344
广东蝶豆	[6] 46	马甲子	[7] 236
广西马兜铃	[3] 194	马兰	[9] 306
广西过路黄	[9] 620	马兰藤	[8] 536
广西莪术	[11] 139	马利筋	[8] 510
广州耳草	[9] 50	马肠薯蓣	[11] 482
广州蛇根草	[9] 126	马尾杉	[1] 408
广州槌果藤	[3] 290	马尾松	[2] 290
广州蓼菜	[3] 348	马尾松拟层孔菌	[1] 318
广防己	[3] 188	马松子	[5] 28
广防风	[10] 510	马齿苋	[3] 500
广金钱草	[1] 95	马钱子	[8] 394
广寄生	[7] 190	马铃薯	[10] 120
广腹螳螂	[12] 410	马唐	[12] 139
弓果藤	[8] 588	马银花	[8] 190
卫矛	[7] 132	马兜铃	[3] 186
子楝树	[4] 454	马㼏儿	[4] 306
女贞	[8] 420	马鹿	[12] 501
女娄菜	[3] 484	马缨丹	[10] 472

马醉木 [8] 166
马蹄金 [10] 144
马蹄荷 [6] 362
马蹄犁头尖 [11] 390
马鞭草 [10] 488

四画

丰花草 [9] 170
丰满凤仙花 [4] 82
王瓜 [4] 290
王锦蛇 [12] 474
井栏边草 [1] 554
开口箭 [11] 276
天门冬 [11] 190
天仙果 [6] 520
天仙藤 [3] 156
天师栗 [7] 510
天名精 [9] 354
天竺葵 [4] 52
天胡荽 [8] 122
天南星 [11] 350
天星藤 [8] 548
天香藤 [5] 550
天料木 [4] 216
天麻 [11] 637
天葵 [3] 68
天蓝苜蓿 [6] 210
元宝草 [4] 594
无毛画眉草 [12] 161

无毛崖爬藤 [7] 328
无心菜 [3] 462
无花果 [6] 512
无刺蝲鳟 [12] 424
无柄五层龙 [7] 164
无柱兰 [11] 557
无根藤 [2] 462
无患子 [7] 508
无腺白叶莓 [5] 478
无腺灰白毛莓 [5] 508
无瓣蔊菜 [3] 350
云广粗叶木 [9] 96
云木香 [9] 318
云芝栓孔菌 [1] 340
云实 [5] 600
云南石梓 [10] 468
云南草蔻 [11] 92
云锦杜鹃 [8] 174
木瓜 [5] 372
木防己 [3] 140
木芙蓉 [5] 76
木豆 [6] 28
木姜子 [2] 526
木姜叶柯 [6] 444
木莲 [2] 376
木莓 [5] 504
木荷 [4] 408
木通 [3] 122
木麻黄 [6] 452

木棉	[5]	46	切边铁角蕨	[2]	80
木蓝	[6]	184	瓦韦	[2]	226
木榄	[4]	568	瓦松	[3]	416
木蜂	[12]	400	止泻木	[8]	464
木蜡树	[7]	566	少年红	[8]	238
木槿	[5]	84	少花龙葵	[10]	92
木蝴蝶	[10]	318	少花柏拉木	[4]	506
木薯	[5]	264	少花海桐	[4]	186
木樨	[8]	432	少棘巨蜈蚣	[12]	370
木樨榄	[8]	428	日本小檗	[3]	96
木鳖子	[4]	272	日本女贞	[8]	418
五爪金龙	[10]	156	日本五月茶	[5]	146
五月艾	[9]	284	日本医蛭	[12]	364
五月瓜藤	[3]	126	日本柳杉	[2]	300
五月茶	[5]	140	日本海马	[12]	428
五节芒	[12]	187	日本黄猄草	[10]	340
五叶薯蓣	[11]	476	日本粗叶木	[9]	94
五层龙	[7]	162	日本蝠鲼	[12]	425
五岭龙胆	[9]	600	日本薯蓣	[11]	472
五岭细辛	[3]	220	中日金星蕨	[2]	64
五室第伦桃	[4]	170	中平树	[5]	246
五彩芋	[11]	354	中华刀螂	[12]	413
五彩苏	[10]	524	中华小苦荬	[9]	476
五蕊寄生	[7]	178	中华卫矛	[7]	152
太平莓	[5]	486	中华天胡荽	[8]	118
友水龙骨	[2]	250	中华双扇蕨	[2]	188
车轮梅	[5]	438	中华石龙尾	[10]	202
车前	[10]	8	中华石楠	[5]	404
车筒竹	[12]	111	中华杜英	[5]	2

中华里白	[1] 484	水竹	[12] 217
中华青牛胆	[3] 182	水竹叶	[11] 52
中华胡枝子	[6] 194	水竹草	[11] 60
中华复叶耳蕨	[2] 126	水红木	[9] 218
中华剑蕨	[2] 228	水苋菜	[4] 88
中华栝楼	[4] 302	水芹	[8] 132
中华绣线菊	[5] 522	水苎麻	[7] 8
中华蛇根草	[9] 128	水杉	[2] 306
中华猕猴桃	[4] 424	水忍冬	[9] 196
中华锥花	[10] 540	水苦荬	[10] 276
中华蜜蜂	[12] 396	水茄	[10] 118
中果咖啡	[9] 20	水松	[2] 304
中国无忧花	[5] 650	水虎尾	[10] 528
中国白丝草	[11] 210	水金凤	[4] 80
中国绣球	[5] 336	水虱草	[12] 63
中国旌节花	[6] 346	水珍珠菜	[10] 622
中国鲎	[12] 418	水鬼蕉	[11] 416
中南鱼藤	[6] 100	水翁	[4] 452
水飞蓟	[9] 538	水烛	[11] 396
水牛	[12] 499	水黄皮	[6] 268
水毛花	[12] 79	水蛇麻	[6] 504
水玉簪	[11] 553	水鹿	[12] 505
水龙	[4] 116	水塔花	[11] 76
水龙骨	[2] 252	水晶兰	[8] 206
水东哥	[4] 442	水蓑衣	[10] 352
水田白	[8] 384	水榆花楸	[5] 512
水仙	[11] 422	水锦树	[9] 188
水团花	[9] 2	水蔗草	[12] 93
水同木	[6] 524	水蓼	[3] 536

水蕨	[2]	16	毛八角枫	[8]	28
水鳖	[11]	4	毛大丁草	[9]	442
贝形木层孔菌	[1]	362	毛乌蔹莓	[7]	300
见血青	[11]	659	毛叶木姜子	[2]	520
见血封喉	[6]	482	毛叶石楠	[5]	414
见霜黄	[9]	340	毛叶芋兰	[11]	667
午时花	[5]	30	毛叶轮环藤	[3]	142
牛毛毡	[12]	57	毛叶肾蕨	[2]	180
牛心番荔枝	[2]	428	毛叶蝴蝶草	[10]	256
牛白藤	[9]	64	毛白前	[8]	530
牛奶菜	[8]	570	毛冬青	[7]	94
牛皮消	[8]	520	毛竹	[12]	219
牛耳枫	[5]	318	毛竹叶花椒	[7]	430
牛至	[10]	606	毛花点草	[7]	26
牛吴萸	[7]	396	毛花猕猴桃	[4]	426
牛角瓜	[8]	512	毛杜仲藤	[8]	478
牛尾草	[10]	560	毛杨梅	[6]	398
牛尾菜	[11]	326	毛谷精草	[11]	64
牛茄子	[10]	116	毛鸡矢藤	[9]	142
牛轭草	[11]	46	毛青藤	[3]	6
牛屎果	[8]	434	毛茄	[10]	100
牛眼马钱	[8]	388	毛刺蒴麻	[4]	630
牛筋果	[7]	458	毛果巴豆	[5]	176
牛筋草	[12]	147	毛果珍珠茅	[12]	87
牛筋藤	[6]	572	毛果枳椇	[7]	232
牛蒡	[9]	272	毛果扁担杆	[4]	622
牛膝	[4]	4	毛果算盘子	[5]	226
牛膝菊	[9]	438	毛咀签	[7]	224
牛繁缕	[3]	478	毛狗骨柴	[9]	32

毛草龙	[4] 120	毛萼莓	[5] 462
毛茛	[3] 64	毛萼清风藤	[7] 536
毛药花	[10] 512	毛葡萄	[7] 346
毛柄连蕊茶	[4] 360	毛葶玉凤花	[11] 645
毛柄短肠蕨	[2] 28	毛棉杜鹃	[8] 186
毛柄锦香草	[4] 546	毛瑞香	[4] 138
毛柘藤	[6] 500	毛茹	[3] 240
毛相思子	[6] 4	毛蜂窝孔菌	[1] 324
毛柱铁线莲	[3] 40	毛蓼	[3] 522
毛轴莎草	[12] 49	毛蕨	[2] 52
毛轴铁角蕨	[2] 76	毛蕊铁线莲	[3] 34
毛轴碎米蕨	[1] 566	毛穗杜茎山	[8] 300
毛轴蕨	[1] 536	毛臂形草	[12] 117
毛钩藤	[9] 176	毛麝香	[10] 186
毛毡草	[9] 338	长毛山矾	[8] 350
毛脉翅果菊	[9] 516	长毛枔	[4] 398
毛脉崖爬藤	[7] 334	长勾刺蒴麻	[4] 632
毛桂	[2] 464	长节耳草	[9] 76
毛桐	[5] 254	长叶马兜铃	[3] 184
毛栓孔菌	[1] 334	长叶赤飑	[4] 286
毛桃木莲	[2] 378	长叶冻绿	[7] 238
毛唇芋兰	[11] 665	长叶茅膏菜	[3] 454
毛排钱树	[6] 260	长叶轮钟草	[10] 18
毛黄肉楠	[2] 456	长叶实蕨	[2] 134
毛茛	[4] 528	长叶胡颓子	[7] 260
毛梾	[8] 20	长叶柄野扇花	[6] 394
毛蚶	[12] 326	长叶柞木	[4] 210
毛麻楝	[7] 474	长叶香茶菜	[10] 562
毛萼山珊瑚	[11] 635	长叶铁角蕨	[2] 90

长叶鹿蹄草	[8] 208	长戟叶蓼	[3] 548
长叶酸藤子	[8] 284	长紫菜	[1] 250
长托菝葜	[11] 312	长蒴母草	[10] 212
长花龙血树	[11] 500	长蒴黄麻	[4] 616
长花忍冬	[9] 204	长穗猫尾草	[6] 314
长花厚壳树	[10] 50	长穗腹水草	[10] 282
长吻海蛇	[12] 466	长鬃蓼	[3] 546
长牡蛎	[12] 338	长瓣马铃苣苔	[10] 308
长尾毛蕊茶	[4] 350	化州柚	[1] 115
长茎沿阶草	[11] 254	化香树	[7] 580
长松藻	[1] 242	化橘红	[7] 366
长刺楤木	[8] 54	爪哇白豆蔻	[11] 118
长刺酸模	[3] 588	爪哇唐松草	[3] 74
长波叶山蚂蝗	[6] 124	分叉露兜	[11] 537
长春花	[8] 450	分枝弯颈霉	[1] 278
长柄山蚂蝗	[6] 164	分株紫萁	[1] 466
长柄山姜	[11] 102	月见草	[4] 124
长柄野扁豆	[6] 132	月月红	[8] 256
长柄紫珠	[10] 424	月光花	[10] 132
长柱瑞香	[4] 136	月季花	[5] 440
长籽柳叶菜	[4] 114	月桂	[2] 490
长圆叶艾纳香	[9] 350	月鳢	[12] 446
长梗黄花稔	[5] 102	风车子	[4] 558
长梗黄精	[11] 268	风车草	[12] 41
长距虾脊兰	[11] 583	风车藤	[5] 120
长萼栝楼	[4] 294	风毛菊	[9] 524
长萼堇菜	[3] 366	风龙	[3] 164
长萼野海棠	[4] 508	风瓜	[4] 256
长萼猪屎豆	[6] 60	风花菜	[3] 352

风轮菜	[10] 516	文殊兰	[11] 412
风箱树	[9] 12	文蛤	[12] 334
风藤	[3] 242	方叶五月茶	[5] 144
乌毛蕨	[2] 108	方竹	[12] 119
乌头	[3] 10	方茎耳草	[9] 74
乌材	[8] 210	方解石	[12] 532
乌龟	[12] 454	火炬松	[2] 294
乌药	[2] 492	火殃勒	[5] 184
乌骨鸡	[12] 482	火炭母	[3] 528
乌桕	[5] 296	火索藤	[5] 574
乌梢蛇	[12] 476	火筒树	[7] 314
乌榄	[7] 464	心叶毛蕊茶	[4] 352
乌蔹莓	[7] 298	心叶荆芥	[10] 596
乌蕨	[1] 532	心叶瓶尔小草	[1] 460
乌墨	[4] 482	心叶黄花稔	[5] 104
乌檀	[9] 118	心叶落葵薯	[4] 40
凤丫蕨	[2] 18	心叶紫金牛	[8] 270
凤仙花	[4] 68	心萼薯	[10] 124
凤尾丝兰	[11] 507	巴东过路黄	[9] 644
凤尾竹	[12] 107	巴东胡颓子	[7] 262
凤尾蕨	[1] 542	巴豆	[5] 178
凤眼蓝	[11] 296	双花鞘花	[7] 184
凤梨	[11] 74	双吻前口蝠鲼	[12] 422
凤凰木	[5] 634	双籽棕	[11] 513
六月雪	[9] 164	双盖蕨	[2] 38
六耳铃	[9] 342	双穗雀稗	[12] 201
六角莲	[3] 100	书带蕨	[2] 22
六棱菊	[9] 490		
文竹	[11] 196		

五画

玉叶金花	[9]	114
玉兰	[2]	370
玉竹	[11]	272
玉米	[12]	281
玉蕊	[4]	494
玉簪	[11]	234
打碗花	[10]	134
扒地蜈蚣	[8]	600
甘木通	[3]	38
甘菊	[9]	398
甘遂	[5]	202
甘蔗	[12]	241
甘薯	[11]	466
甘露子	[10]	658
艾	[9]	278
艾纳香	[9]	332
艾堇	[5]	300
古柯	[5]	122
节节草	[1]	448
节节菜	[4]	100
节蒴螺	[12]	294
可可	[5]	42
石刁柏	[11]	194
石山巴豆	[5]	174
石韦	[2]	260
石龙子	[12]	463
石龙芮	[3]	66

石龙尾	[10]	208
石生铁角蕨	[2]	96
石生繁缕	[3]	490
石仙桃	[11]	679
石灰花楸	[5]	516
石竹	[3]	468
石英	[12]	544
石松	[1]	414
石岩枫	[5]	262
石荠苧	[10]	594
石胡荽	[9]	362
石柑子	[11]	378
石香薷	[10]	590
石栗	[5]	138
石笔木	[4]	418
石菖蒲	[11]	332
石萝藦	[8]	578
石梓	[10]	470
石蒜	[11]	420
石楠	[5]	412
石榕树	[6]	506
石蝉草	[3]	224
石膏	[12]	528
石蕨	[2]	266
龙牙花	[6]	140
龙爪茅	[12]	133
龙头节肢蕨	[2]	190
龙头兰	[11]	669
龙吐珠	[10]	464

龙舌兰	[11]	490
龙舌草	[11]	6
龙芽草	[5]	358
龙柏	[2]	321
龙骨马尾杉	[1]	400
龙须藤	[5]	576
龙胆	[9]	604
龙珠	[10]	122
龙珠果	[4]	230
龙眼	[7]	496
龙船花	[9]	82
龙船草	[10]	598
龙脷叶	[5]	302
龙葵	[10]	110
平车前	[10]	10
平肋书带蕨	[2]	24
平卧菊三七	[9]	464
东风草	[9]	346
东风菜	[9]	406
东方古柯	[5]	124
东方狗脊	[2]	118
东方荚果蕨	[2]	106
东方栓孔菌	[1]	336
东方蝼蝈	[12]	382
东亚钳蝎	[12]	420
东亚唐松草	[3]	76
东南茜草	[9]	158
东南景天	[3]	420
卡开芦	[12]	215
北江十大功劳	[3]	110
北江荛花	[4]	148
北京铁角蕨	[2]	88
北枳椇	[7]	230
北美独行菜	[3]	340
北美鹅掌楸	[2]	364
北酸脚杆	[4]	516
叶下珠	[5]	282
叶子花	[4]	156
叶底红	[4]	544
叶底珠	[5]	306
号角树	[6]	496
田基黄	[9]	456
田菁	[6]	290
田麻	[4]	610
田葱	[11]	549
田繁缕	[3]	460
凹叶厚朴	[2]	360
凹叶景天	[3]	428
凹头苋	[4]	16
凹脉枬	[4]	390
凹脉紫金牛	[8]	242
凹萼木鳖	[4]	274
四川冬青	[7]	98
四川轮环藤	[3]	150
四川金粟兰	[3]	266
四川溲疏	[5]	328
四方麻	[10]	280
四孔草	[11]	36

四叶拉拉藤	[9] 36	白花地胆草	[9] 414
四叶萝芙木	[8] 486	白花灯笼	[10] 450
四角蒲桃	[4] 492	白花杜鹃	[8] 188
四棱草	[10] 648	白花苦灯笼	[9] 174
禾叶山麦冬	[11] 248	白花鱼藤	[6] 98
仙人球	[4] 332	白花油麻藤	[6] 240
仙人掌	[4] 338	白花泡桐	[10] 236
仙茅	[11] 541	白花鬼针草	[9] 326
仪花	[5] 646	白花洋紫荆	[5] 592
白千层	[4] 468	白花菜	[3] 298
白及	[11] 563	白花悬钩子	[5] 484
白子菜	[9] 460	白花蛇舌草	[9] 60
白马骨	[9] 166	白花酸藤果	[8] 288
白云母	[12] 524	白苏	[10] 620
白木乌桕	[5] 292	白杜	[7] 148
白木香	[1] 133	白豆蔻	[11] 120
白木通	[3] 124	白饭树	[5] 308
白毛鸡矢藤	[9] 138	白英	[10] 104
白毛假糙苏	[10] 608	白苞芹	[8] 128
白毛紫珠	[10] 406	白苞猩猩草	[5] 192
白术	[9] 316	白苞蒿	[9] 288
白叶瓜馥木	[2] 440	白茅	[12] 179
白叶藤	[8] 516	白垩铁线蕨	[2] 10
白兰	[2] 382	白药谷精草	[11] 68
白头婆	[9] 430	白栎	[6] 448
白皮绣球	[5] 340	白树	[5] 312
白舌紫菀	[9] 304	白背牛尾菜	[11] 322
白花丹	[10] 6	白背叶	[5] 252
白花龙	[8] 322	白背叶楤木	[8] 44

白背枫	[8] 368	印度榕	[6] 518
白背黄花稔	[5] 108	冬瓜	[4] 240
白背算盘子	[5] 236	冬青	[7] 74
白钩藤	[9] 186	冬青卫矛	[7] 144
白前	[8] 528	冬苋	[1] 354
白桂木	[6] 486	冬葵	[5] 92
白桐树	[5] 164	玄参	[10] 246
白粉藤	[7] 312	兰香草	[10] 442
白接骨	[10] 332	兰猪耳	[10] 264
白菜	[3] 322	半月形铁线蕨	[2] 14
白脚桐棉	[5] 112	半边月	[9] 242
白棠子树	[10] 410	半边莲	[10] 26
白瑞香	[4] 140	半边旗	[1] 558
白鼓钉	[3] 480	半枝莲	[10] 650
白楸	[5] 258	半枫荷	[6] 378
白簕	[7] 294	半柱毛兰	[11] 631
白蜡树	[8] 400	半夏	[11] 374
白颜树	[6] 462	头花蓼	[3] 526
白鹤藤	[10] 126	头状四照花	[8] 10
白薯莨	[11] 470	头状秃马勃	[1] 290
白薇	[8] 518	头序楤木	[8] 48
白檀	[8] 358	宁波木樨	[8] 430
白簕	[8] 68	尼泊尔谷精草	[11] 70
白藤	[11] 515	尼泊尔鼠李	[7] 242
瓜木	[8] 30	尼泊尔蓼	[3] 552
瓜馥木	[2] 442	边荚鱼藤	[6] 102
丛生盔形珊瑚	[12] 293	边缘鳞盖蕨	[1] 522
丛枝蓼	[3] 562	对叶榕	[6] 536
印度崖豆藤	[6] 232	对生耳蕨	[2] 162

对萼猕猴桃	[4] 440		地胆草	[9] 412
台北艾纳香	[9] 336		地蚕	[10] 656
台湾十大功劳	[3] 114		地埂鼠尾草	[10] 642
台湾安息香	[8] 324		地桃花	[5] 114
台湾佛甲草	[3] 430		地钱	[1] 386
台湾枇杷	[5] 384		地涌金莲	[11] 88
台湾泡桐	[10] 238		地菍	[4] 522
台湾相思	[5] 536		地榆	[5] 510
台湾黄堇	[3] 282		地锦苗	[3] 286
台湾榕	[6] 526		地锦草	[5] 196
母草	[10] 220		地鳖	[12] 386
丝瓜	[4] 268		耳叶马兜铃	[3] 198
丝带蕨	[2] 206		耳叶柃	[4] 378
丝穗金粟兰	[3] 258		耳形瘤足蕨	[1] 478

六画

			耳草	[9] 48
			耳基水苋	[4] 86
吉贝	[5] 48		耳鲍	[12] 300
吉祥草	[11] 274		芋	[11] 358
扣树	[7] 82		芍药	[3] 56
老虎刺	[5] 648		芒	[12] 189
老鸦柿	[8] 224		芒毛苣苔	[10] 296
老鸦糊	[10] 414		芒萁	[1] 482
老鼠矢	[8] 362		芒硝	[12] 548
老鼠簕	[10] 326		亚麻	[4] 44
地耳草	[4] 588		芝麻	[10] 324
地耳蕨	[2] 172		朴树	[6] 458
地花细辛	[3] 212		过山枫	[7] 104
地杨桃	[5] 304		过江藤	[10] 474
地肤	[3] 606		过路黄	[9] 626

西瓜	[4]	242	灰楸	[10]	312
西南卫矛	[7]	142	夹竹桃	[8]	472
西南荷	[4]	410	尖山橙	[8]	468
西南粗叶木	[9]	92	尖叶土蜜树	[5]	158
西洋菜	[3]	344	尖叶川杨桐	[4]	342
西域青荚叶	[8]	14	尖叶乌蔹莓	[7]	302
西域旌节花	[6]	348	尖叶四照花	[8]	8
西番莲	[4]	224	尖叶唐松草	[3]	70
有柄马尾杉	[1]	406	尖叶假蚊母树	[6]	356
有柄石韦	[2]	262	尖叶清风藤	[7]	538
有翅星蕨	[2]	238	尖头瓶尔小草	[1]	458
百日青	[2]	338	尖吻蝮	[12]	472
百日菊	[9]	594	尖尾芋	[11]	336
百合	[11]	240	尖尾枫	[10]	426
百两金	[8]	252	尖齿臭茉莉	[10]	458
百足藤	[11]	380	尖海龙	[12]	440
百齿卫矛	[7]	134	尖萼山猪菜	[10]	168
百部	[11]	448	尖萼红山茶	[4]	356
百蕊草	[7]	208	尖萼厚皮香	[4]	416
灰毛大青	[10]	446	尖萼紫珠	[10]	422
灰毛豆	[6]	308	尖槐藤	[8]	576
灰毛牡荆	[10]	490	尖蕾狗牙花	[8]	458
灰毛泡	[5]	480	尖嘴林檎	[5]	400
灰白毛莓	[5]	506	光风轮菜	[10]	518
灰肉红菇	[1]	350	光石韦	[2]	258
灰色紫金牛	[8]	258	光叶丁公藤	[10]	148
灰背清风藤	[7]	530	光叶山矾	[8]	354
灰毡毛忍冬	[9]	208	光叶山黄麻	[6]	470
灰莉	[8]	376	光叶子花	[4]	154

光叶云南草蔻	[11] 94		吊石苣苔	[10] 306
光叶石楠	[5] 408		吊兰	[11] 212
光叶细刺枸骨	[7] 80		吊球草	[10] 542
光叶铁仔	[8] 312		吊裙草	[6] 74
光叶粉花绣线菊	[5] 526		回回苏	[10] 618
光叶海桐	[4] 178		刚毛白簕	[8] 66
光叶蛇葡萄	[7] 288		网脉山龙眼	[4] 166
光叶紫玉盘	[2] 450		网脉酸藤子	[8] 294
光叶蝴蝶草	[10] 266		网球花	[11] 426
光叶薯蓣	[11] 468		肉叶鞘蕊花	[10] 522
光头稗	[12] 141		肉色土圞儿	[6] 18
光里白	[1] 488		肉豆蔻	[3] 8
光枝勾儿茶	[7] 220		肉珊瑚	[8] 580
光亮瘤蕨	[2] 248		朱顶红	[11] 414
光萼小蜡	[8] 424		朱砂根	[8] 248
光萼茅膏菜	[3] 456		朱唇	[10] 634
当归藤	[8] 286		朱蕉	[11] 496
早熟禾	[12] 229		舌叶薹草	[12] 19
吐烟花	[7] 34		舌状蜈蚣藻	[1] 256
曲江远志	[3] 394		竹节草	[12] 121
曲枝假蓝	[10] 382		竹节树	[4] 570
曲柄铁线莲	[3] 44		竹节秋海棠	[4] 322
曲轴海金沙	[1] 494		竹节菜	[11] 30
团叶槲蕨	[2] 208		竹节蓼	[3] 518
团叶鳞始蕨	[1] 530		竹叶兰	[11] 561
团羽铁线蕨	[2] 2		竹叶吉祥草	[11] 56
团花	[9] 122		竹叶花椒	[7] 428
吕宋荚蒾	[9] 228		竹叶柴胡	[8] 100
吊山桃	[8] 584		竹叶榕	[6] 560

竹芋	[11] 178	华南半蒴苣苔	[10] 302
竹柏	[2] 330	华南舌蕨	[2] 170
竹根七	[11] 222	华南吴萸	[7] 386
竹蔗	[12] 243	华南皂荚	[5] 640
乔木茵芋	[7] 420	华南谷精草	[11] 72
伏毛蓼	[3] 564	华南忍冬	[9] 194
伏石蕨	[2] 214	华南青皮木	[7] 174
伏地卷柏	[1] 436	华南实蕨	[2] 136
延叶珍珠菜	[9] 632	华南胡椒	[3] 232
延羽卵果蕨	[2] 66	华南桂	[2] 466
华山矾	[8] 336	华南桦	[6] 408
华山姜	[11] 104	华南铁角蕨	[2] 74
华马钱	[8] 390	华南野兔	[12] 495
华中五味子	[2] 424	华南蚱蝉	[12] 372
华中介蕨	[2] 42	华南紫萁	[1] 470
华中瘤足蕨	[1] 474	华南蒲桃	[4] 476
华凤仙	[4] 72	华南鳞盖蕨	[1] 520
华东小檗	[3] 90	华重楼	[11] 294
华东阴地蕨	[1] 454	华素馨	[8] 416
华东瓶蕨	[1] 506	华夏慈姑	[11] 18
华东膜蕨	[1] 500	华萝藦	[8] 574
华东瘤足蕨	[1] 476	华菊头蝠	[12] 494
华东蹄盖蕨	[2] 32	华麻花头	[9] 530
华空木	[5] 528	华紫珠	[10] 408
华南大蹄蝠	[12] 493	华鼠尾草	[10] 632
华南云实	[5] 596	华腺萼木	[9] 116
华南毛柃	[4] 382	自然硫	[12] 522
华南毛蕨	[2] 54	血水草	[3] 274
华南龙胆	[9] 602	血见愁	[10] 664

血叶兰	[11]	663
血苋	[4]	38
血桐	[5]	248
血散薯	[3]	168
向日葵	[9]	466
全缘凤尾蕨	[1]	552
全缘火棘	[5]	428
全缘叶紫珠	[10]	416
全缘栝楼	[4]	296
全缘榕	[6]	544
合丝肖菝葜	[11]	302
合欢	[5]	554
合柱金莲木	[4]	446
合萌	[6]	8
伞房花耳草	[9]	58
杂色鲍	[12]	302
多水高岭土	[12]	550
多毛马齿苋	[3]	502
多毛板凳果	[6]	392
多花山竹子	[4]	606
多花勾儿茶	[7]	216
多花瓜馥木	[2]	444
多花兰	[11]	603
多花茜草	[9]	162
多花胡枝子	[6]	200
多花脆兰	[11]	555
多花黄精	[11]	264
多花野牡丹	[4]	518
多序楼梯草	[7]	22
多茎鼠麴草	[9]	454
多枝婆婆纳	[10]	270
多枝雾水葛	[7]	62
多须公	[9]	426
多脉酸藤子	[8]	290
多根硬皮马勃	[1]	366
多裂翅果菊	[9]	514
多穗金粟兰	[3]	262
交让木	[5]	320
决明	[5]	656
闭鞘姜	[11]	135
羊耳菊	[9]	408
羊舌树	[8]	352
羊角杜鹃	[8]	170
羊角拗	[8]	494
羊齿天门冬	[11]	192
羊乳	[10]	20
羊栖菜	[1]	248
羊鲍	[12]	304
羊踯躅	[8]	184
羊蹄	[3]	582
羊蹄甲	[5]	586
米仔兰	[7]	466
米碎花	[4]	380
米槠	[6]	418
灯心草	[12]	6
灯台兔儿风	[9]	262
灯台树	[8]	4
灯台莲	[11]	352

灯油藤	[7]	122	阴地蕨	[1]	456
灯笼果	[10]	90	阴行草	[10]	248
江西线虫草	[1]	268	阴香	[2]	470
江西堇菜	[3]	368	如意草	[3]	364
江南山梗菜	[10]	28	羽叶金合欢	[5]	542
江南卷柏	[1]	434	羽芒菊	[9]	566
江南星蕨	[2]	234	羽脉山麻杆	[5]	134
江南桤木	[6]	406	羽裂圣蕨	[2]	58
江南越橘	[8]	204	羽裂星蕨	[2]	236
守宫木	[5]	298	观光木	[2]	396
安石榴	[4]	106	观音草	[10]	374
异木患	[7]	492	红大戟	[9]	86
异叶山蚂蝗	[6]	112	红千层	[4]	450
异叶地锦	[7]	316	红马蹄草	[8]	120
异叶花椒	[7]	436	红木	[4]	190
异叶茴芹	[8]	142	红毛羊蹄甲	[5]	588
异叶蛇葡萄	[7]	286	红凤菜	[9]	458
异叶榕	[6]	530	红叶藤	[7]	572
异叶鳞始蕨	[1]	528	红瓜	[4]	244
异羽复叶耳蕨	[2]	132	红冬蛇菰	[7]	210
异形南五味子	[2]	414	红丝线	[10]	70
异果鸡血藤	[6]	224	红血藤	[6]	302
异型莎草	[12]	35	红花	[9]	360
异药花	[4]	512	红花八角	[2]	398
异株木樨榄	[8]	426	红花天料木	[4]	218
异穗卷柏	[1]	428	红花荷	[6]	376
阳春砂	[1]	150	红花栝楼	[4]	304
阳桃	[4]	56	红花寄生	[7]	188
阴石蕨	[2]	184	红花酢浆草	[4]	62

红花隔距兰	[11] 591		红敷地发	[4] 542
红杜仲藤	[8] 474		纤花耳草	[9] 72
红豆蔻	[11] 96		纤花香茶菜	[10] 554
红茄苳	[4] 578		纤枝兔儿风	[9] 260
红果山胡椒	[2] 500		纤枝槌果藤	[3] 292
红果仔	[4] 466		纤冠藤	[8] 546
红草	[4] 8			
红茴香	[2] 400		**七画**	
红厚壳	[4] 598			
红背山麻杆	[5] 136		麦冬	[11] 258
红背耳叶马蓝	[10] 372		远志木蓝	[6] 180
红背桂	[5] 220		扶芳藤	[7] 140
红骨草	[10] 222		扶桑	[5] 78
红秋葵	[5] 74		扯根菜	[3] 446
红栓菌	[1] 330		走马胎	[8] 260
红凉伞	[8] 250		赤小豆	[6] 334
红桑	[5] 130		赤山蚂蝗	[6] 122
红球姜	[11] 164		赤车	[7] 32
红雀珊瑚	[5] 268		赤苍藤	[7] 172
红淡比	[4] 374		赤杨叶	[8] 316
红葱	[11] 436		赤豆	[6] 328
红紫珠	[10] 436		赤楠蒲桃	[4] 480
红椿	[7] 482		壳果算盘子	[5] 224
红楠	[2] 540		壳菜果	[6] 374
红锥	[6] 430		扭肚藤	[8] 402
红腺悬钩子	[5] 502		拟鸡毛菜	[1] 252
红蓼	[3] 554		拟金茅	[12] 167
红辣槁树	[2] 480		拟金草	[9] 56
红褐柃	[4] 400		拟高粱	[12] 265
			拟海龙	[12] 438

芙蓉菊	[9] 390	芦苇	[12] 213
芜菁	[3] 324	芦荟	[11] 188
芜菁甘蓝	[3] 316	克氏海马	[12] 430
芫荽	[8] 106	芭蕉	[11] 80
芸香	[7] 418	苏门白酒草	[9] 380
苣荬菜	[9] 544	苏木	[5] 614
苋菜	[4] 24	苏合香树	[6] 370
花叶山姜	[11] 110	苏铁	[2] 280
花叶竹芋	[11] 180	苏铁蕨	[2] 110
花叶假杜鹃	[10] 338	杜仲	[6] 382
花生	[6] 20	杜仲藤	[8] 476
花生大蟋蟀	[12] 414	杜英	[5] 4
花刺参	[12] 352	杜茎山	[8] 302
花柱草	[10] 38	杜虹花	[10] 412
花脸香蘑	[1] 298	杜根藤	[10] 366
花葶薹草	[12] 29	杜鹃	[8] 196
花椒簕	[7] 446	杜鹃兰	[11] 593
花桐木	[6] 252	杜楝	[7] 490
芥兰头	[3] 310	杜箬	[11] 54
芥菜	[3] 314	杜衡	[3] 210
芬芳安息香	[8] 328	杠板归	[3] 558
苍术	[9] 314	杏	[5] 364
苍白秤钩风	[3] 154	杏叶沙参	[10] 12
苍耳	[9] 590	杏香兔儿风	[9] 258
芡	[1] 160	杉木	[2] 310
芡实	[3] 80	巫山繁缕	[3] 492
芳香石豆兰	[11] 567	杧果	[7] 556
苎麻	[7] 10	李	[5] 426
芦竹	[12] 97	李氏禾	[12] 181

杨桐	[4] 344	针齿铁仔	[8] 310
杨梅	[6] 400	钉头果	[8] 544
杨梅叶青冈	[6] 440	牡丹	[3] 58
杨梅叶蚊母树	[6] 358	牡荆	[10] 494
豆马勃	[1] 364	牡蒿	[9] 286
豆梨	[5] 430	乱草	[12] 155
豆腐柴	[10] 476	秃叶黄檗	[7] 416
豆瓣绿	[3] 228	伯乐树	[7] 512
两广禾叶蕨	[2] 212	皂荚	[5] 642
两广栝楼	[4] 300	佛手瓜	[4] 278
两广猕猴桃	[4] 434	佛甲草	[3] 432
两广锡兰莲	[3] 54	佛肚树	[5] 244
两色金鸡菊	[9] 382	伽蓝菜	[3] 410
两歧飘拂草	[12] 59	近江牡蛎	[12] 342
两型豆	[6] 16	余甘子	[5] 272
两粤黄檀	[6] 80	谷木	[4] 530
辰砂矿石	[12] 526	谷蓼	[4] 108
还亮草	[3] 50	谷精草	[11] 66
来江藤	[10] 194	含笑	[2] 388
连翘	[8] 398	含羞草	[5] 570
卤地菊	[9] 584	角花乌蔹莓	[7] 296
肖菝葜	[11] 304	角花胡颓子	[7] 266
旱田草	[10] 228	角果木	[4] 574
旱芹	[8] 38	条叶百合	[11] 242
旱金莲	[4] 64	条叶猕猴桃	[4] 428
吴茱萸	[7] 394	条穗薹草	[12] 23
里白	[1] 486	卵叶水芹	[8] 134
岗松	[4] 448	卵叶半边莲	[10] 32
岗柃	[4] 386	卵叶远志	[3] 392

卵孢长根菇	[1] 284	陆地棉	[5] 70
刨花润楠	[2] 536	阿拉伯婆婆纳	[10] 272
饭包草	[11] 26	阿拉伯绶贝	[12] 308
饭甑青冈	[6] 436	附地菜	[10] 62
冻绿	[7] 246	陀螺果	[8] 318
亨氏马先蒿	[10] 288	忍冬	[9] 202
冷水花	[7] 46	鸡毛松	[2] 328
冷饭藤	[2] 418	鸡爪簕	[9] 134
庐山小檗	[3] 98	鸡心藤	[7] 308
庐山石韦	[2] 264	鸡矢藤	[9] 140
庐山香科科	[10] 660	鸡仔木	[9] 168
庐山堇菜	[3] 374	鸡头薯	[6] 138
间型沿阶草	[11] 256	鸡柏紫藤	[7] 272
沙叶铁线莲	[3] 42	鸡骨草	[6] 2
沙葛	[6] 254	鸡骨香	[5] 172
沈氏十大功劳	[3] 118	鸡冠花	[4] 30
诃子	[4] 566	鸡桑	[6] 576
补血草	[10] 2	鸡眼草	[6] 188
补骨脂	[6] 270	鸡眼梅花草	[3] 444
君迁子	[8] 218	鸡蛋花	[8] 480
灵芝	[1] 304	鸡蛋果	[4] 228
灵枝草	[10] 384	鸡嘴簕	[5] 616
灵香草	[9] 634	纯黄竹荪	[1] 356
尾叶那藤	[3] 134	驳骨九节	[9] 152
尾叶远志	[3] 384	纸叶榕	[6] 514
尾叶崖爬藤	[7] 322	纺锤爪鬼笔	[1] 360
尾叶紫金牛	[8] 244		
尾花细辛	[3] 208	八画	
尾穗苋	[4] 18	环纹货贝	[12] 306

青冈	[6] 438	坡柳	[7] 498
青牛胆	[3] 180	披针叶八角	[2] 404
青皮木	[7] 176	披针叶胡颓子	[7] 270
青皮竹	[12] 113	披针贯众	[2] 144
青灰叶下珠	[5] 276	披针骨牌蕨	[2] 216
青江藤	[7] 110	披针新月蕨	[2] 68
青花椒	[7] 448	茉莉花	[8] 414
青杨梅	[6] 396	苦木	[7] 460
青环海蛇	[12] 464	苦瓜	[4] 270
青果榕	[6] 566	苦玄参	[10] 240
青荚叶	[8] 16	苦皮藤	[7] 106
青香茅	[12] 127	苦竹	[12] 227
青竿竹	[12] 115	苦苣菜	[9] 548
青钱柳	[7] 574	苦郎树	[10] 452
青葙	[4] 28	苦郎藤	[7] 304
青蛤	[12] 332	苦参	[6] 296
青蒿	[9] 282	苦草	[11] 8
青榨槭	[7] 516	苦槠	[6] 432
青檀	[6] 464	苦蘵	[10] 86
青藤仔	[8] 410	苹	[2] 270
玫瑰茄	[5] 80	苹婆	[5] 40
抱石莲	[2] 218	苘麻	[5] 60
抱茎小苦荬	[9] 484	茑萝松	[10] 184
抱茎石龙尾	[10] 204	苞子草	[12] 271
抱树莲	[2] 204	苞叶木	[7] 222
拉拉藤	[9] 34	苞舌兰	[11] 687
坭簕竹	[12] 103	直刺变豆菜	[8] 148
坡油甘	[6] 294	茄	[10] 108
坡参	[11] 649	茄叶斑鸠菊	[9] 578

茅瓜	[4] 282	刺头复叶耳蕨	[2] 124
茅莓	[5] 488	刺芋	[11] 370
茅栗	[6] 416	刺壳花椒	[7] 440
林泽兰	[9] 432	刺苋	[4] 22
林麝	[12] 507	刺花莲子草	[4] 12
杯叶西番莲	[4] 226	刺芹	[8] 112
杯苋	[4] 32	刺齿半边旗	[1] 546
杯菊	[9] 392	刺齿泥花草	[10] 218
枇杷	[5] 388	刺齿贯众	[2] 142
枇杷叶紫珠	[10] 418	刺果卫矛	[7] 128
板栗	[6] 414	刺果苏木	[5] 594
板蓝	[10] 334	刺果酸模	[3] 584
松叶耳草	[9] 68	刺果藤	[5] 16
松叶牡丹	[3] 504	刺柏	[2] 323
松叶蕨	[1] 396	刺桐	[6] 142
松蒿	[10] 290	刺海马	[12] 426
枪刀药	[10] 354	刺通草	[8] 96
枫杨	[7] 584	刺葡萄	[7] 342
枫香	[6] 368	刺猬	[12] 488
构树	[6] 494	刺蒴麻	[4] 634
杭子梢	[6] 32	刺楸	[8] 78
画眉草	[12] 159	刺槐	[6] 288
刺儿菜	[9] 372	刺篱木	[4] 196
刺子莞	[12] 75	枣	[7] 256
刺天茄	[10] 98	郁李	[5] 366
刺毛杜鹃	[8] 168	郁金	[11] 137
刺叶苏铁	[2] 282	郁金香	[11] 284
刺叶桂樱	[5] 396	奇蒿	[9] 276
刺瓜	[8] 524	奇数鳞毛蕨	[2] 156

轮叶木姜子	[2] 530		昆明鸡血藤	[6] 234
轮叶沙参	[10] 14		昂天莲	[5] 14
轮叶蒲桃	[4] 484		咖啡黄葵	[5] 50
轮环藤	[3] 148		岩凤尾蕨	[1] 544
软条七蔷薇	[5] 444		岩生远志	[3] 396
软枝黄蝉	[8] 436		罗汉松	[2] 335
软刺蹄盖蕨	[2] 34		罗汉果	[4] 280
软锰矿	[12] 542		罗伞	[8] 58
鸢尾	[11] 446		罗伞树	[8] 278
肯氏南洋杉	[2] 288		罗河石斛	[11] 621
齿牙毛蕨	[2] 50		罗星草	[9] 596
齿叶水蜡烛	[10] 526		罗浮买麻藤	[2] 352
齿叶黄皮	[7] 380		罗浮柿	[8] 220
齿头鳞毛蕨	[2] 154		罗浮槭	[7] 518
齿果酸模	[3] 580		罗勒	[10] 600
齿缘吊钟花	[8] 160		罗蒙常山	[5] 334
齿瓣石豆兰	[11] 571		岭南山竹子	[4] 608
虎皮楠	[5] 322		岭南花椒	[7] 432
虎耳草	[3] 448		岭南杜鹃	[8] 180
虎舌红	[8] 272		岭南铁角蕨	[2] 94
虎杖	[3] 574		败酱	[9] 244
虎尾兰	[11] 504		知风草	[12] 153
虎刺	[9] 28		垂叶榕	[6] 510
虎掌藤	[10] 164		垂花悬铃花	[5] 96
肾叶天胡荽	[8] 126		垂枝泡花树	[7] 522
肾茶	[10] 514		垂柳	[6] 404
肾萼金腰	[3] 440		垂盆草	[3] 434
肾蕨	[2] 178		垂穗石松	[1] 416
昙花	[4] 334		和尚菜	[9] 250

委陵菜	[5] 416	金花茶	[4] 364
使君子	[4] 562	金花树	[4] 504
侧柏	[2] 325	金鸡纳树	[9] 16
佩兰	[9] 428	金鸡脚假瘤蕨	[2] 244
货贝	[12] 310	金环蛇	[12] 468
爬岩红	[10] 278	金钗石斛	[11] 627
爬藤榕	[6] 556	金鱼草	[10] 190
金口蝾螺	[12] 296	金鱼藻	[3] 78
金不换	[3] 388	金线兰	[11] 559
金毛耳草	[9] 54	金线吊乌龟	[3] 166
金毛狗	[1] 510	金线草	[3] 508
金乌贼	[12] 348	金挖耳	[9] 358
金叶树	[8] 228	金草	[9] 46
金瓜	[4] 254	金柑	[7] 400
金兰	[11] 589	金星蕨	[2] 62
金边土鳖	[12] 384	金钮扣	[9] 248
金边龙舌兰	[11] 492	金剑草	[9] 156
金边虎尾兰	[11] 506	金疮小草	[10] 504
金发草	[12] 233	金珠柳	[8] 304
金发藓	[1] 392	金盏花	[9] 352
金丝草	[12] 231	金盏银盘	[9] 322
金丝桃	[4] 590	金莲木	[4] 444
金丝梅	[4] 592	金钱蒲	[11] 330
金耳环	[3] 214	金海子	[4] 182
金光菊	[9] 520	金银莲花	[9] 612
金刚纂	[5] 206	金粟兰	[3] 268
金合欢	[5] 538	金锦香	[4] 534
金色狗尾草	[12] 253	金腰箭	[9] 556
金灯藤	[10] 142	金樱子	[5] 446

金橘	[7] 402	变叶树参	[8] 62
乳豆	[6] 154	变叶美登木	[7] 156
乳茄	[10] 106	变叶榕	[6] 568
乳浆大戟	[5] 188	变色马兜铃	[3] 204
乳源木莲	[2] 380	变异铁角蕨	[2] 100
乳源杜鹃	[8] 192	变异鳞毛蕨	[2] 160
肿足蕨	[2] 44	变豆菜	[8] 144
肿柄菊	[9] 564	京大戟	[5] 208
肥肉草	[4] 514	京梨猕猴桃	[4] 422
肥皂荚	[5] 644	夜合花	[2] 368
肥荚红豆	[6] 250	夜花藤	[3] 158
周毛悬钩子	[5] 456	夜来香	[8] 586
周裂秋海棠	[4] 310	夜香牛	[9] 572
鱼木	[3] 304	夜香树	[10] 66
鱼尾葵	[11] 517	兖州卷柏	[1] 430
鱼眼草	[9] 402	卷丹	[11] 244
鱼腥草	[3] 254	卷柏	[1] 442
鱼藤	[6] 104	单毛刺蒴麻	[4] 628
兔儿伞	[9] 558	单毛桤叶树	[8] 154
兔耳兰	[11] 607	单叶双盖蕨	[2] 40
狐臭柴	[10] 478	单叶厚唇兰	[11] 629
狗	[12] 511	单叶铁线莲	[3] 32
狗牙花	[8] 462	单叶新月蕨	[2] 70
狗牙根	[12] 131	单叶蔓荆	[10] 500
狗肝菜	[10] 348	单色蝴蝶草	[10] 258
狗尾草	[12] 261	单芽狗脊	[2] 122
狗骨柴	[9] 30	单花红丝线	[10] 72
狗脊	[2] 116	单花芫	[10] 444
变叶木	[5] 170	单穗水蜈蚣	[12] 71

浅裂锈毛莓	[5] 494	空心泡	[5] 498
河北木蓝	[6] 168	帘子藤	[8] 482
油茶	[4] 366	郎伞木	[8] 254
油茶离瓣寄生	[7] 182	祈阳细辛	[3] 216
油柿	[8] 222	建兰	[11] 599
油点草	[11] 282	屈头鸡	[3] 296
油桐	[5] 314	陌上菜	[10] 226
油菜	[3] 308	降龙草	[10] 304
油渣果	[4] 262	降香	[6] 92
泡果算盘子	[5] 230	降香黄檀	[1] 196
泌脂藤	[7] 558	参薯	[11] 454
泥花草	[10] 216	线叶水芹	[8] 136
泥胡菜	[9] 470	线叶猪屎豆	[6] 66
泥炭藓	[1] 388	线叶蓟	[9] 370
泥蚶	[12] 322	线纹香茶菜	[10] 550
波叶青牛胆	[3] 178	线柏	[2] 298
波罗蜜	[6] 484	线萼山梗菜	[10] 30
波缘冷水花	[7] 40	线萼金花树	[4] 498
波缘楤木	[8] 56	线蕨	[2] 192
泽泻	[11] 10	细长柄山蚂蝗	[6] 162
泽泻虾脊兰	[11] 575	细风轮菜	[10] 520
泽珍珠菜	[9] 622	细叶小苦荬	[9] 480
泽漆	[5] 190	细叶水团花	[9] 4
宝铎菜	[11] 228	细叶石仙桃	[11] 677
宝盖草	[10] 566	细叶远志	[3] 398
定心藤	[7] 168	细叶谷木	[4] 532
宜昌木蓝	[6] 172	细叶卷柏	[1] 432
宜昌荚蒾	[9] 222	细叶桉	[4] 462
宜昌胡颓子	[7] 268	细叶野牡丹	[4] 524

细竹篙草	[11]	50
细花白千层	[4]	470
细花百部	[11]	450
细角螺	[12]	312
细茎石斛	[11]	625
细枝柃	[4]	394
细齿毛蓼	[3]	524
细齿叶柃	[4]	396
细罗伞	[8]	236
细柄书带蕨	[2]	20
细柄半枫荷	[6]	380
细柄蕈树	[6]	352
细柄薯蓣	[11]	488
细柱五加	[8]	64
细轴荛花	[4]	150
细圆藤	[3]	162
细皱鬼笔	[1]	358
细梗胡枝子	[6]	208
细梗香草	[9]	624
细锥香茶菜	[10]	548
细雕刻肋海胆	[12]	356
贯众	[2]	146

九画

春云实	[5]	618
春兰	[11]	605
玳瑁	[12]	456
珍珠花	[8]	164
珍珠莲	[6]	554

珊瑚树	[9]	232
珊瑚姜	[11]	158
珊瑚菜	[8]	116
珊瑚樱	[10]	114
毒瓜	[4]	252
毒砂	[12]	530
毒根斑鸠菊	[9]	574
挂金灯	[10]	84
垫状卷柏	[1]	438
挖耳草	[10]	294
茸果鹧鸪花	[7]	488
苴	[3]	370
革叶猕猴桃	[4]	438
茜草	[9]	160
荬菜	[9]	220
荚囊蕨	[2]	114
荸荠	[3]	246
草木犀	[6]	218
草龙	[4]	118
草果	[11]	128
草珊瑚	[3]	270
草胡椒	[3]	226
草莓	[5]	390
草海桐	[10]	36
草菇	[1]	380
草棉	[5]	68
茼蒿	[9]	364
茵芋	[7]	422
茵陈蒿	[9]	280

茴茴蒜	[3]	62	南方红豆杉	[2]	350
茴香	[8]	114	南方灵芝	[1]	302
荞麦	[3]	514	南方荚蒾	[9]	224
荞麦大百合	[11]	206	南方菟丝子	[10]	138
茯苓	[1]	320	南方露珠草	[4]	110
荇菜	[9]	614	南艾蒿	[9]	300
茶	[4]	372	南瓜	[4]	250
茶花	[4]	362	南赤瓟	[4]	288
茶荚蒾	[9]	240	南苜蓿	[6]	214
茶梨	[4]	346	南岭小檗	[3]	92
荈	[3]	326	南岭山矾	[8]	342
茳芏	[12]	45	南岭柞木	[4]	208
茛草	[12]	95	南岭黄檀	[6]	78
胡卢巴	[6]	310	南洋楹	[5]	552
胡枝子	[6]	192	南烛	[8]	198
胡桃	[7]	578	南蛇棒	[11]	342
胡萝卜	[8]	110	南蛇藤	[7]	120
胡麻草	[10]	198	南紫薇	[4]	94
胡椒	[3]	248	南酸枣	[7]	550
胡颓子	[7]	278	药用狗牙花	[8]	460
荔枝	[7]	504	柑橘	[7]	372
荔枝草	[10]	638	柯	[6]	442
南山花	[9]	148	柘树	[6]	502
南山茶	[4]	370	相近石韦	[2]	256
南山藤	[8]	542	相思子	[6]	6
南天竹	[3]	120	柚	[7]	364
南五味子	[2]	416	柚木	[10]	484
南丹参	[10]	628	枳	[7]	378
南方大斑蝥	[12]	404	枳椇	[7]	226

柞木	[4] 212	砖子苗	[12] 33
柏木	[2] 314	厚叶双盖蕨	[2] 36
柏拉木	[4] 502	厚叶白花酸藤果	[8] 292
栀子	[9] 40	厚叶冷水花	[7] 54
柃木	[4] 392	厚叶厚皮香	[4] 414
柃叶连蕊茶	[4] 358	厚叶素馨	[8] 412
枸杞	[10] 74	厚叶铁角蕨	[2] 82
枸骨	[7] 76	厚叶铁线莲	[3] 24
柳叶牛膝	[4] 6	厚叶崖爬藤	[7] 330
柳叶毛蕊茶	[4] 368	厚叶算盘子	[5] 228
柳叶白前	[8] 534	厚皮灰木	[8] 346
柳叶蚂蟥	[12] 366	厚皮树	[7] 554
柳叶剑蕨	[2] 230	厚皮香	[4] 412
柳叶润楠	[2] 538	厚朴	[2] 358
柳叶绣球	[5] 346	厚壳树	[10] 54
柳叶菜	[4] 112	厚果崖豆藤	[6] 228
柳叶蓬莱葛	[8] 378	厚藤	[10] 162
柳杉	[2] 302	砂仁	[11] 130
柊叶	[11] 182	砚壳花椒	[7] 438
柱状田头菇	[1] 300	牵牛	[10] 176
柱果铁线莲	[3] 46	鸦胆子	[7] 456
柿	[8] 212	鸦椿卫矛	[7] 138
柠檬	[7] 362	韭	[11] 410
柠檬桉	[4] 456	韭莲	[11] 430
柽柳	[4] 220	背角无齿蚌	[12] 316
树参	[8] 60	点地梅	[9] 618
树棉	[5] 64	点地梅裸脚伞	[1] 314
咸虾花	[9] 576	点柄乳牛肝菌	[1] 376
威灵仙	[3] 22	临时救	[9] 630

显子草	[12] 209	贴生石韦	[2] 254
显齿蛇葡萄	[7] 284	骨牌蕨	[2] 220
显柱南蛇藤	[7] 126	钝叶草	[12] 269
显脉山绿豆	[6] 120	钝叶桂	[2] 468
显脉香茶菜	[10] 556	钝齿红紫珠	[10] 438
禺毛茛	[3] 60	钝齿芹叶铁线莲	[3] 18
星毛冠盖藤	[5] 350	钟花草	[10] 346
星毛鸭脚木	[8] 88	钟花蒲桃	[4] 488
星毛蕨	[2] 46	钟乳石	[12] 534
星花灯心草	[12] 4	钟萼草	[10] 210
星刺卫矛	[7] 130	钩毛紫珠	[10] 432
星蕨	[2] 240	钩吻	[8] 382
胄叶线蕨	[2] 196	钩状石斛	[11] 611
贵州石楠	[5] 406	钩距虾脊兰	[11] 579
贵州半蒴苣苔	[10] 300	钩锥	[6] 434
贵州连蕊茶	[4] 354	钩藤	[9] 180
贵州络石	[8] 498	钮子瓜	[4] 308
贵州鼠尾草	[10] 630	看麦娘	[12] 91
贵定桤叶树	[8] 156	矩形叶鼠刺	[5] 326
虹鳞肋毛蕨	[2] 138	矩圆叶卫矛	[7] 154
虾子花	[4] 104	矩圆线蕨	[2] 198
虾衣花	[10] 358	牯岭凤仙花	[4] 78
虾须草	[9] 532	牯岭藜芦	[11] 288
虾脊兰	[11] 577	香叶天竺葵	[4] 50
虾蚶菜	[4] 14	香叶树	[2] 498
蚁蛉	[12] 390	香皮树	[7] 524
思茅山橙	[8] 470	香丝草	[9] 376
响叶杨	[6] 402	香花羊耳蒜	[11] 661
响铃豆	[6] 56	香花鸡血藤	[6] 222

香花枇杷	[5]	386	秋枫	[5]	150
香附子	[12]	51	秋海棠	[4]	316
香青	[9]	268	秋鼠麹草	[9]	450
香茅	[12]	129	重伞灵芝	[1]	306
香乳菇	[1]	346	重阳木	[5]	152
香茶菜	[10]	546	重唇石斛	[11]	615
香桂	[2]	484	重瓣臭茉莉	[10]	462
香栓孔菌	[1]	338	复叶耳蕨	[2]	128
香粉叶	[2]	508	复羽叶栾树	[7]	500
香菇	[1]	316	复带虻	[12]	408
香雪兰	[11]	438	信宜柿	[8]	226
香港大沙叶	[9]	146	鬼针草	[9]	324
香港马兜铃	[3]	206	侯钩藤	[9]	184
香港木兰	[2]	366	盾叶冷水花	[7]	48
香港双蝴蝶	[9]	610	盾叶唐松草	[3]	72
香港四照花	[8]	12	盾果草	[10]	60
香港远志	[3]	390	盾蕨	[2]	242
香港黄檀	[6]	90	须苞石竹	[3]	466
香港算盘子	[5]	238	剑叶山芝麻	[5]	24
香港鹰爪花	[2]	434	剑叶凤尾蕨	[1]	548
香蒲	[11]	398	剑叶耳草	[9]	52
香椿	[7]	486	剑叶铁角蕨	[2]	78
香蓼	[3]	572	剑叶铁树	[11]	498
香蕉	[11]	84	剑麻	[11]	494
香橼	[7]	368	食用土当归	[8]	46
香薷	[10]	532	盆架树	[8]	442
秋牡丹	[3]	12	脉耳草	[9]	80
秋英	[9]	384	胎生狗脊	[2]	120
秋茄树	[4]	576	胎生铁角蕨	[2]	84

匍匐滨藜	[3]	596
狭叶山胡椒	[2]	494
狭叶山黄麻	[6]	466
狭叶母草	[10]	214
狭叶红紫珠	[10]	440
狭叶栀子	[9]	42
狭叶海桐	[4]	180
狭叶落地梅	[9]	642
狭叶楼梯草	[7]	20
狭全缘榕	[6]	542
狭苞橐吾	[9]	494
狭翅铁角蕨	[2]	102
狭眼凤尾蕨	[1]	538
狮子尾	[11]	382
独行菜	[3]	338
独角莲	[11]	388
独脚金	[10]	252
独蒜兰	[11]	683
忽地笑	[11]	418
弯曲碎米荠	[3]	328
弯齿盾果草	[10]	58
弯管花	[9]	14
弯蕊开口箭	[11]	280
孪叶羊蹄甲	[5]	580
孪花蟛蜞菊	[9]	580
亮叶鸡血藤	[6]	226
亮叶桦	[6]	410
亮叶猴耳环	[5]	562
庭藤	[6]	170
疣果豆蔻	[11]	126
闽浙马尾杉	[1]	404
闽粤千里光	[9]	528
闽粤海燕	[12]	358
闽楠	[2]	556
闽赣葡萄	[7]	340
美人蕉	[11]	174
美山矾	[8]	348
美舌藻	[1]	258
美花石斛	[11]	619
美丽胡枝子	[6]	202
美丽猕猴桃	[4]	436
美枝瑚菌	[1]	370
美脉花楸	[5]	514
美洲商陆	[3]	592
美冠兰	[11]	633
美登木	[7]	158
姜	[11]	162
姜花	[11]	150
姜黄	[11]	142
类头状花序藨草	[12]	83
类芦	[12]	191
前胡	[8]	140
首冠藤	[5]	578
炮仗花	[10]	320
活血丹	[10]	538
洋金凤	[5]	612
洋金花	[10]	68
洋葱	[11]	400

洋紫荆	[5] 590	绞股蓝	[4] 258
洋蒲桃	[4] 490		

十画

穿山甲	[12] 490		
穿鞘花	[11] 24	艳山姜	[11] 114
穿鞘菝葜	[11] 324	泰国大风子	[4] 200
窃衣	[8] 152	珠子草	[5] 278
冠果草	[11] 12	珠仔树	[8] 360
冠唇花	[10] 586	珠光香青	[9] 266
冠盖藤	[5] 352	珠芽景天	[3] 424
扁豆	[6] 190	素馨花	[8] 404
扁担杆	[4] 618	蚕虫草	[3] 538
扁担藤	[7] 332	蚕豆	[6] 320
扁枝石松	[1] 410	赶山鞭	[4] 584
扁枝槲寄生	[7] 196	盐肤木	[7] 562
扁桃斑鸠菊	[9] 568	热带灵芝	[1] 310
扁穗牛鞭草	[12] 171	荸荠	[12] 55
费菜	[3] 418	莽吉柿	[4] 604
孩儿草	[10] 388	莲	[3] 82
除虫菊	[9] 518	莲沱兔儿风	[9] 264
娃儿藤	[8] 598	莲座紫金牛	[8] 274
柔毛艾纳香	[9] 348	莳萝	[8] 36
柔叶马兜铃	[3] 196	莴苣	[9] 488
柔弱斑种草	[10] 40	莪术	[11] 144
绒毛千屈菜	[4] 98	莠狗尾草	[12] 251
绒毛胡枝子	[6] 206	荷花玉兰	[2] 373
绒毛润楠	[2] 542	荷秋藤	[8] 560
结壮飘拂草	[12] 65	荷莲豆草	[3] 472
结香	[4] 142	莎草蕨	[1] 490
络石	[8] 502	莎萝莽	[3] 400

莙荙菜	[3] 598		破布叶	[4] 626
桂木	[6] 488		破铜钱	[8] 124
桂竹	[12] 225		套鞘薹草	[12] 21
桔梗	[10] 22		柴胡叶链荚豆	[6] 10
栲	[6] 426		鸭儿芹	[8] 108
桤叶黄花稔	[5] 100		鸭公树	[2] 548
栝楼	[4] 292		鸭舌草	[11] 300
桦褶孔菌	[1] 326		鸭脚茶	[4] 510
栓叶安息香	[8] 330		鸭跖草	[11] 28
栓皮栎	[6] 450		鸭跖草状凤仙花	[4] 76
桃	[5] 360		鸭嘴花	[10] 356
桃叶珊瑚	[8] 2		蚬肉秋海棠	[4] 328
桃金娘	[4] 474		蚊母树	[6] 360
桃榄	[8] 232		圆叶乌桕	[5] 294
格木	[5] 636		圆叶节节菜	[4] 102
豇豆	[6] 336		圆叶南蛇藤	[7] 116
栗柄凤尾蕨	[1] 556		圆叶牵牛	[10] 178
栗柄金粉蕨	[1] 576		圆叶眼树莲	[8] 540
翅子树	[5] 32		圆叶野扁豆	[6] 134
翅托叶猪屎豆	[6] 54		圆叶舞草	[6] 50
翅茎白粉藤	[7] 306		圆舌黏冠草	[9] 500
翅茎灯心草	[12] 2		圆苞杜根藤	[10] 360
翅茎蜂斗草	[4] 550		圆果化香树	[7] 582
翅果菊	[9] 512		圆果雀稗	[12] 203
翅荚决明	[5] 622		圆柏	[2] 319
翅荚香槐	[6] 44		圆盖阴石蕨	[2] 186
翅柃	[4] 376		圆锥绣球	[5] 344
夏枯草	[10] 626		贼小豆	[6] 330
破布木	[10] 44		钻叶紫菀	[9] 554

钻地风	[5] 354	臭节草	[7] 358
铁马鞭	[6] 204	臭矢菜	[3] 302
铁仔	[8] 308	臭红菇	[1] 348
铁冬青	[7] 96	臭鸡矢藤	[9] 136
铁包金	[7] 218	臭荠	[3] 336
铁皮石斛	[11] 623	臭椿	[7] 454
铁芒萁	[1] 480	臭辣吴萸	[7] 388
铁苋菜	[5] 126	射干	[11] 432
铁钉菜	[1] 244	徐长卿	[8] 532
铁角蕨	[2] 98	爱地草	[9] 44
铁线莲	[3] 28	豺皮樟	[2] 528
铁线蕨	[2] 4	豹皮樟	[2] 514
铁草鞋	[8] 562	狸尾草	[6] 316
铁轴草	[10] 662	狼尾草	[12] 207
铁海棠	[5] 204	狼杷草	[9] 328
铁箍散	[2] 422	留兰香	[10] 582
缺萼枫香	[6] 366	皱叶忍冬	[9] 212
秤星树	[7] 70	皱叶狗尾草	[12] 259
秤钩风	[3] 152	皱叶雀梅藤	[7] 250
积雪草	[8] 102	皱叶鼠李	[7] 244
透茎冷水花	[7] 52	皱叶酸模	[3] 578
笔罗子	[7] 526	皱皮木瓜	[5] 374
笔管草	[1] 450	皱果苋	[4] 26
笔管榕	[6] 562	皱果蛇莓	[5] 378
倒地铃	[7] 494	饿蚂蝗	[6] 118
倒吊笔	[8] 508	凌霄	[10] 310
倒卵叶野木瓜	[3] 132	栾树	[7] 502
倒卵叶紫麻	[7] 30	浆果楝	[7] 476
倒挂铁角蕨	[2] 86	浆果薹草	[12] 13

高大翅果菊	[9] 510	酒饼簕	[7] 354
高山榕	[6] 508	海刀豆	[6] 38
高秆珍珠茅	[12] 89	海边马兜铃	[3] 200
高斑叶兰	[11] 641	海芋	[11] 338
高粱	[12] 263	海州香薷	[10] 534
高粱泡	[5] 482	海红豆	[5] 546
疰腮树	[4] 168	海杧果	[8] 452
脊突苔虫	[12] 286	海岛十大功劳	[3] 116
离瓣寄生	[7] 180	海岛苎麻	[7] 4
唐菖蒲	[11] 440	海岛棉	[5] 66
凉粉草	[10] 584	海金沙	[1] 496
瓶尔小草	[1] 462	海带	[1] 240
瓶蕨	[1] 504	海南三七	[11] 154
粉叶羊蹄甲	[5] 582	海南大风子	[4] 202
粉叶轮环藤	[3] 146	海南龙血树	[11] 502
粉团蔷薇	[5] 450	海南地不容	[3] 170
粉防己	[3] 176	海南茄	[10] 112
粉条儿菜	[11] 186	海南草珊瑚	[3] 272
粉单竹	[12] 101	海南砂仁	[11] 122
粉背南蛇藤	[7] 114	海南海金沙	[1] 492
粉背菝葜	[11] 320	海南萝芙木	[8] 490
粉背蕨	[1] 564	海南崖豆藤	[6] 230
粉背薯蓣	[11] 464	海南假砂仁	[11] 116
粉被虫草	[1] 264	海南粗榧	[2] 342
粉绿藤	[3] 160	海南链珠藤	[8] 444
粉葛	[6] 278	海南蒟	[3] 236
益母草	[10] 568	海南檀	[6] 84
烟草	[10] 80	海桐	[4] 188
烟管头草	[9] 356	海通	[10] 460

海康钩粉草	[10] 378	展毛野牡丹	[4] 526
海榄雌	[10] 400	陵水暗罗	[2] 446
海蛾	[12] 442	姬蕨	[1] 518
海滨木巴戟	[9] 98	通天连	[8] 596
海滨藜	[3] 594	通奶草	[5] 200
海漆	[5] 218	通城虎	[3] 190
浮石	[12] 546	通泉草	[10] 230
浮叶眼子菜	[11] 22	通脱木	[8] 94
浮萍	[11] 392	桑	[6] 574
流苏子	[9] 24	绣毛莓	[5] 492
宽叶十万错	[10] 330	绣球	[5] 342
宽叶金粟兰	[3] 260	绣球绣线菊	[5] 518
宽叶沿阶草	[11] 260		

十一画

宽叶鼠麴草	[9] 446		
宽羽线蕨	[2] 200	球兰	[8] 558
宽体金线蛭	[12] 368	球花马蓝	[10] 394
宽苞茅膏菜	[3] 458	球花毛麝香	[10] 188
宽药青藤	[3] 2	球花脚骨脆	[4] 214
家鸡	[12] 480	球序鹅掌柴	[8] 92
家蚕	[12] 388	球柱草	[12] 11
家鸽	[12] 478	球核荚蒾	[9] 236
家鹅	[12] 486	球穗千斤拔	[6] 150
窄叶小苦荬	[9] 482	球穗草	[12] 169
窄叶半枫荷	[5] 36	琉璃草	[10] 48
窄叶台湾榕	[6] 528	琉璃繁缕	[9] 616
窄叶南蛇藤	[7] 118	排草香	[10] 508
窄叶聚花海桐	[4] 174	排钱树	[6] 262
窄基红褐枪	[4] 402	接骨木	[9] 216
扇叶铁线蕨	[2] 8	接骨草	[9] 214

基及树	[10] 42	黄花稔	[5] 98
菝葜	[11] 306	黄花蝴蝶草	[10] 260
菱	[4] 126	黄花鹤顶兰	[11] 673
菱叶鹿藿	[6] 284	黄杞	[7] 576
菘蓝	[3] 336	黄杨	[6] 390
堇叶碎米荠	[3] 332	黄杨冬青	[7] 72
堇菜	[3] 380	黄连木	[7] 560
黄水枝	[3] 450	黄足蚁蛉	[12] 392
黄牛	[12] 497	黄茅	[12] 173
黄牛木	[4] 580	黄金凤	[4] 84
黄牛奶树	[8] 356	黄细心	[4] 152
黄毛五月茶	[5] 142	黄荆	[10] 492
黄毛野扁豆	[6] 130	黄背草	[12] 273
黄毛楤木	[8] 50	黄背越橘	[8] 202
黄毛榕	[6] 522	黄星长脚蜂	[12] 394
黄丹木姜子	[2] 518	黄秋英	[9] 386
黄龙船花	[9] 84	黄独	[11] 458
黄瓜	[4] 248	黄绒润楠	[2] 532
黄瓜菜	[9] 502	黄珠子草	[5] 286
黄兰	[2] 384	黄桐	[5] 182
黄皮	[7] 384	黄铁矿	[12] 520
黄花大苞姜	[11] 133	黄海棠	[4] 582
黄花小二仙草	[4] 128	黄球花	[10] 390
黄花夹竹桃	[8] 496	黄猄草	[10] 342
黄花美人蕉	[11] 168	黄麻	[4] 614
黄花倒水莲	[3] 386	黄葛树	[6] 570
黄花狸藻	[10] 292	黄葵	[5] 54
黄花菜	[11] 230	黄黑小斑蝥	[12] 402
黄花蒿	[9] 274	黄槐决明	[5] 654

黄鹌菜	[9] 592		梅	[5] 362
黄蜀葵	[5] 52		梅叶冬青	[1] 175
黄蝉	[8] 438		梅花鹿华南亚种	[12] 503
黄槿	[5] 88		梓	[10] 314
黄樟	[2] 482		桫椤	[1] 514
黄檀	[6] 88		桫椤鳞毛蕨	[2] 150
黄藤	[11] 523		救荒野豌豆	[6] 324
菽麻	[6] 64		雪下红	[8] 280
菖蒲	[11] 328		雀舌草	[3] 486
萝卜	[3] 346		雀舌黄杨	[6] 384
萝芙木	[8] 488		雀梅藤	[7] 252
菜豆	[6] 258		雀稗	[12] 205
菜豆树	[10] 322		常山	[5] 330
菟丝子	[10] 140		常春油麻藤	[6] 248
菊三七	[9] 462		常春藤	[8] 72
菊芋	[9] 468		常绿荚蒾	[9] 238
菊花	[9] 400		匙叶伽蓝菜	[3] 412
菩提树	[6] 552		匙叶草	[9] 606
萍蓬草	[3] 88		匙叶黄杨	[6] 386
菠菜	[3] 608		匙叶鼠麹草	[9] 452
菅	[12] 275		匙萼柏拉木	[4] 500
萤石	[12] 552		匙羹藤	[8] 550
萤蔺	[12] 77		眼子菜	[11] 20
菰	[12] 283		眼树莲	[8] 538
菰腺忍冬	[9] 200		悬铃叶苎麻	[7] 14
梵天花	[5] 118		野大豆	[6] 158
梗花雀梅藤	[7] 248		野山楂	[5] 376
梗花椒	[7] 452		野木瓜	[3] 128
梧桐	[5] 18		野甘草	[10] 244

野艾蒿	[9] 292	野蕉	[11] 78
野老鹳草	[4] 48	野豌豆	[6] 326
野芋	[11] 356	野燕麦	[12] 99
野灯心草	[12] 9	曼氏无针乌贼	[12] 350
野花椒	[7] 450	晚香玉	[11] 424
野牡丹	[4] 520	畦畔莎草	[12] 39
野含笑	[2] 394	趾叶栝楼	[4] 298
野迎春	[8] 408	蛇王藤	[4] 234
野青树	[6] 182	蛇足石杉	[1] 398
野茉莉	[8] 326	蛇含委陵菜	[5] 422
野茄	[10] 94	蛇床	[8] 104
野线麻	[7] 6	蛇纹大理石	[12] 536
野茼蒿	[9] 388	蛇苔	[1] 384
野荞麦	[3] 512	蛇泡筋	[5] 464
野柿	[8] 216	蛇莲	[4] 260
野鸦椿	[7] 540	蛇莓	[5] 380
野扁豆	[6] 136	蛇根木	[8] 484
野桐	[5] 256	蛇根草	[9] 130
野豇豆	[6] 340	蛇婆子	[5] 44
野海茄	[10] 102	鄂报春	[9] 646
野黄桂	[2] 478	崖爬藤	[7] 326
野菊	[9] 396	崖姜蕨	[2] 268
野菰	[10] 286	崇澍蕨	[2] 112
野葛	[6] 274	铜钱树	[7] 234
野楤头	[8] 40	铜锤玉带草	[10] 34
野雉尾金粉蕨	[1] 574	银木荷	[4] 406
野慈姑	[11] 16	银叶树	[5] 26
野蔷薇	[5] 448	银兰	[11] 587
野漆	[7] 564	银耳	[1] 378

银合欢	[5] 568		假木藤	[8] 564
银花苋	[4] 34		假玉桂	[6] 460
银杏	[2] 284		假地豆	[6] 110
银环蛇	[1] 190		假地枫皮	[2] 402
银环蛇	[12] 470		假地蓝	[6] 62
银果牛奶子	[7] 274		假芝	[1] 312
银背藤	[10] 130		假杜鹃	[10] 336
银桦	[4] 162		假连翘	[10] 466
银胶菊	[9] 506		假苹婆	[5] 38
银粉背蕨	[1] 562		假苜蓿	[6] 68
银鹊树	[7] 542		假柿木姜子	[2] 524
甜叶菊	[9] 552		假爹包叶	[5] 180
甜叶算盘子	[5] 232		假俭草	[12] 165
甜瓜	[4] 246		假桂乌口树	[9] 172
甜茶	[5] 500		假烟叶树	[10] 96
甜根子草	[12] 245		假黄皮	[7] 382
甜麻	[4] 612		假婆婆纳	[9] 648
甜槠	[6] 422		假朝天罐	[4] 536
甜橙	[7] 376		假紫珠	[10] 486
梨	[5] 434		假鹊肾树	[6] 580
梨长脚蜂	[12] 395		假蒟	[3] 250
梨叶悬钩子	[5] 490		假福王草	[9] 504
犁头尖	[11] 384		假槟榔	[11] 509
偏花黄芩	[10] 654		假酸浆	[10] 78
假大羽铁角蕨	[2] 92		假蜜环菌	[1] 282
假大青蓝	[6] 174		假蹄盖蕨	[2] 30
假马齿苋	[10] 192		假鞭叶铁线蕨	[2] 12
假马鞭	[10] 482		假鹰爪	[2] 436
假木豆	[6] 96		舶梨榕	[6] 548

斜方复叶耳蕨	[2] 130	旋覆花	[9] 474
斜叶黄檀	[6] 94	望江南	[5] 626
斜叶榕	[6] 564	粘毛黄花稔	[5] 106
斜基粗叶木	[9] 88	粗毛玉叶金花	[9] 110
盒子草	[4] 238	粗毛耳草	[9] 66
盒果藤	[10] 174	粗毛鳞盖蕨	[1] 524
猪	[12] 509	粗叶木	[9] 90
猪毛草	[12] 81	粗叶地桃花	[5] 116
猪毛蒿	[9] 296	粗叶耳草	[9] 78
猪肚木	[9] 6	粗叶卷柏	[1] 444
猪屎豆	[6] 72	粗叶悬钩子	[5] 454
猪笼草	[3] 222	粗叶榕	[6] 534
猫尾草	[6] 312	粗齿冷水花	[7] 56
猕猴	[12] 515	粗喙秋海棠	[4] 312
麻风树	[5] 240	粗榧	[2] 346
麻叶绣线菊	[5] 520	粗糙凤尾蕨	[1] 540
麻叶蝼蒿菊	[9] 586	粗糙盔形珊瑚	[12] 291
麻竹	[12] 137	粗糙蓼	[3] 550
麻栎	[6] 446	粗糠树	[10] 52
麻梨	[5] 436	粗糠柴	[5] 260
麻楝	[7] 472	断线蕨	[2] 194
廊茵	[3] 566	剪刀股	[9] 486
鹿角杜鹃	[8] 178	剪红纱花	[3] 476
鹿角草	[9] 444	剪夏罗	[3] 474
鹿角藤	[8] 454	清风藤	[7] 534
鹿藿	[6] 286	清香藤	[8] 406
商陆	[3] 590	渐尖毛蕨	[2] 48
旋花	[10] 136	渐尖粉花绣线菊	[5] 524
旋蒴苣苔	[10] 298	淡竹叶	[12] 185

淡红忍冬	[9] 192	绵毛葡萄	[7] 348
淡黄荚蒾	[9] 226	绵毛酸模叶蓼	[3] 544
深山含笑	[2] 392	绵枣儿	[11] 204
深圆齿堇菜	[3] 358	绵草薢	[11] 484
深绿卷柏	[1] 424	绥草	[11] 689
深裂锈毛莓	[5] 496	绿玉树	[5] 216
深紫木蓝	[6] 166	绿叶五味子	[2] 426
婆婆针	[9] 320	绿叶爬山虎	[7] 318
婆婆纳	[10] 274	绿冬青	[7] 102
梁子菜	[9] 422	绿花鸡血藤	[6] 220
寄生藤	[7] 202	绿豆	[6] 332
寄树兰	[11] 685	绿萝	[11] 364
密子豆	[6] 282	绿穗苋	[4] 20
密花山矾	[8] 344	巢蕨	[2] 104
密花马钱	[8] 396		
密花石豆兰	[11] 573	**十二画**	
密花石斛	[11] 613		
密花豆	[6] 304	琴叶紫菀	[9] 308
密花轮环藤	[3] 144	琴叶榕	[6] 540
密花树	[8] 314	琼花	[9] 230
密苞山姜	[11] 112	琼楠	[2] 460
密球苎麻	[7] 2	斑叶兰	[11] 643
密蒙花	[8] 374	斑叶野木瓜	[3] 130
密腺小连翘	[4] 596	斑茅	[12] 239
密穗砖子苗	[12] 31	斑鳢	[12] 447
弹刀子菜	[10] 232	塔花香茶菜	[10] 552
隆纹黑蛋巢菌	[1] 296	越南山矾	[8] 340
续断菊	[9] 546	越南山香圆	[7] 546
骑士章海星	[12] 360	越南叶下珠	[5] 270
		越南安息香	[8] 332

越南槐	[6] 300	萹蓄	[3] 520
博落回	[3] 276	韩信草	[10] 652
喜花草	[10] 350	戟叶圣蕨	[2] 56
喜旱莲子草	[4] 10	戟叶耳蕨	[2] 168
喜树	[8] 34	戟叶堇菜	[3] 356
插田泡	[5] 470	戟叶悬钩子	[5] 472
葫芦	[4] 264	戟叶蓼	[3] 568
葫芦茶	[6] 306	朝天罐	[4] 538
散尾葵	[11] 525	棒凤仙花	[4] 74
散沫花	[4] 96	棒叶落地生根	[3] 414
散斑竹根七	[11] 220	棒柄花	[5] 168
葛麻姆	[6] 276	楮	[6] 492
葛藟葡萄	[7] 344	楮头红	[4] 548
莨芝	[6] 498	棱枝槲寄生	[7] 198
葎叶蛇葡萄	[7] 292	棱果花	[4] 496
葎草	[7] 66	棱萼母草	[10] 224
葡萄	[7] 350	椰子	[11] 521
葱	[11] 404	椰菜	[3] 320
葱草	[11] 62	棉叶麻风树	[5] 242
葱莲	[11] 428	棉豆	[6] 256
葶花水竹叶	[11] 44	棕叶狗尾草	[12] 257
萎叶	[3] 234	棕竹	[11] 529
萎蒿	[9] 298	棕榈	[11] 531
落地生根	[3] 406	榔榆	[6] 478
落羽杉	[2] 308	棣棠	[5] 392
落萼叶下珠	[5] 274	粟米草	[3] 496
落葵	[4] 42	棘茎楤木	[8] 52
落新妇	[3] 436	酢浆草	[4] 60
萱草	[11] 232	硬毛木蓝	[6] 178

硬毛白鹤藤	[10]	128
硬毛地瓜儿苗	[10]	576
硬毛地埂鼠尾草	[10]	644
硬叶兰	[11]	597
硬齿猕猴桃	[4]	420
雁婆麻	[5]	22
裂叶秋海棠	[4]	324
裂苞铁苋菜	[5]	128
裂果卫矛	[7]	136
裂果薯	[11]	545
裂掌榕	[6]	558
裂褶菌	[1]	374
雅致栓孔菌	[1]	332
雅榕	[6]	516
紫万年青	[11]	58
紫云英	[6]	22
紫玉盘	[2]	454
紫芝	[1]	308
紫竹	[12]	223
紫色秃马勃	[1]	292
紫花丹	[10]	4
紫花地丁	[3]	372
紫花含笑	[2]	386
紫花香薷	[10]	530
紫花前胡	[8]	98
紫花络石	[8]	500
紫花堇菜	[3]	362
紫苏	[10]	614
紫苏草	[10]	200

紫茉莉	[4]	158
紫苜蓿	[6]	216
紫果蔺	[12]	53
紫果槭	[7]	514
紫罗兰	[3]	342
紫金牛	[8]	266
紫荆	[5]	628
紫背天葵	[4]	314
紫背金盘	[10]	506
紫珠	[10]	402
紫海胆	[12]	354
紫萁	[1]	468
紫萍	[11]	394
紫麻	[7]	28
紫弹树	[6]	456
紫斑蝴蝶草	[10]	262
紫萼	[11]	236
紫萼蝴蝶草	[10]	268
紫楠	[2]	558
紫薇	[4]	90
紫檀	[6]	272
紫穗槐	[6]	14
紫藤	[6]	342
掌叶鱼黄草	[10]	172
掌叶蓼	[3]	556
掌叶覆盆子	[5]	460
掌裂叶秋海棠	[4]	326
量天尺	[4]	336
鼎湖耳草	[9]	62

鼎湖钓樟	[2] 496	黑藻	[11] 2
蛛丝毛蓝耳草	[11] 34	黑鳗藤	[8] 566
蛤蚧	[12] 460	黑鳞耳蕨	[2] 166
喙叶假瘤蕨	[2] 246	黑鳞珍珠茅	[12] 85
喙果崖豆藤	[6] 238	铺地草	[5] 210
喙荚云实	[5] 608	铺地黍	[12] 199
帽儿瓜	[4] 276	铺地蝙蝠草	[6] 40
黑木耳	[1] 286	链荚豆	[6] 12
黑心蕨	[1] 572	链珠藤	[8] 448
黑叶小驳骨	[10] 368	锈毛忍冬	[9] 198
黑老虎	[2] 412	锈毛钝果寄生	[7] 192
黑壳楠	[2] 504	锈毛铁线莲	[3] 36
黑足鳞毛蕨	[2] 152	锈毛蛇葡萄	[7] 290
黑松	[2] 296	锈毛掌叶树	[8] 70
黑轮层炭壳	[1] 266	锈叶新木姜	[2] 546
黑果菝葜	[11] 316	锐尖山香圆	[7] 544
黑荆	[5] 540	短小蛇根草	[9] 132
黑草	[10] 196	短毛金线草	[3] 510
黑柄炭角菌	[1] 280	短叶水蜈蚣	[12] 67
黑面神	[5] 154	短叶茳芏	[12] 47
黑眉锦蛇	[12] 475	短尖薹草	[12] 15
黑翅红蝉	[12] 376	短舌紫菀	[9] 310
黑眶蟾蜍	[12] 450	短序琼楠	[2] 458
黑蚱蝉	[12] 374	短尾越橘	[8] 200
黑紫藜芦	[11] 286	短尾猴	[12] 517
黑蒴	[10] 234	短刺虎刺	[9] 26
黑腺珍珠菜	[9] 640	短齿假糙苏	[10] 610
黑熊台湾亚种	[12] 513	短柄山桂花	[4] 192
黑嘴蒲桃	[4] 478	短柄忍冬	[9] 210

短柄粉条儿菜	[11] 184	番红花	[11] 434
短柄紫珠	[10] 404	番杏	[3] 498
短冠东风菜	[9] 404	番茄	[10] 76
短豇豆	[6] 338	番荔枝	[2] 430
短梗大参	[8] 80	番薯	[10] 154
短梗南蛇藤	[7] 124	腊肠树	[5] 624
短梗幌伞枫	[8] 74	腋花蓼	[3] 560
短距苞叶兰	[11] 565	猩猩草	[5] 186
短萼海桐	[4] 176	猴头杜鹃	[8] 194
短萼黄连	[3] 48	猴头菌	[1] 322
短辐水芹	[8] 130	猴耳环	[5] 560
短穗鱼尾葵	[11] 519	猴欢喜	[5] 12
鹅不食草	[9] 420	阔叶十大功劳	[3] 106
鹅毛玉凤花	[11] 647	阔叶八角枫	[8] 26
鹅观草	[12] 235	阔叶山麦冬	[11] 250
鹅肠菜	[1] 246	阔叶猕猴桃	[4] 432
鹅掌柴	[8] 90	阔托叶耳草	[9] 70
鹅掌楸	[2] 362	阔苞菊	[9] 508
鹅掌藤	[8] 84	阔荚合欢	[5] 558
稀羽鳞毛蕨	[2] 158	阔蕊兰	[11] 671
稀褶红菇	[1] 352	阔鳞鳞毛蕨	[2] 148
筐条菝葜	[11] 308	普洱茶	[4] 348
筒轴草	[12] 237	普通小麦	[12] 279
筋藤	[8] 446	普通针毛蕨	[2] 60
傅氏凤尾蕨	[1] 550	粪箕笃	[3] 174
粤瓦韦	[2] 222	港油麻藤	[6] 244
粤西绣球	[5] 338	湖北大戟	[5] 198
番木瓜	[4] 330	湖北蓟	[9] 366
番石榴	[4] 472	湖瓜草	[12] 73

湿生冷水花	[7]	38
温郁金	[11]	146
滑石	[12]	554
寒莓	[5]	458
裸花水竹叶	[11]	48
裸花紫珠	[10]	430
疏毛白绒草	[10]	572
疏叶卷柏	[1]	440
疏花卫矛	[7]	146
疏花长柄山蚂蝗	[6]	160
疏花蛇菰	[7]	212
疏松卷柏	[1]	426
疏齿冬青	[7]	92
疏柔毛罗勒	[10]	602
隔山香	[8]	138
缅茄	[5]	572
缘毛莎萝莽	[3]	402

十三画

塌棵菜	[3]	318
赪桐	[10]	454
塘虱角	[10]	480
蒜	[11]	408
蒜香藤	[10]	316
鹊肾树	[6]	578
蓝叶藤	[8]	572
蓝耳草	[11]	38
蓝花参	[10]	24
蓝树	[8]	506

蓖麻	[5]	288
蓬莱葛	[8]	380
蓬藟	[5]	474
蒺藜	[4]	46
蒴莲	[4]	222
蒲公英	[9]	562
蒲桃	[4]	486
蒲葵	[11]	527
楔叶豆梨	[5]	432
椿叶花椒	[7]	426
楠草	[10]	386
楠藤	[9]	106
楝	[7]	478
楝叶吴萸	[7]	392
榄仁树	[4]	564
榄李	[4]	560
槐	[6]	298
槐叶决明	[5]	652
槐叶苹	[2]	274
榆硬孔菌	[1]	372
楤木	[8]	42
楼梯草	[7]	18
楹树	[5]	548
碎米荠	[3]	330
碎米莎草	[12]	43
碎米蕨	[1]	568
碗花草	[10]	396
碗蕨	[1]	516
雷丸	[1]	344

雷公藤	[7] 160	矮慈姑	[11] 14
雾水葛	[7] 60	稗	[12] 143
虞美人	[3] 278	鼠妇草	[12] 149
睫毛萼凤仙花	[4] 70	鼠尾草	[10] 636
暖地大叶藓	[1] 390	鼠尾粟	[12] 267
暗罗	[2] 448	鼠刺	[5] 324
暗褐飘拂草	[12] 61	鼠麹草	[9] 448
蜈蚣凤尾蕨	[1] 560	催吐萝芙木	[8] 492
蜈蚣藻	[1] 254	催乳藤	[8] 556
蜂斗草	[4] 552	魁蚶	[12] 324
蜂头线虫草	[1] 274	魁蒿	[9] 294
蜂巢草	[10] 570	微毛山矾	[8] 366
蜂窝草	[10] 574	微毛柃	[4] 388
蜂窠马兜铃	[3] 192	腰骨藤	[8] 466
蛹虫草	[1] 262	腹水草	[10] 284
蜀葵	[5] 62	腺毛阴行草	[10] 250
幌伞枫	[8] 76	腺毛莓	[5] 452
锡叶藤	[4] 172	腺叶桂樱	[5] 394
锡兰肉桂	[2] 488	腺果藤	[4] 160
锥	[6] 420	腺梗豨莶	[9] 536
锥栗	[6] 412	新木姜子	[2] 544
锦地罗	[3] 452	意大利蜂	[12] 398
锦香草	[4] 540	慈竹	[12] 105
锦葵	[5] 90	满山红	[8] 182
锯叶竹节树	[4] 572	满江红	[2] 272
矮冷水花	[7] 50	满树星	[7] 68
矮桃	[9] 628	滇白珠树	[8] 162
矮紫金牛	[8] 264	滇边南蛇藤	[7] 112
矮蒿	[9] 290	滇刺枣	[7] 258

滇粤山胡椒	[2] 506	槟榔	[11] 511
溪边桑勒草	[4] 554	榕叶冬青	[7] 78
溪黄草	[10] 558	榕树	[6] 538
粱	[12] 255	酸叶胶藤	[8] 504
裸柱菊	[9] 542	酸豆	[5] 658
裸蒴	[3] 252	酸浆	[10] 82
福氏马尾杉	[1] 402	酸模	[3] 576
福建观音座莲	[1] 464	酸模叶蓼	[3] 542
福建胡颓子	[7] 276	酸橙	[7] 360
福建柏	[2] 317	酸藤子	[8] 282
福建蔓龙胆	[9] 598	磁铁矿	[12] 538
		豨莶	[9] 534
十四画		翡翠贻贝	[12] 336
		蜡莲绣球	[5] 348
截叶铁扫帚	[6] 196	蜡烛果	[8] 234
聚石斛	[11] 617	蜡梅	[5] 530
聚花草	[11] 40	蜡瓣花	[6] 354
蔓九节	[9] 154	蜘蛛抱蛋	[11] 198
蔓出卷柏	[1] 420	蝉翼藤	[3] 404
蔓赤车	[7] 36	罂粟	[3] 280
蔓茎堇菜	[3] 360	舞花姜	[11] 148
蔓荆	[10] 498	舞草	[6] 52
蔓草虫豆	[6] 30	箣柊	[4] 206
蔓胡颓子	[7] 264	算盘子	[5] 234
蔓剪草	[8] 522	管耳彩蝠	[12] 492
蔊菜	[3] 354	管花马兜铃	[3] 202
蓼子草	[3] 530	管角螺	[12] 314
蓼蓝	[3] 570	膜叶槌果藤	[3] 288
榛叶黄花稔	[5] 110	膜秤草	[12] 177
榼藤	[5] 566		

獐牙菜	[9]	608
豪猪刺	[3]	94
辣木	[3]	306
辣椒	[10]	64
韶子	[7]	506
粽叶芦	[12]	277
漆	[7]	568
漆姑草	[3]	482
滴水珠	[11]	372
漏斗多孔菌	[1]	328
漏斗瓶蕨	[1]	508
赛山梅	[8]	320
赛葵	[5]	94
寡蕊扁担杆	[4]	624
蜜甘草	[5]	284
蜜蜂花	[10]	578
褐毛杜英	[5]	6
褐叶线蕨	[2]	202
褐苞薯蓣	[11]	478
褐翅鸦鹃	[12]	484
褐铁矿	[12]	540
翠云草	[1]	446
熊耳草	[9]	256

十五画

撑篙竹	[12]	109
蕙兰	[11]	601
蕈树	[6]	350
蕨	[1]	534

蕨叶人字果	[3]	52
蕉芋	[11]	166
樱桃	[5]	368
槲蕨	[2]	210
樟	[2]	472
樟叶木防己	[3]	138
橄榄	[7]	462
豌豆	[6]	266
醉鱼草	[8]	372
醉香含笑	[2]	390
醉魂藤	[8]	554
醉蝶花	[3]	300
蝶豆	[6]	48
蝶螺	[12]	298
蝴蝶戏珠花	[9]	234
蝴蝶花	[11]	442
蝴蝶果	[5]	166
蝙蝠草	[6]	42
墨兰	[11]	609
墨汁拟鬼伞	[1]	294
稷	[12]	197
稻	[12]	193
稻槎菜	[9]	492
篌竹	[12]	221
箭叶雨久花	[11]	298
箭叶秋葵	[5]	56
箭叶蓼	[3]	534
箭根薯	[11]	547
鲫鱼草	[12]	163

鲫鱼胆	[8] 306	薄荷	[10] 580
鲫鱼藤	[8] 582	薄翅螳螂	[12] 411
瘤皮孔酸藤子	[8] 296	薄萼海桐	[4] 184
瘤苔虫	[12] 288	薜荔	[6] 546
瘤果槲寄生	[7] 200	橙黄玉凤花	[11] 651
澳洲蜚蠊	[12] 380	镜子薹草	[12] 25
潺槁木姜子	[2] 522	穆	[12] 145
鹤顶兰	[11] 675	穆穗莎草	[12] 37
		篦子三尖杉	[2] 344

十六画

		篦齿苏铁	[2] 278
鞘花	[7] 186	篱栏网	[10] 166
薤白	[11] 406	磨盘草	[5] 58
蕗蕨	[1] 502	糙叶树	[6] 454
薯莨	[11] 460	糙叶斑鸠菊	[9] 570
薯蓣	[11] 474	糙皮侧耳	[1] 368
薏米	[12] 125	糖胶树	[8] 440
薏苡	[12] 123	窿缘桉	[4] 458
蕹菜	[10] 152	褶牡蛎	[12] 340
薄片变豆菜	[8] 146	褶纹冠蚌	[12] 318
薄叶山矾	[8] 334	壁虎	[12] 458
薄叶羊蹄甲	[5] 584		
薄叶红厚壳	[4] 600		

十七画

薄叶卷柏	[1] 422		
薄叶润楠	[2] 534	戴星草	[9] 550
薄叶碎米蕨	[1] 570	檀梨	[7] 204
薄叶鼠李	[7] 240	穗花杉	[2] 348
薄叶新耳草	[9] 120	穗花蛇菰	[7] 214
薄果猴欢喜	[5] 10	穗状狐尾藻	[4] 132
薄柱草	[9] 124	穗序木蓝	[6] 176
		穗序鹅掌柴	[8] 86

簕花椒	[7] 434	檵木	[6] 372
簇叶新木姜	[2] 550	瞿麦	[3] 470
簇生卷耳	[3] 464	蟛蜞菊	[9] 582
簇花清风藤	[7] 532	镰叶瘤足蕨	[1] 472
簇花粟米草	[3] 494	镰羽贯众	[2] 140
繁缕	[3] 488	镰翅羊耳蒜	[11] 655
黛粉芋	[11] 362	镰萼虾脊兰	[11] 581
爵床	[10] 364	馥芳艾纳香	[9] 330
鳄梨	[2] 554	翻白叶树	[5] 34
鳄嘴花	[10] 344	翻白草	[5] 418
翼茎白粉藤	[7] 310	鹰爪花	[2] 432
翼核果	[7] 254	癞叶秋海棠	[4] 320
翼梗五味子	[2] 420	藿香	[10] 502

十八画及以上

		藿香蓟	[9] 254
		攀倒甑	[9] 246
鞭叶铁线蕨	[2] 6	蹼趾壁虎	[12] 462
鞭檐犁头尖	[11] 386	蟹爪兰	[4] 340
藚草	[12] 211	麒麟叶	[11] 366
藜	[3] 600	鳖	[12] 452
薤头	[11] 402	爆仗竹	[10] 242
藤石松	[1] 412	蘡薁	[7] 338
藤金合欢	[5] 544	蘘荷	[11] 160
藤黄	[4] 602	鼍豆	[6] 246
藤黄檀	[6] 86	鳞瓦韦	[2] 224
藤菊	[9] 374	鳞片水麻	[7] 16
藤麻	[7] 64	鳞花草	[10] 370
藤紫珠	[10] 434	鳞果星蕨	[2] 232
藤槐	[6] 24	鳞始蕨	[1] 526
檫木	[2] 560	鳞砟碐	[12] 330

拉丁学名索引

《中国中药资源大典·广东卷》1 ~ 12 册共用同一索引，为方便读者检索，
该索引在每个物种名后均标注了其所在册数（如"[1]"）及页码。

A

Abelia chinensis R. Br. [9] 190

Abelmoschus esculentus (Linn.) Moench [5] 50

Abelmoschus manihot (Linn.) Medicus [5] 52

Abelmoschus moschatus (Linn.) Medicus [5] 54

Abelmoschus sagittifolius (Kurz) Merr. [5] 56

Abrus cantoniensis Hance [6] 2

Abrus mollis Hance [6] 4

Abrus precatorius Linn. [6] 6

Abutilon indicum (Linn.) Sweet [5] 58

Abutilon theophrasti Medicus [5] 60

Acacia auriculiformis A. Cunn. ex Benth. [5] 532

Acacia catechu (Linn. f.) Willd. [5] 534

Acacia confusa Merr. [5] 536

Acacia farnesiana (Linn.) Willd. [5] 538

Acacia mearnsi De Wilde [5] 540

Acacia pennata (Linn.) Willd. [5] 542

Acacia sinuata (Lour.) Merr. [5] 544

Acalypha australis Linn. [5] 126

Acalypha supera Forsskal [5] 128

Acalypha wilkesiana Muell. Arg. [5] 130

Acampe rigida (Buch.-Ham. ex J. E. Smith) P. F. Hunt [11] 555

Acanthus ilicifolius L. [10] 326

Acer cordatum Pax [7] 514

Acer davidii Franch. [7] 516

Acer fabri Hance [7] 518

Acer oblongum Wall. ex DC. [7] 520

Achyranthes aspera L. [4] 2

Achyranthes bidentata Bl. [4] 4

Achyranthes longifolia (Makino) Makino [4] 6

Acmella paniculata (Wall. ex DC.) R. K. Jansen [9] 248

Aconitum carmichaelii Debeaux [3] 10

Acorus calamus L. [11] 328

Acorus gramineus Sol. [11] 330

Acorus tatarinowii Schott [11] 332

Acronychia pedunculata (L.) Miq. [7] 352

Actinidia callosa Lindl. [4] 420

Actinidia callosa Lindl. var. *henryi* Maxim. [4] 422

Actinidia chinensis Planch. [4] 424

Actinidia eriantha Benth. [4] 426

Actinidia fortunatii Fin. et Gagn. [4] 428

Actinidia lanceolata Dunn [4] 430

Actinidia latifolia (Gardn. et Champ.) Merr. [4] 432

Actinidia liangguangensis C. F. Liang [4] 434

Actinidia melliana Hand.-Mazz. [4] 436

Actinidia rubricaulis Dunn var. *coriacea*

    (Fin. & Gagn.) C. F. Liang [4] 438

Actinidia valvata Dunn [4] 440

Actinodaphne pilosa (Lour.) Merr. [2] 456

Actinostemma tenerum Griff. [4] 238

Adenanthera pavonina Linn. var. *microsperma*

    (Teijsm. et Binnend.) Nielsen [5] 546

Adenia chevalieri Gagnep.	[4]	222
Adenocaulon himalaicum Edgew.	[9]	250
Adenophora hunanensis Nannf.	[10]	12
Adenophora tetraphylla (Thunb.) Fisch.	[10]	14
Adenosma glutinosum (L.) Druce	[10]	186
Adenosma indianum (Lour.) Merr.	[10]	188
Adenostemma lavenia (L.) O. Kuntze	[9]	252
Adiantum capillus-junonis Rupr.	[2]	2
Adiantum capillus-veneris Linn.	[2]	4
Adiantum caudatum Linn.	[2]	6
Adiantum flabellulatum Linn.	[2]	8
Adiantum gravesii Hance	[2]	10
Adiantum malesianum Ghatak	[2]	12
Adiantum philippense Linn.	[2]	14
Adina pilulifera (Lam.) Franch. ex Drake	[9]	2
Adina rubella Hance	[9]	4
Adinandra bockiana Pritzel ex Diels var. *acutifolia* (Hand.-Mazz.) Kobuski	[4]	342
Adinandra millettii (Hook. et Arn.) Benth. et Hook. f. ex Hance	[4]	344
Aegiceras corniculatum (L.) Blanco	[8]	234
Aeginetia indica L.	[10]	286
Aeschynanthus acuminatus Wall. ex A. DC.	[10]	296
Aeschynomene indica Linn.	[6]	8
Aesculus chinensis Bunge var. *wilsonii* (Rehder) Turland & N. H. Xia	[7]	510
Afzelia xylocarpa (Kurz.) Craib.	[5]	572
Agastache rugosa (Fisch. et Mey.) O. Kuntze	[10]	502

Agave americana L. [11] 490

Agave americana L. var. *marginata* Trel. [11] 492

Agave sisalana Perrine ex Engelm. [11] 494

Ageratum conyzoides L. [9] 254

Ageratum houstonianum Miller [9] 256

Agkistrodon acutus (Guenther) [12] 472

Aglaia odorata Lour. [7] 466

Aglaonema modestum Schott ex Engl. [11] 334

Agrimonia nipponica Koidz. var. *occidentalis* Skalicky [5] 356

Agrimonia pilosa Ledeb. [5] 358

Ailanthus altissima (Mill.) Swingle [7] 454

Ainsliaea fragrans Champ. [9] 258

Ainsliaea gracilis Franch. [9] 260

Ainsliaea macroclinidioides Hayata [9] 262

Ainsliaea ramosa Hemsl. [9] 264

Ajuga decumbens Thunb. [10] 504

Ajuga nipponensis Makino [10] 506

Akebia quinata (Houtt.) Decne. [3] 122

Akebia trifoliata (Thunb.) Koidz. subsp. *australis*
　(Diels) T. Shimizu [3] 124

Alangium chinense (Lour.) Harms [8] 22

Alangium faberi Oliv. [8] 24

Alangium faberi Oliv. var. *platyphyllum* Chun et F. C. How [8] 26

Alangium kurzii Craib. [8] 28

Alangium platanifolium (Siebold et Zucc.) Harms [8] 30

Alangium salviifolium (L. f.) Wangerin [8] 32

Albizia chinensis (Osb.) Merr. [5] 548

Albizia corniculata (Lour.) Druce [5] 550

Albizia falcataria (Linn.) Baker ex Merr. [5] 552

Albizia julibrissin Durazz. [5] 554

Albizia kalkora (Roxb.) Prain [5] 556

Albizia lebbeck (Linn.) Benth. [5] 558

Alchornea davidii Franch. [5] 132

Alchornea rugosa (Lour.) Muell. Arg. [5] 134

Alchornea trewioides (Benth.) Muell. Arg. [5] 136

Aletris scopulorum Dunn [11] 184

Aletris spicata Franch. [11] 186

Aleurites moluccana (Linn.) Willd. [5] 138

Aleuritopteris argentea (Gmél.) Fée [1] 562

Aleuritopteris pseudofarinosa Ching et S. K. Wu [1] 564

Alisma plantago-aquatica L. [11] 10

Allamanda cathartica L. [8] 436

Allamanda schottii Pohl [8] 438

Allantodia dilatata (Bl.) Ching [2] 28

Allium cepa L. [11] 400

Allium chinense G. Don [11] 402

Allium fistulosum L. [11] 404

Allium macrostemon Bunge [11] 406

Allium sativum L. [11] 408

Allium tuberosum Rottler ex Spreng. [11] 410

Allophylus viridis Radlk. [7] 492

Alniphyllum fortunei (Hemsl.) Makino [8] 316

Alnus trabeculosa Hand.-Mazz. [6] 406

Alocasia cucullata (Lour.) Schott [11] 336

Alocasia odora (Roxb.) K. Koch [11] 338

Aloe vera (L.) Burm. f. [11] 188

Alopecurus aequalis Sobol. [12] 91

Alpinia austrosinensis (D. Fang) P. Zou & Y. S. Ye [11] 90

Alpinia blepharocalyx K. Schum. [11] 92

Alpinia blepharocalyx K. Schum. var. *glabrior*
(Hand.-Mazz.) T. L. Wu [11] 94

Alpinia galanga (L.) Willd. [11] 96

Alpinia japonica (Thunb.) Miq. [11] 98

Alpinia katsumadae Hayata [11] 100

Alpinia katsumadai Hayata [1] 204

Alpinia kwangsiensis T. L. Wu & S. J. Chen [11] 102

Alpinia oblongifolia Hayata [11] 104

Alpinia officinarum Hance [1] 218/[11]106

Alpinia oxyphylla Miq. [1]224/[11]108

Alpinia pumila Hook. f. [11] 110

Alpinia stachyoides Hance [11] 112

Alpinia zerumbet (Pers.) B. M. Burtt & R. M. Smith [11] 114

Alsophila gigantea Wall. ex Hook. [1] 512

Alsophila spinulosa (Wall. ex Hook.) R. M. Tryon [1] 514

Alstonia rostrata C. E. C. Fisch. [8] 442

Alstonia scholaris (L.) R. Br. [8] 440

Alternanthera bettzickiana (Regel) G. Nicholson [4] 8

Alternanthera philoxeroides (Mart.) Griseb. [4] 10

Alternanthera pungens Kunth [4] 12

Alternanthera sessilis (L.) R. Brown ex DC. [4] 14

Althaea rosea (Linn.) Cavan [5] 62

Altingia chinensis (Champ.) Oliv. ex Hance [6] 350

Altingia gracilipes Hemsl. [6] 352

Alysicarpus bupleurifolius (Linn.) DC. [6] 10

Alysicarpus vaginalis (Linn.) DC.   [6]   12

Alyxia hainanensis Merr. et Chun   [8]   444

Alyxia levinei Merr.   [8]   446

Alyxia sinensis Champ. ex Benth.   [8]   448

Amaranthus blitum L.   [4]   16

Amaranthus caudatus L.   [4]   18

Amaranthus hybridus L.   [4]   20

Amaranthus spinosus L.   [4]   22

Amaranthus tricolor L.   [4]   24

Amaranthus viridis L.   [4]   26

Ambroma augusta (Linn.) L. f.   [5]   14

Amentotaxus argotaenia (Hance) Pilg.   [2]   348

Amischotolype hispida (Less. & A. Rich.) Hong   [11]   24

Amitostigma gracile (Bl.) Schltr.   [11]   557

Ammannia arenaria Kunth.   [4]   86

Ammannia baccifera L.   [4]   88

Amomum chinense Chun ex T. L. Wu   [11]   116

Amomum compactum Solander ex Maton   [11]   118

Amomum kravanh Pierre ex Gagnep.   [11]   120

Amomum longiligulare T. L. Wu.   [11]   122

Amomum maximum Roxb.   [11]   124

Amomum muricarpum Elmer   [11]   126

Amomum tsao-ko Crevost & Lemarié   [11]   128

Amomum villosum Lour.   [1]150/[11]130

Amorpha fruticosa Linn.   [6]   14

Amorphophallus dunnii Tutcher   [11]   342

Amorphophallus rivieri Durieu ex Rivière   [11]   346

Ampelopsis cantoniensis (Hook. et Arn.) Planch.   [7]   280

Ampelopsis delavayana Planch. ex Franch. [7] 282

Ampelopsis grossedentata (Hand.-Mazz.) W. T. Wang [7] 284

Ampelopsis heterophylla (Thunb.) Siebold et Zucc. [7] 286

Ampelopsis heterophylla (Thunb.) Siebold et Zucc.
　　var. *hancei* Planch. [7] 288

Ampelopsis heterophylla (Thunb.) Siebold et Zucc.
　　var. *vestita* Rehder [7] 290

Ampelopsis humulifolia Bge. [7] 292

Ampelopsis japonica (Thunb.) Makino [7] 294

Ampelopteris prolifera (Retz.) Copel. [2] 46

Amphicarpaea edgeworthii Benth. [6] 16

Amygdalus persica Linn. [5] 360

Anagallis arvensis L. [9] 616

Ananas comosus (L.) Merr. [11] 74

Anaphalis margaritacea (L.) Benth. et Hook. f. [9] 266

Anaphalis sinica Hance [9] 268

Andrographis paniculata (Burm. f.) Nees [10] 328

Andrographis paniculate (Burm. f.) Nees [1] 210

Androsace umbellata (Lour.) Merr. [9] 618

Anemone hupehensis Lemoine var. *japonica*
　　(Thunb.) Bowles et Stearn [3] 12

Anethum graveolens Linn. [8] 36

Angelica decursiva (Miq.) Franch. et Sav. [8] 98

Angiopteris fokiensis Hieron [1] 464

Aniseia biflora (L.) Choisy [10] 124

Anisochilus carnosus (L. f.) Wall. [10] 508

Anisomeles indica (L.) Kuntze [10] 510

Anisopappus chinensis (L.) Hook. & Arn. [9] 270

Anneslea fragrans Wall. [4] 346

Annona reticulata Linn. [2] 428

Annona squamosa Linn. [2] 430

Anodonta woodiana Lea [12] 316

Anoectochilus roxburghii (Wall.) Lindl. [11] 559

Anredera cordifolia (Tenore) Steen. [4] 40

Anser cygnoides domestica Brisson [12] 486

Antenoron filiforme (Thunb.) Rob. et Vant. [3] 508

Antenoron filiforme (Thunb.) Rob. et Vant.

    var. *neofiliforme* (Nakai) A. J. Li [3] 510

Anthocidaris crassispina (A. Agassiz) [12] 354

Antiaris toxicaria (Pers.) Lesch. [6] 482

Antidesma bunius (Linn.) Spreng. [5] 140

Antidesma fordii Hemsl. [5] 142

Antidesma ghaesembilla Gaertn. [5] 144

Antidesma japonicum Sieb. et Zucc. [5] 146

Antidesma montanum Bl. var. *microphyllum* (Hemsley)

    Petra Hoffm. [5] 148

Antirrhinum majus L. [10] 190

Aphanamixis grandifolia Blume [7] 468

Aphanamixis polystachya (Wall.) R. N. Parker [7] 470

Aphananthe aspera (Thunb.) Planch. [6] 454

Apios carnea (Wall.) Benth. ex Baker [6] 18

Apis cerana Fabricius [12] 396

Apis mellifera Linn. [12] 398

Apium graveolens L. [8] 38

Apluda mutica L. [12] 93

Aquilaria sinensis (L.) Spreng. [4] 134

Aquilaria sinensis (Lour.) Gilg [1] 133

Arachis hypogaea Linn. [6] 20

Arachniodes aristata (G. Forst.) Tindle [2] 124

Arachniodes chinensis (Ros.) Ching [2] 126

Arachniodes exilis (Hance) Ching [2] 128

Arachniodes rhomboidea (Wall. ex Mett.) Ching [2] 130

Arachniodes simplicior (Makino) Ohwi [2] 132

Aralia armata (Wall.) Seem. [8] 40

Aralia chinensis L. [8] 42

Aralia chinensis L. var. *nuda* Nakai [8] 44

Aralia cordata Thunb. [8] 46

Aralia dasyphylla Miq. [8] 48

Aralia decaisneana Hance [8] 50

Aralia echinocaulis Hand.-Mazz. [8] 52

Aralia spinifolia Merr. [8] 54

Aralia undulata Hand.-Mazz. [8] 56

Araucaria cunninghamii Sweet [2] 288

Arca granosa Linn. [12] 322

Arca inflata Reeve. [12] 324

Arca subcrenata Lischke [12] 326

Archidendron clypearia (Jack.) Nielsen [5] 560

Archidendron lucidum (Benth.) Nielsen [5] 562

Archidendron turgidum (Merr.) I. C. Nielsen [5] 564

Archontophoenix alexandrae (F. Muell.) H. Wendl. et Drude [11] 509

Arctium lappa L. [9] 272

Ardisia affinis Hemsl. [8] 236

Ardisia alyxiifolia Tsiang ex C. Chen. [8] 238

Ardisia brevicaulis Diels [8] 240

Ardisia brunnescens Walker	[8]	242
Ardisia caudata Hemsl.	[8]	244
Ardisia chinensis Benth.	[8]	246
Ardisia crenata Sims.	[8]	248
Ardisia crenata Sims var. *bicolor* (Walker) C. Y. Wu et C. Chen	[8]	250
Ardisia crispa (Thunb.) A. DC.	[8]	252
Ardisia elegans Andrews	[8]	254
Ardisia faberi Hemsl.	[8]	256
Ardisia fordii Hemsl.	[8]	2
Ardisia gigantifolia Stapf	[8]	260
Ardisia hanceana Mez	[8]	262
Ardisia humilis Vahl	[8]	264
Ardisia japonica (Thunb.) Blume	[8]	266
Ardisia lindleyana D. Dietr.	[8]	268
Ardisia maclurei Merr.	[8]	270
Ardisia mamillata Hance	[8]	272
Ardisia primulifolia Gardn. et Champ.	[8]	274
Ardisia pusilla A. DC.	[8]	276
Ardisia quinquegona Blume	[8]	278
Ardisia villosa Roxb.	[8]	280
Areca catechu L.	[11]	511
Arenaria serpyllifolia L.	[3]	462
Arenga caudata (Lour.) H. E. Moore	[11]	513
Argyreia acuta Lour.	[10]	126
Argyreia capitata (Vahl) Arn. ex Choisy	[10]	128
Argyreia obtusifolia Lour.	[10]	130
Arisaema erubescens (Wall.) Schott	[11]	348
Arisaema heterophyllum Blume	[11]	350

Arisaema sikokianum Franch. et Sav. var. *serratum* (Makino)

    Hand.-Mazz.   [11]   352

Aristolochia championii Merr. et Chun   [3]   184

Aristolochia debilis Sieb. et Zucc.   [3]   186

Aristolochia fangchi Y. C. Wu ex L. D. Chow et S. M. Hwang   [3]   188

Aristolochia fordiana Hemsl.   [3]   190

Aristolochia foveolata Merr.   [3]   192

Aristolochia kwangsiensis Chun et How ex C. F. Liang   [3]   194

Aristolochia mollis Dunn   [3]   196

Aristolochia tagala Champ.   [3]   198

Aristolochia thwaitesii Hook. f.   [3]   200

Aristolochia tubiflora Dunn.   [3]   202

Aristolochia versicolor S. M. Hwang   [3]   204

Aristolochia westlandii Hemsl.   [3]   206

Armeniaca mume Sieb.   [5]   362

Armeniaca vulgaris Lam.   [5]   364

Artabotrys hexapetalus (Linn. f.) Bhandari   [2]   432

Artabotrys hongkongensis Hance   [2]   434

Artemisia annua L.   [9]   274

Artemisia anomala S. Moore   [9]   276

Artemisia argyi H. Lévl. & Van.   [9]   278

Artemisia capillaris Thunb.   [9]   280

Artemisia carvifolia Buch.-Ham. & Roxb.   [9]   282

Artemisia indica Willd.   [9]   284

Artemisia japonica Thunb.   [9]   286

Artemisia lactiflora Wall. ex DC.   [9]   288

Artemisia lancea Van   [9]   290

Artemisia lavandulifolia DC.   [9]   292

Artemisia princeps Pamp. [9] 294

Artemisia scoparia Waldst. & Kit. [9] 296

Artemisia selengensis Turcz. ex Bess. [9] 298

Artemisia verlotorum Lamotte [9] 300

Arthraxon hispidus (Thunb.) Makino [12] 95

Arthromeris lungtauensis Ching [2] 190

Artocarpus heterophyllus Lam. [6] 484

Artocarpus hypargyreus Hance [6] 486

Artocarpus nitidus Trec. subsp. *lingnanensis* (Merr.) Jarr. [6] 488

Artocarpus styracifolius Pierre [6] 490

Arundina graminifolia (D. Don) Hochr. [11] 561

Arundo donax L. [12] 97

Asarum caudigerum Hance [3] 208

Asarum forbesii Maxim. [3] 210

Asarum geophilum Hemsl. [3] 212

Asarum insigne Diels [3] 214

Asarum magnificum Tsiang ex C. Y. Cheng et C. S. Yang [3] 216

Asarum sagittarioides C. F. Liang [3] 218

Asarum wulingense C. F. Liang [3] 220

Asclepias curassavica L. [8] 510

Asparagus cochinchinensis (Lour.) Merr. [11] 190

Asparagus filicinus Buch.-Ham. ex D. Don [11] 192

Asparagus officinalis L. [11] 194

Asparagus setaceus (Kunth) Jessop [11] 196

Aspidistra elatior Blume [11] 198

Aspidistra lurida Ker Gawl. [11] 200

Aspidistra minutiflora Stapf [11] 202

Asplenium austrochinense Ching [2] 74

Asplenium crinicaule Hance [2] 76

Asplenium ensiforme Wall. ex Hook. et Grev. [2] 78

Asplenium excisum Presl [2] 80

Asplenium griffithianum Hook. [2] 82

Asplenium indicum Sledge [2] 84

Asplenium normale Don [2] 86

Asplenium pekinense Hance [2] 88

Asplenium prolongatum Hook. [2] 90

Asplenium pseudolaserpitiifolium Ching [2] 92

Asplenium sampsoni Hance [2] 94

Asplenium saxicola Rosent. [2] 96

Asplenium trichomanes Linn. [2] 98

Asplenium varians Wall. ex Hook. et Grev [2] 100

Asplenium wrightii Eaton ex Hook. [2] 102

Aspongopus chinensis Dallas [12] 378

Aster ageratoides Turcz. [9] 302

Aster baccharoides (Benth.) Steetz. [9] 304

Aster indicus L. [9] 306

Aster panduratus Nees ex Walp. [9] 308

Aster sampsonii (Hance) Hemsl. [9] 310

Aster trinervius D. Don [9] 312

Asterina limboonkengi G. A. Smith [12] 358

Astilbe chinensis (Maxim.) Franch. et Savat. [3] 436

Astilbe grandis Stapf ex Wils. [3] 438

Astragalus sinicus Linn. [6] 22

Asystasia gangetica (L.) T. Anders. [10] 330

Asystasia neesiana (Wall.) Nees [10] 332

Atalantia buxifolia (Poir.) Oliv. [7] 354

Atalantia kwangtungensis Merr. [7] 356

Athyriopsis japonica (Thunb.) Ching [2] 30

Athyrium niponicum (Mett.) Hance [2] 32

Athyrium strigillosum (Moore ex Lowe) Moore ex Salom [2] 34

Atractylodes lancea (Thunb.) DC. [9] 314

Atractylodes macrocephala Koidz. [9] 316

Atriplex maximowicziana Makino [3] 594

Atriplex repens Roth [3] 596

Atylotus bivittateinus Takahasi [12] 408

Aucklandia costus Falc. [9] 318

Aucuba chinensis Benth. [8] 2

Auricularia heimuer F. Wu, B. K. Cui & Y. C. Dai [1] 286

Avena fatua L. [12] 99

Averrhoa bilimbi L. [4] 54

Averrhoa carambola L. [4] 56

Avicennia marina (Forsk.) Vierh. [10] 400

Azolla imbricata (Roxb.) Nakai [2] 272

B

Bacopa monnieri (L.) Wettst. [10] 192

Baeckea frutescens L. [4] 448

Balanophora harlandii Hook. f. [7] 210

Balanophora laxiflora Hemsl. [7] 212

Balanophora spicata Hayata [7] 214

Bambusa chungii McClure [12] 101

Bambusa dissimulator McClure [12] 103

Bambusa emeiensis L. C. Chia & H. L. Fung [12] 105

Bambusa multiplex 'Fernleaf' [12] 107

Bambusa pervariabilis McClure [12] 109

Bambusa sinospinosa McClure [12] 111

Bambusa textilis McClure [12] 113

Bambusa tuldoides Munro [12] 115

Baphicacanthus cusia (Nees) Bremek. [10] 334

Barleria cristata L. [10] 336

Barleria lupulina Lindl. [10] 338

Barnardia japonica Schult. f. [11] 204

Barringtonia racemosa (L.) Spreng [4] 494

Barthea barthei (Hance ex Benth.) Krass. [4] 496

Basella alba L. [4] 42

Bauhinia aurea Lévl. [5] 574

Bauhinia championii (Benth.) Benth. [5] 576

Bauhinia corymbosa Roxb. ex DC. [5] 578

Bauhinia didyma L. Chen [5] 580

Bauhinia glauca (Wall. ex Benth.) Benth. [5] 582

Bauhinia glauca (Wall. ex Benth.) Benth. subsp.

　　hupehana (Craib) T. Chen [5] 584

Bauhinia purpurea Linn. [5] 586

Bauhinia pyrrhoclada Drake [5] 588

Bauhinia variegata Linn. [5] 590

Bauhinia variegata Linn. var. *candida* (Roxb.) Voigt [5] 592

Begonia circumlobata Hance [4] 310

Begonia crassirostris Irmsch. [4] 312

Begonia fimbristipula Hance [4] 314

Begonia grandis Dry. [4] 316

Begonia handelii Irmsch. [4] 318

Begonia leprosa Hance [4] 320

Begonia maculata Raddi [4] 322

Begonia palmata D. Don [4] 324

Begonia pedatifida Lévl. [4] 326

Begonia semperflorens Link et Otto [4] 328

Beilschmiedia brevipaniculata Allen [2] 458

Beilschmiedia intermedia Allen [2] 460

Belamcanda chinensis (L.) Redouté [11] 432

Benincasa hispida (Thunb.) Cogn. [4] 240

Bennettiodendron brevipes Merr. [4] 192

Bennettiodendron leprosipes (Clos) Merr. [4] 194

Berberis chingii Cheng subsp. *wulingensis* C. M. Hu [3] 90

Berberis impedita Schneid. [3] 92

Berberis julianae Schneid. [3] 94

Berberis thunbergii DC. [3] 96

Berberis virgetorum Schneid. [3] 98

Berchemia floribunda (Wall.) Brongn. [7] 216

Berchemia lineata (L.) DC. [7] 218

Berchemia polyphylla Wall. ex M. A. Lawson var. *leioclada*

(Hand.-Mazz.) Hand.-Mazz. [7] 220

Bergia ammannioides Roxb. ex Roth [3] 460

Beta vulgaris L. var. *cicla* L. [3] 598

Betula austro-sinensis Chun ex P. C. Li [6] 408

Betula luminifera H. Winkl. [6] 410

Bidens bipinnata L. [9] 320

Bidens biternata (Lour.) Merr. & Sherff [9] 322

Bidens pilosa L. [9] 324

Bidens pilosa L. var. *radiata* Sch.-Bip. [9] 326

Bidens tripartita L. [9] 328

Billbergia pyramidalis (Sims) Lindl. [11] 76

Bischofia javanica Bl. [5] 150

Bischofia polycarpa (Lévl.) Airy Shaw [5] 152

Bixa orellana L. [4] 190

Blastus apricus (Hand.-Mazz.) H. L. Li [4] 498

Blastus cavaleriei Lévl. et Van. [4] 500

Blastus cochinchinensis Lour. [4] 502

Blastus dunnianus Lévl. [4] 504

Blastus pauciflorus (Benth.) Guillaum. [4] 506

Blatta australasiae Fabricius [12] 380

Blatta orientalis Linnaeus [12] 382

Blechnum orientale Linn. [2] 108

Bletilla striata (Thunb.) Rchb. f. [11] 563

Blumea aromatica DC. [9] 330

Blumea balsamifera (L.) DC. [9] 332

Blumea clarkei Hook. f. [9] 334

Blumea formosana Kitam. [9] 336

Blumea hieracifolia (Sprengel) Candolle. [9] 338

Blumea lacera (Burm. f.) DC. [9] 340

Blumea laciniata (Roxb.) DC. [9] 342

Blumea lanceolaria (Roxb.) Druce [9] 344

Blumea megacephala (Randeria) Chang & Tseng [9] 346

Blumea mollis (D. Don) Merr. [9] 348

Blumea oblongifolia Kitam. [9] 350

Boea hygrometrica (Bunge) R. Br. [10] 298

Boehmeria densiglomerata W. T. Wang [7] 2

Boehmeria formosana Hayata [7] 4

Boehmeria longispica Steud. [7] 6

Boehmeria macrophylla Hornem.   [7]   8

Boehmeria nivea (L.) Gaudich.   [7]   10

Boehmeria spicata (Thunb.) Thunb.   [7]   12

Boehmeria tricuspis (Hance) Makino   [7]   14

Boenninghausenia albiflora (Hook.) Reichb.   [7]   358

Boerhavia diffusa L.   [4]   152

Bolbitis heteroclita (Presl) Ching   [2]   134

Bolbitis subcordata (Cop.) Ching   [2]   136

Bombax ceiba Linn.   [5]   46

Bombyx mori Linnaeus   [12]   388

Bos taurus domesticus (Gmelin)   [12]   497

Bostrychanthera deflexa Benth.   [10]   512

Bothriospermum tenellum (Hornem.) Fisch. et Mey.   [10]   40

Bothrocaryum controversum (Hemsl.) Pojark.   [8]   4

Botrychium japonicum (Prantl) Underw   [1]   454

Botrychium ternatum (Thunb.) Sw.   [1]   456

Bougainvillea glabra Choisy   [4]   154

Bougainvillea spectabilis Willd.   [4]   156

Bovista pusilla (Batsch) Pers.   [1]   288

Bowringia callicarpa Champ. ex Benth.   [6]   24

Brachiaria villosa (Lam.) A. Camus   [12]   117

Brachycorythis galeandra (Rchb. f.) Summerh.   [11]   565

Brainea insignis (Hook.) J. Sm.   [2]   110

Brandisia hancei Hook. f.   [10]   194

Brassaiopsis glomerulata (Blume) Regel   [8]   58

Brassica campestris L.   [3]   308

Brassica caulorapa (DC.) Pasq.   [3]   310

Brassica chinensis L.   [3]   312

Brassica juncea (L.) Czern. [3] 314

Brassica napobrassica (L.) Mill. [3] 316

Brassica narinosa L. H. Bailey [3] 318

Brassica oleracea L. var. *capitata* L. [3] 320

Brassica pekinensis (Lour.) Skeels [3] 322

Brassica rapa L. [3] 324

Bredia longiloba (Hand.-Mazz.) Diels [4] 508

Bredia sinensis (Diels) H. L. Li [4] 510

Bretschneidera sinensis Hemsl. [7] 512

Breynia fruticosa (Linn.) Hook. f. [5] 154

Breynia vitis-idaea (Burm. f.) C. E. C. Fischer [5] 156

Bridelia balansae Tutcher [5] 158

Bridelia retusa (Linn.) Spreng. [5] 160

Bridelia tomentosa Bl. [5] 162

Broussonetia kazinoki Sieb. [6] 492

Broussonetia papyrifera (Linn.) L' Hert. ex Vent. [6] 494

Brucea javanica (L.) Merr. [7] 456

Bruguiera gymnorrhiza (L.) Lam. [4] 568

Bryophyllum pinnatum (L. f.) Oken [3] 406

Bubalus bubalis (Linnaeus) [12] 499

Buchnera cruciata Hamilt. [10] 196

Buddleja asiatica Lour. [8] 368

Buddleja davidii Franch. [8] 370

Buddleja lindleyana Fortune [8] 372

Buddleja officinalis Maxim. [8] 374

Bufo melanostictus Schneider [12] 450

Bulbophyllum ambrosia (Hance) Schltr. [11] 567

Bulbophyllum kwangtungense Schltr. [11] 569

Bulbophyllum levinei Schltr.	[11]	571
Bulbophyllum odoratissimum Lindl.	[11]	573
Bulbostylis barbata (Rottb.) C.B. Clarke	[12]	11
Bungarus fasciatus (Schneider)	[12]	468
Bungarus multicinctus (Blyth)	[12]	470
Bungarus multicinctus Blyth	[1]	190
Bupleurum marginatum Wall. ex DC.	[8]	100
Burmannia coelestis D. Don	[11]	551
Burmannia disticha L.	[11]	553
Buthus martensi Karsch	[12]	420
Buxus bodinieri Lévl.	[6]	384
Buxus harlandii Hance	[6]	386
Buxus megistophylla Lévl.	[6]	388
Buxus sinica (Rehd. et Wils.) M. Cheng	[6]	390
Byttneria aspera Colebr.	[5]	16

C

Caesalpinia bonduc (Linn.) Roxb.	[5]	594
Caesalpinia crista Linn.	[5]	596
Caesalpinia decapetala (Roth) Alston	[5]	600
Caesalpinia magnifoliolata Metc.	[5]	604
Caesalpinia millettii Hook. et Arn.	[5]	606
Caesalpinia minax Hance	[5]	608
Caesalpinia pulcherrima (Linn.) Sw.	[5]	612
Caesalpinia sappan Linn.	[5]	614
Caesalpinia sinensis (Hemsl.) Vidal	[5]	616
Caesalpinia vernalis Champ.	[5]	618
Cajanus cajan (Linn.) Millsp.	[6]	28

Cajanus scarabaeoides (Linn.) Thouars	[6]	30
Caladium bicolor (Aiton) Vent.	[11]	354
Calamus tetradactylus Hance	[11]	515
Calanthe alismaefolia Lindl.	[11]	575
Calanthe discolor Lindl.	[11]	577
Calanthe graciliflora Hayata	[11]	579
Calanthe masuca (D. Don) Lindl.	[11]	583
Calanthe puberula Lindl.	[11]	581
Calanthe triplicata (Willem.) Ames	[11]	585
Calendula officinalis L.	[9]	352
Callicarpa bodinieri H. Lév.	[10]	402
Callicarpa brevipes (Benth.) Hance	[10]	404
Callicarpa candicans (Burm. f.) Hochr.	[10]	406
Callicarpa cathayana H. T. Chang	[10]	408
Callicarpa dichotoma (Lour.) K. Koch	[10]	410
Callicarpa formosana Rolfe	[10]	412
Callicarpa giraldii Hesse ex Rehd.	[10]	414
Callicarpa integerrima Champ.	[10]	416
Callicarpa kochiana Makino	[10]	418
Callicarpa kwangtungensis Chun	[10]	420
Callicarpa loboapiculata Metc.	[10]	422
Callicarpa longipes Dunn	[10]	424
Callicarpa longissima (Hemsl.) Merr.	[10]	426
Callicarpa macrophylla Vahl	[10]	428
Callicarpa nudiflora Hook. et Arn.	[10]	430
Callicarpa peichieniana Chun et S. L. Chen	[10]	432
Callicarpa peii H. T. Chang	[10]	434
Callicarpa rubella Lindl.	[10]	436

Callicarpa rubella Lindl. f. *angustata* P'ei [10] 440

Callicarpa rubella Lindl. f. *crenata* P'ei [10] 438

Callistemon rigidus R. Br. [4] 450

Caloglossa leprieurii (Mont.) J. Ag. [1] 258

Calonyction aculeatum (L.) House [10] 132

Calophyllum inophyllum L. [4] 598

Calophyllum membranaceum Gardn. et Champ. [4] 600

Calotropis gigantea (L.) W. T. Aiton [8] 512

Calvatia craniiformis (Schw.) Fr. [1] 290

Calvatia lilacina Lloyd. [1] 292

Calystegia hederacea Wall. ex Roxb. [10] 134

Calystegia sepium (L.) R. Br. [10] 136

Camellia assamica (Mast.) Chang [4] 348

Camellia caudata Wall. [4] 350

Camellia cordifolia (Metc.) Nakai [4] 352

Camellia costei Lévl. [4] 354

Camellia edithae Hance [4] 356

Camellia euryoides Lindl. [4] 358

Camellia fraterna Hance [4] 360

Camellia japonica L. [4] 362

Camellia nitidissima Chi [4] 364

Camellia oleifera Abel [4] 366

Camellia salicifolia Champ. ex Benth. [4] 368

Camellia semiserrata Chi [4] 370

Camellia sinensis (L.) O. Kuntze [4] 372

Campanumoea javanica Bl. [10] 16

Campanumoea lancifolia (Roxb.) Merr. [10] 18

Campsis grandiflora (Thunb.) Schum. [10] 310

Camptotheca acuminata Decne. [8] 34

Campylotropis macrocarpa (Bge.) Rehd. [6] 32

Canarium album (Lour.) Raeusch. [7] 462

Canarium pimela K. D. Koenig [7] 464

Canavalia cathartica Thouars [6] 34

Canavalia gladiata (Jacq.) DC. [6] 36

Canavalia rosea (Sw.) DC. [6] 38

Canis familiaris (Linnaeus) [12] 511

Canna edulis Ker [11] 166

Canna flaccida Salisb. [11] 168

Canna × generalis L. H. Bailey [11] 170

Canna indica Linn. [11] 174

Canscora andrographioides Griffith ex C. B. Clarke [9] 596

Canthium horridum Blume [9] 6

Canthium simile Merr. & Chun [9] 8

Capparis acutifolia Sweet [3] 288

Capparis cantoniensis Lour. [3] 290

Capparis membranifolia Kurz [3] 292

Capparis micracantha DC. [3] 294

Capparis versicolor Griff. [3] 296

Capsella bursa-pastoris (L.) Medic. [3] 326

Capsicum annuum L. [10] 64

Carallia brachiata (Lour.) Merr. [4] 570

Carallia pectinifolia W. C. Ko [4] 572

Cardamine flexuosa With. [3] 328

Cardamine hirsuta L. [3] 330

Cardamine violifolia O. E. Schulz [3] 332

Cardiocrinum cathayanum (E. H. Wilson) Stearn [11] 206

Cardiocrinum giganteum (Wall.) Makino [11] 208

Cardiospermum halicacabum L. [7] 494

Carex baccans Nees [12] 13

Carex brevicuspis C. B. Clarke [12] 15

Carex cruciata Wahlenb. [12] 17

Carex ligulata Nees ex Wight [12] 19

Carex maubertiana Boott [12] 21

Carex nemostachys Steud. [12] 23

Carex phacota Spreng [12] 25

Carex rubrobrunnea C. B. Clarke var. *taliensis*

(Franchet) Kukenthal [12] 27

Carex scaposa C. B. Clarke [12] 29

Carica papaya L. [4] 330

Carmona microphylla (Lam.) G. Don. [10] 42

Carpesium abrotanoides L. [9] 354

Carpesium cernuum L. [9] 356

Carpesium divaricatum Sieb. & Zucc. [9] 358

Carthamus tinctorius L. [9] 360

Caryopteris incana (Thunb.) Miq. [10] 442

Caryopteris nepetaefolia (Benth.) Maxim. [10] 444

Caryota maxima Blume ex Mart. [11] 517

Caryota mitis Lour. [11] 519

Casearia glomerata Roxb. [4] 214

Cassia alata Linn. [5] 622

Cassia fistula Linn. [5] 624

Cassia occidentalis Linn. [5] 626

Cassytha filiformis Linn. [2] 462

Castanea henryi (Skan) Rehd. et Wils. [6] 412

Castanea mollissima Bl. [6] 414

Castanea seguinii Dode [6] 416

Castanopsis carlesii (Hemsl.) Hayata [6] 418

Castanopsis chinensis Hance [6] 420

Castanopsis eyrei (Champ. ex Benth.) Tutch. [6] 422

Castanopsis fargesii Franch. [6] 426

Castanopsis hystrix A. DC. [6] 430

Castanopsis sclerophylla (Lindl.) Schott. [6] 432

Castanopsis tibetana Hance [6] 434

Casuarina equisetifolia Forst. [6] 452

Catalpa fargesii Bur. [10] 312

Catalpa ovata G. Don [10] 314

Catharanthus roseus (L.) G. Don [8] 450

Catunaregam spinosa (Thunb.) Tirveng. [9] 10

Caulokaempferia coenobialis (Hance) K. Larsen. [11] 133

Cayratia corniculata (Benth.) Gagnep. [7] 296

Cayratia japonica (Thunb.) Gagnep. [7] 298

Cayratia japonica (Thunb.) Gagnep. var. *mollis* (Wall.) Momiy. [7] 300

Cayratia japonica (Thunb.) Gagnep. var.

    pseudotrifolia (W. T. Wang) C. L. Li [7] 302

Cecropia peltata Linn. [6] 496

Ceiba pentandra (Linn.) Gaertn. [5] 48

Celastrus aculeatus Merr. [7] 104

Celastrus angulatus Maxim. [7] 106

Celastrus gemmatus Loes. [7] 108

Celastrus hindsii Benth. [7] 110

Celastrus hookeri Prain [7] 112

Celastrus hypoleucus (Oliv.) Warb. ex Loes. [7] 114

Celastrus kusanoi Hayata   [7]   116

Celastrus oblanceifolius C. H. Wang et P. C. Tsoong   [7]   118

Celastrus orbiculatus Thunb.   [7]   120

Celastrus paniculatus Willd.   [7]   122

Celastrus rosthornianus Loes.   [7]   124

Celastrus stylosus Wall.   [7]   126

Celosia argentea L.   [4]   28

Celosia cristata L.   [4]   30

Celtis biondii Pamp.   [6]   456

Celtis sinensis Pers.   [6]   458

Celtis timorensis Span.   [6]   460

Centella asiatica (L.) Urb.   [8]   102

Centipeda minima (L.) A. Br. & Aschers   [9]   362

Centranthera cochinchinensis (Lour.) Merr.   [10]   198

Centropus sinensis Stephens   [12]   484

Cephalanthera erecta (Thunb. ex A. Murray) Bl.   [11]   587

Cephalanthera falcata (Thunb. ex A. Murray) Bl.   [11]   589

Cephalanthus tetrandrus (Roxb.) Ridsdale & Bakh. f.   [9]   12

Cephalotaxus fortunei Hook.   [2]   340

Cephalotaxus hainanensis Li   [2]   342

Cephalotaxus oliveri Mast.   [2]   344

Cephalotaxus sinensis (Rehd. et Wils.) Li.   [2]   346

Cerastium fontanum Baumg. subsp. *triviale* (Link) Jalas   [3]   464

Cerasus japonica (Thunb.) Lois.   [5]   366

Cerasus pseudocerasus (Lindl.) G. Don   [5]   368

Cerasus serrulata (Lindl.) G. Don ex London   [5]   370

Ceratophyllum demersum L.   [3]   78

Ceratopteris thalictroides (Linn.) Brongn.   [2]   16

Cerbera manghas L. [8] 452

Cercis chinensis Bge. [5] 628

Ceriops tagal (Perr.) C. B. Rob. [4] 574

Ceropegia trichantha Hemsl. [8] 514

Cervus elaphus Linn. [12] 501

Cervus nippon kopschi Swinhoe [12] 503

Cervus unicolor Kerr [12] 505

Cestrum nocturnum L. [10] 66

Chaenomeles sinensis (Thouin) Koehne [5] 372

Chaenomeles speciosa (Sweet) Nakai [5] 374

Chamaecrista leschenaultiana (Candolle) O. Degener [5] 630

Chamaecrista mimosoides Standl. [5] 632

Chamaecyparis pisifera (Siebold et Zuccarini) Enelicher cv.

   Filifera Dallimore and Jackson [2] 298

Championella japonica (Thunb.) Bremek. [10] 340

Championella tetrasperma (Champ. ex Benth.) Bremek. [10] 342

Channa asiatica Linn. [12] 446

Channa maculata Lacepede [12] 447

Chassalia curviflora Thwaites [9] 14

Chaydaia rubinervis (H. Lév.) C. Y. Wu ex Y. L. Chen et

   P. K. Chou [7] 222

Cheilosoria chusana (Hook.) Ching & K. H. Shing [1] 566

Cheilosoria mysurensis (Wall.) Ching & K. H. Shing [1] 568

Cheilosoria tenuifolia (Burm.) Trev. [1] 570

Chenopodium album L. [3] 600

Chenopodium ambrosioides L. [3] 602

Chenopodium ficifolium Smith [3] 604

Chieniopteris harlandii (Hook.) Ching [2] 112

Chimonanthus praecox (Linn.) Link [5] 530

Chimonobambusa quadrangularis (Fenzi) Makino [12] 119

Chinemys reevesii Gray [12] 454

Chionographis chinensis K. Krause [11] 210

Chloranthus fortunei (A. Gray) Solms-Laub. [3] 258

Chloranthus henryi Hemsl. [3] 260

Chloranthus multistachys Péi [3] 262

Chloranthus serratus (Thunb.) Roem. et Schult. [3] 264

Chloranthus sessilifolius K. F. Wu [3] 266

Chloranthus spicatus (Thunb.) Makino [3] 268

Chlorophytum comosum (Thunb.) Jacques [11] 212

Chlorophytum laxum R. Br. [11] 214

Choerospondias axillaris (Roxb.) B. L. Burtt et A. W. Hill. [7] 550

Chonemorpha eriostylis Pitard [8] 454

Chonemorpha fragrans (Moon) Alston [8] 456

Christia obcordata (Poir.) Bakh. f. ex Meeuwen [6] 40

Christia vespertilionis (Linn. f.) Bakh. f. [6] 42

Chrysanthemum coronarium L. [9] 364

Chrysomyia megacephala Fab. [12] 406

Chrysopogon aciculatus (Retz.) Trin. [12] 121

Chrysosplenium delavayi Franch. [3] 440

Chrysosplenium macrophyllum Oliv. [3] 442

Chukrasia tabularis A. Juss. [7] 472

Chukrasia tabularis A. Juss. var. *velutina* King [7] 474

Cibotium barometz (Linn.) J. Sm. [1] 510

Cimicifuga acerina (Sieb. et Zucc.) Tanaka [3] 14

Cinchona ledgeriana (Howard) Moens ex Trim. [9] 16

Cinnamomum appelianum Schewe [2] 464

Cinnamomum austro-sinense H. T. Chang [2] 466

Cinnamomum bejolghota (Buch.-Ham.) Sweet [2] 468

Cinnamomum burmannii (C. G. & Th. Nees) Bl. [2] 470

Cinnamomum camphora (Linn.) Presl [2] 472

Cinnamomum cassia Presl [1]141/[2]475

Cinnamomum jensenianum Hand.-Mazz. [2] 478

Cinnamomum kwangtungense Merr. [2] 480

Cinnamomum parthenoxylon (Jack) Meisn. [2] 482

Cinnamomum subavenium Miq. [2] 484

Cinnamomum wilsonii Gamble [2] 486

Cinnamomum zeylanicum Bl. [2] 488

Cipadessa baccifera (Roth) Miq. [7] 476

Circaea erubescens Franch. et Savat. [4] 108

Circaea mollis Sieb. et Zucc. [4] 110

Cirsium hupehense Pamp. [9] 366

Cirsium japonicum Fisch. & DC. [9] 368

Cirsium lineare (Thunb.) Sch.-Bip. [9] 370

Cirsium setosum (Willd.) MB. [9] 372

Cissampelopsis volubilis (Bl.) Miq. [9] 374

Cissus assamica (M. A. Lawson) Craib [7] 304

Cissus hexangularis Thorel ex Planch. [7] 306

Cissus kerrii Craib [7] 308

Cissus pteroclada Hayata [7] 310

Cissus repens Lam. [7] 312

Citrullus lanatus (Thunb.) Mats. et Nakai [4] 242

Citrus grandis 'Tomentosa' [1] 115

Citrus maxima (Burm.) Merr. [7] 364

Citrus maxima 'Tomentosa' [7] 366

Citrus medica L. [7] 368

Citrus medica L. var. *sarcodactylis* (Hoola van
 Nooten) Swingle [7] 370

Citrus medica L. var. *sarcodactylis* Swingle [1] 78

Citrus reticulata Blanco [7] 372

Citrus reticulata 'Chachi' [1] 86

Citrus reticulata 'Chachiensis' [7] 374

Citrus × aurantium L. [7] 360

Citrus × limon (L.) Osbeck [7] 362

Citrus × sinensis (L.) Osbeck [7] 376

Cladrastis platycarpa (Maxim.) Makino [6] 44

Claoxylon indicum (Reinw. ex Bl.) Hassk. [5] 164

Clausena dunniana H. Lévl [7] 380

Clausena excavata Burm. f. [7] 382

Clausena lansium (Lour.) Skeels [7] 384

Cleidiocarpon cavaleriei (Lévl.) Airy Shaw [5] 166

Cleidion brevipetiolatum Pax et Hoffm. [5] 168

Cleisostoma williamsonii (Rchb. f.) Garay [11] 591

Cleistocalyx operculatus (Roxb.) Merr. et Perry [4] 452

Clematis apiifolia DC. [3] 16

Clematis apiifolia DC. var. *obtusidentata* Rehd. et Wils. [3] 18

Clematis armandii Franch. [3] 20

Clematis chinensis Osbeck [3] 22

Clematis crassifolia Benth. [3] 24

Clematis finetiana Lévl. et Vant. [3] 26

Clematis florida Thunb. [3] 28

Clematis gouriana Roxb. ex DC. [3] 30

Clematis henryi Oliv. [3] 32

Clematis lasiandra Maxim. [3] 34

Clematis leschenaultiana DC. [3] 36

Clematis loureiroana DC. [3] 38

Clematis meyeniana Walp. [3] 40

Clematis meyeniana Walp. var. *granulata* Finet et Gagnep. [3] 42

Clematis repens Finet et Gagnep. [3] 44

Clematis uncinata Champ. [3] 46

Cleome gynandra L. [3] 298

Cleome spinosa Jacq. [3] 300

Cleome viscosa L. [3] 302

Clerodendranthus spicatus (Thunb.) C. Y. Wu et H. W. Li [10] 514

Clerodendrum canescens Wall. [10] 446

Clerodendrum cyrtophyllum Turcz. [10] 448

Clerodendrum fortunatum L. [10] 450

Clerodendrum inerme (L.) Gaertn. [10] 452

Clerodendrum japonicum (Thunb.) Sweet [10] 454

Clerodendrum kwangtungense Hand. -Mazz. [10] 456

Clerodendrum lindleyi Decne. ex Planch. [10] 458

Clerodendrum mandarinorum Diels [10] 460

Clerodendrum philippinum Schauer [10] 462

Clerodendrum thomsonae Balf. [10] 464

Clethra bodinieri H. Lév. [8] 154

Clethra cavaleriei H. Lév. [8] 156

Cleyera japonica Thunb. [4] 374

Clinacanthus nutans (Burm. f.) Lindau [10] 344

Clinopodium chinense (Benth.) O. Kuntze [10] 516

Clinopodium confine (Hance) O. Kuntze [10] 518

Clinopodium gracile (Benth.) Matsum. [10] 520

Clitoria hanceana Hemsl.	[6]	46
Clitoria ternatea Linn.	[6]	48
Cnidium monnieri (L.) Cusson	[8]	104
Coccinia grandis (L.) Voigt	[4]	244
Cocculus laurifolius DC.	[3]	138
Cocculus orbiculatus (L.) DC.	[3]	140
Cocos nucifera L.	[11]	521
Codariocalyx gyroides (Roxb. ex Link) Hassk.	[6]	50
Codariocalyx motorius (Houtt.) Ohashi	[6]	52
Codiaeum variegatum (Linn.) A. Juss.	[5]	170
Codium cylindricum Holm.	[1]	242
Codonacanthus pauciflorus (Nees) Nees	[10]	346
Codonopsis lanceolata (Sieb. et Zucc.) Trautv.	[10]	20
Coffea arabica L.	[9]	18
Coffea canephora Pierre ex Froehn.	[9]	20
Coffea liberica Bull ex Hiern	[9]	22
Coix lacryma-jobi L.	[12]	123
Coix lacryma-jobi L. var. *ma-yuen* (Rom. Caill.) Stapf	[12]	125
Coleus carnosifolius (Hemsl.) Dunn	[10]	522
Coleus scutellarioides (L.) Benth.	[10]	524
Colocasia antiquorum Schott	[11]	356
Colocasia esculenta (L.) Schott	[11]	358
Colocasia gigantea (Blume) Hook. f.	[11]	360
Columba livia domestica (Linnaeus)	[12]	478
Colysis elliptica (Thunb.) Ching	[2]	192
Colysis hemionitidea (Wall. ex Mett.) C. Presl	[2]	194
Colysis hemitoma (Hance) Ching	[2]	196
Colysis henryi (Bak.) Ching	[2]	198

Colysis pothifolia (D. Don) C. Presl [2] 200

Colysis wrightii (Hook.) Ching [2] 202

Combretum alfredii Hance [4] 558

Commelina benghalensis L. [11] 26

Commelina communis L. [11] 28

Commelina diffusa Burm. f. [11] 30

Commelina paludosa Blume [11] 32

Coniogramme japonica (Thnub.) Diels [2] 18

Conocephalum conicum (L.) Dumort. [1] 384

Conyza bonariensis (L.) Cronq. [9] 376

Conyza canadensis (L.) Cronq. [9] 378

Conyza sumatrensis (Retz.) Walker [9] 380

Coprinopsis atramentaria (Bull.) Redhead, Vilgalys & Moncalvo [1] 294

Coptis chinensis Franch. var. *brevisepala* W. T. Wang et Hsiao [3] 48

Coptosapelta diffusa (Champ. ex Benth.) Van Steenis [9] 24

Corchoropsis tomentosa (Thunb.) Makino [4] 610

Corchorus aestuans L. [4] 612

Corchorus capsularis L. [4] 614

Corchorus olitorius L. [4] 616

Cordia dichotoma Forst. f. [10] 44

Cordyceps militaris (L.) Link [1] 262

Cordyceps pruinosa Petch [1] 264

Cordyline fruticosa (L.) A. Chev. [11] 496

Cordyline stricta (Sims) Endl. [11] 498

Coreopsis tinctoria Nutt. [9] 382

Coriandrum sativum L. [8] 106

Cornus officinalis Siebold et Zucc. [8] 6

Coronopus didymus (L.) J. E. Smith [3] 334

Corydalis balansae Prain [3] 282

Corydalis racemosa (Thunb.) Pers. [3] 284

Corydalis sheareri S. Moore [3] 286

Corylopsis sinensis Hemsl. [6] 354

Cosmos bipinnata Cav. [9] 384

Cosmos sulphureus Cav. [9] 386

Costazia aculeata Canu et Bassler [12] 286

Costazia costazii Audouin [12] 288

Costus speciosus (J. Koenig) Sm. [11] 135

Craibiodendron scleranthum (Dop) Judd var. *kwangtungense*

  (S. Y. Hu) Judd [8] 158

Crassocephalum crepidioides (Benth.) S. Moore [9] 388

Crataegus cuneata Sieb. et Zucc. [5] 376

Crateva formosensis (Jacobs) B. S. Sun [3] 304

Cratoxylum cochinchinense (Lour.) Bl. [4] 580

Crawfurdia pricei (Marq.) H. Smith [9] 598

Cremastra appendiculata (D. Don) Makino [11] 593

Crinum asiaticum var. *sinicum* (Roxb. ex Herb.) Baker [11] 412

Cristaria plicata Leach [12] 318

Crocus sativus L. [11] 434

Crossostephium chinense (L.) Makino [9] 390

Crotalaria alata Buch.-Ham. ex D. Don [6] 54

Crotalaria albida Heyne ex Roth [6] 56

Crotalaria assamica Benth. [6] 58

Crotalaria calycina Schrank. [6] 60

Crotalaria ferruginea Grah. ex Benth. [6] 62

Crotalaria juncea Linn. [6] 64

Crotalaria linifolia Linn. f. [6] 66

Crotalaria medicaginea Lamk. [6] 68

Crotalaria micans Link [6] 70

Crotalaria pallida Ait. [6] 72

Crotalaria retusa Linn. [6] 74

Crotalaria sessiliflora Linn. [6] 76

Croton crassifolius Geisel. [5] 172

Croton euryphyllus W. W. Smith [5] 174

Croton lachnocarpus Benth. [5] 176

Croton tiglium Linn. [5] 178

Cryptolepis sinensis (Lour.) Merr. [8] 516

Cryptomeria japonica (Thunb. ex Linn. f.) D. Don. [2] 300

Cryptomeria japonica (Thunb. ex Linn. f.) D. Don.

var. *sinensis* Miquel [2] 302

Cryptotaenia japonica Hassk. [8] 108

Cryptotympana mandarina Dist. [12] 372

Cryptotympana pustulata Fabricius [12] 374

Ctenitis rhodolepis (Clarke) Ching [2] 138

Cucumis melo L. [4] 246

Cucumis sativus L. [4] 248

Cucurbita moschata (Duch. ex Lam.) Duch. ex Poir. [4] 250

Cudrania cochinchinensis (Lour.) Kudo & Masamune [6] 498

Cudrania pubescens Tréc. [6] 500

Cudrania tricuspidata (Carr.) Bur. ex Lavallee [6] 502

Cunninghamia lanceolata (Lamb.) Hook. [2] 310

Cupressus funebris Endl. [2] 314

Curculigo capitulata (Lour.) Kuntze [11] 539

Curculigo orchioides Gaertn. [11] 541

Curcuma aromatica Salisb. [11] 137

Curcuma kwangsiensis S. G. Lee & C. F. Liang	[11]	139
Curcuma longa L.	[11]	142
Curcuma phaeocaulis Valeton	[11]	144
Curcuma wenyujin Y. H. Chen & C. Ling	[11]	146
Cuscuta australis R. Br.	[10]	138
Cuscuta chinensis Lam.	[10]	140
Cuscuta japonica Choisy	[10]	142
Cyanotis arachnoidea C. B. Clarke	[11]	34
Cyanotis cristata (L.) D. Don	[11]	36
Cyanotis vaga (Lour.) Schult. et Schult. f.	[11]	38
Cyathocline purpurea (Buch.-Ham. ex D. Don) O. Ktze.	[9]	392
Cyathula prostrata (L.) Bl.	[4]	32
Cyathus striatus (Huds.) Willd.	[1]	296
Cycas pectinata Griff.	[2]	278
Cycas revoluta Thunb.	[2]	280
Cycas rumphii Miq.	[2]	282
Cyclea barbata Miers	[3]	142
Cyclea gracillima Diels	[3]	144
Cyclea hypoglauca (Schauer) Diels	[3]	146
Cyclea racemosa Oliv.	[3]	148
Cyclea sutchuenensis Gagnep.	[3]	150
Cyclina sinensis Gmelin	[12]	332
Cyclobalanopsis fleuryi (Hick. et A. Camus) Chun	[6]	436
Cyclobalanopsis glauca (Thunb.) Oerst.	[6]	438
Cyclobalanopsis myrsinaefolia (Bl.) Oerst.	[6]	440
Cyclocarya paliurus (Batalin) Iljinsk.	[7]	574
Cyclocybe cylindracea (DC.) Vizzini & Angelini	[1]	300
Cyclosorus acuminatus (Houtt.) Nakai	[2]	48

Cyclosorus dentatus (Forssk.) Ching [2] 50

Cyclosorus interruptus (Willd.) H. Ito [2] 52

Cyclosorus parasiticus (Linn.) Farwell. [2] 54

Cymbidium bicolor Lindl. subsp. *obtusum* Du Puy et Cribb. [11] 597

Cymbidium ensifolium (Linn.) Sw. [11] 599

Cymbidium faberi Rolfe [11] 601

Cymbidium floribundum Lindl. [11] 603

Cymbidium goeringii (Rchb. f.) Rchb. f. [11] 605

Cymbidium lancifolium Hook. [11] 607

Cymbidium sinense (Jackson ex Andr.) Willd. [11] 609

Cymbopogon caesius (Nees ex Hook. et Arn.) Stapf [12] 127

Cymbopogon citratus (DC.) Stapf [12] 129

Cynanchum atratum Bunge [8] 518

Cynanchum auriculatum Royle ex Wight [8] 520

Cynanchum chekiangense M. Cheng [8] 522

Cynanchum corymbosum Wight [8] 524

Cynanchum fordii Hemsl. [8] 526

Cynanchum glaucescens (Decne.) Hand.-Mazz. [8] 528

Cynanchum mooreanum Hemsl. [8] 530

Cynanchum paniculatum (Bunge) Kitag. [8] 532

Cynanchum stauntonii (Decne.) Schltr. ex H. Lév. [8] 534

Cynodon dactylon (L.) Pers. [12] 131

Cynoglossum lanceolatum Forsk. [10] 46

Cynoglossum zeylanicum (Vahl) Thunb. ex Lehm. [10] 48

Cyperus compactus Retz. [12] 31

Cyperus cyperoides (L.) Kuntze [12] 33

Cyperus difformis L. [12] 35

Cyperus eleusinoides Kunth [12] 37

Cyperus haspan L. [12] 39

Cyperus involucratus Rottboll [12] 41

Cyperus iria L. [12] 43

Cyperus malaccensis Lam. [12] 45

Cyperus malaccensis Lam. subsp. *monophyllus*

(Vahl) T. Koyama [12] 47

Cyperus pilosus Vahl [12] 49

Cyperus rotundus L. [12] 51

Cyrtomium balansae (Christ) C. Chr. [2] 140

Cyrtomium caryotideum (Wall. ex Hook. et Grev.) Presl [2] 142

Cyrtomium devexiscapulae (Koidz.) Ching [2] 144

Cyrtomium fortunei J. Sm. [2] 146

D

Dacrycarpus imbricatus (Blume) de Laub. [2] 328

Dactyloctenium aegyptium (L.) Beauv. [12] 133

Daemonorops jenkinsiana (Griff.) Mart. [11] 523

Dahlia pinnata Cav. [9] 394

Dalbergia assamica Benth. [6] 78

Dalbergia benthamii Prain [6] 80

Dalbergia hainanensis Merr. et Chun [6] 84

Dalbergia hancei Benth. [6] 86

Dalbergia hupeana Hance [6] 88

Dalbergia millettii Benth. [6] 90

Dalbergia odorifera T. Chen [1]196/[6]92

Dalbergia pinnata (Lour.) Prain [6] 94

Daldinia concentrica (Bolton) Ces. & De Not. [1] 266

Damnacanthus giganteus (Mak.) Nakai [9] 26

Damnacanthus indicus Gaertn. f. [9] 28

Daphne championii Benth. [4] 136

Daphne kiusiana Miq. var. *atrocaulis* (Rehd.) F. Maekawa [4] 138

Daphne papyracea Wall. ex Steud. [4] 140

Daphniphyllum calycinum Benth. [5] 318

Daphniphyllum macropodium Miq. [5] 320

Daphniphyllum oldhamii (Hemsl.) Rosenth. [5] 322

Datura metel L. [10] 68

Daucus carota L. var. *sativus* Hoffm. [8] 110

Davallia divaricata Ching [2] 182

Debregeasia squamata King ex Hook. f. [7] 16

Decaspermum gracilentum (Hance) Merr. et Perry [4] 454

Delonix regia (Boj.) Raf. [5] 634

Delphinium anthriscifolium Hance [3] 50

Dendranthema indicum (L.) Des Moul. [9] 396

Dendranthema lavandulifolium (Fisch. ex Trautv.)
    Ling & Shin [9] 398

Dendranthema morifolium (Ramat.) Tzvel. [9] 400

Dendrobenthamia angustata (Chun) W. P. Fang [8] 8

Dendrobenthamia capitata (Wall.) Hutch. [8] 10

Dendrobenthamia hongkongensis (Hemsl.) Hutch. [8] 12

Dendrobium aduncum Wall ex Lindl. [11] 611

Dendrobium densiflorum Lindl.ex Wall. [11] 613

Dendrobium hercoglossum Rchb. f. [11] 615

Dendrobium lindleyi Stendel [11] 617

Dendrobium loddigesii Rolfe [11] 619

Dendrobium lohohense T. Tang et F. T. Wang [11] 621

Dendrobium moniliforme (Linn.) Sw. [11] 625

Dendrobium nobile Lindl. [11] 627

Dendrobium officinale Kimura et Migo [11] 623

Dendrocalamopsis beecheyana (Munro) Keng f. var.

 pubescens (P. F. Li) Keng f. [12] 135

Dendrocalamus latiflorus Munro [12] 137

Dendrolobium triangulare (Retz.) Schindl. [6] 96

Dendropanax dentiger (Harms) Merr. [8] 60

Dendropanax proteus (Champ. ex Benth.) Benth. [8] 62

Dendrophthoe pentandra (L.) Miq. [7] 178

Dendrotrophe varians (Blume) Miq. [7] 202

Dennstaedtia scabra (Wall.) Moore [1] 516

Derris alborubra Hemsl. [6] 98

Derris fordii Oliv. [6] 100

Derris marginata (Roxb.) Benth. [6] 102

Derris trifoliata Lour. [6] 104

Desarmillaria tabescens (Scop.) R. A. Koch & Aime [1] 282

Desmodium caudatum (Thunb.) DC. [6] 106

Desmodium gangeticum (Linn.) DC. [6] 108

Desmodium heterocarpon (Linn.) DC. [6] 110

Desmodium heterophyllum (Willd.) DC. [6] 112

Desmodium laxiflorum DC. [6] 114

Desmodium microphyllum (Thunb.) DC. [6] 116

Desmodium multiflorum DC. [6] 118

Desmodium reticulatum Champ. ex Benth. [6] 120

Desmodium rubrum (Lour.) DC. [6] 122

Desmodium sequax Wall. [6] 124

Desmodium styracifolium (Osb.) Merr. [1]95/[6]126

Desmodium triflorum (Linn.) DC. [6] 128

Desmos chinensis Lour. [2] 436

Deutzia setchuenensis Franch. [5] 328

Dianella ensifolia (L.) Redouté [11] 216

Dianthus barbatus L. [3] 466

Dianthus chinensis L. [3] 468

Dianthus superbus L. [3] 470

Dichocarpum dalzielii (Drumm. et Hutch.) W. T. Wang et Hsiao [3] 52

Dichondra micrantha Urban [10] 144

Dichroa febrifuga Lour. [5] 330

Dichroa yaoshanensis Y. C. Wu [5] 334

Dichrocephala integrifolia (L. f.) Kuntze [9] 402

Dicliptera chinensis (L.) Juss. [10] 348

Dicranopteris linearis (Burm. f.) Underw. [1] 480

Dicranopteris pedata (Houtt.) Nakaike [1] 482

Dictyocline sagittifolia Ching [2] 56

Dictyocline wilfordii (Hook.) J. Sm. [2] 58

Dieffenbachia seguine (Jacq.) Schott [11] 362

Digitaria sanguinalis (L.) Scop. [12] 139

Dillenia pentagyna Roxb. [4] 170

Dimocarpus longan Lour. [7] 496

Dioscorea alata L. [11] 454

Dioscorea benthamii Prain & Burkill [11] 456

Dioscorea bulbifera L. [11] 458

Dioscorea cirrhosa Lour. [11] 460

Dioscorea collettii Hook. f. [11] 462

Dioscorea collettii Hook. f. var. *hypoglauca* (Palib.)
    Pei & C. T. Ting [11] 464

Dioscorea esculenta (Lour.) Burkill [11] 466

Dioscorea glabra Roxb. [11] 468

Dioscorea hispida Dennst. [11] 470

Dioscorea japonica Thunb. [11] 472

Dioscorea opposita Thunb. [11] 474

Dioscorea pentaphylla L. [11] 476

Dioscorea persimilis Prain & Burkill [11] 478

Dioscorea simulans Prain & Burkill [11] 482

Dioscorea spongiosa J. Q. Xi [11] 484

Dioscorea tenuipes Franch. & Savat. [11] 488

Diospyros eriantha Champ. ex Benth. [8] 210

Diospyros kaki Thunb. [8] 212

Diospyros kaki Thunb. var. *sylvestris* Makino [8] 216

Diospyros lotus L. [8] 218

Diospyros morrisiana Hance [8] 220

Diospyros oleifera Cheng [8] 222

Diospyros rhombifolia Hemsl. [8] 224

Diospyros sunyiensis Chun et H. Y. Chen [8] 226

Diphasiastrum complanatum (Linn.) Holub [1] 410

Diplazium crassiusculum Ching [2] 36

Diplazium donianum (Mett.) Tard.-Blot [2] 38

Diplazium subsinuatum (Wall. ex Hook. et Grew.) Tagawa [2] 40

Diploclisia affinis (Oliv.) Diels [3] 152

Diploclisia glaucescens (Bl.) Diels [3] 154

Diplocyclos palmatus (L.) C. Jeffrey [4] 252

Diplopterygium chinense (Ros.) Ching [1] 484

Diplopterygium glaucum (Thunb. ex Houtt.) Nakai [1] 486

Diplopterygium laevissimum (Christ) Nakai [1] 488

Diplospora dubia (Lindl.) Masam. [9] 30

Diplospora fruticosa Hemsl. [9] 32

Dipteris chinensis Christ [2] 188

Dischidanthus urceolatus (Decne.) Tsiang [8] 536

Dischidia chinensis Champ. ex Benth. [8] 538

Dischidia nummularia R. Br. [8] 540

Discocleidion rufescens (Franch.) Pax et Hoffm. [5] 180

Disporopsis aspersa (Hua) Engl. ex Diels [11] 220

Disporopsis fuscopicta Hance [11] 222

Disporum cantoniense (Lour.) Merr. [11] 226

Disporum uniflorum Baker [11] 228

Distyliopsis dunnii (Hemsley) P. K. Endress [6] 356

Distylium myricoides Hemsl. [6] 358

Distylium racemosum Sieb. et Zucc. [6] 360

Dodonaea viscosa Jacq. [7] 498

Doellingeria marchandii (H. Lévl.) Ling [9] 404

Doellingeria scaber (Thunb.) Nees [9] 406

Donella lanceolata (Blume) Aubrév. var. *stellatocarpa*

　(P. Royen) X. Y. Zhang [8] 228

Doryopteris concolor (Langsd. et Fisch.) Kuhn [1] 572

Dracaena angustifolia (Medik.) Roxb. [11] 500

Dracaena cambodiana Pierre ex Gagnep. [11] 502

Dracontomelon duperreanum Pierre [7] 552

Dregea volubilis (L. f.) Benth. ex Hook. f. [8] 542

Drosera burmanni Vahl [3] 452

Drosera indica L. [3] 454

Drosera peltata Smith ex Willd. var. *glabrata* Y. Z. Ruan [3] 456

Drosera spathulata Labill. var. *loureirii* (Hook. et Arn.)

　Y. Z. Ruan [3] 458

Drymaria diandra Bl. [3] 472

Drymoglossum piloselloides (Linn.) C. Presl [2] 204

Drymotaenium miyoshianum (Makino) Makino [2] 206

Drynaria bonii Christ [2] 208

Drynaria roosii Nakaike [2] 210

Dryoathyrium okuboanum (Makino) Ching [2] 42

Dryopteris championii (Benth.) C. Chr. [2] 148

Dryopteris cycadina (Fr. et Sav.) C. Chr. [2] 150

Dryopteris fuscipes C. Chr. [2] 152

Dryopteris labordei (Christ) C. Chr. [2] 154

Dryopteris sieboldii (van Houtte ex Mett.) O. Ktze. [2] 156

Dryopteris sparsa (D. Don) Kuntze [2] 158

Dryopteris varia (Linn.) O. Ktze. [2] 160

Duchesnea chrysantha (Zoll. & Mor.) Miq. [5] 378

Duchesnea indica (Andr.) Focke [5] 380

Duhaldea cappa (Buch.-Ham. ex DC.) Anderb. [9] 408

Dunbaria fusca (Wall.) Kurz [6] 130

Dunbaria podocarpa Kurz [6] 132

Dunbaria rotundifolia (Lour.) Merr. [6] 134

Dunbaria villosa (Thunb.) Makino [6] 136

Duranta repens L. [10] 466

Dypsis lutescens (H. Wendl.) Beentje et J. Dransf. [11] 525

Dysophylla sampsonii Hance [10] 526

Dysophylla stellata (Lour.) Benth. [10] 528

Dysosma pleiantha (Hance) Woods. [3] 100

Dysosma versipellis (Hance) M. Cheng ex Ying [3] 102

E

Echinochloa colona (L.) Link. [12] 141

Echinochloa crus-galli (L.) P. Beauv. [12] 143

Echinopsis multiplex Pfeiff. et Otto [4] 332

Eclipta prostrata (L.) L. [9] 410

Edgeworthia chrysantha Lindl. [4] 142

Ehretia longiflora Champ. ex Benth. [10] 50

Ehretia macrophylla Wall. [10] 52

Ehretia thyrsiflora (Sieb. et Zucc.) Nakai [10] 54

Eichhornia crassipes (Mart.) Solms [11] 296

Elaeagnus bockii Diels [7] 260

Elaeagnus difficilis Servett. [7] 262

Elaeagnus glabra Thunb. [7] 264

Elaeagnus gonyanthes Benth. [7] 266

Elaeagnus henryi Warb. [7] 268

Elaeagnus lanceolata Warb. [7] 270

Elaeagnus loureirio Champ. [7] 272

Elaeagnus magna (Servett.) Rehder [7] 274

Elaeagnus oldhamii Maxim. [7] 276

Elaeagnus pungens Thunb. [7] 278

Elaeocarpus chinensis (Gardn. et Champ.) Hook. f. ex Benth. [5] 2

Elaeocarpus decipiens Hemsl. [5] 4

Elaeocarpus duclouxii Gagnep. [5] 6

Elaeocarpus sylvestris (Lour.) Poir. [5] 8

Elaphe carinata Guenther [12] 474

Elaphe taeniura Cope [12] 475

Elaphoglossum yoshinagae (Yatabe) Makino [2] 170

Elatostema involucratum Franch. et Sav. [7] 18

Elatostema lineolatum Wight var. *majus* Wedd. [7] 20

Elatostema macintyrei Dunn [7] 22

Eleocharis atropurpurea (Retz.) Kunth [12] 53

Eleocharis dulcis (N. L. Burman) Trinius ex Henschel [12] 55

Eleocharis yokoscensis (Franchet & Savatier) Tang & F. T. Wang [12] 57

Elephantopus scaber L. [9] 412

Elephantopus tomentosus L. [9] 414

Eleusine coracana (L.) Gaertn. [12] 145

Eleusine indica (L.) Gaertn. [12] 147

Eleutherine plicata Herb. [11] 436

Eleutherococcus nodiflorus (Dunn) S. Y. Hu [8] 64

Eleutherococcus setosus (H. L. Li) Y. R. Ling [8] 66

Eleutherococcus trifoliatus (L.) S. Y. Hu [8] 68

Elsholtzia argyi H. Lév. [10] 530

Elsholtzia ciliata (Thunb.) Hyland [10] 532

Elsholtzia splendens Nakai ex F. Maekawa [10] 534

Embelia laeta (L.) Mez. [8] 282

Embelia longifolia (Benth.) Hemsl. [8] 284

Embelia oblongifolia Hemsl. [8] 290

Embelia parviflora Wall. ex A. DC. [8] 286

Embelia ribes Burm. f. [8] 288

Embelia ribes Burm. f. var. *pachyphylla* Chun ex C. Y.

Wu et C. Chen [8] 292

Embelia rudis Hand.-Mazz. [8] 294

Embelia scandens (Lour.) Mez [8] 296

Embelia subcoriacea (C. B. Clarke) Mez [8] 298

Emilia prenanthoidea DC. [9] 416

Emilia sonchifolia (L.) DC. [9] 418

Endarachne binghamiae J. Ag. [1] 246

Endospermum chinense Benth. [5] 182

Engelhardia roxburghiana Wall. [7] 576

Enkianthus serrulatus (E. H. Wilson) C. K. Schneid. [8] 160

Entada phaseoloides (Linn.) Merr. [5] 566

Eomecon chionantha Hance [3] 274

Epaltes australis Less. [9] 420

Epigeneium fargesii (Finet) Gagnep. [11] 629

Epilobium hirsutum L. [4] 112

Epilobium pyrricholophum Franch. et Savat. [4] 114

Epimedium sagittatum (Sieb. et Zucc.) Maxim. [3] 104

Epiphyllum oxypetalum (DC.) Ham. [4] 334

Epipremnum aureum (Lenden et Andre) Bunting [11] 364

Epipremnum pinnatum (L.) Engl. [11] 366

Equisetum ramosissimum Desf. [1] 448

Equisetum ramosissimum Desf. subsp. *debile* (Roxb. ex
  Vaucher) Hauke [1] 450

Eragrostis atrovirens (Desf.) Trin. ex Steud. [12] 149

Eragrostis cilianensis (All.) Janch. [12] 151

Eragrostis ferruginea (Thunb.) Beauv. [12] 153

Eragrostis japonica (Thunb.) Trin. [12] 155

Eragrostis minor Host. [12] 157

Eragrostis pilosa (L.) Beauv. [12] 159

Eragrostis pilosa (L.) Beauv. var. *imberbis* Franch. [12] 161

Eragrostis tenella (L.) Beauv. ex Roem. et Schult [12] 163

Eranthemum pulchellum Andrews. [10] 350

Erechtites hieracifolia (L.) Raf. & DC. [9] 422

Eremochloa ophiuroides (Munro) Hack.   [12]   165

Eretmochelys imbricata Linn.   [12]   456

Eria corneri Rchb. f.   [11]   631

Erigeron annuus (L.) Pers.   [9]   424

Erinaceus europaeus Linnaeus   [12]   488

Eriobotrya cavaleriei (Lévl.) Rehd.   [5]   382

Eriobotrya deflexa (Hemsl.) Nakai   [5]   384

Eriobotrya fragrans Champ. ex Benth.   [5]   386

Eriobotrya japonica (Thunb.) Lindl.   [5]   388

Eriocaulon australe R. Br.   [11]   64

Eriocaulon buergerianum Körn.   [11]   66

Eriocaulon cinereum R. Br.   [11]   68

Eriocaulon nepalense J. D. Prescott ex Bong.   [11]   70

Eriocaulon sexangulare L.   [11]   72

Eriosema chinense Vog.   [6]   138

Ervatamia bufalina (Lour.) Pichon   [8]   458

Ervatamia divaricata (L.) Burkill   [8]   462

Ervatamia officinalis Tsiang   [8]   460

Erycibe obtusifolia Benth.   [10]   146

Erycibe schmidtii Craib   [10]   148

Eryngium foetidum Linn.   [8]   112

Erythrina corallodendron Linn.   [6]   140

Erythrina variegata Linn.   [6]   142

Erythropalum scandens Blume   [7]   172

Erythrophleum fordii Oliv.   [5]   636

Erythroxylum novogranatense (Morris) Hieron.   [5]   122

Erythroxylum sinense C. Y. Wu   [5]   124

Euaraliopsis ferruginea (H. L. Li) G. Hoo et C. J. Tseng   [8]   70

Eucalyptus citriodora Hook. f.   [4]   456

Eucalyptus exserta F. Muell.   [4]   458

Eucalyptus robusta Smith   [4]   460

Eucalyptus tereticornis Smith   [4]   462

Euchresta japonica Hook. f. ex Regel   [6]   144

Eucommia ulmoides Oliv.   [6]   382

Eugenia caryophyllata Thunb.   [4]   464

Eugenia uniflora L.   [4]   466

Eulaliopsis binata (Retz.) C. E. Hubb.   [12]   167

Eulophia graminea Lindl.   [11]   633

Eumeces chinensis (Gray)   [12]   463

Euodia austrosinensis Hand.-Mazz.   [7]   386

Euodia fargesii Dode   [7]   388

Euodia lepta (Spreng.) Merr.   [7]   390

Euodia meliiefolia (Hance ex Walp.) Benth.   [7]   392

Euodia ruticarpa (A. Juss.) Benth.   [7]   394

Euodia trichotoma (Lour.) Peirre   [7]   396

Euonymus acanthocarpus Franch.   [7]   128

Euonymus actinocarpus Loes.   [7]   130

Euonymus alatus (Thunb.) Siebold   [7]   132

Euonymus centidens H. Lévl.   [7]   134

Euonymus dielsianum Loes.   [7]   136

Euonymus euscaphis Hand.-Mazz.   [7]   138

Euonymus fortunei (Turcz.) Hand.-Mazz.   [7]   140

Euonymus hamiltonianus Wall.   [7]   142

Euonymus japonicus Thunb.   [7]   144

Euonymus laxiflorus Champ. ex Benth.   [7]   146

Euonymus maackii Rupr.   [7]   148

Euonymus myrianthus Hemsl. [7] 150

Euonymus nitidus Benth. [7] 152

Euonymus oblongifolius Loes. et Rehder [7] 154

Eupatorium chinense L. [9] 426

Eupatorium fortunei Turcz. [9] 428

Eupatorium japonicum Thunb. [9] 430

Eupatorium lindleyanum DC. [9] 432

Eupatorium odoratum L. [9] 434

Euphorbia antiquorum Linn. [5] 184

Euphorbia cyathophora Murr. [5] 186

Euphorbia esula Linn. [5] 188

Euphorbia helioscopia Linn. [5] 190

Euphorbia heterophylla Linn. [5] 192

Euphorbia hirta Linn. [5] 194

Euphorbia humifusa Willd. [5] 196

Euphorbia hylonoma Hand.-Mazz. [5] 198

Euphorbia hypericifolia Linn. [5] 200

Euphorbia kansui T. N. Liou ex S. B. Ho [5] 202

Euphorbia milii Desmoul. [5] 204

Euphorbia neriifolia Linn. [5] 206

Euphorbia pekinensis Rupr. [5] 208

Euphorbia prostrata Ait. [5] 210

Euphorbia pulcherrima Willd. ex Klotzch [5] 212

Euphorbia thymifolia Linn. [5] 214

Euphorbia tirucalli Linn. [5] 216

Eupolyphaga sinensis Walker [12] 386

Eurya alata Kobuski [4] 376

Eurya auriformis H. T. Chang [4] 378

Eurya chinensis R. Br. [4] 380

Eurya ciliata Merr. [4] 382

Eurya distichophylla Hemsl. [4] 384

Eurya groffii Merr. [4] 386

Eurya hebeclados Ling [4] 388

Eurya impressinervis Kobuski [4] 390

Eurya japonica Thunb. [4] 392

Eurya loquaiana Dunn [4] 394

Eurya nitida Korthals [4] 396

Eurya patentipila Chun [4] 398

Eurya rubiginosa H. T. Chang [4] 400

Eurya rubiginosa H. T. Chang var. *attenuata* H. T. Chang [4] 402

Euryale ferox Salib. ex König et Sims [3] 80

Euryale ferox Salisb. [1] 160

Euscaphis japonica (Thunb.) Kanitz [7] 540

Evolvulus alsinoides (Linn.) L. [10] 150

Exbucklandia populnea (R. Br.) R. W. Brown [6] 362

Exbucklandia tonkinensis (Lec.) Steenis [6] 364

Excoecaria agallocha Linn. [5] 218

Excoecaria cochinchinensis Lour. [5] 220

F

Fagopyrum dibotrys (D. Don) Hara [3] 512

Fagopyrum esculentum Moench [3] 514

Fagraea ceilanica Thunb. [8] 376

Fallopia multiflora (Thunb.) Harald. [3] 516

Farfugium japonicum (L. f.) Kitam. [9] 436

Fatoua villosa (Thunb.) Nakai [6] 504

Fibraurea recisa Pierre [3] 156

Ficus abelii Miq. [6] 506

Ficus altissima Bl. [6] 508

Ficus benjamina Linn. [6] 510

Ficus carica Linn. [6] 512

Ficus chartacea Wall. ex King [6] 514

Ficus concinna (Miq.) Miq. [6] 516

Ficus elastica Roxb. ex Hornem. [6] 518

Ficus erecta Thunb. var. *beecheyana* (Hook. et Arn.) King [6] 520

Ficus esquiroliana Lévl. [6] 522

Ficus fistulosa Reinw. ex Bl. [6] 524

Ficus formosana Maxim. [6] 526

Ficus formosana Maxim. var. *shimadae* (Hayata) W. C. Chen [6] 528

Ficus heteromorpha Hemsl. [6] 530

Ficus hirta Vahl [6] 534

Ficus hispida Linn. f. [6] 536

Ficus microcarpa Linn. f. [6] 538

Ficus pandurata Hance [6] 540

Ficus pandurata Hance var. *angustifolia* Cheng [6] 542

Ficus pandurata Hance var. *holophylla* Migo [6] 544

Ficus pumila Linn. [6] 546

Ficus pyriformis Hk. et Arn. [6] 548

Ficus religiosa Linn. [6] 552

Ficus sarmentosa Buch.-Ham. ex J. E. Sm. var. *henryi*

 (King ex D. Oliv.) Corner [6] 554

Ficus sarmentosa Buch.-Ham. ex J. E. Sm. var. *impressa*

 (Champ. ex Benth.) Corner [6] 556

Ficus simplicissima Lour. [6] 558

Ficus stenophylla Hemsl. [6] 560

Ficus subpisocarpa Gagnep. [6] 562

Ficus tinctoria G. Forst. f. subsp. *gibbosa* (Bl.) Corner [6] 564

Ficus variegata Bl. var. *chlorocarpa* (Benth.) King [6] 566

Ficus variolosa Lindl. ex Benth. [6] 568

Ficus virens Ait. var. *sublanceolata* (Miq.) Corner [6] 570

Fimbristylis dichotoma (L.) Vahl [12] 59

Fimbristylis fusca (Nees) Benth. [12] 61

Fimbristylis miliacea (L.) Vahl [12] 63

Fimbristylis rigidula Nees [12] 65

Firmiana simplex F. W. Wight [5] 18

Fissistigma glaucescens (Hance) Merr. [2] 440

Fissistigma oldhamii (Hemsl.) Merr. [2] 442

Fissistigma polyanthum (Hook. f. et Thoms.) Merr. [2] 444

Flacourtia indica (Burm. f.) Merr. [4] 196

Flacourtia rukam Zoll. et Mor. [4] 198

Flemingia macrophylla (Willd.) Prain [6] 146

Flemingia prostrata Roxb. f. ex Roxb. [6] 148

Flemingia strobilifera (Linn.) et Ait. f. [6] 150

Floscopa scandens Lour. [11] 40

Flueggea suffruticosa (Pall.) Baill. [5] 222

Foeniculum vulgare Mill. [8] 114

Fokienia hodginsii (Dunn) Henry et Thomas [2] 317

Fomitopsis massoniana B. K. Cui, M. L. Han & Shun Liu [1] 318

Fordia cauliflora Hemsl. [6] 152

Fordiophyton faberi Stapf [4] 512

Fordiophyton fordii (Oliv.) Krass. [4] 514

Forsythia suspensa (Thunb.) Vahl [8] 398

Fortunella hindsii (Champ. ex Benth.) Swingle [7] 398

Fortunella japonica (Thunb.) Swingle [7] 400

Fortunella margarita (Lour.) Swingle [7] 402

Fragaria × *ananassa* Duch. [5] 390

Fraxinus chinensis Roxb. [8] 400

Freesia refracta (Jacq.) Klatt [11] 438

G

Galactia tenuiflora (Klein ex Willd.) Wight et Arn. [6] 154

Galaxea aspera (Quelch) [12] 291

Galaxea fascicularis (Linnaeus) [12] 293

Galeobdolon chinense (Benth.) C. Y. Wu [10] 536

Galeola lindleyana (Hook. f. et Thoms.) Rchb. f. [11] 635

Galinsoga parviflora Cav. [9] 438

Galium aparine L. var. *echinospermum* (Wallr.) Cuf. [9] 34

Galium bungei Steud. [9] 36

Galium trifidum L. [9] 38

Gallus gallus domesticus Brisson [12]480/[12]482

Ganoderma australe (Fr.) Pat. [1] 302

Ganoderma lingzhi Sheng H. Wu, Y. Cao & Y. C. Dai [1] 304

Ganoderma multipileum Ding Hou [1] 306

Ganoderma sinense J. D. Zhao, L. W. Hsu & X. Q. Zhang [1] 308

Ganoderma tropicum (Jungh.) Bres. [1] 310

Garcinia hanburyi Hook. f. [4] 602

Garcinia mangostana L. [4] 604

Garcinia multiflora Champ. ex Benth. [4] 606

Garcinia oblongifolia Champ. ex Benth. [4] 608

Gardenia jasminoides J. Ellis [9] 40

Gardenia stenophylla Merr. [9] 42

Gardneria lanceolata Rehder et E. H. Wilson [8] 378

Gardneria multiflora Makino [8] 380

Gastrodia elata Bl. [11] 637

Gaultheria yunnanensis (Franch) Rehder [8] 162

Gekko chinensis Gray [12] 458

Gekko gekko (Linnaeus) [12] 460

Gekko subpalmatus Guenther [12] 462

Gelsemium elegans (Garder et Champ.) Benth. [8] 382

Gentiana davidii Franch. [9] 600

Gentiana loureiroi (G. Don) Grisebach [9] 602

Gentiana scabra Bunge [9] 604

Geophila repens (L.) I. M. Johnst. [9] 44

Geranium carolinianum L. [4] 48

Gerbera anandria (L.) Sch.-Bip. [9] 440

Gerbera piloselloides (L.) Cass. [9] 442

Ginkgo biloba Linn. [2] 284

Gironniera subaequalis Planch. [6] 462

Gladiolus gandavensis Van Houtte [11] 440

Glechoma longituba (Nakai) Kupr. [10] 538

Gleditsia australis Hemsl. [5] 638

Gleditsia fera (Lour.) Merr. [5] 640

Gleditsia sinensis Lam. [5] 642

Glehnia littoralis F. Schmidt ex Miq. [8] 116

Glinus oppositifolius (L.) A. DC. [3] 494

Globba racemosa Smith [11] 148

Glochidion assamicum (Muell. Arg.) Hook. f. [5] 224

Glochidion eriocarpum Champ. ex Benth. [5] 226

Glochidion hirsutum (Roxb.) Voigt. [5] 228

Glochidion lanceolarium (Roxb.) Voigt. [5] 230

Glochidion philippicum (Cav.) C. B. Rob. [5] 232

Glochidion puberum (Linn.) Hutch. [5] 234

Glochidion wrightii Benth. [5] 236

Glochidion zeylanicum (Gaertn.) A. Juss. [5] 238

Glossogyne tenuifolia Cass. [9] 444

Glycine max (Linn.) Merr. [6] 156

Glycine soja Sieb. et Zucc. [6] 158

Glycosmis parviflora (Sims) Little [7] 404

Glyptostrobus pensilis (Staunt. ex D. Don) Koch [2] 304

Gmelina arborea Roxb. [10] 468

Gmelina chinensis Benth. [10] 470

Gnaphalium adnatum (Wall. ex DC.) Kitam. [9] 446

Gnaphalium affine D. Don. [9] 448

Gnaphalium hypoleucum DC. [9] 450

Gnaphalium pensylvanicum Willd. [9] 452

Gnaphalium polycaulon Pers. [9] 454

Gnetum luofuense C. Y. Cheng [2] 352

Gnetum parvifolium (Warb.) C. Y. Cheng ex Chun [2] 354

Gomphocarpus fruticosus (L.) W. T. Aiton [8] 544

Gomphostemma chinense Oliv. [10] 540

Gomphrena celosioides Mart. [4] 34

Gomphrena globosa L. [4] 36

Gongronema napalense (Wall.) Decne [8] 546

Gonocarpus chinensis (Loureiro) Orchard [4] 128

Gonocarpus micranthus Thunb. [4] 130

Gonostegia hirta (Blume) Miq. [7] 24

Goodyera biflora (Lindl.) Hook. f. [11] 639

Goodyera procera (Ker-Gawl.) Hook. [11] 641

Goodyera schlechtendaliana Reichb. f. [11] 643

Gordonia axillaris (Roxb.) Dietrich [4] 404

Gossypium arboreum Linn. [5] 64

Gossypium barbadense Linn. [5] 66

Gossypium herbaceum Linn. [5] 68

Gossypium hirsutum Linn. [5] 70

Gouania javanica Miq. [7] 224

Grammitis lasiosora (Bl.) Ching [2] 212

Grangea maderaspatana (L.) Poir. [9] 456

Graphistemma pictum (Champ. ex Benth.) Benth.
　　et Hook. f. ex Maxim. [8] 548

Grateloupia filicina (Wulf.) C. Ag.　(Buch.-Ham.
　　ex D. Don) Hara [1] 254

Grateloupia livida (Harv.) Yamada [1] 256

Grevillea robusta A. Cunn. ex R. Br. [4] 162

Grewia biloba G. Don [4] 618

Grewia biloba G. Don var. *parviflora* (Bunge) Hand.-Mazz. [4] 620

Grewia eriocarpa Juss. [4] 622

Grewia oligandra Pierre [4] 624

Gymnema sylvestre (Retz.) Schult. [8] 550

Gymnema tingens Roxb. ex Spreng. [8] 552

Gymnocladus chinensis Baill. [5] 644

Gymnopetalum chinense (Lour.) Merr. [4] 254

Gymnopetalum integrifolium (Roxb.) Kurz [4] 256

Gymnopus androsaceus (L.) J. L. Mata & R. H. Petersen [1] 314

Gymnotheca chinensis Decne. [3] 252

Gynostemma pentaphyllum (Thunb.) Makino [4] 258

Gynura bicolor (Willd.) DC. [9] 458

Gynura divaricata (L.) DC. [9] 460

Gynura japonica (L. f.) Juel. [9] 462

Gynura procumbens (Lour.) Merr. [9] 464

H

Habenaria ciliolaris Kraenzl. [11] 645

Habenaria dentata (Sw.) Schltr. [11] 647

Habenaria linguella Lindl. [11] 649

Habenaria rhodocheila Hance [11] 651

Hackelochloa granularis (L.) Kuntze [12] 169

Hagenomyia micans (Maclachlan) [12] 392

Haliotis asinina (Linnaeus) [12] 300

Haliotis diversicolor (Reeve) [12] 302

Haliotis ovina (Gmelin) [12] 304

Harrisonia perforata (Blanco) Merr. [7] 458

Hedera nepalensis K. Koch var. *sinensis* (Tobler) Rehder [8] 72

Hedychium coronarium J. Koenig [11] 150

Hedyotis acutangula Champ. ex Benth. [9] 46

Hedyotis auricularia L. [9] 48

Hedyotis cantoniensis How ex Ko [9] 50

Hedyotis caudatifolia Merr. et Metcalf [9] 52

Hedyotis chrysotricha (Palib.) Merr. [9] 54

Hedyotis consanguinea Hance [9] 56

Hedyotis corymbosa (L.) Lam. [9] 58

Hedyotis diffusa Willd. [9] 60

Hedyotis effusa Hance [9] 62

Hedyotis hedyotidea (DC.) Merr. [9] 64

Hedyotis mellii Tutch. [9] 66

Hedyotis pinifolia Wall. ex G. Don [9] 68

Hedyotis platystipula Merr. [9] 70

Hedyotis tenelliflora Bl. [9] 72

Hedyotis tetrangularis (Korth.) Walp. [9] 74

Hedyotis uncinella Hook. et Arn. [9] 76

Hedyotis verticillata (L.) Lam. [9] 78

Hedyotis vestita R. Br. ex G. Don [9] 80

Helianthus annuus L. [9] 466

Helianthus tuberosus L. [9] 468

Helicia cochinchinensis Lour. [4] 164

Helicia reticulata W. T. Wang [4] 166

Heliciopsis terminalis (Kurz) Sleum. [4] 168

Helicteres angustifolia Linn. [5] 20

Helicteres hirsuta Lour. [5] 22

Helicteres lanceolata DC. [5] 24

Heliotropium indicum L. [10] 56

Helixanthera parasitica Lour. [7] 180

Helixanthera sampsonii (Hance) Danser [7] 182

Helminthostachys zeylanica (Linn.) Hook. [1] 452

Helwingia himalaica Hook. f. et Thomson ex C. B. Clarke [8] 14

Helwingia japonica (Thunb.) F. Dietr. [8] 16

Hemarthria compressa (L. f.) R. Br. [12] 171

Hemerocallis citrina Baroni [11] 230

Hemerocallis fulva L. [11] 232

Hemiboea cavaleriei H. Lév. [10] 300

Hemiboea follicularis Clarke [10] 302

Hippocampus kelloggi Jordan et Snyder [12] 430

Hippocampus kuda Bleeker [12] 432

Hippocampus trimaculatus Leach [12] 434

Hipposideros armiger swinhoei (Peter) [12] 493

Hiptage benghalensis (Linn.) Kurz [5] 120

Hirudo nipponica Whitman [12] 364

Hodgsonia heteroclita (Roxb.) Hook. f. et Thomson [4] 262

Holarrhena pubescens Wall. ex G. Don [8] 464

Holboellia angustifolia Wallich [3] 126

Homalium cochinchinense (Lour.) Druce [4] 216

Homalium hainanense Gagnep. [4] 218

Homalocladium platycladum (F. Muell ex Hook.) Bailey [3] 518

Homalomena occulta (Lour.) Schott [11] 368

Hordeum vulgare L. [12] 175

Hosta plantaginea Asch. [11] 234

Hosta ventricosa (Salisb.) Stearn [11] 236

Houpoea officinalis Rehd. & Wils. [2] 358

Houpoea officinalis Rehd. et Wils. var. *biloba* Rehd. et Wils. [2] 360

Houttuynia cordata Thunb. [3] 254

Hovenia acerba Lindl. [7] 226

Hovenia dulcis Thunb. [7] 230

Hovenia trichocarpa Chun et Tsiang [7] 232

Hoya carnosa (L. f.) R. Br. [8] 558

Hoya griffithii Hook. f. [8] 560

Hoya pottsii J. Traill [8] 562

Huechys sanguinea De gteer. [12] 376

Humata repens (Linn. f.) Diels [2] 184

Humata tyermanni Moore [2] 186

Humulus scandens (Lour.) Merr. [7] 66

Huperzia serrata (Thunb.) Trev. [1] 398

Hydnocarpus anthelminthica Pierre et Gagnep. [4] 200

Hydnocarpus hainanensis (Merr.) Sleum. [4] 202

Hydrangea chinensis Maxim. [5] 336

Hydrangea kwangsiensis Hu [5] 338

Hydrangea kwangsiensis Hu var. *hedyotidea* (Chun) C. M. Hu [5] 340

Hydrangea macrophylla (Thunb.) Ser. [5] 342

Hydrangea paniculata Sieb. [5] 344

Hydrangea stenophylla Merr. & Chun [5] 346

Hydrangea strigosa Rehd. [5] 348

Hydrilla verticillata (L. f.) Royle [11] 2

Hydrocharis dubia (Blume) Backer [11] 4

Hydrocotyle hookeri (C. B. Clarke) Craib subsp. *chinensis* (Dunn

ex R. H. Shan & S. L. Liou) M. F. Watson & M. L. Sheh [8] 118

Hydrocotyle nepalensis Hook. [8] 120

Hydrocotyle sibthorpioides Lam. [8] 122

Hydrocotyle sibthorpioides Lam. var. *batrachium* (Hance)

Hand.-Mazz. ex R. H. Shan [8] 124

Hydrocotyle wilfordii Maxim. [8] 126

Hydrophis cyanocinctus (Daudin) [12] 464

Hygrocybe miniata (Fr.) P. Kumm. [1] 342

Hygrophila salicifolia (Vahl) Nees [10] 352

Hylocereus undatus (Haw.) Britt. et Rose [4] 336

Hylodesmum laxum (DC.) H. Ohashi & R. R. Mill. [6] 160

Hylodesmum leptopus (A. Gray ex Benth.) H. Ohashi

& R. R. Mill. [6] 162

Hylodesmum podocarpum (DC.) H. Ohashi & R. R. Mill. [6] 164

Hylotelephium erythrostictum (Miq.) H. Ohba [3] 408

Hymenachne acutigluma (Steud.) Gill. [12] 177

Hymenocallis littoralis (Jacq.) Salisb. [11] 416

Hymenopellis raphanipes (Berk.) R. H. Petersen [1] 284

Hymenophyllum barbatum (v. d. Bosch) Bak. [1] 500

Hypericum ascyron L. [4] 582

Hypericum attenuatum Choisy [4] 584

Hypericum erectum Thunb. ex Murray [4] 586

Hypericum japonicum Thunb. ex Murray [4] 588

Hypericum monogynum L. [4] 590

Hypericum patulum Thunb. ex Murry [4] 592

Hypericum sampsonii Hance [4] 594

Hypericum seniawinii Maxim. [4] 596

Hypodematium crenatum (Forssk.) Kuhn [2] 44

Hypoestes purpurea (L.) R. Br. [10] 354

Hypolepis punctata (Thunb.) Mett. [1] 518

Hypoxis aurea Lour. [11] 543

Hypserpa nitida Miers. [3] 158

Hyptis rhomboidea Mart. et Gal. [10] 542

Hyptis suaveolens (L.) Poit. [10] 544

Hyriopsis cumingii Lea [12] 320

I

Ichnocarpus frutescens (L.) W. T. Aiton [8] 466

Idesia polycarpa Maxim. [4] 204

Ilex aculeolata Nakai [7] 68

Ilex asprella (Hook. et Arn.) Champ. ex Benth. [1]175/[7]70

Ilex buxoides S. Y. Hu [7] 72

Ilex chinensis Sims   [7]   74

Ilex cornuta Lindl. ex Paxton   [7]   76

Ilex ficoidea Hemsl.   [7]   78

Ilex hylonoma Hu & Tang var. *glabra* S. Y. Hu   [7]   80

Ilex kaushue S. Y. Hu.   [7]   82

Ilex kwangtungensis Merr.   [7]   84

Ilex latifolia Thunb.   [7]   86

Ilex macrocarpa Oliv.   [7]   88

Ilex micrococca Maxim.   [7]   90

Ilex oligodonta Merr. et Chun   [7]   92

Ilex pubescens Hook. et Arn.   [7]   94

Ilex rotunda Thunb.   [7]   96

Ilex szechwanensis Loes.   [7]   98

Ilex triflora Blume   [7]   100

Ilex viridis Champ. ex Benth.   [7]   102

Illicium dunnianum Tutcher   [2]   398

Illicium henryi Diels   [2]   400

Illicium jiadifengpi B. N. Chang   [2]   402

Illicium lanceolatum A. C. Smith   [2]   404

Illicium majus Hook. f. et Thoms.   [2]   406

Illicium micranthum Dunn   [2]   408

Illicium verum Hook. f.   [2]   410

Illigera celebica Miq.   [3]   2

Illigera parviflora Dunn   [3]   4

Illigera rhodantha Hance   [3]   6

Impatiens apalophylla Hook. f.   [4]   66

Impatiens balsamina L.   [4]   68

Impatiens blepharosepala Pritz. ex E. Pritz. ex Diels   [4]   70

Impatiens chinensis L. [4] 72

Impatiens clavigera Hook. f. [4] 74

Impatiens commelinoides Hand.-Mazz [4] 76

Impatiens davidii Franch. [4] 78

Impatiens noli-tangere L. [4] 80

Impatiens obesa Hook. f. [4] 82

Impatiens siculifer Hook. f. [4] 84

Imperata cylindrica (L.) Raeusch. [12] 179

Indigofera atropurpurea Buch.-Ham. ex Hornem. [6] 166

Indigofera bungeana Walp. [6] 168

Indigofera decora Lindl. [6] 170

Indigofera decora Lindl. var. *ichangensis* (Craib.) Y. Y.

    Fang et C. Z. Zheng [6] 172

Indigofera galegoides DC. [6] 174

Indigofera hendecaphylla Jacq. [6] 176

Indigofera hirsuta Linn. [6] 178

Indigofera squalida Prain. [6] 180

Indigofera suffruticosa Mill. [6] 182

Indigofera tinctoria Linn. [6] 184

Indigofera trifoliata Linn. [6] 186

Inula britanica L. [9] 472

Inula japonica Thunb. [9] 474

Iodes vitiginea (Hance) Hemsl. [7] 166

Ipomoea aquatica Forsk. [10] 152

Ipomoea batatas (L.) Lam. [10] 154

Ipomoea cairica (L.) Sweet [10] 156

Ipomoea digitata L. [10] 158

Ipomoea obscura (L.) Ker-Gawl. [10] 160

Ipomoea pes-caprae (L.) Sweet [10] 162

Ipomoea pes-tigridis L. [10] 164

Iresine herbstii Hook. f. ex Lindl. [4] 38

Iris japonica Thunb. [11] 442

Iris speculatrix Hance [11] 444

Iris tectorum Maxim. [11] 446

Isatis indigotica Fortune [3] 336

Ishige okamurae Yendo [1] 244

Isodon amethystoides (Bentham) H. Hara [10] 546

Isodon coesta (Buch.-Ham. ex D. Don) Kudo [10] 548

Isodon lophanthoides (Buch.-Ham. ex D. Don) H. Hara [10] 550

Isodon lophanthoides (Buch.-Ham. ex D. Don) H. Hara
    var. *gerardiana* (Benth.) H. Hara [10] 552

Isodon lophanthoides (Buch.-Ham. ex D. Don) H. Hara
    var. *graciliflora* (Benth.) H. Hara [10] 554

Isodon nervosus (Hemsl.) Kudo [10] 556

Isodon serra (Maxim.) Kudo [10] 558

Isodon ternifolius (D. Don) Kudo [10] 560

Isodon walkeri (Arnott) H. Hara [10] 562

Itea chinensis Hook. et Arn. [5] 324

Itea oblonga Hand.-Mazz. [5] 326

Ixeridium chinense (Thunb.) Tzvel. [9] 476

Ixeridium dentatum (Thunb.) Tzvel. [9] 478

Ixeridium gracile (DC.) Shih [9] 480

Ixeridium gramineum (Fisch.) Tzvel. [9] 482

Ixeridium sonchifolium (Maxim.) Shih [9] 484

Ixeris japonica (Burm. f.) Nakai [9] 486

Ixora chinensis Lam. [9] 82

Ixora coccinea L. f. *lutea* (Hutch.) Fosberg & Sachet [9] 84

J

Jasminanthes chunii (Tsiang) W. D. Stevens et P. T. Li [8] 564

Jasminanthes mucronata (Blanco) W. D. Stevens et P. T. Li [8] 566

Jasminum elongatum (P. J. Bergius) Willd. [8] 402

Jasminum grandiflorum L. [8] 404

Jasminum lanceolaria Roxb. [8] 406

Jasminum mesnyi Hance [8] 408

Jasminum nervosum Lour. [8] 410

Jasminum pentaneurum Hand.-Mazz. [8] 412

Jasminum sambac (L.) Aiton [8] 414

Jasminum sinense Hemsl. [8] 416

Jatropha curcas Linn. [5] 240

Jatropha gossypiifolia Linn. var. *elegans* Muell. Arg. [5] 242

Jatropha podagrica Hook. [5] 244

Juglans regia Linn. [7] 578

Juncus alatus Franch. et Sav. [12] 2

Juncus diastrophanthus Buchenau [12] 4

Juncus effusus L. [12] 6

Juncus setchuensis Buchen. ex Diels [12] 9

Juniperus chinensis Linn. [2] 319

Juniperus chinensis Linn. cv. Kaizuca [2] 321

Juniperus formosana Hayata [2] 323

Justicia adhatoda L. [10] 356

Justicia brandegeeana Wassh. et L. B. Smith [10] 358

Justicia championii T. Anderson [10] 360

Justicia gendarussa N. L. Burman [10] 362

L

Lablab purpureus (Linn.) Sweet   [6]   190

Lactarius camphoratus (Bull.) Fr.   [1]   346

Lactuca sativa L.   [9]   488

Lagenaria siceraria (Molina) Standl.   [4]   264

Lagerstroemia indica L.   [4]   90

Lagerstroemia speciosa (L.) Pers.   [4]   92

Lagerstroemia subcostata Koehne   [4]   94

Laggera alata (D. Don) Sch.-Bip. ex Oliv.   [9]   490

Laminaria japonica Aresch.   [1]   240

Lamium amplexicaule L.   [10]   566

Lannea coromandelica (Houtt.) Merr.   [7]   554

Lantana camara L.   [10]   472

Lapsanastrum apogonoides (Maxim.) Pak & K. Bremer   [9]   492

Larimichthys crocea (Richardson)   [12]   448

Lasia spinosa (L.) Thwait.   [11]   370

Lasianthus attenuatus Jack   [9]   88

Lasianthus chinensis (Champ.) Benth.   [9]   90

Lasianthus henryi Hutchins.   [9]   92

Lasianthus japonicus Miq.   [9]   94

Lasianthus longicaudus Hook. f.   [9]   96

Latouchea fokienensis Franch.   [9]   606

Laurocerasus phaeosticta (Hance) S. K. Schenid.   [5]   394

Laurocerasus spinulosa (Sieb. et Zucc.) Schneid.   [5]   396

Laurocerasus zippeliana (Miq.) Yü et Lu   [5]   398

Laurus nobilis Linn.   [2]   490

Lawsonia inermis L.   [4]   96

Leea indica (Burm. f.) Merr. [7] 314

Leersia hexandra Swartz. [12] 181

Lemmaphyllum microphyllum C. Presl [2] 214

Lemna minor L. [11] 392

Lentinula edodes (Berk.) Pegler [1] 316

Lenzites betulinus (L.) Fr. [1] 326

Leonurus japonicus Houtt. [10] 568

Lepidagathis incurva Buch.-Ham. ex D. Don [10] 370

Lepidium apetalum Willd. [3] 338

Lepidium virginicum L. [3] 340

Lepidogrammitis diversa (Rosenst.) Ching [2] 216

Lepidogrammitis drymoglossoides (Bak.) Ching [2] 218

Lepidogrammitis rostrata (Bedd.) Ching [2] 220

Lepisorus obscure-venulosus (Hayata) Ching [2] 222

Lepisorus oligolepidus (Baker) Ching [2] 224

Lepisorus thunbergianus (Kaulf.) Ching [2] 226

Lepista sordida (Schumach.) Singer [1] 298

Leptochloa chinensis (L.) Nees [12] 183

Lepus sinensis Gray [12] 495

Lespedeza bicolor Turcz. [6] 192

Lespedeza chinensis G. Don [6] 194

Lespedeza cuneata (Dum.-Cours.) G. Don [6] 196

Lespedeza davidii Franch. [6] 198

Lespedeza floribunda Bunge [6] 200

Lespedeza formosa (Vog.) Koehne [6] 202

Lespedeza pilosa (Thunb.) Sieb. et Zucc. [6] 204

Lespedeza tomentosa (Thunb.) Sieb. ex Maxim. [6] 206

Lespedeza virgata (Thunb.) DC. [6] 208

Leucaena leucocephala (Lam.) de Wit.　　　　　　　[5]　568

Leucas aspera (Willd.) Link　　　　　　　　　　　　[10]　570

Leucas mollissima Benth. var. *chinensis* Benth.　　　[10]　572

Leucas zeylanica (L.) R. Br.　　　　　　　　　　　　[10]　574

Ligularia intermedia Nakai　　　　　　　　　　　　[9]　494

Ligularia japonica (Thunb.) Less.　　　　　　　　　[9]　496

Ligustrum japonicum Thunb.　　　　　　　　　　　　[8]　418

Ligustrum lucidum W. T. Aiton　　　　　　　　　　　[8]　420

Ligustrum sinense Lour.　　　　　　　　　　　　　　[8]　422

Ligustrum sinense Lour. var. *myrianthum* (Diels) Hofker　[8]　424

Lilium brownii F. E. Brown ex Miellez　　　　　　　[11]　238

Lilium brownii Poit. var. *viridulum* Baker　　　　　[11]　240

Lilium callosum Siebold et Zucc.　　　　　　　　　　[11]　242

Lilium lancifolium Thunb.　　　　　　　　　　　　　[11]　244

Lilium longiflorum Thunb.　　　　　　　　　　　　　[11]　246

Limnophila aromatica (Lam.) Merr.　　　　　　　　　[10]　200

Limnophila chinensis (Osb.) Merr.　　　　　　　　　[10]　202

Limnophila connata (Buch.-Ham. ex D. Don) Hand.-Mazz.　[10]　204

Limnophila rugosa (Roth) Merr.　　　　　　　　　　　[10]　206

Limnophila sessiliflora (Vahl) Blume　　　　　　　　[10]　208

Limonium sinense (Girard) Kuntze　　　　　　　　　[10]　2

Lindenbergia philippensis (Cham.) Benth.　　　　　[10]　210

Lindera aggregata (Sims) Kosterm.　　　　　　　　　[2]　492

Lindera angustifolia Cheng　　　　　　　　　　　　　[2]　494

Lindera chunii Merr.　　　　　　　　　　　　　　　　[2]　496

Lindera communis Hemsl.　　　　　　　　　　　　　　[2]　498

Lindera erythrocarpa Makino　　　　　　　　　　　　[2]　500

Lindera glauca (Sieb. et Zucc.) Bl.　　　　　　　　　[2]　502

Lindera megaphylla Hemsl. [2] 504

Lindera metcalfiana Allen [2] 506

Lindera pulcherrima var. *attenuata* Allen [2] 508

Lindera pulcherrima var. *hemsleyana* (Diels) H. P. Tsui [2] 510

Lindera reflexa Hemsl. [2] 512

Lindernia anagallis (Burm. f.) Pennell [10] 212

Lindernia angustifolia (Benth.) Wettst. [10] 214

Lindernia antipoda (L.) Alston [10] 216

Lindernia ciliata (Colsm.) Pennell [10] 218

Lindernia crustacea (L.) F. Muell [10] 220

Lindernia mollis (Bentham) Wettstein [10] 222

Lindernia oblonga (Benth.) Merr. et Chun [10] 224

Lindernia procumbens (Krock.) Borbas [10] 226

Lindernia ruellioides (Colsm.) Pennell [10] 228

Lindsaea cultrata (Willd.) Sw. [1] 526

Lindsaea heterophylla Dry. [1] 528

Lindsaea orbiculata (Lam.) Mett. [1] 530

Linum usitatissimum L. [4] 44

Liparis bootanensis Griff. [11] 655

Liparis distans C. B. Clarke [11] 657

Liparis nervosa (Thunb. ex Murray) Lindl. [11] 659

Liparis odorata (Willd.) Lindl. [11] 661

Lipocarpha microcephala (R. Brown) Kunth [12] 73

Liquidambar acalycina H. T. Chang [6] 366

Liquidambar formosana Hance [6] 368

Liquidambar orientalis Mill. [6] 370

Liriodendron chinense (Hemsl.) Sarg. [2] 362

Liriodendron tulipifera Linn. [2] 364

Liriope graminifolia (L.) Baker [11] 248

Liriope muscari (Decne.) L. H. Bailey [11] 250

Liriope spicata (Thunb.) Lour. [11] 252

Litchi chinensis Sonn. [7] 504

Lithocarpus glaber (Thunb.) Nakai [6] 442

Lithocarpus litseifolius (Hance) Chun [6] 444

Litsea coreana var. *sinensis* (Allen) Yang et P. H. Huang [2] 514

Litsea cubeba (Lour.) Pers. [2] 516

Litsea elongata (Wall. ex Nees) Benth. et Hook. f. [2] 518

Litsea glutinosa (Lour.) C. B. Rob. [2] 522

Litsea mollis Hemsl. [2] 520

Litsea monopetala (Roxb.) Pers. [2] 524

Litsea pungens Hemsl. [2] 526

Litsea rotundifolia var. *oblongifolia* (Nees) Allen [2] 528

Litsea verticillata Hance [2] 530

Livistona chinensis (Jacq.) R. Br. ex Mart. [11] 527

Lobelia chinensis Lour. [10] 26

Lobelia davidii Franch. [10] 28

Lobelia melliana E. Wimm. [10] 30

Lobelia zeylanica L. [10] 32

Lonicera acuminata Wall. [9] 192

Lonicera confusa (Sweet) DC. [9] 194

Lonicera dasystyla Rehd. [9] 196

Lonicera ferruginea Rehd. [9] 198

Lonicera hypoglauca Miq. [9] 200

Lonicera japonica Thunb. [9] 202

Lonicera longiflora (Lindl.) DC. [9] 204

Lonicera macrantha (D. Don) Spreng. [9] 206

Lonicera macranthoides Hand.-Mazz.	[9]	208
Lonicera pampaninii Lévl.	[9]	210
Lonicera rhytidophylla Hand.-Mazz.	[9]	212
Lophatherum gracile Brongn	[12]	185
Loropetalum chinense (R. Br.) Oliv.	[6]	372
Loxogramme chinensis Ching	[2]	228
Loxogramme salicifolia (Makino) Makino	[2]	230
Ludisia discolor (Ker-Gawl.) A. Rich.	[11]	663
Ludwigia adscendens (L.) Hara	[4]	116
Ludwigia hyssopifolia (G. Don) Exell	[4]	118
Ludwigia octovalvis (Jacq.) Raven	[4]	120
Ludwigia prostrata Roxb.	[4]	122
Luffa acutangula (L.) Roxb.	[4]	266
Luffa aegyptiaca Mill.	[4]	268
Lumnitzera racemosa Willd.	[4]	560
Lychnis coronata Thunb.	[3]	474
Lychnis senno Sieb. et Zucc.	[3]	476
Lycianthes biflora (Lour.) Bitter	[10]	70
Lycianthes lysimachioides (Wall.) Bitter	[10]	72
Lycium chinense Miller	[10]	74
Lycopersicon esculentum Miller	[10]	76
Lycopodiastrum casuarinoides (Spring) Holub	[1]	412
Lycopodium japonicum Thunb. ex Murray	[1]	414
Lycopus lucidus Turcz. var. *hirtus* Regel	[10]	576
Lycoris aurea (L'Hèr.) Herb.	[11]	418
Lycoris radiata (L'Hèr.) Herb.	[11]	420
Lygodium conforme C. Chr.	[1]	492
Lygodium flexuosum (Linn.) Sw.	[1]	494

Lygodium japonicum (Thunb.) Sw. [1] 496

Lygodium scandens (Linn.) Sw. [1] 498

Lyonia ovalifolia (Wall.) Drude [8] 164

Lysidice rhodostegia Hance [5] 646

Lysimachia alfredii Hance [9] 620

Lysimachia candida Lindl. [9] 622

Lysimachia capillipes Hemsl. [9] 624

Lysimachia christinae Hance [9] 626

Lysimachia clethroides Duby [9] 628

Lysimachia congestiflora Hemsl. [9] 630

Lysimachia decurrens Forst. f. [9] 632

Lysimachia foenum-graecum Hance [9] 634

Lysimachia fordiana Oliv. [9] 636

Lysimachia fortunei Maxim. [9] 638

Lysimachia heterogenea Klatt [9] 640

Lysimachia paridiformis Franch. var. *stenophylla* Franch. [9] 642

Lysimachia patungensis Hand.-Mazz. [9] 644

Lysionotus pauciflorus Maxim. [10] 306

Lythrum salicaria L. var. *tomentosum* DC. [4] 98

M

Macaca mulatta Zimmermann [12] 515

Macaca speciosa F. Cuvier [12] 517

Macaranga denticulata (Bl.) Muell. Arg. [5] 246

Macaranga tanarius (Linn.) Muell. Arg. [5] 248

Machilus grijsii Hance [2] 532

Machilus leptophylla Hand.-Mazz. [2] 534

Machilus pauhoi Kanehirn [2] 536

Mallotus repandus (Willd.) Muell. Arg. [5] 262

Mallotus tenuifolius Pax [5] 256

Malus doumeri (Bois) Chev. [5] 400

Malus sieboldii (Regel) Rehd. [5] 402

Malva sinensis Cav. [5] 90

Malva verticillata Linn. [5] 92

Malvastrum coromandelianum (Linn.) Garcke [5] 94

Malvaviscus arboreus Cav. var. *penduliflorus* (DC.) Schery [5] 96

Mangifera indica L. [7] 556

Manglietia fordiana Oliv. [2] 376

Manglietia moto Dandy [2] 378

Manglietia yuyuanensis Law [2] 380

Manihot esculenta Crantz [5] 264

Manilkara zapota (L.) P. Royen [8] 230

Manis pentadactyla Linnaeus [12] 490

Mansoa alliacea (Lam.) A. H. Gentry [10] 316

Manta birostris (Walbaum) [12] 422

Mantis relogiosa Linn. [12] 411

Mappianthus iodoides Hand.-Mazz. [7] 168

Maranta arundinacea Linn. [11] 178

Maranta bicolor Ker Gawl. [11] 180

Marchantia polymorpha L. [1] 386

Marsdenia koi Tsiang [8] 568

Marsdenia sinensis Hemsl. [8] 570

Marsdenia tinctoria R. Br. [8] 572

Marsilea quadrifolia Linn. [2] 270

Matteuccia orientalis (Hook.) Trev. [2] 106

Matthiola incana (L.) R. Br. [3] 342

Mauritia annulus (Linnaeus)   [12]   306

Mauritia arabica (Linnaeus)   [12]   308

Mauritia moneta (Linnaeus)   [12]   310

Maytenus diversifolia (Maxim.) Ding Hou   [7]   156

Maytenus hookeri Loes.   [7]   158

Mazus japonicus (Thunb.) O. Kuntze   [10]   230

Mazus stachydifolius (Turcz.) Maxim.   [10]   232

Mecodium badium (Hook. et Grev.) Cop.   [1]   502

Medicago lupulina Linn.   [6]   210

Medicago polymorpha Linn.   [6]   214

Medicago sativa Linn.   [6]   216

Medinilla septentrionalis (W. W. Smith) H. L. Li   [4]   516

Melaleuca leucadendron L.   [4]   468

Melaleuca parviflora Lindl.   [4]   470

Melasma arvense (Benth.) Hand.-Mazz.   [10]   234

Melastoma affine D. Don   [4]   518

Melastoma candidum D. Don   [4]   520

Melastoma dodecandrum Lour.   [4]   522

Melastoma intermedium Dunn   [4]   524

Melastoma normale D. Don   [4]   526

Melastoma sanguineum Sims   [4]   528

Melia azedarach L.   [7]   478

Melia toosendan Siebold et Zucc.   [7]   480

Melicope pteleifolia (Champion ex Bentham) T. G. Hartley   [1]   62

Melilotus officinalis (Linn.) Pall.   [6]   218

Meliosma flexuosa Pamp.   [7]   522

Meliosma fordii Hemsl.   [7]   524

Meliosma rigida Siebold et Zucc.   [7]   526

Meliosma thorelii Lecomte [7] 528

Melissa axillaris (Benth.) Bakh. f [10] 578

Melitodes squamara Nutting [12] 289

Melliodendron xylocarpum Hand.-Mazz. [8] 318

Melochia corchorifolia Linn. [5] 28

Melodinus fusiformis Champ. ex Benth. [8] 468

Melodinus suaveolens (Hance) Champ. ex Benth. [8] 470

Memecylon ligustrifolium Champ. [4] 530

Memecylon scutellatum (Lour.) Hook. et Arn. [4] 532

Mentha canadensis L. [10] 580

Mentha spicata L. [10] 582

Meretrix meretrix Linn. [12] 334

Merremia hederacea (Burm. f.) Hall. f. [10] 166

Merremia tridentata (L.) Hall. f. subsp. *hastata*
(Desr.) v. Ooststr. [10] 168

Merremia umbellata (L.) Hall. f. subsp. *orientalis*
(H. Hallier) van Ooststroom [10] 170

Merremia vitifolia (Burm. f.) Hall. F. [10] 172

Mesona chinensis Benth. [10] 584

Metaplexis hemsleyana Oliv. [8] 574

Metasequoia glyptostroboides Hu et W. C. Cheng [2] 306

Michelia alba DC. [2] 382

Michelia champaca Linn. [2] 384

Michelia crassipes Y. W. Law [2] 386

Michelia figo (Lour.) Spreng. [2] 388

Michelia macclurei Dandy [2] 390

Michelia maudiae Dunn [2] 392

Michelia skinneriana Dunn [2] 394

Microcos paniculata L.   [4]   626

Microdesmis caseariifolia Planch. ex Hook.   [5]   266

Microglossa pyrifolia (Lam.) Kuntze   [9]   498

Microlepia hancei Prantl   [1]   520

Microlepia marginata (Houtt.) C. Chr.   [1]   522

Microlepia strigosa (Thunb.) Presl   [1]   524

Micromelum falcatum (Lour.) Tanaka   [7]   406

Micromelum integerrimum (Roxb. ex Dc.) Wight et Arn.

     ex M. Roem.   [7]   408

Microsorum buergerianum (Miq.) Ching   [2]   232

Microsorum fortunei (T. Moore) Ching   [2]   234

Microsorum insigne (Bl.) Copel.   [2]   236

Microsorum pteropus (Bl.) Copel.   [2]   238

Microsorum punctatum (Linn.) Copel.   [2]   240

Microtoena insuavis (Hance) Prain ex Dunn   [10]   586

Millettia championii Benth.   [6]   220

Millettia dielsiana Harms   [6]   222

Millettia dielsiana Harms var. *heterocarpa* (Chun ex T. Chen)

     Z. Wei   [6]   224

Millettia nitida Benth.   [6]   226

Millettia pachycarpa Benth.   [6]   228

Millettia pachyloba Drake   [6]   230

Millettia pulchra (Benth.) Kurz   [6]   232

Millettia reticulata Benth.   [6]   234

Millettia speciosa Champ. ex Benth.   [1]107/[6]236

Millettia tsui Metc.   [6]   238

Mimosa pudica Linn.   [5]   570

Mirabilis jalapa L.   [4]   158

Miscanthus floridulus (Lab.) Warb. ex Schum et Laut.　　[12]　187

Miscanthus sinensis Anderss.　　[12]　189

Mitrasacme pygmaea R. Br.　　[8]　384

Mitreola pedicellata Benth.　　[8]　386

Mobula diabolus (Shaw)　　[12]　424

Mobula japonica (Moller et Henle)　　[12]　425

Mollugo stricta L.　　[3]　496

Momordica charantia L.　　[4]　270

Momordica cochinchinensis (Lour.) Spreng.　　[4]　272

Momordica subangulata Bl.　　[4]　274

Monochoria hastata (L.) Solms　　[11]　298

Monochoria vaginalis (Burm. f.) Presl ex Kunth　　[11]　300

Monotropa uniflora L.　　[8]　206

Morinda citrifolia L.　　[9]　98

Morinda cochinchinensis DC.　　[9]　100

Morinda officinalis How　　[1]124/[9]102

Moringa oleifera Lam.　　[3]　306

Morus alba Linn.　　[6]　574

Morus australis Poir.　　[6]　576

Moschus berezovskii Flerov　　[12]　507

Mosla cavaleriei H. Lév.　　[10]　588

Mosla chinensis Maxim.　　[10]　590

Mosla dianthera (Buch.-Ham.) Maxim.　　[10]　592

Mosla scabra (Thunb.) C. Y. Wu et H. W. Li　　[10]　594

Mucuna birdwoodiana Tutch.　　[6]　240

Mucuna championii Benth.　　[6]　244

Mucuna pruriens (Linn.) DC. var. *utilis* (Wall. ex Wight)

　　Baker ex Burck　　[6]　246

Mucuna sempervirens Hemsl. [6] 248

Mukia maderaspatana (L.) M. J. Roem. [4] 276

Murdannia bracteata (C. B. Clarke) J. K. Morton ex D. Y. Hong [11] 42

Murdannia edulis (Stokes) Faden [11] 44

Murdannia loriformis (Hassk.) R. S. Rao et Kammathy [11] 46

Murdannia nudiflora (L.) Brenan [11] 48

Murdannia simplex (Vahl) Brenan [11] 50

Murdannia triquetra (Wall. ex C. B. Clarke) G. Brückn [11] 52

Murraya exotica L. [7] 410

Murraya paniculata (L.) Jack. [7] 412

Musa balbisiana Colla [11] 78

Musa basjoo Siebold ex Miq. [11] 80

Musa nana Lour. [11] 84

Musa sapientum L. [11] 86

Musella lasiocarpa (Franch.) C. Y. Wu ex H. W. Li. [11] 88

Mussaenda erosa Champ. [9] 106

Mussaenda esquirolli Lévl. [9] 108

Mussaenda hirsutula Miq. [9] 110

Mussaenda kwangtungensis Li [9] 112

Mussaenda pubescens Ait. f. [9] 114

Mycetia sinensis (Hemsl.) Craib [9] 116

Mylabris cichorii Linn. [12] 402

Mylabris phalerata Pall [12] 404

Myosoton aquaticum (L.) Moench [3] 478

Myriactis nepalensis Less. [9] 500

Myrica adenophora Hance [6] 396

Myrica esculenta Buch.-Ham. ex D. Don [6] 398

Myrica rubra Sieb. et Zucc. [6] 400

Myriophyllum spicatum L. [4] 132

Myristica fragrans Houtt. [3] 8

Myrmeleon formicarius Linn. [12] 390

Myrsine africana L. [8] 308

Myrsine neriifolia (Siebold et Zucc.) Mez [8] 314

Myrsine semiserrata Wall. [8] 310

Myrsine stolonifera (Koidz.) E. Walker [8] 312

Mytilaria laosensis Lec. [6] 374

N

Nageia nagi (Thunb.) Kuntze. [2] 330

Nandina domestica Thunb. [3] 120

Nanocnide lobata Wedd. [7] 26

Naravelia pilulifera Hance [3] 54

Narcissus tazetta var. *chinensis* Roem. [11] 422

Nasturtium officinale R. Br. [3] 344

Nauclea officinalis (Pierrc ex Pitard) Merr. et Chun [9] 118

Neanotis hirsuta (L. f.) W. H. Lewis [9] 120

Nelumbo nucifera Gaertn. [3] 82

Neolamarckia cadamba (Roxb.) Bosser [9] 122

Neolepisorus ovatus (Bedd.) Ching [2] 242

Neolitsea aurata (Hay.) Koidz. [2] 544

Neolitsea cambodiana Lec. [2] 546

Neolitsea chuii Merr. [2] 548

Neolitsea confertifolia (Hemsl.) Merr. [2] 550

Neolitsea levinei Merr. [2] 552

Neottopteris nidus (Linn.) J. Sm. [2] 104

Nepenthes mirabilis (Lour.) Druce [3] 222

Nepeta fordii Hemsl. [10] 596

Nephelium chryseum Blume [7] 506

Nephrolepis auriculata (Linn.) Trimen [2] 178

Nephrolepis hirsutula (Forst.) Presl [2] 180

Nerium oleander L. [8] 472

Nertera sinensis Hemsl. [9] 124

Nervilia fordii (Hance) Schltr. [11] 665

Nervilia plicata (Andr.) Schltr. [11] 667

Neyraudia reynaudiana (Kunth) Keng. [12] 191

Nicandra physalodes (L.) Gaertner [10] 78

Nicotiana tabacum L. [10] 80

Nosema cochinchinensis (Lour.) Merr. [10] 598

Nothapodytes pittosporoides (Oliv.) Sleumer [7] 170

Nothosmyrnium japonicum Miq. [8] 128

Nuphar pumilum (Hoffm.) DC. [3] 88

Nymphoides indica (L.) O. Kuntze [9] 612

Nymphoides peltata (Gmel.) O. Kuntze [9] 614

O

Ochna integerrima (Lour.) Merr. [4] 444

Ocimum basilicum L. [10] 600

Ocimum basilicum L. var. *pilosum* (Willd.) Benth. [10] 602

Ocimum gratissimum L. var. *suave* (Willd.) Hook. f. [10] 604

Oenanthe benghalensis (Roxb.) Benth. & Hook. f. [8] 130

Oenanthe javanica (Blume) DC. [8] 132

Oenanthe javanica (Blume) DC. subsp. *rosthornii* (Diels) F. T. Pu [8] 134

Oenanthe linearis Wall. ex DC. [8] 136

Oenothera biennis L. [4] 124

Olea dioica Roxb.　　　　　　　　　　　　[8]　426

Olea europaea L.　　　　　　　　　　　　　[8]　428

Omphalia lapidescens (Horan.) J. Schröt.　　　[1]　344

Onychium japonicum (Thunb.) Kze.　　　　　[1]　574

Onychium japonicum (Thunb.) Kze. var. *lucidum* (Don) Christ　[1]　576

Operculina turpethum (L.) S. Manso　　　　　[10]　174

Ophiocordyceps jiangxiensis (Z. Q. Liang, A. Y. Liu & Yong C.
　Jiang) G. H. Sung, J. M. Sung, Hywel-Jones & Spatafora　[1]　268

Ophiocordyceps nutans (Pat.) G. H. Sung, J. M. Sung,
　Hywel-Jones & Spatafora　　　　　　　　　[1]　270

Ophiocordyceps sobolifera (Hill ex Watson) G. H. Sung,
　J. M. Sung, Hywel-Jones & Spatafora　　　　[1]　272

Ophiocordyceps sphecocephala (Klotzsch ex Berk.)
　G. H. Sung, J. M. Sung, Hywel-Jones & Spatafora　[1]　274

Ophioglossum pedunculosum Desv.　　　　　[1]　458

Ophioglossum reticulatum Linn.　　　　　　　[1]　460

Ophioglossum vulgatum Linn.　　　　　　　　[1]　462

Ophiopogon chingii F. T. Wang et Tang　　　　[11]　254

Ophiopogon intermedius D. Don　　　　　　　[11]　256

Ophiopogon japonicus (L. f.) Ker Gawl.　　　　[11]　258

Ophiopogon platyphyllus Merr. et Chun　　　　[11]　260

Ophiorrhiza cantoniensis Hance　　　　　　　[9]　126

Ophiorrhiza chinensis Lo　　　　　　　　　　[9]　128

Ophiorrhiza japonica Bl.　　　　　　　　　　[9]　130

Ophiorrhiza pumila Champ. ex Benth.　　　　　[9]　132

Opisthoplatia orientalis Burmeister　　　　　[12]　384

Opuntia dillenii (Ker Gawl.) Haw.　　　　　　[4]　338

Oreocharis auricula (S. Moore) Clarke　　　　[10]　308

Oreocnide frutescens (Thunb.) Miq. [7] 28

Oreocnide obovata (C. H. Wright) Merr. [7] 30

Origanum vulgare L. [10] 606

Ormosia fordiana Oliv. [6] 250

Ormosia henryi Prain [6] 252

Orostachys fimbriatus (Turcz.) Berger [3] 416

Oroxylum indicum (L.) Kurz [10] 318

Oryza sativa L. [12] 193

Oryza sativa L. var. *glutinosa* Blanco [12] 195

Osbeckia chinensis L. [4] 534

Osbeckia crinita Benth. ex C. B. Clarke [4] 536

Osbeckia opipara C. Y. Wu et C. Chen [4] 538

Osmanthus cooperi Hemsl. [8] 430

Osmanthus fragrans (Thunb.) Lour. [8] 432

Osmanthus matsumuranus Hayata [8] 434

Osmunda cinnamomea Linn. [1] 466

Osmunda japonica Thunb. [1] 468

Osmunda vachellii Hook. [1] 470

Ostericum citriodorum (Hance) C. Q. Yuan et R. H. Shan [8] 138

Ostrea plicatula (Gmelin) [12] 340

Ostrea rivularis (Gould) [12] 342

Ostrea gigas (Thunberg) [12] 338

Ottelia alismoides (L.) Pers. [11] 6

Oxalis acetosella L. subsp. *griffithii* (Edg. et Hook. f.) Hara [4] 58

Oxalis corniculata L. [4] 60

Oxalis corymbosa DC. [4] 62

Oxyceros sinensis Lour. [9] 134

Oxystelma esculentum (L. f.) Sm. [8] 576

P

Pachygone sinica Diels	[3]	160
Pachyrhizus erosus (Linn.) Urb.	[6]	254
Pachysandra axillaris Franch. var. *stylosa* (Dunn) M. Cheng	[6]	392
Paederia foetida L.	[9]	136
Paederia pertomentosa Merr. ex Li	[9]	138
Paederia scandens (Lour.) Merr.	[9]	140
Paederia scandens (Lour.) Merr. var. *tomentosa* (Bl.) Hand.-Mazz.	[9]	142
Paeonia lactiflora Pall.	[3]	56
Paeonia suffruticosa Andr.	[3]	58
Palhinhaea cernua (Linn.) Vasc. & Franco	[1]	416
Paliurus hemsleyanus Rehd.	[7]	234
Paliurus ramosissimus (Lour.) Poir.	[7]	236
Panax notoginseng (Burkill) F. H. Chen ex C. H. Chow	[8]	82
Pandanus fibrosus Gagnep.	[11]	533
Pandanus tectorius Parkinson	[11]	535
Pandanus urophyllus Hance	[11]	537
Panicum miliaceum L.	[12]	197
Panicum repens L.	[12]	199
Papaver rhoeas L.	[3]	278
Papaver somniferum L.	[3]	280
Parabarium hainanense Tsiang	[8]	474
Parabarium huaitingii Chun et Tsiang	[8]	478
Parabarium micranthum (Wall. ex G. Don) Pierre	[8]	476
Paraixeris denticulata (Houtt.) Nakai	[9]	502

Paraphlomis albida Hand.-Mazz. [10] 608

Paraphlomis albida Hand.-Mazz. var. *brevidens* Hand.-Mazz. [10] 610

Paraphlomis javanica (Bl.) Prain var. *coronate* (Vaniot)
    C. Y. Wu et H. W. Li [10] 612

Paraprenanthes sororia (Miq.) C. Shih [9] 504

Parathelypteris glanduligera (Kunze.) Ching [2] 62

Parathelypteris nipponica (Franch. et Sav.) Ching [2] 64

Paris polyphylla Smith [11] 292

Paris polyphylla Smith var. *chinensis* (Franch.) Hara [11] 294

Parnassia wightiana Wall. ex Wight et Arn. [3] 444

Parthenium hysterophorus L. [9] 506

Parthenocissus dalzielii Gagnep. [7] 316

Parthenocissus laetevirens Rehder [7] 318

Parthenocissus semicordata (Wall.) Planch. [7] 320

Paspalum distichum L. [12] 201

Paspalum orbiculare Forst. [12] 203

Paspalum thunbergii Kunth ex Steud [12] 205

Passiflora caerulea L. [4] 224

Passiflora cupiformis Mast. [4] 226

Passiflora edulis Sims [4] 228

Passiflora foetida L. [4] 230

Passiflora kwangtungensis Merr. [4] 232

Passiflora moluccana Reinw. ex Bl. var. *teysmanniana*
    (Miq.) Wilde [4] 234

Passiflora quadrangularis L. [4] 236

Patrinia scabiosaefolia Fisch. ex Trev. [9] 244

Patrinia villosa (Thunb.) Juss. [9] 246

Paulownia fortunei (Seem.) Hemsl. [10] 236

Paulownia kawakamii Ito [10] 238

Pavetta arenosa Lour. [9] 144

Pavetta hongkongensis Bremek. [9] 146

Pecteilis susannae (Linn.) Rafin. [11] 669

Pedicularis henryi Maxim. [10] 288

Pedilanthus tithymaloides (Linn.) Poir. [5] 268

Pegasus laternarius Cuvier [12] 442

Pegasus volitans Cuvier [12] 444

Pegia sarmentosa (Lecomte) Hand.-Mazz. [7] 558

Pelamis platurus Linn. [12] 466

Pelargonium graveolens L'Hér. [4] 50

Pelargonium hortorum L. H. Bailey [4] 52

Peliosanthes macrostegia Hance [11] 262

Pellionia radicans (Siebold. et Zucc.) Wedd. [7] 32

Pellionia repens (Lour.) Merr. [7] 34

Pellionia scabra Benth. [7] 36

Pelodiscus sinensis Wiegmann [12] 452

Pennisetum alopecuroides (L.) Spreng [12] 207

Pentapetes phoenicea Linn. [5] 30

Pentasacme caudatum Wall. ex Wight [8] 578

Penthorum chinense Pursh [3] 446

Peperomia blanda (Jacq.) Kunth [3] 224

Peperomia pellucida (L.) Kunth [3] 226

Peperomia tetraphylla (Forst. f.) Hook. et Arn. [3] 228

Pericampylus glaucus (Lam.) Merr. [3] 162

Perilepta dyeriana (Mast.) Bremek. [10] 372

Perilla frutescens (L.) Britt. [10] 614

Perilla frutescens (L.) Britt. var. *crispa* (Thunb.) Hand.-Mazz. [10] 618

Perilla frutescens (L.) Britt. var. *purpurascens*

    (Hayata) H. W. Li   [10]   620

Peristrophe bivalvis (L.) Merrill.   [10]   374

Peristrophe japonica (Thunb.) Bremek.   [10]   376

Peristylus goodyeroides (D. Don) Lindl.   [11]   671

Perna viridis Linn.   [12]   336

Persea americana Mill.   [2]   554

Peucedanum praeruptorum Dunn   [8]   140

Phaenosperma globosa Munro ex Benth.   [12]   209

Phaius flavus (Bl.) Lindl.   [11]   673

Phaius tancarvilleae (L´Heritier.) Bl.   [11]   675

Phalaris arundinacea L.   [12]   211

Phallus dongsun T. H. Li, T. Li, Chun Y. Deng, W. Q. Deng

    & Zhu L. Yang   [1]   354

Phallus luteus (Liou & L. Hwang) T. Kasuya [1]   356

Phallus rugulosus (E. Fisch.) Lloyd   [1]   358

Pharbitis nil (L.) Choisy   [10]   176

Pharbitis purpurea (L.) Voigt   [10]   178

Phaseolus lunatus Linn.   [6]   256

Phaseolus vulgaris Linn.   [6]   258

Phegopteris decursive-pinnata (H. C. Hall) Fée [2]   66

Phellinus conchatus (Pers.) Quél.   [1]   362

Phellodendron chinense C. K. Schneid.   [7]   414

Phellodendron chinense C. K. Schneid. var. *glabriusculum*

    Schneid.   [7]   416

Pheretima aspergillum (E. Perrier)   [1]   68

Pheretima aspergillum Perrier   [12]   362

Philydrum lanuginosum Banks et Sol. ex Gaertn. [11]   549

Phlegmariurus carinatus (Desv.) Ching · [1] 400

Phlegmariurus fordii (Baker) Ching · [1] 402

Phlegmariurus mingcheensis Ching · [1] 404

Phlegmariurus petiolatus (C. B. Clarke) H. S. Kung et

    L. B. Zhang · [1] 406

Phlegmariurus phlegmaria (Linn.) Holub · · · · · · · · · · · · · · · · · · · [1] 408

Phoebe bournei (Hemsl.) Yang · [2] 556

Phoebe sheareri (Hemsl.) Gamble · [2] 558

Pholidota cantonensis Rolfe · [11] 677

Pholidota chinensis Lindl. · [11] 679

Photinia beauverdiana Schneid. · [5] 404

Photinia davidsoniae Rehd. et Wils. · [5] 406

Photinia glabra (Thunb.) Maxim. · [5] 408

Photinia parvifolia (Pritz.) Schneid. · [5] 410

Photinia serrulata Lindl. · [5] 412

Photinia villosa (Thunb.) DC. · [5] 414

Phragmites australis (Cav.) Trin. ex Steud. · · · · · · · · · · · · · · · · [12] 213

Phragmites karka (Retz.) Trin. ex Steud. · · · · · · · · · · · · · · · · · · [12] 215

Phrynium rheedei Suresh & Nicolson. · [11] 182

Phtheirospermum japonicum (Thunb.) Kanitz · · · · · · · · · · · · · · · [10] 290

Phyla nodiflora (L.) Greene · [10] 474

Phyllagathis cavaleriei (Lévl. et Van.) Guill. · · · · · · · · · · · · · · · · [4] 540

Phyllagathis elattandra Diels · [4] 542

Phyllagathis fordii (Hance) C. Chen · [4] 544

Phyllagathis oligotricha Merr. · [4] 546

Phyllanthus cochinchinensis Spreng. · [5] 270

Phyllanthus emblica Linn. · [5] 272

Phyllanthus flexuosus (Sieb. et Zucc.) Muell. Arg. · · · · · · · · · · · [5] 274

Phyllanthus glaucus Wall. ex Muell. Arg.   [5]   276

Phyllanthus niruri Linn.   [5]   278

Phyllanthus reticulatus Poir.   [5]   280

Phyllanthus urinaria Linn.   [5]   282

Phyllanthus ussuriensis Rupr. et Maxim.   [5]   284

Phyllanthus virgatus Forst. f.   [5]   286

Phyllodium elegans (Lour.) Desv.   [6]   260

Phyllodium pulchellum (Linn.) Desv.   [6]   262

Phyllostachys edulis (Carrière) J. Houz.   [12]   219

Phyllostachys heteroclada Oliv.   [12]   217

Phyllostachys nidularia Munro   [12]   221

Phyllostachys nigra (Lodd. ex Lindl.) Munro   [12]   223

Phyllostachys reticulata (Ruprecht) K. Koch.   [12]   225

Phymatopteris hastata (Thunb.) Kitagawa   [2]   244

Phymatopteris rhynchophylla (Hook.) Pic. Serm.   [2]   246

Phymatosorus cuspidatus (D. Don) Pic. Serm.   [2]   248

Physalis alkekengi L.   [10]   82

Physalis alkekengi L. var. *franchetii* (Mast.) Makino   [10]   84

Physalis angulata L.   [10]   86

Physalis minima L.   [10]   88

Physalis peruviana L.   [10]   90

Phytolacca acinosa Roxb.   [3]   590

Phytolacca americana L.   [3]   592

Picrasma quassioides (D. Don) Benn.   [7]   460

Picria felterrae Lour.   [10]   240

Pieris japonica (Thunb.) D. Don ex G. Don   [8]   166

Pilea aquarum Dunn   [7]   38

Pilea cavaleriei H. Lévl.   [7]   40

Pilea japonica (Maxim.) Hand.-Mazz. [7] 42

Pilea microphylla (L.) Liebm. [7] 44

Pilea notata C. H. Wright [7] 46

Pilea peltata Hance [7] 48

Pilea peploides (Gaudich.) Hook. et Arn. [7] 50

Pilea pumila (L.) A. Gray [7] 52

Pilea sinocrassifolia C. J. Chen [7] 54

Pilea sinofasciata C. J. Chen [7] 56

Pilea swinglei Merr. [7] 58

Pileostegia tomentella Hand.-Mazz. [5] 350

Pileostegia viburnoides Hook. f. et Thoms. [5] 352

Pimpinella diversifolia DC. [8] 142

Pinellia cordata N. E. Brown [11] 372

Pinellia ternata (Thunb.) Breit. [11] 374

Pinus massoniana Lamb. [2] 290

Pinus taeda Linn. [2] 294

Pinus thunbergii Parl. [2] 296

Piper arboricola C. DC. [3] 230

Piper austrosinense Y. C. Tseng [3] 232

Piper betle L. [3] 234

Piper hainanense Hemsl. [3] 236

Piper hancei Maxim. [3] 238

Piper hongkongense C. de Candolle. [3] 240

Piper kadsura (Choisy) Ohwi [3] 242

Piper laetispicum C. DC. [3] 244

Piper longum L. [3] 246

Piper nigrum L. [3] 248

Piper sarmentosum Roxb. [3] 250

Pisolithus arhizus (Scop.) Rauschert [1] 364

Pisonia aculeata L. [4] 160

Pistacia chinensis Bunge [7] 560

Pistia stratiotes L. [11] 376

Pisum sativum Linn. [6] 266

Pittosporum balansae DC. var. *angustifolium* Gagnep. [4] 174

Pittosporum brevicalyx (Oliv.) Gagnep. [4] 176

Pittosporum glabratum Lindl. [4] 178

Pittosporum glabratum Lindl. var. *neriifolium* Rehd. et Wils. [4] 180

Pittosporum illicioides Makino [4] 182

Pittosporum leptosepalum Gowda [4] 184

Pittosporum pauciflorum Hook. et Arn. [4] 186

Pittosporum tobira (Thunb.) Ait. [4] 188

Plagiogyria distinctissima Ching [1] 472

Plagiogyria euphlebia (Kunze) Mett. [1] 474

Plagiogyria japonica Nakai [1] 476

Plagiogyria stenoptera (Hance) Diels [1] 478

Plantago asiatica L. [10] 8

Plantago depressa Willd. [10] 10

Platanthera minor (Miq.) Rchb. f. [11] 681

Platycarya longipes Y. C. Wu [7] 582

Platycarya strobilacea Siebold et Zucc. [7] 580

Platycladus orientalis (Linn.) Franco [2] 325

Platycodon grandiflorus (Jacq.) A. DC. [10] 22

Pleioblastus amarus (Keng) Keng f. [12] 227

Pleione bulbocodioides (Franch.) Rolfe [11] 683

Pleuropterus multiflorus (Thunb.) Nakai [1] 184

Pleurotus ostreatus (Jacq.) P. Kumm. [1] 368

Pluchea indica (L.) Less.　　　　　　　　　　　　[9]　　508

Plumbago indica L.　　　　　　　　　　　　　　　[10]　　4

Plumbago zeylanica L.　　　　　　　　　　　　　[10]　　6

Plumeria rubra L.　　　　　　　　　　　　　　　[8]　　480

Poa annua L.　　　　　　　　　　　　　　　　　[12]　　229

Podocarpus chinensis Wall. ex J. Forbes.　　　　　[2]　　333

Podocarpus macrophyllus (Thunb.) D. Don　　　　[2]　　335

Podocarpus neriifolius D. Don　　　　　　　　　[2]　　338

Pogonatherum crinitum (Thunb.) Kunth　　　　　[12]　　231

Pogonatherum paniceum (Lam.) Hack.　　　　　　[12]　　233

Pogostemon auricularius (L.) Hassk.　　　　　　　[10]　　622

Pogostemon cablin (Blanco) Benth.　　　　[1]101/[10]624

Polianthes tuberosa L.　　　　　　　　　　　　　[11]　　424

Polistes hebraeus Fabr.　　　　　　　　　　　　[12]　　395

Polistes mandarinus Saussure　　　　　　　　　[12]　　394

Pollia japonica Thunb.　　　　　　　　　　　　[11]　　54

Polyalthia littoralis (Blume) Boerlage　　　　　　[2]　　446

Polyalthia suberosa (Roxb.) Thw.　　　　　　　　[2]　　448

Polycarpaea corymbosa (L.) Lam.　　　　　　　　[3]　　480

Polygala arvensis Willd.　　　　　　　　　　　　[3]　　382

Polygala caudata Rehd. et Wils.　　　　　　　　[3]　　384

Polygala fallax Hemsl.　　　　　　　　　　　　　[3]　　386

Polygala glomerata Lour.　　　　　　　　　　　[3]　　388

Polygala hongkongensis Hemsl.　　　　　　　　[3]　　390

Polygala japonica Houtt.　　　　　　　　　　　[3]　　392

Polygala koi Merr.　　　　　　　　　　　　　　[3]　　394

Polygala latouchei Franch.　　　　　　　　　　[3]　　396

Polygala wattersii Hance　　　　　　　　　　　[3]　　398

Polygonatum cyrtonema Hua [11] 264

Polygonatum filipes Merr. ex C. Jeffrey et McEwan [11] 268

Polygonatum odoratum (Mill.) Druce [11] 272

Polygonum aviculare L. [3] 520

Polygonum barbatum L. [3] 522

Polygonum barbatum L. var. *gracile* (Dens.) Stew. [3] 524

Polygonum capitatum Buch.-Ham. ex D. Don [3] 526

Polygonum chinense L. [3] 528

Polygonum criopolitanum Hance [3] 530

Polygonum darrisii Lévl. [3] 532

Polygonum hastatosagittatum Makino [3] 534

Polygonum hydropiper L. [3] 536

Polygonum japonicum Meisn. [3] 538

Polygonum jucundum Meisn. [3] 540

Polygonum lapathifolium L. [3] 542

Polygonum lapathifolium L. var. *salicifolium* Sibth. [3] 544

Polygonum longisetum De Br. [3] 546

Polygonum maackianum Regel [3] 548

Polygonum muricatum Meisn. [3] 550

Polygonum nepalense Meisn. [3] 552

Polygonum orientale L. [3] 554

Polygonum palmatum Dunn [3] 556

Polygonum perfoliatum L. [3] 558

Polygonum plebeium R. Brown [3] 560

Polygonum posumbu Buch.-Ham. ex D. Don [3] 562

Polygonum pubescens Blume [3] 564

Polygonum senticosum (Meisn.) Franch. et Savat. [3] 566

Polygonum thunbergii Sieb. et Zucc. [3] 568

Polygonum tinctorium Ait. [3] 570

Polygonum viscosum Buch.-Ham. ex D. Don [3] 572

Polypodiodes amoena (Wall. ex Mett.) Ching [2] 250

Polypodiodes niponica (Mett.) Ching [2] 252

Polyporus arcularius (Batsch) Fr. [1] 328

Polystichum deltodon (Bak.) Diels [2] 162

Polystichum hancockii (Hance) Diels [2] 164

Polystichum makinoi (Tagawa) Tagawa [2] 166

Polystichum tripteron (Kze.) Presl [2] 168

Polytrichum commune Hedw. [1] 392

Poncirus trifoliata L. Raf. [7] 378

Pongamia pinnata (Linn.) Pierre [6] 268

Populus adenopoda Maxim. [6] 402

Porana racemosa Wall. [10] 180

Porana sinensis Hemsl. [10] 182

Porphyra dentata Kjellm. [1] 250

Portulaca oleracea L. [3] 500

Portulaca pilosa L. [3] 502

Portulaca pilosa L. subsp. *grandiflora* (Hook.) Geesink. [3] 504

Potamogeton distinctus A. Benn. [11] 20

Potamogeton natans L. [11] 22

Potentilla chinensis Ser. [5] 416

Potentilla discolor Bge. [5] 418

Potentilla freyniana Bornm. [5] 420

Potentilla kleiniana Wight. et Arn. [5] 422

Potentilla supina Linn. var. *ternata* Peterm. [5] 424

Pothos chinensis (Raf.) Merr. [11] 378

Pothos repens (Lour.) Druce [11] 380

Pottsia laxiflora (Blume) Kuntze [8] 482

Pouteria annamensis (Pierre ex Dubard) Baehni [8] 232

Pouzolzia zeylanica (L.) Benn. et R. Br. [7] 60

Pouzolzia zeylanica (L.) Benn. et R. Br. var. *microphylla*

(Wedd.) W. T. Wang [7] 62

Pratia nummularia (Lam.) A. Br. et Aschers. [10] 34

Premna microphylla Turcz. [10] 476

Premna puberula Pamp. [10] 478

Premna sunyiensis P'ei [10] 480

Primula obconica Hance [9] 646

Prismatomeris tetrantra (Roxb.) K. Schum. [9] 148

Procris crenata C. B. Rob. [7] 64

Pronephrium penangianum (Hook.) Holtt. [2] 68

Pronephrium simplex (Hook.) Holtt. [2] 70

Pronephrium triphyllum (Sw.) Holtt. [2] 72

Prunella vulgaris L. [10] 626

Prunus salicina Lindl. [5] 426

Pseuderanthemum haikangense C. Y. Wu et H. S. Lo [10] 378

Pseuderanthemum latifolium (Vahl) B. Hansen [10] 380

Pseudocolus fusiformis (E. Fisch.) Lloyd [1] 360

Pseudodrynaria coronans (Wall. ex Mett.) Ching [2] 268

Psidium guajava L. [4] 472

Psilotum nudum (Linn.) P. Beauv. [1] 396

Psoralea corylifolia Linn. [6] 270

Psychotria asiatica L. [9] 150

Psychotria prainii H. Lévl. [9] 152

Psychotria serpens L. [9] 154

Pteria martensii (Dunker) [12] 344

Pteria maxima (Jameson) [12] 346

Pteridium aquilinum var. *latiusculum* (Desv.) Underw.

 ex Heller [1] 534

Pteridium revolutum (Bl.) Nakai. [1] 536

Pteris biaurita Linn. [1] 538

Pteris cretica var. *laeta* (Wall. ex Ettingsh.) C. Chr. et

 Tard.-Blot [1] 540

Pteris cretica var. *nervosa* (Thunb.) Ching et S. H. Wu [1] 542

Pteris deltodon Baker [1] 544

Pteris dispar Kze. [1] 546

Pteris ensiformis Burm. f. [1] 548

Pteris fauriei Hieron. [1] 550

Pteris insignis Mett. et Kuhn [1] 552

Pteris multifida Poir. [1] 554

Pteris plumbea Christ [1] 556

Pteris semipinnata Linn. [1] 558

Pteris vittata Linn. [1] 560

Pterocarpus indicus Willd. [6] 272

Pterocarya stenoptera C. DC. [7] 584

Pteroceltis tatarinowii Maxim. [6] 464

Pterocladiella capillacea (Gmelin) Santelices & Hommersand [1] 252

Pterocypsela elata (Hemsl.) C. Shih [9] 510

Pterocypsela indica (L.) Shih [9] 512

Pterocypsela laciniata (Houtt.) Shih [9] 514

Pterocypsela raddeana (Maxim.) Shih [9] 516

Pterolobium punctatum Hemsl. [5] 648

Pteroptychia dalziellii (W. W. Smith) H. S. Lo [10] 382

Pterospermum acerifolium Willd. [5] 32

Pterospermum heterophyllum Hance [5] 34

Pterospermum lanceaefolium Roxb. [5] 36

Pueraria lobata (Willd.) Ohwi [6] 274

Pueraria lobata (Willd.) Ohwi var. *montana* (Lour.) van

    der Maesen [6] 276

Pueraria lobata (Willd.) Ohwi var. *thomsonii* (Benth.) van

    der Maesen [6] 278

Pueraria phaseoloides (Roxb.) Benth. [6] 280

Punica granatum L. [4] 106

Pycnoporus cinnabarinus (Jacq.) P. Karst. [1] 330

Pycnospora lutescens (Poir.) Schindl. [6] 282

Pyracantha atalantioides (Hance) Stapf [5] 428

Pyrethrum cinerariifolium Trev. [9] 518

Pyrola elegantula Andres [8] 208

Pyrostegia venusta (Ker-Gawl.) Miers [10] 320

Pyrrosia adnascens (Sw.) Ching [2] 254

Pyrrosia assimilis (Bak.) Ching [2] 256

Pyrrosia calvata (Bak.) Ching [2] 258

Pyrrosia lingua (Thunb.) Farwell [2] 260

Pyrrosia petiolosa (Christ) Ching [2] 262

Pyrrosia sheareri (Bak.) Ching [2] 264

Pyrularia edulis (Wall.) A. DC. [7] 204

Pyrus calleryana Dcne. [5] 430

Pyrus calleryana Dcne. var. *koehnei* (Schneid.) T. T. Yü [5] 432

Pyrus pyrifolia (Burm. f.) Nakai [5] 434

Pyrus serrulata Rehd. [5] 436

Q

Quamoclit pennata (Desr.) Boj. [10] 184

Quercifilix zeylanica (Houtt.) Cop. [2] 172

Quercus acutissima Carruth. [6] 446

Quercus fabri Hance [6] 448

Quercus variabilis Bl. [6] 450

Quisqualis indica L. [4] 562

R

Radermachera sinica (Hance) Hemsl. [10] 322

Ramaria formosa (Pers.) Quél. [1] 370

Ranunculus cantoniensis DC. [3] 60

Ranunculus chinensis Bunge [3] 62

Ranunculus japonicus Thunb. [3] 64

Ranunculus sceleratus L. [3] 66

Raphanus sativus L. [3] 346

Rauvolfia serpentina (L.) Benth. ex Kurz. [8] 484

Rauvolfia tetarphylla L. [8] 486

Rauvolfia verticillata (Lour.) Baill. [8] 488

Rauvolfia verticillata (Lour.) Baill. var. *hainanensis* Tsiang [8] 490

Rauvolfia vomitoria Afzel. [8] 492

Reineckea carnea (Andrews) Kunth [11] 274

Reynoutria japonica Houtt. [3] 574

Rhamnus crenata Sieblod et Zucc. [7] 238

Rhamnus leptophylla C. K. Schneid. [7] 240

Rhamnus napalensis (Wall.) Laws. [7] 242

Rhamnus rugulosa Hemsl. [7] 244

Rhamnus utilis Decne.	[7]	246
Rhaphidophora hongkongensis Schott	[11]	382
Rhaphiolepis indica (Linn.) Lindl.	[5]	438
Rhapis excelsa (Thunb.) Henry ex Rehd.	[11]	529
Rhinacanthus nasutus (L.) Kurz	[10]	384
Rhinolophus rouxi sinicus (Anderson)	[12]	494
Rhizophora mucronata Poir.	[4]	578
Rhodobryum giganteum Paris	[1]	390
Rhododendron cavaleriei H. Lév.	[8]	170
Rhododendron championiae Hook.	[8]	168
Rhododendron farrerae Sweet	[8]	172
Rhododendron fortunei Lindl.	[8]	174
Rhododendron kwangtungense Merr. et Chun	[8]	176
Rhododendron latoucheae Franch	[8]	178
Rhododendron mariae Hance	[8]	180
Rhododendron mariesii Hemsl. et E. H. Wilson	[8]	182
Rhododendron molle (Blume) G. Don	[8]	184
Rhododendron moulmainense Hook.	[8]	186
Rhododendron mucronatum (Blume) G. Don	[8]	188
Rhododendron ovatum (Lindl.) Planch. ex Maxim.	[8]	190
Rhododendron rhuyuenense Chun ex Tam	[8]	192
Rhododendron simiarum Hance	[8]	194
Rhododendron simsii Planch	[8]	196
Rhodoleia championii Hook. f.	[6]	376
Rhodomyrtus tomentosa (Ait.) Hassk.	[4]	474
Rhus chinensis Mill.	[7]	562
Rhynchosia dielsii Harms ex Diels	[6]	284
Rhynchosia volubilis Lour.	[6]	286

Rhynchospora rubra (Lour.) Makino [12] 75

Ricinus communis Linn. [5] 288

Rigidoporus ulmarius (Sowerby) Imazeki [1] 372

Robinia pseudoacacia Linn. [6] 288

Robiquetia succisa (Lindl.) Tang et Wang. [11] 685

Roegneria kamoji Ohwi [12] 235

Rohdea chinensis (Baker) N. Tanaka [11] 276

Rohdea japonica (Thunb.) Roth [11] 278

Rohdea tonkinensis (Baill.) N. Tanaka [11] 280

Rorippa cantoniensis (Lour.) Ohwi [3] 348

Rorippa dubia (Pers.) Hara [3] 350

Rorippa globosa (Turcz.) Vassilcz [3] 352

Rorippa indica (L.) Hiern [3] 354

Rosa chinensis Jacq. [5] 440

Rosa cymosa Tratt. [5] 442

Rosa henryi Bouleng. [5] 444

Rosa laevigata Michx. [5] 446

Rosa multiflora Thunb. [5] 448

Rosa multiflora Thunb. var. *cathayensis* Rehd. et Wils. [5] 450

Rotala indica (Willd.) Koehne [4] 100

Rotala rotundifolia (Buch.-Ham. ex Roxb.) Koehne [4] 102

Rottboellia exaltata L. f. [12] 237

Rourea microphylla (Hook. et Arn.) Planch. [7] 570

Rourea minor (Gaertn.) Alston [7] 572

Rubia alata Roxb. [9] 156

Rubia argyi (H. Lévl. et Vant) Hara ex L. A. Lauener et

  D. K. Ferguson [9] 158

Rubia cordifolia L. [9] 160

Rubia wallichiana Decne. [9] 162

Rubus adenophorus Rolfe [5] 452

Rubus alceaefolius Poir. [5] 454

Rubus amphidasys Focke ex Diels. [5] 456

Rubus buergeri Miq. [5] 458

Rubus chingii Hu [5] 460

Rubus chroosepalus Focke [5] 462

Rubus cochinchinensis Tratt. [5] 464

Rubus columellaris Tutch. [5] 466

Rubus corchorifolius Linn. f. [5] 468

Rubus coreanus Miq. [5] 470

Rubus hastifolius Lévl. et Vant. [5] 472

Rubus hirsutus Thunb. [5] 474

Rubus innominatus S. Moore var. *kuntzeanus*

(Hemsl.) Bailey [5] 478

Rubus irenaeus Focke [5] 480

Rubus lambertianus Ser. [5] 482

Rubus leucanthus Hance [5] 484

Rubus pacificus Hance [5] 486

Rubus parvifolius Linn. [5] 488

Rubus pirifolius Smith [5] 490

Rubus reflexus Ker [5] 492

Rubus reflexus Ker var. *hui* (Diels apud Hu) Metc. [5] 494

Rubus reflexus Ker var. *lanceolobus* Metc. [5] 496

Rubus rosaefolius Smith [5] 498

Rubus suavissimus S. Lee. [5] 500

Rubus sumatranus Miq. [5] 502

Rubus swinhoei Hance [5] 504

Rubus tephrodes Hance var. *ampliflorus* (Lévl. et Vant.)

    Hand.-Mazz.   [5]   508

Rubus tephrodes Hance   [5]   506

Rudbeckia laciniata L.   [9]   520

Ruellia repens L.   [10]   386

Rumex acetosa L.   [3]   576

Rumex crispus L.   [3]   578

Rumex dentatus L.   [3]   580

Rumex japonicus Houtt.   [3]   582

Rumex maritimus L.   [3]   584

Rumex microcarpus Campd.   [3]   586

Rumex trisetifer Stokes   [3]   588

Rungia pectinata (L.) Nees   [10]   388

Russelia equisetiformis Schltr. et Cham.   [10]   242

Russula foetens (Pers.) Pers.   [1]   348

Russula griseocarnosa X. H. Wang, Zhu L. Yang & Knudsen   [1]   350

Russula nigricans Fr.   [1]   352

Ruta graveolens L.   [7]   418

S

Sabia discolor Dunn   [7]   530

Sabia fasciculata Lecomte ex H. Y. Chen   [7]   532

Sabia japonica Maxim.   [7]   534

Sabia limoniacea wall. ex Hook. f. et Thomson var. *ardisoides*

    (Hook. et Arn.) L. Chen   [7]   536

Sabia swinhoei Hemsl.   [7]   538

Saccharum arundinaceum Retz.   [12]   239

Saccharum officinarum L.   [12]   241

Saccharum sinense Roxb. [12] 243

Saccharum spontaneum L. [12] 245

Sacciolepis indica (L.) A. Chase [12] 247

Sageretia henryi J. R. Drumm. et Sprague [7] 248

Sageretia rugosa Hance [7] 250

Sageretia thea (Osbeck) M. C. Johnst. [7] 252

Sagina japonica (Swartz) Ohwi [3] 482

Sagittaria guayanensis Kunth subsp. *lappula* (D. Don) Bogin [11] 12

Sagittaria pygmaea Miq. [11] 14

Sagittaria trifolia L. [11] 16

Sagittaria trifolia L. subsp. *leucopetala* (Miq.) Q. F. Wang [11] 18

Salacia chinensis L. [7] 162

Salacia sessiliflora Hand.-Mazz. [7] 164

Salix babylonica Linn. [6] 404

Salomonia cantoniensis Lour. [3] 400

Salomonia oblongifolia DC. [3] 402

Salvia bowleyana Dunn [10] 628

Salvia cavaleriei H. Lév. [10] 630

Salvia chinensis Benth. [10] 632

Salvia coccinea L. [10] 634

Salvia japonica Thunb. [10] 636

Salvia plebeia R. Br. [10] 638

Salvia prionitis Hance [10] 640

Salvia scapiformis Hance [10] 642

Salvia scapiformis Hance var. *hirsute* Stib. [10] 644

Salvia splendens Ker.-Gawl. [10] 646

Salvinia natans (Linn.) All. [2] 274

Sambucus chinensis Lindl. [9] 214

Sambucus williamsii Hance [9] 216

Sanguinoderma rugosum (Blume & T. Nees) Y. F. Sun,

　　D. H. Costa & B. K. Cui [1] 312

Sanguisorba officinalis Linn. [5] 510

Sanicula chinensis Bunge [8] 144

Sanicula lamelligera Hance [8] 146

Sanicula orthacantha S. Moore [8] 148

Sansevieria trifasciata Prain [11] 504

Sansevieria trifasciata Prain var. *laurentii* (De Wild.) N. E. Br. [11] 506

Santalum album L. [1]231/[7]206

Sapindus saponaria Linn. [7] 508

Sapium discolor (Champ. ex Benth.) Muell. Arg. [5] 290

Sapium japonicum (Sieb. et Zucc.) Pax et Hoffm. [5] 292

Sapium rotundifolium Hemsl. [5] 294

Sapium sebiferum (Linn.) Roxb. [5] 296

Saraca dives Pierre [5] 650

Sarcandra glabra (Thunb.) Nakai [3] 270

Sarcandra hainanensis (Pei) Swamy et Bailey [3] 272

Sarcococca longipetiolata M. Cheng [6] 394

Sarcopyramis nepalensis Wall. [4] 548

Sarcostemma acidum (Roxb.) Voigt [8] 580

Sargassum fusiforme (Harv.) Setch. [1] 248

Sargentodoxa cuneata (Oliv.) Rehd. et Wils. [3] 136

Sassafras tzumu (Hemsl.) Hemsl. [2] 560

Saurauia tristyla DC. [4] 442

Sauropus androgynus (Linn.) Merr. [5] 298

Sauropus bacciformis (Linn.) Airy Shaw [5] 300

Sauropus spatulifolius Beille [5] 302

Saururus chinensis (Lour.) Baill. [3] 256

Saussurea deltoidea (DC.) Sch.-Bip. [9] 522

Saussurea japonica (Thunb.) DC. [9] 524

Saxifraga stolonifera W. Curt. [3] 448

Saxiglossum angustissimum (Gies. ex Diels) Ching [2] 266

*Scadoxus multiflorus (*Martyn) Raf. [11] 426

Scaevola sericea Vahl [10] 36

Scapsipedus mamdicularis Saussure [12] 416

Schefflera arboricola (Hayata) Merr. [8] 84

Schefflera delavayi (Franch.) Harms [8] 86

Schefflera minutistellata Merr. ex H. L. Li [8] 88

Schefflera octophylla (Lour.) Harms [8] 90

Schefflera pauciflora R. Vig. [8] 92

Schima argentea Pritz. ex Diels [4] 406

Schima superba Gardn. et Champ. [4] 408

Schima wallichii (DC.) Korthals [4] 410

Schisandra henryi Clarke [2] 420

Schisandra propinqua (Wall.) Baill. var. *sinensis* Oliv. [2] 422

Schisandra sphenanthera Rehd. et Wils. [2] 424

Schisandra viridis A. C. Smith [2] 426

Schizaea digitata (Linn.) Sw. [1] 490

Schizocapsa plantaginea Hance [11] 545

Schizophragma integrifolium Oliv. [5] 354

Schizophyllum commune Fr. [1] 374

Schlumbergera truncata (Haw.) Moran [4] 340

Schnabelia oligophylla Hand.-Mazz. [10] 648

Schoenoplectiella juncoides (Roxburgh) Lye [12] 77

Schoenoplectiella triangulata (Roxb.) J. Jung & H. K. Choi [12] 79

Schoenoplectiella wallichii (Nees) Lye	[12]	81
Schoepfia chinensis Gardner et Champ.	[7]	174
Schoepfia jasminodora Siebold et Zucc.	[7]	176
Scirpus subcapitatus Thw.	[12]	83
Scleria hookeriana Bocklr.	[12]	85
Scleria levis Retzius	[12]	87
Scleria terrestris (L.) Fass	[12]	89
Scleroderma polyrhizum (J. F. Gmel.) Pers.	[1]	366
Scolopendra subspinipes mutilans L. Koch	[12]	370
Scolopia chinensis (L.) Clos	[4]	206
Scoparia dulcis L.	[10]	244
Scrophularia ningpoensis Hemsl.	[10]	246
Scurrula parasitica L.	[7]	188
Scutellaria barbata D. Don	[10]	650
Scutellaria indica L.	[10]	652
Scutellaria tayloriana Dunn	[10]	654
Sebastiania chamaelea (Linn.) Muell. Arg.	[5]	304
Secamone elliptica R. Br.	[8]	582
Secamone sinica Hand.-Mazz.	[8]	584
Sechium edule (Jacq.) Swartz.	[4]	278
Securidaca inappendiculata Hassk.	[3]	404
Securinega suffruticosa (Pall.) Rehd.	[5]	306
Securinega virosa (Roxb. ex Willd.) Baill.	[5]	308
Sedum aizoon L.	[3]	418
Sedum alfredii L.	[3]	420
Sedum amplibracteatum K. T. Fu	[3]	422
Sedum bulbiferum Makino	[3]	424
Sedum drymarioides Hance	[3]	426

Sedum emarginatum Migo   [3]   428

Sedum formosanum N. F. Br.   [3]   430

Sedum lineare Thunb.   [3]   432

Sedum sarmentosum Bunge   [3]   434

Selaginella biformis A. Braun ex Kuhn   [1]   418

Selaginella davidii Franch.   [1]   420

Selaginella delicatula (Desv. ex Poir.) Alston   [1]   422

Selaginella doederleinii Hieron.   [1]   424

Selaginella effusa Alston   [1]   426

Selaginella heterostachys Baker   [1]   428

Selaginella involvens (Sw.) Spring   [1]   430

Selaginella labordei Hieron. ex Christ   [1]   432

Selaginella moellendorffii Hieron.   [1]   434

Selaginella nipponica Franch. et Sav.   [1]   436

Selaginella pulvinata (Hook. et Grev.) Maxim.   [1]   438

Selaginella remotifolia Spring   [1]   440

Selaginella tamariscina (Beauv.) Spring   [1]   442

Selaginella trachyphylla A. Br.   [1]   444

Selaginella uncinata (Desv.) Spring   [1]   446

Selenarctos thibetanus formosanus (Swinhoe)   [12]   513

Semiaquilegia adoxoides (DC.) Makino   [3]   68

Semiliquidambar cathayensis H. T. Chang   [6]   378

Semiliquidambar chingii (Metc.) H. T. Chang   [6]   380

Senecio scandens Buch.-Ham. ex D. Don   [9]   526

Senecio stauntonii DC.   [9]   528

Senna sophera (L.) Roxb.   [5]   652

Senna surattensis (N. L. Burm.) H. S. Irwin & Barneby   [5]   654

Senna tora (Linn.) Roxb.   [5]   656

Sepia esculenta (Hoyle) [12] 348

Sepiella maindroni (de Rochebrune) [12] 350

Sericocalyx chinensis (Nees) Bremek. [10] 390

Serissa japonica (Thunb.) Thunb. [9] 164

Serissa serissoides (DC.) Druce [9] 166

Serratula chinensis S. Moore [9] 530

Sesamum indicum L. [10] 324

Sesbania cannabina (Retz.) Pers. [6] 290

Sesbania grandiflora (Linn.) Pers. [6] 292

Setaria faberi R. A. W. Herrmann. [12] 249

Setaria geniculata (Lam.) Beauv. [12] 251

Setaria glauca (L.) Beauv. [12] 253

Setaria italica (L.) Beauv. [12] 255

Setaria palmifolia (Koen.) Stapf [12] 257

Setaria plicata (Lam.) T. Cooke [12] 259

Setaria viridis (L.) Beauv. [12] 261

Sheareria nana S. Moore [9] 532

Sida acuta Burm. f. [5] 98

Sida alnifolia Linn. [5] 100

Sida cordata (Burm. f.) Borss. [5] 102

Sida cordifolia Linn. [5] 104

Sida mysorensis Herb. Madr. ex Wight & Arn. [5] 106

Sida rhombifolia Linn. [5] 108

Sida subcordata Span. [5] 110

Siegesbeckia orientalis L. [9] 534

Siegesbeckia pubescens Makino [9] 536

Silene aprica Turcz. ex Fisch. et Mey. [3] 484

Silybum marianum (L.) Gaertn. [9] 538

Sinia rhodoleuca Diels [4] 446

Sinoadina racemosa (Sieb. et Zucc.) Ridsd. [9] 168

Sinomenium acutum (Thunb.) Rehd. et Wils. [3] 164

Siphonostegia chinensis Benth. [10] 248

Siphonostegia laeta S. Moore [10] 250

Siraitia grosvenorii (Swingle) C. Jeffrey ex A. M. Lu et Z.

    Y. Zhang [4] 280

Skimmia arborescens T. Anderson ex Gamble [7] 420

Skimmia reevesiana (Fortune) Fortune [7] 422

Sloanea leptocarpa Diels [5] 10

Sloanea sinensis (Hance) Hemsl. [5] 12

Smilax china L. [11] 306

Smilax corbularia Kunth [11] 308

Smilax davidiana A. DC. [11] 310

Smilax ferox Wall. ex Kunth [11] 312

Smilax glabra Roxb. [11] 314

Smilax glaucochina Warb. [11] 316

Smilax hypoglauca Benth. [11] 320

Smilax nipponica Miq. [11] 322

Smilax perfoliata Lour. [11] 324

Smilax riparia A. DC. [11] 326

Smithia sensitiva Ait. [6] 294

Solanum americanum Miller [10] 92

Solanum coagulans Forsk. [10] 94

Solanum erianthum D. Don [10] 96

Solanum ferox L. [10] 100

Solanum indicum L. [10] 98

Solanum japonense Nakai [10] 102

Solanum lyratum Thunb. [10] 104

Solanum mammosum L. [10] 106

Solanum melongena L. [10] 108

Solanum nigrum L. [10] 110

Solanum procumbens Lour. [10] 112

Solanum pseudo-capsicum L. [10] 114

Solanum surattense Burm. f. [10] 116

Solanum torvum Swartz [10] 118

Solanum tuberosum L. [10] 120

Solena heterophylla Lour. [4] 282

Solenognathus hardwickii Gray [12] 436

Solidago decurrens Lour. [9] 540

Soliva anthemifolia (Juss.) R. Br. [9] 542

Sonchus arvensis L. [9] 544

Sonchus asper (L.) Hill. [9] 546

Sonchus oleraceus L. [9] 548

Sonerila alata Chun et How ex C. Che [4] 550

Sonerila cantonensis Stapf [4] 552

Sonerila rivularis Cogn. [4] 554

Sonerila tenera Royle [4] 556

Sophora flavescens Ait. [6] 296

Sophora japonica Linn. [6] 298

Sophora tonkinensis Gagnep. [6] 300

Sorbus alnifolia (Sieb. et Zucc.) K. Koch [5] 512

Sorbus caloneura (Stapf) Rehd. [5] 514

Sorbus folgneri (Schneid.) Rehd. [5] 516

Sorghum bicolor (L.) Moench [12] 263

Sorghum propinquum (Kunth) Hitch. [12] 265

Spathoglottis pubescens Lindl.   [11]   687

Spatholirion longifolium (Gagnep.) Dunn   [11]   56

Spatholobus sinensis Chun et T. Chen   [6]   302

Spatholobus suberectus Dunn   [6]   304

Speranskia cantonensis (Hance) Pax et Hoffm.   [5]   310

Spermacoce pusilla Wallich   [9]   170

Sphaeranthus africanus L.   [9]   550

Sphagnum palustre L.   [1]   388

Spinacia oleracea L.   [3]   608

Spiraea blumei G. Don   [5]   518

Spiraea cantoniensis Lour.   [5]   520

Spiraea chinensis Maxim.   [5]   522

Spiraea japonica Linn. f. var. *acuminata* Franch.   [5]   524

Spiraea japonica Linn. f. var. *fortunei* (Planch.) Rehd.   [5]   526

Spiranthes sinensis (Pers.) Ames.   [11]   689

Spirodela polyrhiza (L.) Schleid.   [11]   394

Sporobolus fertilis (Steud.) W. D. Glayton   [12]   267

Stachys geobombycis C. Y. Wu   [10]   656

Stachys sieboldii Miq.   [10]   658

Stachytarpheta jamaicensis (L.) Vahl   [10]   482

Stachyurus chinensis Franch.   [6]   346

Stachyurus himalaicus Hook. f. et Thoms. ex Benth.   [6]   348

Stahlianthus involucratus (King ex Baker) Craib ex Loes.   [11]   156

Statilia maculata Thunb.   [12]   412

Stauntonia chinensis DC.   [3]   128

Stauntonia maculata Merr.   [3]   130

Stauntonia obovata Hemsl.   [3]   132

Stauntonia obovatifoliola Hayata subsp. *urophylla*

    (Hand.-Mazz.) H. N. Qin   [3]   134

Stellaria alsine Grinum   [3]   486

Stellaria media (L.) Vill.   [3]   488

Stellaria saxatilis Buch.-Ham. ex D. Don   [3]   490

Stellaria wushanensis Williams   [3]   492

Stellaster equestris Retzius   [12]   360

Stemona japonica (Blume) Miq.   [11]   448

Stemona parviflora C. H. Wright.   [11]   450

Stemona tuberosa Lour.   [11]   452

Stenoloma chusanum Ching   [1]   532

Stenotaphrum helferi Munro ex Hook. f.   [12]   269

Stephanandra chinensis Hance   [5]   528

Stephania cepharantha Hayata   [3]   166

Stephania dielsiana Y. C. Wu   [3]   168

Stephania hainanensis Lo et Y. Tsoong   [3]   170

Stephania japonica (Thunb.) Miers   [3]   172

Stephania longa Lour.   [3]   174

Stephania tetrandra S. Moore   [3]   176

Sterculia lanceolata Cav.   [5]   38

Sterculia nobilis Smith   [5]   40

Stevia rebaudiana (Bertoni) Hemsl.   [9]   552

Stichopus variegatus Semper   [12]   352

Stimpsonia chamaedryoides Wright ex A. Gray [9]   648

Streblus asper Lour.   [6]   578

Streblus indicus (Bur.) Corner.   [6]   580

Striga asiatica (L.) O. Kuntze   [10]   252

Striga masuria (Ham.ex Benth.) Benth.   [10]   254

Strobilanthes aprica (Hance) T. Anderson [10] 392

Strobilanthes dimorphotricha Hance [10] 394

Strophanthus divaricatus (Lour.) Hook. et Arn. [8] 494

Struthiopteris eburnean (Christ) Ching [2] 114

Strychnos angustiflora Benth. [8] 388

Strychnos cathayensis Merr. [8] 390

Strychnos nux-blanda A. W. Hill [8] 392

Strychnos nux-vomica L. [8] 394

Strychnos ovata A. W. Hill [8] 396

Stylidium uliginosum Swartz [10] 38

Styrax confusus Hemsl. [8] 320

Styrax faberi Perkins [8] 322

Styrax formosanus Matsum. [8] 324

Styrax japonicus Siebold et Zucc. [8] 326

Styrax odoratissimus Champ. ex Benth. [8] 328

Styrax suberifolius Hook. et Arn. [8] 330

Styrax tonkinensis (Pierre) Craib ex Hartwich [8] 332

Suillus granulatus (L.) Roussel [1] 376

Suregada multiflora (Jussieu) Baill. [5] 312

Susscrofa domestica Brisson [12] 509

Swertia bimaculata (Sieb. et Zucc.) Hook. f. et Thoms. ex

   C. B. Clark [9] 608

Swida paucinervis (Hance) Sojak [8] 18

Swida walteri (Wanger.) Sojak [8] 20

Symphyotrichum subulatum (Michx.) G. L. Nesom [9] 554

Symplocos anomala Brand [8] 334

Symplocos chinensis (Lour.) Druce [8] 336

Symplocos chunii Merr. [8] 338

Symplocos cochinchinensis (Lour.) S. Moore [8] 340

Symplocos confusa Brand [8] 342

Symplocos congesta Benth. [8] 344

Symplocos crassifolia Benth. [8] 346

Symplocos decora Hance [8] 348

Symplocos dolichotricha Merr. [8] 350

Symplocos glauca (Thunb.) Koidz. [8] 352

Symplocos lancifolia Siebold et Zucc. [8] 354

Symplocos laurina (Retz.) Wall. ex G. Don [8] 356

Symplocos paniculata (Thunb.) Miq. [8] 358

Symplocos racemosa Roxb. [8] 360

Symplocos stellaris Brand [8] 362

Symplocos sumuntia Buch.-Ham. ex D. Don [8] 364

Symplocos wikstroemiifolia Hayata [8] 366

Synedrella nodiflora (L.) Gaertn. [9] 556

Syneilesis aconitifolia (Bge.) Maxim. [9] 558

Syngnathoides biaculeatus (Bloch) [12] 438

Syngnathus acus Linn. [12] 440

Syzygium austrosinense (Merr. et Perry) Chang et Miau [4] 476

Syzygium bullockii (Hance) Merr. et Perry [4] 478

Syzygium buxifolium Hook. et Arn. [4] 480

Syzygium cumini (L.) Skeels [4] 482

Syzygium grijsii (Hance) Merr. et Perry [4] 484

Syzygium jambos (L.) Alston [4] 486

Syzygium myrtifolium Walp. [4] 488

Syzygium samarangense (Blume) Merr. et Perry [4] 490

Syzygium tetragonum Wall. ex Wight [4] 492

T

Tacca chantrieri Andre   [11]   547

Tachyples tridentatus Leach   [12]   418

Tadehagi triquetrum (Linn.) Ohashi   [6]   306

Tagetes erecta L.   [9]   560

Talinum paniculatum (Jacq.) Gaertn.   [3]   506

Tamarindus indica Linn.   [5]   658

Tamarix chinensis Lour.   [4]   220

Tapiscia sinensis Oliv.   [7]   542

Taraxacum mongolicum Hand.-Mazz.   [9]   562

Tarbinskiellus portentosus Lichtenstein   [12]   414

Tarenna attenuata (Voigt) Hutchins.   [9]   172

Tarenna mollissima (Hook. et Arn.) Rob.   [9]   174

Taxillus chinensis (DC.) Danser   [7]   190

Taxillus levinei (Merr.) H. S. Kiu   [7]   192

Taxodium distichum (Linn.) Rich.   [2]   308

Taxus wallichiana (Pilger) Rehd. var. *mairei* (Lemée et Lévl.)

    L. K. Fu & Nan Li   [2]   350

Tectaria decurrens (Presl) Cop.   [2]   174

Tectaria subtriphylla (Hook. et Arn.) Copel.   [2]   176

Tectona grandis L. f.   [10]   484

Telosma cordata (Burm. f.) Merr.   [8]   586

Temnopleurus toreumaticus (Leske)   [12]   356

Tenodera sinensis Saussure   [12]   413

Tephrosia purpurea (Linn.) Pers.   [6]   308

Terminalia catappa L.   [4]   564

Terminalia chebula Retz.   [4]   566

Ternstroemia gymnanthera (Wight et Arn.) Bedd [4] 412

Ternstroemia kwangtungensis Merr. [4] 414

Ternstroemia luteoflora L. K. Ling [4] 416

Tetracera sarmentosa Vahl. [4] 172

Tetragonia tetragonioides (Pall.) O. Kuntze [3] 498

Tetrapanax papyrifer (Hook.) K. Koch [8] 94

Tetrastigma caudatum Merr. et Chun [7] 322

Tetrastigma hemsleyanum Diels et Gilg [7] 324

Tetrastigma obtectum (Wall. ex M. A. Lawson) Planch.

　　ex Franch. [7] 326

Tetrastigma obtectum (Wall.) Planch. ex

　　Franch. var. *glabrum* (Levl.& Vant.) Gagnep. [7] 328

Tetrastigma pachyphyllum (Hemsl.) Chun [7] 330

Tetrastigma planicaule (Hook.) Gagnep. [7] 332

Tetrastigma pubinerve Merr. & Chun [7] 334

Teucrium pernyi Franch. [10] 660

Teucrium quadrifarium Buch.-Ham. ex D. Don [10] 662

Teucrium viscidum Bl. [10] 664

Thalictrum acutifolium (Hand.-Mazz.) B. Boivin [3] 70

Thalictrum ichangense Lecoy. ex Oliv. [3] 72

Thalictrum javanicum Bl. [3] 74

Thalictrum minus L. var. *hypoleucum* (Sieb. et Zucc.) Miq. [3] 76

Themeda caudata (Nees) A. Camus [12] 271

Themeda japonica (Willd.) Tanaka [12] 273

Themeda villosa (Poir.) A. Camus [12] 275

Theobroma cacao Linn. [5] 42

Thesium chinense Turcz. [7] 208

Thespesia lampas (Cavan.) Dalz. & Gibs [5] 112

Thevetia peruviana (Pers.) K. Schum.   [8]   496

Thladiantha globicarpa A. M. Lu et Z. Y. Zhang   [4]   284

Thladiantha longifolia Cogn. ex Oliv.   [4]   286

Thladiantha nudiflora Hemsl. ex Forbes et Hemsl.   [4]   288

Thunbergia fragrans Roxb.   [10]   396

Thunbergia grandiflora Roxb.   [10]   398

Thyrocarpus glochidiatus Maxim.   [10]   58

Thyrocarpus sampsonii Hance   [10]   60

Thysanolaena latifolia (Roxb. ex Hornem.) Honda   [12]   277

Tiarella polyphylla D. Don   [3]   450

Tinospora crispa (L.) Hook. f. et Thoms.   [3]   178

Tinospora sagittata (Oliv.) Gagnep.   [3]   180

Tinospora sinensis (Lour.) Merr.   [3]   182

Tithonia diversifolia (Hemsl.) A. Gray   [9]   564

Toddalia asiatica (L.) Lam.   [7]   424

Tolypanthus maclurei (Merr.) Danser   [7]   194

Tolypocladium guangdongense (T. H. Li, Q. Y. Lin &

   B. Song) V. Papp   [1]   276

Tolypocladium ramosum (Teng) C. A. Quandt, Kepler &

   Spatafora   [1]   278

Toona ciliata M. Roem.   [7]   482

Toona microcarpa (C. DC.) Harms   [7]   484

Toona sinensis (A. Juss.) M. Roem.   [7]   486

Torenia benthamiana Hance   [10]   256

Torenia concolor Lindl.   [10]   258

Torenia flava Buch.-Ham. ex Benth.   [10]   260

Torenia fordii Hook. f.   [10]   262

Torenia fournieri Linden. ex Fourn.   [10]   264

Torenia glabra Osbeck [10] 266

Torenia violacea (Azaola) Pennell [10] 268

Torilis japonica (Houtt.) DC. [8] 150

Torilis scabra (Thunb.) DC. [8] 152

Toxicodendron succedaneum (L.) Kuntze [7] 564

Toxicodendron sylvestre (Siebold et Zucc.) Kuntze [7] 566

Toxicodendron vernicifluum (Stokes) F. A. Barkley [7] 568

Toxocarpus wightianus Hook. et Arn. [8] 588

Trachelospermum axillare Hook. f. [8] 500

Trachelospermum bodinieri (H. Lév.) Woodson [8] 498

Trachelospermum jasminoides (Lindl.) Lem. [8] 502

Trachycarpus fortunei (Hook.) H. Wendl. [11] 531

Tradescantia spathacea Sw. [11] 58

Tradescantia zebrina Bosse [11] 60

Trametes elegans (Spreng.) Fr. [1] 332

Trametes hirsuta (Wulfen) Lloyd [1] 334

Trametes orientalis (Yasuda) Imazeki [1] 336

Trametes suaveolens (L.) Fr. [1] 338

Trametes versicolor (L.) Lloyd [1] 340

Trapa bispinosa Roxb. [4] 126

Trema angustifolia (Planch.) Bl. [6] 466

Trema cannabina Lour. [6] 470

Trema cannabina Lour. var. *dielsiana* (Hand.-Mazz.) C. J. Chen [6] 474

Trema tomentosa (Roxb.) Hara. [6] 476

Tremella fuciformis Berk. [1] 378

Trevesia palmata (Roxb. ex Lindl.) Vis. [8] 96

Tribulus terrestris L. [4] 46

Trichilia sinensis Bentv. [7] 488

Trichosanthes cucumeroides (Ser.) Maxim. [4] 290

Trichosanthes kirilowii Maxim. [4] 292

Trichosanthes laceribractea Hayata [4] 294

Trichosanthes ovigera Bl. [4] 296

Trichosanthes pedata Merr. et Chun [4] 298

Trichosanthes reticulinervis C. Y. Wu ex S. K. Chen [4] 300

Trichosanthes rosthornii Harms [4] 302

Trichosanthes rubriflos Thorel ex Cayla [4] 304

Tricyrtis macropoda Miq. [11] 282

Tridacna squamosa Lamarck [12] 330

Tridacna gigas Linn. [12] 328

Tridax procumbens L. [9] 566

Trigonella foenum-graecum Linn. [6] 310

Trigonotis peduncularis (Trev.) Benth. ex Baker et Moore [10] 62

Tripterospermum nienkui (Marq.) C. J. Wu [9] 610

Tripterygium wilfordii Hook. f. [7] 160

Triticum aestivum L. [12] 279

Triumfetta annua L. [4] 628

Triumfetta cana Bl. [4] 630

Triumfetta pilosa Roth [4] 632

Triumfetta rhomboidea Jacq. [4] 634

Tropaeolum majus L. [4] 64

Tsoongia axillariflora Merr. [10] 486

Tsoongiodendron odorum Chun [2] 396

Tubocapsicum anomalum (Franchet et Savatier) Makino [10] 122

Tulipa gesneriana L. [11] 284

Turbo articulatus (Reeve) [12] 294

Turbo chrysostomus (Linnaeus) [12] 296

Turbo cornutus (Solander) [12] 298

Turpinia arguta (Lindl.) Seem. [7] 544

Turpinia cochinchinensis (Lour.) Merr. [7] 546

Turpinia montana (Blume) Kurz [7] 548

Turraea pubescens Hell. [7] 490

Tutcheria championi Nakai [4] 418

Tylophora atrofolliculata F. P. Metcalf [8] 590

Tylophora floribunda Miq. [8] 592

Tylophora kerrii Craib. [8] 594

Tylophora koi Merr. [8] 596

Tylophora ovata (Lindl.) Hook. ex Steud. [8] 598

Tylophora renchangii Tsiang [8] 600

Typha angustifolia L. [11] 396

Typha orientalis Presl [11] 398

Typhonium blumei Nicolson & Sivad. [11] 384

Typhonium flagelliforme (Lodd.) Blume [11] 386

Typhonium giganteum Engl. [11] 388

Typhonium trilobatum (L.) Schott [11] 390

U

Ulmus parvifolia Jacq. [6] 478

Uncaria hirsuta Havil. [9] 176

Uncaria macrophylla Wall. [9] 178

Uncaria rhynchophylla (Miq.) Miq. ex Havil. [9] 180

Uncaria rhynchophylloides How [9] 184

Uncaria sessilifructus Roxb. [9] 186

Uraria crinita (Linn.) Desv. ex DC. [6] 312

Uraria crinita (Linn.) Desv. ex DC. var. *macrostachya* Wall. [6] 314

Uraria lagopodioides (Linn.) Desv. et DC. [6] 316

Urceola rosea (Hook. et Arn.) D. J. Middleton [8] 504

Urena lobata Linn. [5] 114

Urena lobata Linn. var. *scabriuscula* (DC.) Walp. [5] 116

Urena procumbens Linn. [5] 118

Utricularia aurea Lour. [10] 292

Utricularia bifida L. [10] 294

Uvaria boniana Finet et Gagnep. [2] 450

Uvaria grandiflora Roxb. [2] 452

Uvaria macrophylla Roxb. [2] 454

V

Vaccinium bracteatum Thunb. [8] 198

Vaccinium carlesii Dunn [8] 200

Vaccinium iteophyllum Hance [8] 202

Vaccinium mandarinorum Diels [8] 204

Vallisneria natans (Lour.) Hara [11] 8

Vandenboschia auriculata (Bl.) Cop. [1] 504

Vandenboschia orientalis (C. Chr.) Ching [1] 506

Vandenboschia striata (D. Don) Ebihara [1] 508

Ventilago leiocarpa Benth. [7] 254

Veratrum japonicum (Baker) Loes. f. [11] 286

Veratrum schindleri O. Loes. [11] 288

Verbena officinalis L. [10] 488

Vernicia fordii (Hemsl.) Airy Shaw [5] 314

Vernicia montana Lour. [5] 316

Vernonia amygdalina Delile [9] 568

Vernonia aspera (Roxb.) Buch.-Ham. [9] 570

Vernonia cinerea (L.) Less. [9] 572

Vernonia cumingiana Benth. [9] 574

Vernonia patula (Dryand.) Merr. [9] 576

Vernonia solanifolia Benth. [9] 578

Veronica javanica Bl. [10] 270

Veronica persica Poir. [10] 272

Veronica polita Fries [10] 274

Veronica undulata Wall. [10] 276

Veronicastrum axillare (Sieb. et Zucc.) Yamazaki [10] 278

Veronicastrum caulopterum (Hance) Yamazaki [10] 280

Veronicastrum longispicatum (Merr.) Yamazaki [10] 282

Veronicastrum stenostachyum (Hemsl.) Yamazaki subsp.

   plukenetii (Yamaz.) Hong [10] 284

Viburnum cylindricum Buch.-Ham. ex D. Don [9] 218

Viburnum dilatatum Thunb. [9] 220

Viburnum erosum Thunb. [9] 222

Viburnum fordiae Hance [9] 224

Viburnum lutescens Bl. [9] 226

Viburnum luzonicum Rolfe [9] 228

Viburnum macrocephalum Fort. f. *keteleeri* (Carr.) Rehd. [9] 230

Viburnum odoratissimum Ker.-Gawl. [9] 232

Viburnum plicatum f. *tomentosum* (Miq.) Rehder [9] 234

Viburnum propinquum Hemsl. [9] 236

Viburnum sempervirens K. Koch [9] 238

Viburnum setigerum Hance [9] 240

Vicia cracca Linn. [6] 318

Vicia faba Linn. [6] 320

Vicia hirsuta (Linn.) S. F. Gray [6] 322

Vicia sativa Linn. [6] 324

Vicia sepium Linn. [6] 326

Vigna angularis (Willd.) Ohwi et H. Ohashi [6] 328

Vigna minima (Roxb.) Ohwi et H. Ohashi [6] 330

Vigna radiata (Linn.) Wilczek [6] 332

Vigna umbellata (Thunb.) Ohwi et Ohashi [6] 334

Vigna unguiculata (Linn.) Walp. [6] 336

Vigna unguiculata (Linn.) Walp. subsp. *cylindrica* (Linn.) Verdc. [6] 338

Vigna vexillata (Linn.) Rich. [6] 340

Viola betonicifolia J. E. Smith [3] 356

Viola davidii Franch. [3] 358

Viola diffusa Ging. [3] 360

Viola grypoceras A. Gray [3] 362

Viola hamiltoniana D. Don [3] 364

Viola inconspicua Blume [3] 366

Viola kiangsiensis W. Beck. [3] 368

Viola moupinensis Franch. [3] 370

Viola philippica Cav. [3] 372

Viola stewardiana W. Beck. [3] 374

Viola triangulifolia W. Beck. [3] 376

Viola tricolor L. var. *hortensis* DC. [3] 378

Viola verecunda A. Gray [3] 380

Viscum articulatum Burm. f. [7] 196

Viscum diospyrosicola Hayata [7] 198

Viscum ovalifolium DC. [7] 200

Vitex canescens Kurz [10] 490

Vitex negundo L. [10] 492

Vitex negundo L. var. *cannabifolia* (Sieb. et Zucc.) Hand.-Mazz. [10] 494

Vitex quinata (Lour.) Will. [10] 496

Vitex trifolia L. [10] 498

Vitex trifolia L. var. *simplicifolia* Cham. [10] 500

Vitis balansana Planch. [7] 336

Vitis bryoniifolia Bunge [7] 338

Vitis chungii F. P. Metcalf [7] 340

Vitis davidii (Rom. Caill.) Foëx [7] 342

Vitis flexuosa Thunb. [7] 344

Vitis heyneana Roem. et Schult. [7] 346

Vitis retordii Rom. Caill. ex Planch. [7] 348

Vitis vinifera L. [7] 350

Vittaria filipes Christ [2] 20

Vittaria flexuosa (Fée) E. H. Crane [2] 22

Vittaria fudzinoi (Makino) E. H. Crane [2] 24

Vittaria modesta Hand.-Mazz. [2] 26

Volvariella volvacea (Bull.) Singer [1] 380

W

Wahlenbergia marginata (Thunb.) A. DC. [10] 24

Waltheria indica Linn. [5] 44

Wedelia biflora (L.) DC. [9] 580

Wedelia chinensis (Osbeck.) Merr. [9] 582

Wedelia prostrata (Hook. et Arn.) Hemsl. [9] 584

Wedelia urticifolia DC. [9] 586

Wedelia wallichii Less. [9] 588

Weigela japonica Thunb. var. *sinica* (Rehd.) Bailey [9] 242

Wendlandia uvariifolia Hance [9] 188

Whitmania acranulata Whitman [12] 366

Whitmania pigra Whitman [12] 368

Wikstroemia indica (L.) C. A. Mey. [4] 144

Wikstroemia micrantha Hemsl. [4] 146

Wikstroemia monnula Hance [4] 148

Wikstroemia nutans Champ. ex Benth. [4] 150

Wisteria sinensis (Sims) Sweet [6] 342

Wolfiporia hoelen (Fr.) Y. C. Dai & V. Papp [1] 320

Woodfordia fruticosa (L.) Kurz [4] 104

Woodwardia japonica (Linn. f.) Sm. [2] 116

Woodwardia orientalis Sm. [2] 118

Woodwardia prolifera Hook. et Arn. [2] 120

Woodwardia unigemmata (Makino) Nakai [2] 122

Wrightia laevis Hook. f. [8] 506

Wrightia pubescens R. Br. [8] 508

X

Xanthium sibiricum Patrin. ex Widder [9] 590

Xylaria nigripes (Klotzsch) Cooke. [1] 280

Xylocopa dissmilis Lepel [12] 400

Xylosma controversa Clos [4] 208

Xylosma longifolium Clos [4] 210

Xylosma racemosum (Sieb. et Zucc.) Miq. [4] 212

Xyris pauciflora Willd. [11] 62

Y

Youngia japonica (L.) DC. [9] 592

Ypsilandra cavaleriei H. Lévl. et Vaniot [11] 290

Yucca gloriosa L. [11] 507

Z

Zanthoxylum ailanthoides Siebold et Zucc. [7] 426

Zanthoxylum armatum DC. [7] 428

Zanthoxylum armatum DC. var. *ferrugineum*

   (Rehder. et E. H. Wils.) C. C. Huang [7] 430

Zanthoxylum austrosinense C. C. Huang [7] 432

Zanthoxylum avicennae (Lam.) DC. [7] 434

Zanthoxylum dimorphophyllum Hemsl. Wight [7] 436

Zanthoxylum dissitum Hemsl. [7] 438

Zanthoxylum echinocarpum Hemsl. [7] 440

Zanthoxylum myriacanthum Wall. ex Hook. f. [7] 442

Zanthoxylum nitidum (Roxb.) DC. [1]168/[7]444

Zanthoxylum scandens Blume [7] 446

Zanthoxylum schinifolium Siebold et Zucc. [7] 448

Zanthoxylum simulans Hance [7] 450

Zanthoxylum stipitatum C. C. Huang [7] 452

Zaocys dhumnades Cantor [12] 476

Zea mays L. [12] 281

Zehneria japonica (Thunb.) H. Y. Liu [4] 306

Zehneria maysorensis (Wight et Arn.) Arn. [4] 308

Zelkova schneideriana Hand.-Mazz. [6] 480

Zephyranthes candida (Lindl.) Herb. [11] 428

Zephyranthes carinata Her. [11] 430

Zingiber corallinum Hance [11] 158

Zingiber mioga (Thunb.) Roscoe [11] 160

Zingiber officinale Roscoe [11] 162

Zingiber zerumbet (L.) Smith [11] 164